CB071890

Copyright © 2021 Ler Editorial

Texto de acordo com as normas do novo acordo ortográfico da língua portuguesa (Decreto Legislativo Nº 54 de 1995).

Todos os direitos reservados. Proibida a reprodução total ou parcial, de qualquer forma ou por qualquer meio, mecânico ou eletrônico, incluindo fotocópia e gravação, sem a expressa permissão da editora.

Editora – Catia Mourão
Capa – Gisely Fernandes
Diagramação – Catia Mourão
Revisão – Halice FRS e Catia Mourão

F961c

FRS, Halice
   Cisne azul 1 / Halice FRS. - 1. ed. - Rio de Janeiro : Ler, 2021.
   348 p. ; 23 cm.   (Apple white ; 1)

ISBN 978-65-86154-31-3

1. Romance brasileiro. I. Título. II. Série.

21-71559   CDD: 869.3
                    CDU: 82-31(81)

Meri Gleice Rodrigues de Souza - Bibliotecária - CRB-7/6439
17/06/2021   18/06/2021

Foi feito o depósito legal.
Direitos de edição:

Ler Editorial

Cisne Azul

Parte 1
Série Apple White

Halice FRS

1ª Edição
Rio de Janeiro — Brasil

Dedico aos meus pais e ao meu marido.

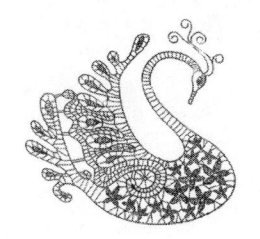

*Agradeço a Deus e aos leitores fiéis, que me inspiram e incentivam com o amor que demonstram ao meu trabalho.
À Catia Mourão e à Ler Editorial, minha família literária.*

Sumário

007	PRÓLOGO
009	CAPÍTULO 1
021	CAPÍTULO 2
036	CAPÍTULO 3
049	CAPÍTULO 4
058	CAPÍTULO 5
067	CAPÍTULO 6
075	CAPÍTULO 7
085	CAPÍTULO 8
093	CAPÍTULO 9
105	CAPÍTULO 10
116	CAPÍTULO 11
126	CAPÍTULO 12
135	CAPÍTULO 13
149	CAPÍTULO 14
159	CAPÍTULO 15
169	CAPÍTULO 16
184	CAPÍTULO 17
196	CAPÍTULO 18
208	CAPÍTULO 19
218	CAPÍTULO 20
230	CAPÍTULO 21
242	CAPÍTULO 22
255	CAPÍTULO 23
266	CAPÍTULO 24
275	CAPÍTULO 25
287	CAPÍTULO 26
298	CAPÍTULO 27
311	CAPÍTULO 28
320	CAPÍTULO 29
330	CAPÍTULO 30

Prólogo

Somerset, verão de 1852

— Cora Hupert, volte já aqui!

— Não sou Cora! Sou a princesa Jasmim — corrigiu a menininha, filha dos criados, com os pequenos punhos cerrados apoiados na cintura, sem sair do lugar. Mantinha a cabeça erguida, ostentando a improvisada tiara de flores presa nos desgrenhados cabelos negros como seus olhos. — Sei que você é uma bruxa e que quer me envenenar!

— Não sou — negou a filha dos barões, com sua melhor expressão de inocência, ressaltada pelos cachos loiros e olhos azuis. — Sou sua boa amiga, Marguerite. Quero lhe dar uma bela e suculenta maçã. Chegue mais perto!

— Não chego! E você não me pega! Não me pega! — cantarolou Cora, improvisando uma dança, mexendo os ombros e os quadris de modo desajeitado.

— Não pego? Veremos! — disse Marguerite antes de correr em direção à amiga.

Cora gritou e escapou, rindo alto, correndo por entre as macieiras do pomar. Marguerite igualmente gritava e ria, sempre que quase segurava a *princesa*. De súbito Cora estacou, emudecida, como se estivesse petrificada, tornando-se um alvo fácil para a malvada bruxa.

— Peguei você! — exultou Marguerite, derrubando a amiga ao se chocar com ela. Somente, então, percebeu que a menina olhava para um ponto fixo, sem piscar. Seguindo seu olhar, viu quem se aproximava e sorriu. — Edrick!

Rapidamente Marguerite se levantou e correu para encontrar o irmão. Este sorriu ao recebê-la e a ergueu do chão, como se nada pesasse. Sustentando a menina em seu colo, ele indagou:

— O que está acontecendo aqui? Posso ouvir os gritos lá da sidreria.

— Não pode, não! — refutou Marguerite, altiva. — Estamos longe!

— São novas, têm bons pulmões, então, eu as ouço sim! — ele insistiu antes de beijá-la no rosto e colocá-la no chão. — Minha nossa! Como está pesada!

— Sou uma moça. Já tenho sete anos — disse a menina, orgulhosa. — Por isso sou a bruxa malvada. Sou mais velha, mais esperta e mais veloz! Vou envenenar a princesa.

Edrick olhou para a direção apontada pela irmã e sorriu ao ver a menina de cabelos negros.

— Como está, Cora! — ele cumprimentou e riu brevemente ao ver a criança encolher os ombros, abrir e fechar a boca sem nada dizer. Para a irmã indagou: — O que tem ela?

— Eu a enfeiticei quando a derrubei — explicou Marguerite, olhando para a amiga. — Tenho muitos poderes. Quando você parar de me atrapalhar, farei com que ela coma a maçã envenenada.

— Isto me parece radical. — Edrick franziu o cenho, ainda mirando a catatônica menina, cujo rosto agora estava sujo de terra. — Por que não a mantém apenas enfeitiçada?

— Que espécie de bruxa eu seria se fosse boazinha? — Marguerite torceu os lábios e franziu as sobrancelhas, imitando o irmão, como se pensasse na própria questão.

— Uma bruxa sábia — respondeu Edrick —, pois, se eliminar a princesa a quem irá enfeitiçar nas próximas perseguições?

Marguerite riu, divertida, e meneou a cabeça.

— Seu bobo! A maçã não está envenenada de verdade. Eu jamais faria nada a Cora. Ela é minha melhor amiga.

— E Catarina?

— Catarina é minha irmã, oras! — Marguerite revirou os olhos. — Mas Cora é minha amiga e prometemos sermos amigas para sempre! Em tudo concordamos. Ela se casará com o príncipe e eu com o vilão.

— Creio ser muito cedo para falarem sobre casamento, mas se já o fazem, digo que apenas Cora está certa. — Edrick olhou para a menina, como se estivesse compadecido por ela nunca se mover. Voltando a mirar a irmã, prosseguiu: — Nenhuma jovenzinha com o juízo no lugar pensaria em se casar com o vilão.

— Justamente por isso! — Marguerite ergueu as mãos em sinal de derrota. — Eles nunca são os escolhidos, não são amados. Alguém precisa lhes dar uma chance, não lhe parece?

— Argumento válido — Edrick aquiesceu e recuou um passo. — Apenas cuide para que haja amor, pois casamento é algo sério. Em todo caso, este dia está longe. E eu preciso voltar para a sidreria. Vocês podem brincar, mas cuidem para que não voltem muito tarde.

Marguerite assentiu. Cora apenas piscou e, enquanto via o rapaz se afastar, novamente foi alvo fácil para a malvada bruxa.

Capítulo 1

Somerset, outono de 1864

Escapar para o pomar era patético. Para alguém com dezenove anos era inconcebível, ainda mais quando o duque de Bridgeford visitava a propriedade, mas Marguerite não se importava. Estava estendida nas folhas que cobriam o chão, acompanhada por um galgo fiel, justamente para burlar tal encontro. Logan de Bolbec não pousaria os olhos em sua monstruosa figura.

Não era como a mãe se referia a ela? Pois o duque que aproveitasse a estada em Apple White tomando chá com Ludwig e Elizabeth, barão e baronesa de Westling! Também com a adorável e honorável Catarina. Caso Edrick não estivesse em Londres há dois dias, o visitante teria ao redor todos exemplares da boa compleição humana que formavam a família Bradley.

Por não se enquadrar na cena, Marguerite considerava estar bem exatamente onde estava; acariciando Nero enquanto tentava vislumbrar um pedaço de céu entre as copas das macieiras. Mesmo no outono ela não via um espaço maior do que a própria palma aberta, Marguerite comparou, movendo a mão no ar. Logo um rosto jovem, moldurado por cachos loiros, tampou-lhe a visão.

Antes que a recém-chegada se inclinasse, Marguerite sabia ser a irmã caçula, pois, como sempre, Nero se pôs em alerta.

— Espero que essa fera se comporte.

— Foi você quem não se comportou, Catarina. — Marguerite ainda movia a mão erguida, fingindo não ver o rosto aborrecido acima dela. — O que quer aqui?

— Papai me fez vir procurá-la — explicou Catarina de mau humor. — Por que o contraria?

— Não contrario o barão, Catarina, sim, atendo à baronesa. Segundo ela devo ficar longe dos possuidores do mínimo bom gosto, logo, eu estou livrando o duque de um susto traumatizante.

— Sempre exagerada! — Catarina se empertigou. — Mamãe nunca diz isso.

— Mas diz algo semelhante que, no final, quer dizer o mesmo.

— Talvez sim, mas não seria de todo ruim se a ouvisse e reduzisse suas medidas. Como espera conseguir um pretendente estando fora dos padrões?

— Quem disse que preciso de pretendentes?

— O papai, a mamãe. Não pode ficar solteira para sempre.

— Tenho tempo! — Marguerite deu de ombros e em seguida suspirou. Gostaria de ser como Cora Hupert, a amiga que praticamente cresceu com ela, brincando naquele pomar de macieiras.

Era verdade que a partida de Cora tinha sido ruidosa, envolta em mistério e violência, porém Marguerite queria crer que a amiga tivesse encontrado abrigo em casa de gente bondosa, que a trataria como filha e daria liberdade de ir e vir justamente por não sê-lo.

Desejo utópico, pois mulheres nunca teriam tamanha liberdade.

— Tempo ainda tenho eu! E farei questão de participar de uma temporada em Londres. Coisa...

— Que eu nunca quis. O que eu faria em bailes, jantares, saraus e audições? Seria apenas entediante. Ou acredita que alguém se interessaria por mim? — O silêncio de Catarina foi uma contundente resposta. Marguerite sorriu, vitoriosa. — Está vendo como tenho razão?

— Não tem. Pode encontrar alguém que se interesse por você apesar de...

— Apesar de?! — cortou-a Marguerite, sentando-se para encará-la. — Se um dia alguém demonstrar interesse por mim este tem de ser sincero e incondicional. Sem *apesar de*, sem *porém*. Mas, isso não vem ao caso porque não espero que aconteça. Diga logo o que quer.

— Eu já disse... Papai mandou buscá-la. Espera por você na Sala Rosa.

— Na Sala Rosa?! — Marguerite se pôs de pé de um salto. — Mas, é lá que...

— Que papai está recebendo o duque. E se quer saber, teria se divertido se estivesse lá.

— Pouco provável! O que tem de divertido em visitas inesperadas?

— Mamãe quase teve uma síncope, tentando organizar tudo às pressas para recebê-lo. Pela primeira vez a vi reclamar pela falta de um mordomo e de mais criados — comentou Catarina, rindo, divertida. — Beni foi promovido a lacaio. Mamãe disse que seria indigno caso uma das criadas servisse o duque.

— Pobre Beni! — Marguerite meneou a cabeça. — Isso soa tão esnobe! E como mamãe conseguiu um uniforme?

— Eu contaria os detalhes se você tivesse tempo para ouvi-los — disse a irmã, livre do bom humor. — Precisa se apressar.

— Eu não posso. — Marguerite recuou um passo como se Catarina fosse puxá-la à força. — Não quero conhecer o duque.

Não *aquele* duque! Por vezes, quando estava em Apple White durante feriados ou férias, o irmão mais velho contava a ela um ou outro caso inadequado sobre a péssima fama do amigo. Segundo Edrick, Lorde Bridgeford era mulherengo inveterado, jogador contumaz. Para ela o duque era frívolo e abjeto. Ou algo pior, caso fosse verdadeiro o indecoroso caso amoroso com a madrasta.

Aquele detalhe não foi comentado pelo irmão. Edrick jamais chegaria tão longe. Marguerite soube do que corria a boca pequena por Madeleine, filha única de Frederick e Dorothy Kelton, amigos da família, numa das tantas visitas que esta fazia à Apple White. Para Madeleine, apenas permanecer na mesma sala com o duque amoral contaria como pecado imperdoável, com ida sem paradas para o inferno.

— Não tem escolha. Não sei a razão, mas o duque insiste em vê-la — avisou Catarina. Marguerite recuou mais, assombrada. — Mamãe mandou que entrasse pela cozinha e se pusesse apresentável. Deu-lhe vinte minutos para estar na Sala Rosa.

— Vinte minutos?! — Marguerite recuou outro passo.

— A contar do tempo que deixei a sala, então... — Catarina ergueu os ombros, reticente.

Não precisou de mais para Marguerite entender que estaria encrencada se não se apressasse. Nos últimos meses se sentia especialmente rebelde, contrariada com a vigilância da mãe e seria fácil desobedecê-la, mas não afrontaria o pai.

Sem nada dizer, Marguerite ergueu as saias e correu, sendo seguida por Nero. Entrou na casa mesmo pela cozinha, aumentando o trajeto. Marie, uma das criadas, esperava-a no quarto com água fresca e uma toalha. Enquanto se lavava, Marguerite olhou para o vestido escolhido por Marie e torceu os lábios.

— Podemos escolher outro — sugeriu Marie ao notar o olhar da jovem.

— Não teremos tempo. Será esse! Venha! Ajude-me. Ainda precisa pentear meu cabelo.

— Sim, Srta. Bradley.

— Marie, acaso sabe o que Lorde Bridgeford deseja comigo?

— Como eu poderia saber?

— Criados falam. Não ouviu nada? De alguém que tenha servido chá, por exemplo.

— Oh, não! Quem ficou encarregado de servir foi Beni. O pobre vem e vai, mudo e branco feito cera. Acredito que nem esteja pensando, que dirá, ouvindo. Lamento.

— Eu também — murmurou Marguerite.

— Mas, não deve ser algo extraordinário — Marie tentou animá-la. — Talvez Sua Graça queira somente conhecer todos da família. A senhorita há de concordar que não estar presente para recebê-lo foi meio... Meio...

— Foi completamente descortês de minha parte. Não é isso? — Marie apenas assentiu para ela. — Pois bem! Vamos mostrar para o duque que nada perdia.

— Não diga isto, senhorita! Não leve em conta o que diz a baronesa. É uma moça bonita.

— Que está gorda.

— Com carne nos ossos. É bonita — insistiu Marie.

— Bem, não vamos chegar a um acordo. Segundo os padrões, beleza não combina com tanta carne nos ossos. Apenas termine com isto para que eu vá entreter o duque.

Não foi um gracejo, porém a criada sorriu e meneou a cabeça antes de fazer seu serviço.

Ao entrar na Sala Rosa, atrasada, Marguerite soube que estava mesmo encrencada. O barão ergueu os olhos do relógio de bolso e meneou a cabeça, repreensivo. A baronesa parou a xícara no ar a meio caminho da boca entreaberta. Catarina... Bem, Catarina continuava a enfeitar a sala com sua figura esbelta e indiferente, tendo as mãos cruzadas no regaço do vestido rosa chá. E havia o visitante, Lorde Bridgeford.

O cavalheiro alto, de rosto bem escanhoado, dono de profundos olhos azuis e cabelo escuro rigidamente penteado para trás conflitou com o homem imaginado a partir das histórias contadas por Edrick e Madeleine. O duque se vestia com elegância, sem exageros. A nobreza e superioridade ficavam explícitas no porte e no olhar. Neste havia algo que a confundiu.

Marguerite não compreendeu o brilho fortuito que cruzou os olhos azuis e se perdeu quando um largo sorriso iluminou todo o rosto do duque. Ela também não entendeu o tremor das próprias pernas nem a pontada no coração. Medo da ida ao inferno sem paradas, talvez?

— O que esse animal faz aqui? — A pergunta da baronesa quebrou o encanto que estagnou o tempo. — Não quero este cachorro perambulando pela casa, principalmente quando há visitas.

— Deixe que fique — disse o duque, ainda sorrindo para Marguerite. — Gosto de cachorros.

— Duque, é evidente — comentou o barão, voltando o relógio ao bolso. — Todos gostam de cachorros, mas este é um selvagem.

— Apenas com quem um dia o tratou com selvageria — Marguerite replicou, arrependendo-se no segundo seguinte. — Perdoe-me, papai. Vou levá-lo...

— Deixe que fique — repetiu o duque, interrompendo-a.

— Já que agrada ao duque, deixe que fique — liberou o barão antes de se agitar e estender a mão para Marguerite. — Veja só...! Toda essa conversa e nunca apresentei minha filha fujona.

— Eu não fugi. Apenas adormeci no pomar, papai.

Catarina podia ser mimada, implicante na maior parte do tempo, mas não delatora. Nem mesmo se moveu ante a invenção abrupta e descarada de Marguerite.

— Agora está aqui, senhorita — contemporizou o duque. — Barão, não nos apresenta?

— Sim! — Ludwig pigarreou teatralmente e disse: — Duque, esta é Marguerite Bradley, a mais velha de minhas filhas. Marguerite, este é Lorde Bridgeford, nono duque. Ele veio nos honrar com sua visita ao passar por Westling Ville.

Educadamente o duque estendeu a mão. Marguerite a aceitou e fez uma meia reverência.

— Lorde Bridgeford — murmurou.

— É com imenso prazer que enfim a conheço. — O comentário causou estranheza e logo o duque esclareceu: — Seu irmão sempre fala sobre a família de modo carinhoso e não pude deixar de notar que a senhorita parece ser a mais próxima. Peço perdão à outra senhorita, mas foi o que senti.

— Lorde Bridgeford, não se desculpe. — Catarina sorriu com discrição. — Edrick e Marguerite são, de fato, muito próximos.

— Então, não me enganei. — O duque sorriu, provocando novo sobressalto em Marguerite.

Mais alguém teria reparado que ele nunca soltou a mão dela? Especulou a moça, incomodada com o toque. Era como se as luvas não existissem. Quando finalmente teve a mão de volta ela recuou. Não sabia o que de interessante Edrick pudesse ter dito para que a curiosidade surgisse. Eram próximos, mas não dividiam histórias relevantes. Sem ter o que dizer, Marguerite se manteve calada.

— Venha se sentar aqui, querida — chamou a mãe. O tom deixava explícito o desagrado. Resignada, Marguerite fez como pedido. Logo ouviu o disfarçado murmúrio: — Branco?

— Foi Marie quem escolheu — Marguerite sussurrou. — E não pude escolher outro. Deu-me apenas vinte minutos.

— Depois falaremos sobre isso — ciciou a baronesa. Em seguida, fez um discreto sinal para a filha caçula.

Marguerite não entendeu a ação. Compreendeu menos ainda quando a irmã levantou com graça e, obedientemente, veio servir-lhe chá. Cena estupenda!

— Com leite e açúcar, como sempre? — Ao menos Catarina demonstrou ter prestado atenção a todos os chás da tarde, Marguerite zombou intimamente e assentiu, deixando que a inusitada situação prosseguisse. Catarina também lhe ofereceu biscoitos, sorrindo.

— Obrigada! — Agradeceu Marguerite. Ignorando o duro olhar de sua mãe, ela retirou um biscoito. Estava com fome e comeria. Ninguém mandou tirá-la do pomar, onde provavelmente comeria uma saudável maçã que a sustentaria até o jantar.

Quando Catarina depositou o cesto na mesa e procurou o duque com o olhar, Marguerite entendeu. Participava da simulação de um ato corriqueiro para que a irmã parecesse prestativa e servil ao nobre convidado. Caso houvesse alguma dúvida, o olhar significativo que a moça trocou com a orgulhosa baronesa seria a prova definitiva. Ao lado do barão, o duque não perdia um movimento sequer.

Marguerite se sentiu adoecer. Nunca imaginou que a mãe já estivesse interessada em casar Catarina, a filha mais nova. Com a clara demonstração de suas intenções a baronesa deixava explícita não ter nenhuma esperança de casar a filha do meio. Não que pretendesse, mas ver assim, exposto, magoava. Marguerite não queria se abalar, mas ao levar a xícara à boca, tremia. Até mesmo a fome se foi e ela colocou o biscoito de volta ao cesto.

— Enfim, o juízo — a mãe murmurou, eliminando a paciência de Marguerite. Não seria ela a completar o quadro de família perfeita. Não era perfeita!

— Se me derem licença... — Marguerite se levantou abruptamente. Nero, que ao entrar tinha se deitado próximo à porta, imitou-a, em alerta. — Duque... Papai... Irei para meu quarto.

— Por quê? — indagou Ludwig.

— Mas, acabou de chegar — observou o duque, unindo as sobrancelhas.

— Marguerite confidenciou estar levemente indisposta — mentiu Elizabeth, nauseando a filha ainda mais. Seria menos óbvio se embrulhasse Catarina e a ofertasse ao duque.

— Lamento por sua saúde, mas se não houver urgência eu gostaria que ficasse — disse Logan. — Agora que chegou, esperava poder revelar o motivo que me trouxe aqui.

— Há um motivo? — Interessou-se o barão. — Sendo assim, sente-se Marguerite! Vamos escutar o que o duque tem a nos dizer.

— Não é nada grave — sentenciou Elizabeth, puxando a filha para o assento. — Marguerite nem terminou seu chá.

— Nem terminei meu chá — Marguerite repetiu, tentando encobrir a contrariedade.

— Pois diga-nos, duque — incentivou o barão.

— Como comentei, no tempo que desfrutamos juntos em Cambridge e também em Londres, Bradley sempre falou muito a respeito de todos. Pelas palavras dele, posso dizer que os conheço um pouco.

Neste ponto Marguerite se arrependeu de ter atendido ao chamado dos pais. Enquanto discursava o duque descaradamente a fitava, fazendo saltar seu coração. Lorde Bridgeford era eloquente, bonito. Ela não podia negar, mas não era certo se aquecer sob aquele olhar, sendo ele alguém a quem ela nunca confiaria seus sentimentos. Caso houvesse a possibilidade.

Para fugir daquele olhar insistente, Marguerite desviou sua atenção e pegou a xícara com o chá praticamente intocado, restando assim, somente ouvir a voz grave, límpida e decidida.

— Não sei se sabem, mas prezo as boas relações familiares.

Marguerite quase engasgou ao recordar o comentário de Madeleine sobre as boas relações familiares que o duque mantinha com a madrasta, mas se conteve.

— Por certo, duque — o barão o encorajou. — Prossiga.

— Infelizmente, perdi meu pai cedo demais. Há três anos e dois meses, para ser exato.

— Nós nos lembramos e lamentamos — solidarizou-se a baronesa.

— Obrigado! — Logan sorriu sem humor. — Sendo o primogênito recebi o título, a herdade e tomei posse de Castle... É como todos se referem à Bridgeford Castle — explicou. — Enfim, assumi todas as responsabilidades do ducado.

— Como esperado — comentou o barão, visivelmente impaciente.

— Em dezembro completarei vinte e oito anos. Já é tempo de começar a pensar em formar minha própria família.

Ao ver a mãe se agitar, Marguerite voltou a enjoar. A baronesa chegou à mesma conclusão que ela. Toda aquela volta do duque culminaria num pedido à mão de Catarina. Parabéns às duas! Ela zombou intimamente, levando a xícara à boca para brindar com chá morno.

— Então, se não houver impedimento, barão, eu vim até Apple White pedir permissão para cortejar a Srta. Marguerite Bradley.

O chá sorvido por Marguerite simplesmente voltou em respingos fortes, por sorte, direto à xícara. Era expelir o líquido ou morrer sufocada.

— Marguerite?! — Se acaso a mãe não tivesse se posto de pé com os olhos postos no duque, Marguerite pensaria ser uma reprimenda por sua reação vexatória. Não era. Elizabeth estava tão assombrada quanto Catarina. Por sua vez o barão demonstrava contentamento preocupante.

— Tem certeza, duque? — indagou Ludwig, mal ocultando a alegria.

— Absoluta — disse Logan, fitando Marguerite, que limpava os cantos da boca.

— Mas... Marguerite? — Insistiu a baronesa, agora a olhar, compadecida, para a filha caçula.

— O que a baronesa quer dizer é... — Ludwig emendou. — É que deve haver tantas moças em Dorset, em Dorchester, em Bridgeford Hills e adjacências... Ou até mesmo em Londres, a quem um duque possa desposar. Por que vir até aqui por nossa querida Marguerite? Alguém que sequer conhecia até minutos atrás, sem berço ou tradição.

— É um barão próspero. Sua família é digna, honrada e mantém boas relações com Sua Majestade. E como eu já disse, sinto que conheço cada um de vocês pelos relatos de Bradley. Eu sempre soube que a Srta. Bradley era especial e agora, depois de vê-la, considero-a perfeita.

Elizabeth caiu sentada. Marguerite teria a mesma reação caso não estivesse acomodada, tão estática quanto Catarina. Ela? Perfeita?!

De súbito, Marguerite elucidou o mistério. O vento fresco do pomar fez com que dormisse e agora ela sonhava. Ou estaria presa num pesadelo! Fosse como fosse, não pôde acordar e a cena se desenrolou. Catarina a olhava com incredulidade. O barão era a imagem do contentamento ao dar sua permissão. A baronesa pareceu se recuperar do choque e, talvez por se conformar ou por ver o impossível acontecer, animou-se. Tudo isso sem que em momento algum ela — Marguerite — tivesse sido consultada.

— Já que aprovam — a voz do duque rompeu o silêncio da cena insólita —, eu gostaria de ter um momento reservado com a Srta. Bradley. Poderia ser um breve passeio pelo jardim, para saber qual a sua opinião.

— Marguerite está radiante — assegurou Elizabeth. — Veja, está sem palavras.

— Pois eu gostaria que ela as encontrasse e me dissesse de viva voz — retrucou o duque.

— Marguerite dirá. — Ludwig encarou a filha duramente, deixando evidente que não aceitaria nada menos do que obediência.

Quando pequena Marguerite acalentou o sonho de se casar por amor e via ali a esperança ser sepultada. Nos poucos minutos entre a volta do pomar e a apresentação, estava comprometida. Sim, era o pedido para a corte e podia não vingar. Ela podia ainda se rebelar, mas... Para quê?

Não havia pretendentes reais. Não havia interesse da parte dela em cativá-los. O que havia era um pedido antigo, feito por seu amigo e vizinho Stuart Grings. Pedido este que pelo tom de brincadeira sequer fora levado em consideração naquele instante. E, decididamente, não havia uma vocação religiosa a seguir como tantas vezes a mãe sugeriu. E se não tinha jeito, se estava com o destino traçado, restava apenas entender o motivo.

— Eu adoraria passear pelo jardim, caso papai permita. — Marguerite se levantou sob o olhar aprovador do duque e esperou.

— Pelo jardim frontal estará bem — anuiu o barão.

Foi insólito ver o duque se aprumar, aproximar-se e oferecer o braço. Tocá-lo foi surreal. Marguerite se sentiu mínima ao lado de alguém tão alto — ele facilmente mediria 1,90 cm — e corou ao sentir músculos robustos sob a jaqueta negra. Enquanto seguiam rumo ao *hall*, Marguerite ergueu o olhar para Logan. Ao encontrar os olhos dele postos nela, virou o rosto e se repreendeu pelo ardor em suas bochechas.

— Sei que a senhorita tem perguntas — Logan disse em baixo tom ao saírem e descerem os três degraus frontais, seguidos por Nero. — Fique à vontade para expô-las.

— Gostaria de entender por que eu — Marguerite foi direta ao ponto, porém não se atreveu a encará-lo. Para desestabilizá-la bastava a palma enluvada que o duque pousou sobre a mão que ela mantinha na volta do braço dele.

— Creio já ter explicado ao seu pai. Então, eu lhe pergunto... Por que não a senhorita?

— Sejamos francos — Marguerite pediu ao parar, prostrar-se diante dele e encará-lo.

— Sempre, por favor!

A visão do rosto acima do dela, tão perto, abalou-a mais. Os olhos dele brilhavam com um interesse que não devia estar lá e foi esse o detalhe que levou Marguerite a disparar:

— Não sou adequada. Pode escolher outra moça em todos os lugares que papai salientou, então, não entendo o que pode querer comigo. Ou até entenderia, antes, mas agora que me viu... Como pode me considerar perfeita e seguir com vossa decisão?

— É perfeita para o que procuro.

— E o que procura? — ela insistiu. — Com certeza não um bom dote.

— Absolutamente! — Logan sorriu, nada ofendido. — Mas, confesso que o dinheiro me fez tomar essa decisão. Não o seu, sim, o meu — ele esclareceu ao vê-la unir as sobrancelhas.

— Creio não ter entendido.

— Serei sincero como pediu. Entre as moças que citou, há muitas que visam apenas meu título e tudo mais que herdei. Não quero começar uma família com alguma interesseira. A senhorita, por outro lado, não esperava meu convite. Aceitou-o sem pretensões.

— Meu pai o aceitou — corrigiu-o Marguerite. Foi impossível não fazê-lo.

— Melhor ainda! Sinto em seu tom que não está totalmente de acordo o que prova não haver interesse em minha posição ou em minha situação.

— Ou no senhor. — Marguerite desejou morder a língua, mas aqueles lábios curvados de forma tão convencida, incitava à rebelião.

— Por certo e isso poderia ser um problema — disse Logan. — Não quero correr o risco de me negar seu consentimento quando estivermos diante do bispo. Ou depois, quando...

Com a frase inacabada Marguerite conteve a respiração. Não se atreveu a pensar tão longe. Não tinha sequer chegado ao bispo! Paralisada com as imagens que tentava expulsar da mente, Marguerite viu a mão de Logan se aproximar.

— Se me permite... — ele disse antes de correr os dedos pela bochecha dela, delicadamente.

Marguerite quis recuar, quis repreendê-lo, mas nada fez.

— Considera que seria desagradável? — indagou o duque. — Estar casada comigo?

— Entendi que... Que pediu para me fazer a corte... Já fala em casamento?

— Seguirei a ordem natural e o casamento virá. Então... seria desagradável estar casada comigo? — A voz mansa tornava o toque ainda *pior*, como o deslizar dos dedos enluvados pela linha do queixo, do pescoço, da clavícula, próximo ao ombro. Bom Senhor!

— Não seria... — Marguerite se ouviu murmurar.

— Então, estamos de acordo! — Tão rápido quanto a tocou, Logan recuou, sorrindo. — Talvez agora seja melhor voltarmos para junto de seus pais. Temos muito a tratar.

O que dizer depois de ter sido tão permissiva e descarada? Nada. Em silêncio, sempre com Nero em seus calcanhares, o casal retornou à sala.

— Então? — O barão não ocultava a ansiedade.

— Estamos de acordo — anunciou o duque. — Preciso seguir viagem, mas pretendo retornar para uma nova visita em treze dias. Na ocasião, poderemos acertar tudo. Com a oficialização de meu pedido, eu não gostaria de um longo noivado. Um mês seria o ideal, se concordarem.

Apesar de Logan sempre dar a liberdade de escolha, dominava toda situação. O barão a nada se opunha. Até mesmo a baronesa parecia acometida de súbita pressa, agitando as mãos no ar, enumerando tudo o que tinha a ser feito.

Catarina se retirara da sala. Privilégio que para Marguerite se tornava muito distante. Ela foi liberada apenas quando os homens passaram ao gabinete, onde tratariam de assuntos práticos.

Uma vez a sós com ela, a mãe a arrastou ao quarto, falando sem parar:

— Um duque! Um duque! Quem imaginaria?

— Não a senhora, por certo — retrucou, sendo levada pela mão como se tivesse cinco anos.

— Ninguém imaginaria! De todas as possibilidades, esta é extraordinária. Veja lá! Não vá desperdiçá-la.

— Nem que eu quisesse. O papai e a senhora têm tudo sob controle.

— Não! Seu enxoval está incompleto e, com sorte, teremos só seis semanas para arrumarmos tudo. Meu Deus! Você vai se casar com um duque!

— Creio que a senhora já tenha dito isso... — Marguerite revirou os olhos.

— Deixe de ser debochada, mocinha — pediu a mãe ao fazê-la entrar no quarto e fechar a porta. — Entende o que está acontecendo? Um duque veio até nossa casa com o firme propósito de pedir sua mão. E não desistiu ao vê-la! Se o espantar, eu a tranco em um convento!

— Mamãe...

— Pense no prestígio que essa união trará para nós — Elizabeth prosseguiu, sem ouvi-la. — Já gozamos das boas graças da nobreza pela sidra produzida por seu pai ser a preferida da rainha Vitória. Imagine ao se casar com o duque, que é parente de Sua Majestade! Distante, mas ainda parente. Pense em como choverão pretendentes para Catarina.

A baronesa, de aparência ainda jovem apesar da idade, andava de um lado ao outro.

— E Edrick! Nossa reputação tornará o caminho dele ainda mais glorioso. Assim como a rainha concedeu a carta-patente de barão ao seu pai, um dia, quando seu irmão herdar o título, ou até antes disso, ela pode conceder a ele outro de maior expressão! De conde, talvez...

Marguerite soube que perdeu a atenção da mãe no segundo em que passou a falar de Edrick. A baronesa nunca escondeu sua predileção pelo primogênito. Ela não se ressentia. Edrick era, sim, seu irmão preferido, mas a preocupava que a mãe passasse a depositar nela, ou naquele casamento arranjado às pressas, o futuro do sucessor à baronia. Ainda mais a vislumbrar um segundo título que, com certeza, jamais viria.

Não era daquele jeito que funcionava e Elizabeth bem sabia!

— Mamãe, eu creio que o próprio Edrick há de fazer seu futuro glorioso — argumentou. — Ele se dedica à sidreria tanto quanto papai. Não está agora mesmo em Londres, cuidando de negócios? Meu casamento não terá relação com...

— Terá toda relação! — Elizabeth a interrompeu. — Você será duquesa! Não vê?

Não, ela não tinha pensado no óbvio. Depois de o duque correr os dedos enluvados na pele dela, fez com que pensasse na noite de núpcias — numa perturbadora cena com ele sobre ela como um garanhão e uma égua —, não no título vindo pelo matrimônio.

Não estava preparada para uma coisa nem outra, considerou Marguerite ao sentar na cama. Instintivamente olhou para um ponto na parede. Lá, escondida da vista de todos estava uma porta que interligava seu quarto ao do irmão. Ela desejou que ele estivesse do outro lado, esperando-a para dar algum alento, um bom conselho. Ou apenas para dizer que exagerou ao falar do amigo. Que ela não cometia um grande erro ao se deixar arrastar para aquela loucura.

— Não está nem me escutando, não é mesmo? — A baronesa se aborreceu.

— Perdoe-me, eu divaguei.

— Não pode divagar! — Elizabeth a fez levantar. — Desde já precisa cuidar dessa união. Será duquesa e precisa fazer boa figura ao lado de seu futuro marido. Então, a partir de hoje vai reduzir suas refeições. Antes fui condescendente, mas agora, chega! Não vou correr o risco de o duque se arrepender da escolha.

Marguerite abriu a boca para retrucar, mas optou por se calar. Não valia a pena. Seu suspiro resignado, porém, chamou a atenção da mãe. Ao segurá-la pelos ombros, a baronesa assumiu uma expressão que a filha jamais tinha visto: pesar.

— Lamento se faço parecer que não me importo com o que sente. Se eu sou dura é porque desejo o melhor para todos os meus filhos. Acredite Marguerite, a vida nem sempre é como desejamos. Esse casamento pode não ser o que esperava, mas há piores. Esqueça o que eu digo às vezes, você é uma moça bonita. Excede nas medidas, mas, por Deus, é muito, muito bonita!

— Mamãe?

— Sim, é bonita! — Elizabeth insistiu. — E cedo ou tarde alguém se interessaria e só Deus poderia prever quem seria... Se o cavalheiro teria valor ou não. Se ele seria gentil ou... Enfim! O duque é um belo homem. É conhecido, tem muitas posses. É jovem. E parece disposto a formar uma família decente com você. Não perca isso, querida. Eu não suportaria se deixasse escapar essa oportunidade e amanhã se casasse com um imprestável que a destratasse.

Marguerite não queria, mas chorou. Jamais esperaria tal discurso vindo de sua mãe. Preferia se casar por amor, mas compreendia o temor da baronesa. Ainda mais quando, após as palavras apaixonadas, sentiu fortalecer a teoria de que a mãe fosse o exemplo vivo do que disse.

— Não vou deixar escapar, mamãe — assegurou decidida. — E passarei a pão e água para fazer frente ao meu futuro marido, se for necessário.

A mãe tinha razão. Ela seria a duquesa! Aquilo era mais do que poderia sonhar, então, não se prenderia a detalhes. Se o duque não fosse um homem bom, não seria amigo de Edrick. E alguém que parecia ainda sentir a perda do pai não se meteria sob as cobertas da madrasta.

O que Madeleine Kelton podia saber, afinal? Especulou Marguerite.

A vinda do duque a Apple White se tornou uma grata surpresa, com a promessa de um futuro glorioso. Então, faria o possível para que tudo fosse perfeito. Inclusive, ela!

Capítulo 2

Logan Airy Haltman de Bolbec, nono duque, mirava os verdes montes que davam nome ao seu título, ao castelo para o qual se dirigia e à pequena cidade que deixou para trás: Bridgeford Hills. Sempre que retornava para *casa* sentia o mesmo misto de alegria e inquietação. Gostava daquele amontoado de pedras que formavam o castelo no qual nasceu, e foi titulado conde de Edgemond por cortesia, e viveu até que tivesse idade bastante para ser enviado às melhores instituições de ensino para nobres abastados. Não podia dizer que lá cresceu, mas era como se assim tivesse sido. Castle era seu lar.

Ele jamais desejou a morte do pai, porém igualmente gostava de ser novo duque e, sem dúvida, amava a mulher que o esperava. Ainda assim, não tinha como se sentir totalmente confortável com todas as decisões que tomou ao se tornar quem era. E somado à ambiguidade de sentimentos estava algo novo, vindo com o compromisso assumido com a filha do barão.

O duque experimentava a sensação de dever cumprido sem se alegrar e era aborrecido não entender o motivo, porém, Ketlyn ficaria feliz. Enquanto a carruagem era conduzida pelo caminho íngreme e sinuoso que levava até a entrada principal do castelo, Logan fechou os olhos e sorriu ao antever a figura feminina, esguia, que o aguardava. Logan deixou as cismas de lado apenas para saborear o reencontro.

Ao cruzar o portão e entrar no espaçoso pátio principal, ele confirmou o pensamento. Ketlyn estava linda como sempre. Usava vestido de cetim malva, o cabelo castanho estava arrumado primorosamente num penteado que desafiava as leis da física. Às costas dela estavam Griffins e Reed, mordomo e governanta, e mais dez funcionários do castelo, entre lacaios e criadas.

Também, como sempre, o corpo de Logan se agitou ao ver Ketlyn. A reação era inadequada, mas jamais pôde evitá-la. Desde que viu aquela mulher em Londres, há cinco anos, no baile organizado pela condessa de Ascot pela comemoração do septuagésimo quinto aniversário do conde.

Na ocasião ele mesmo era um conde e sequer imaginava que antes do esperado se tornaria duque.

Estava em uma curta temporada na capital antes que o ano letivo em Cambridge recomeçasse. Por não ter nada mais a fazer, atendendo a um pedido do pai, George de Bolbec, decidiu participar da aborrecida festa. Lowell, seu irmão, também estaria presente. Segundo o pai, aquela seria uma boa oportunidade de estarem reunidos, visto que os meses que passavam afastados pareciam infinitos.

Bom observador, o jovem conde percebeu a agitação do duque, mas acreditou que fosse pela iminência de ter os filhos à sua volta. Na verdade, Logan sequer teve tempo de especular outras razões para o nervosismo paterno por ser obrigado a vagar pelo salão, sem parada certa, para que não fosse alvo de alguma mãe empenhada em laçar um bom partido para suas filhas.

Foi em meio a uma dessas fugas que Logan viu Ketlyn Shepway entrar no salão de baile, linda e altiva, ostentando o intricado penteado que favorecia ainda mais seus cabelos castanhos. O vestido vermelho reluzia sob as muitas velas dispostas nos candelabros de cristal, fixados no teto. A música cessou, as vozes se calaram e todos olharam para a recém-chegada, enquanto esta flutuava até os anfitriões.

Agora, passados tantos anos, Logan tinha consciência de que havia sido mera impressão de um jovem coração capturado, pois nada mudou ao seu redor durante aquele baile. Nada além dele. As mães deixaram de ser um problema. Não as via. Seu foco se tornou a bela morena que chegou para enfeitar o salão. Ao especular, soube se tratar de uma baronesa, viúva recém-saída do luto que pretendia conseguir um novo casamento.

Ketlyn era mais velha que ele cinco anos, mas não importava. O duque não aprovaria, era evidente, mas Logan estava disposto a entrar na disputa pela atenção da solitária baronesa. O que não pôde supor é que a vaga para marido já estivesse ocupada por ninguém menos do que seu próprio pai. Sem exageros, o fato fez doer o coração do jovem Logan ao beijar a mão de sua futura madrasta, quando foram apresentados. E não ajudou que ela desviasse dele seus grandes e luminosos olhos verdes nem que mantivesse um sorriso enigmático.

Ajudou menos ainda que a mulher que amava —, pois, sim, aquilo que sentiu desde o início só podia ser amor —, fosse atenciosa e totalmente dedicada ao seu bem-estar durante os dias em que visitava Castle. Logan nunca teve dúvidas de que ela seria capaz de lhe esfregar as costas, caso assim permitisse. Verdade fosse dita, Ketlyn demonstrava o mesmo empenho pelo marido e pelo enteado mais novo, mas no que se referia a ele, havia mais. Era palpável.

— Deixe-me servir um pouco mais de chá, querido — a nova duquesa dizia durante os encontros vespertinos no jardim de inverno, antes que se levantasse, pegasse o bule e fosse até ele. — Diga quando bastar —

ela pedia languidamente, então, inclinava-se de modo que seu decote se tornasse revelador.

Naquelas ocasiões foi preciso frear a vontade que instigava a mão livre a apertar um dos seios perfeitos e imperioso domar a movimentação em suas ceroulas. Logan nunca foi capaz de dizer quando bastava. Se Ketlyn não erguesse o bule e se afastasse, o chá quente transbordaria a xícara, o pires e inundaria todo o maldito piso de pedra polida.

Sim, Ketlyn era sua madrasta, mas o jovem conde não mandava no coração. Contudo, era dono de sua vontade e se afastou de Bridgeford Hills, optando por ficar na Universidade em vez de passar feriados e férias no castelo onde habitava a tentação. Amava antes de tudo o pai e jamais o trairia.

Poucos anos depois, ao se formar em advocacia, contrariando a vontade do duque, Logan optou por morar em Londres, na casa da família, tendo o mordomo Finnegan e um lacaio como companhia. Por vezes Edrick Bradley aceitava sua oferta e ocupava um dos doze quartos. Eram dias de divertimento e, juntos, iam aos clubes para cavalheiros, a festas de decoro duvidoso e a alguns bordéis.

Nessas ocasiões, jamais nos bordéis, Edrick sempre falava de sua família e desde os tempos de faculdade ficou claro o quanto era apegado à irmã do meio, Marguerite. Com o futuro barão de Westling ele se dava muitíssimo bem há anos e a convivência na mansão, mesmo que breve, era agradável. Desconforto havia apenas quando o jovem conde recebia o pai ou o irmão.

— Gosto que fique aqui, Logan — disse George, certa vez, enquanto eles fumavam charutos e bebiam conhaque no Red Fox, um clube fechado. — Mas prefiro que volte comigo. Quero que aprenda o que for preciso para o dia em que...

— O senhor é forte como um touro — interrompeu-o, pois realmente não imaginava que um homem robusto, no auge de seus cinquenta e quatro anos, morresse precocemente. — Não pense em sucessão.

— Tem a ver com sua madrasta? — Os olhos azuis do pai escrutinaram seu rosto. — Pensa que não noto?

— O que nota? — indagou Logan, sem ocultar o assombro.

— Que a detesta — elucidou George. — Não a aceita desde que a apresentei.

Amava-a, Logan confessou em pensamento, incapaz de sustentar o olhar do pai. Aquele era o infeliz problema.

— Prefiro ficar aqui e estabelecer boas relações junto aos membros do Parlamento e de seu partido — foi o que disse. — Minha decisão não tem qualquer relação com vossa esposa.

— Se quer estabelecer boas relações com os Lordes, seja decente. Sua fama de libertino, boêmio e jogador chega até mim, em Dorset.

— Sou solteiro, jovem — retrucou. — E bem sabe que boa parte dos Lordes é tão famosa quanto eu.

— Duvido, mas não vem ao caso. Interessa-me saber que não detesta minha esposa porque vim buscá-lo — anunciou o pai. — Daqui a cinco dias daremos um jantar em comemoração ao aniversário de Lowell. Será uma noite de alegria na qual terei minha família reunida.

Foi uma noite de horrores, após uma tarde infernal.

Logan conseguiu convencer o pai a retornar sozinho para Bridgeford Hills e atrasou-se ao ponto de chegar no dia do jantar, rogando para que seus sentimentos pela madrasta estivessem, ao menos, arrefecidos. Não estavam. Em vez de mitigado pela distância o amor se tornou maior.

Bastou vê-la para desejá-la e a culpa eliminou qualquer chance de aproveitar o jantar. Logan sorriu, alegrou-se pelo irmão, mas boa parte de seu ser se mantinha em alerta para que não se perdesse em olhares — sempre correspondidos — por temer magoar seu pai. Naquela noite, enquanto rolava em sua cama, Logan ouviu a maçaneta ser forçada.

Não tinha como duvidar que fosse Ketlyn, pois durante a recepção ela se mostrou especialmente atenciosa e exibiu seu decote de todas as formas possíveis, chegando ao ponto de roçar os seios às costas dele ao se aproximar para perguntar sua opinião sobre o jantar que organizou. O movimento não passou despercebido por Lowell que o fuzilou com o olhar.

Evidente que não abriu a porta, mas por se descobrir tentado a fazê-lo apesar de todos os impedimentos morais, Logan partiu na manhã seguinte com poucas explicações e muita pressa.

Pouco tempo após o torturante jantar, Lowell e ele ficaram órfãos. Para júbilo do coração enfeitiçado e martírio da consciência, depois de um mês da perda do pai, quando nem mesmo havia recebido oficialmente o título de nono duque por estar no período de luto, Logan se rendeu ao constante assédio de Ketlyn.

Não teve escapatória, era o que invariavelmente dizia a si mesmo.

Ao assumir o lugar de George à frente da família, Logan não teve como evitar o retorno a Castle. A convivência providenciou todo o resto. Para resistir à madrasta ele travou uma batalha diária. Entretanto, perdeu a guerra quando pareceu ser boa ideia consolar a duquesa chorosa ao voltarem da missa em que o oitavo duque havia sido mencionado.

Logan igualmente sentia a falta do pai e acreditou que a madrasta estivesse unida a ele pela dor. E, talvez, realmente estivesse, mas a verdade é que do abraço afetuoso ao beijo apaixonado, e deste para o ápice do sexo aflito sobre a mesa do gabinete, não se passaram dez minutos.

O remorso o abateu. Logan jurou que aquela seria a primeira e última vez, porém não trancou a porta do quarto nem expulsou Ketlyn da cama, quando ela o procurou naquela mesma noite. Na verdade, nunca mais se trancou. Eram amantes desde então.

Henry Farrow, Edrick Bradley e Mitchell Dempsey, homens cuja confiança era irrestrita, assim como todos os criados, não tinham dúvidas do romance. Amigos e parentes mais próximos nutriam fortes suspeitas, os distantes duvidavam e todos — com exceção aos três cavalheiros citados — comentavam. Lowell estava no grupo da desconfiança, pois o duque jamais admitiu para o irmão que mantinha encontros noturnos com a madrasta. Veementemente negava todas as delações e após sumárias demissões seus criados entenderam que deveriam guardar para si o que sabiam.

De toda forma, seu irmão se mantinha distante, em Londres, na mansão que antes ele mesmo havia ocupado. Com isso, o castelo era território livre para que Logan vivesse em pecado com a mulher que amava. Poderia desposá-la. Eram livres. Seria um escândalo, contudo o novo duque não se importaria. Mas, não trairia duplamente o pai, tomando-lhe a mulher e consequentemente perdendo seu título por não ter um herdeiro.

Lowell era o próximo na linha sucessória, mas desde cedo deixou claro o desinteresse pelas responsabilidades do ducado e Logan não tinha dúvidas de que em menos de um ano as propriedades e os recursos financeiros estariam perdidos. Possuía seu próprio fraco por belas mulheres e por uma boa mão de cartas, mas, apesar da fama, sempre fora comedido. Portanto, ele não permitiria que a riqueza acumulada a cada geração fosse esgotada pelo irmão em mesas de pôquer, corridas de cavalos ou com prostitutas.

Era nesse ponto que entrava Marguerite Bradley.

— Você precisa se casar, querido — tinha dito Ketlyn, semanas atrás, depois do sexo.

— É cedo para pensar sobre isso — ele resmungou, antes de segurar a mão que acariciava seu peito. Aquela não era a primeira vez que conversavam sobre tal necessidade e, como em todas as outras, aborreceu-o. — Não quero traí-la.

Ketlyn riu mansamente e, inabalável, retrucou:

— Não será muito diferente do que faz sempre que vai a Londres. Acredita mesmo que eu não saiba sobre suas incursões noturnas à casa de Daisy Duport, às festas de passeios noturnos ou aos bordéis?

Seu valete da ocasião fora demitido na manhã seguinte, mas no momento Logan negou que se divertisse com rameiras, senhoras casadas ou com a amante que mantinha desde o tempo em que viveu na capital.

— Querido, não negue. — Ketlyn se apoiou em seu peito para encará-lo. — Desde que volte e ame apenas a mim eu não me importo em qual cama se deite. É um homem viril e jovem... Entendo que queira saciar suas necessidades quando não estou por perto. Traição será quando amar outra.

— Jamais acontecerá — prometeu depois de correr uma das mãos pela nuca da amante, sob a cortina de cabelos castanhos, mirando os olhos verdes. — Meu coração é seu.

— E isso é tudo que importa — ela sorriu. — Precisa de um herdeiro, querido, e isso eu não posso lhe dar. É como uma maldição em minha família. Não sou a primeira a ter útero seco.

— Posso providenciar um herdeiro sem uma esposa — replicou. — Basta assumi-lo e educá-lo. Você me ajudaria a criá-lo.

— Um bastardo?! Está louco?! — Ketlyn se escandalizou e refutou a ideia: — Nossa situação já providencia fofoca suficiente, querido. E não nasci infértil sem razão. Não tenho a mínima paciência com crianças. E, antes que cite amas e preceptoras, entenda que não quero qualquer contato com bebês chorões, crianças agitadas ou adolescentes aborrecidos. Prefiro ser a avó que os aprecia a uma distância segura.

Imaginar que manteria relações sexuais com a "avó" de seu filho não ajudou a convencê-lo.

— Tem de haver outro modo.

— Não há e sabe disso. Não seja tão rígido. — Ketlyn voltou a sorrir, adulando-o. — Pense que um casamento nos tiraria do foco, calaria a maledicência. Casais civilizados não dividem o mesmo quarto. E, se for discreto, poderá estar comigo sempre que assim desejar. Não percebe? Será o arranjo perfeito!

— Talvez tenha razão, mas ainda não quero pensar sobre isso. Tenho tempo.

— Não tem — Ketlyn o desdisse. — Sim, está com vinte e sete anos, mas se adiar algo que precisa ser feito, logo estará com cinquenta e ainda solteiro, sem herdeiro. Assegure seu título, querido. Nada há de mudar. E não se esqueça de outro detalhe importantíssimo.

— Não preciso de mais dinheiro, Ketlyn — redarguiu, sabendo bem ao que ela se referia.

— Todos precisam de mais dinheiro, querido. Sua tia foi categórica. Se não se casar, ela não o fará seu herdeiro. Pense em todas aquelas libras indo para as mãos de Lowell.

Ele pensava, era verdade. Alethia, irmã mais velha de seu pai, viúva de Gaston Welshyn, um bem-sucedido comerciante de produtos importados, não tinha filhos que herdassem os bens que lhe pertenciam desde a morte do marido. Tanto tempo quanto ele podia se lembrar era o preferido para receber a considerável herança que a velha tia deixaria.

— Alethia não me suporta e irá deserdá-lo se não se afastar de mim — Ketlyn deu voz ao que ele estava farto de saber. — E está velha. Nos últimos tempos tem estado adoentada. Quem sabe se resiste ao próximo inverno. Caso arrume uma esposa, ela sossegará e não fará alterações no testamento. Com certeza há de acreditar que nosso romance não passa de especulação por ainda moramos sob o mesmo teto.

Colocada daquela forma, a ideia não pareceu de todo ruim. E, como se soubesse o que ele pensava, Ketlyn apresentou sua última carta.

— Se tudo que digo não é o bastante, pense em todos os homens que gostariam de estar em seu lugar, tendo duas mulheres à disposição.

Logan pensou. Ketlyn jamais se mostrou ciumenta. Minutos antes citou Daisy Duport sem sequer pestanejar. Baseado nas palavras instigantes, capazes de alimentar o imaginário masculino, ele passou a listar todas as beldades que conhecia com forte potencial para assumir o posto de sua duquesa.

— Entretanto... — Ketlyn sentenciou, voltando a adivinhar seu pensamento: — Não aceitarei que escolha alguém mais bonita do que eu.

— Não existe mulher no mundo mais bonita que você.

Para seus olhos apaixonados aquela era a verdade universal. Não para ela.

— Diz isso porque me ama — Ketlyn retrucou —, mas há mulheres mais bonitas em Londres e até mesmo em Bridgeford Hills. Não posso fazer nada quanto à idade, pois para o propósito a que ela se destina a escolhida tem de ser jovem, gozar de boa saúde, mas não carece de atributos físicos. Não ria! — ela ralhou. E se enfezou mais, quando ele gargalhou. — Não seja deselegante, pois não contei uma anedota, Logan!

— Está com ciúmes de alguém que sequer conhece — ele disse ao se recuperar do bom humor.

— Não estou com ciúmes, querido. Nunca experimentei esse sentimento menor, nem pretendo que aconteça um dia. Se assim fosse, não teria sugerido tal arranjo. O que quero é garantir a preferência de sua atenção e afeição. Então, escolha quem quiser, mas que a esposinha jamais me faça frente. Entre as famílias de bem que conhece deve haver uma jovem sonhadora, educada para ser uma boa esposa, mãe, porém insossa e desengonçada.

E foram alguns fatores citados por sua amante que evocaram o nome de Marguerite Bradley. Segundo Edrick, as irmãs eram educadas e preparadas para o casamento e para a maternidade por uma mãe exigente. Catarina, a caçula, era a joia da casa e quando fosse apresentada à sociedade, sem dúvida atrairia jovens interessados. O mesmo não podia ser dito da irmã do meio.

Após calcular rapidamente, Logan considerou que Marguerite estivesse entre os dezenove ou vinte anos sem nunca ter participado de uma temporada em Londres. Para ela não houve bailes de apresentação e, ainda segundo as palavras de seu amigo, a baronesa de Westling temia pelo futuro da filha. Parecia que a moça preferia ficar no pomar onde desde criança se perdia em suas fantasias ao invés de cuidar da aparência para que atraísse algum pretendente.

Não, Edrick jamais tinha dito que a irmã fosse caolha ou tivesse a pele pustulenta, mas, já que aceitaria aquele arranjo, não se uniria a uma bruxa. Ele não sabia exatamente o que sua amante tinha em mente, porém ela mesma havia citado alguém sonhadora, desengonçada e insossa.

Em realidade, Marguerite poderia ser sonhadora e desengonçada — com habilidade bastante para salvar o chá que cuspisse ao se assombrar —, mas não chegava a ser insossa. Excedia em peso, sim, porém não ao ponto de assemelhar-se a uma matrona. E não era feia, mas, ao entrar em um salão não calaria as vozes, a música não cessaria, nem um jovem a amaria no mesmo instante.

E ali estava Logan, descendo no pátio diante da porta principal de seu castelo, sob o olhar altivo e tranquilo da única mulher que provocou nele tais reações. E estava comprometido com uma jovem realmente perfeita para seus propósitos, pois jamais se equipararia em beleza à Ketlyn, que exalava segurança por se saber superior.

— Enfim, chegou! — Ketlyn entendeu a mão para receber seu beijo.

Depois de fazer como esperado, Logan assentiu para os criados em um breve e indiferente cumprimento, então, voltou sua atenção à amante.

— Enfim! — fez coro. Entregava ali mesmo o casaco, o chapéu, bengala e luvas para John Ebert, seu valete, quando duas massas musculosas, de pelos castanhos surgiram, vindas do pátio leste. — Jabor! Dirk! — Logan se abaixou para esfregar as cabeças de seus cães da raça Staffordshire Bull Terrier. Ou apenas Staffie. — Como se comportaram na minha ausência?

— Como os cães educados que são, ficando fora do castelo — disse Ketlyn. — Podemos entrar? Griffins mandou que preparassem refresco e sanduíches para que não chegue faminto ao jantar.

— Aceito o refresco, mas não tenho fome — Logan dispensou a comida enquanto cruzava o limiar da porta principal, seguido pelos cachorros.

— Mas eu, sim! — Soou a voz divertida e forte de um homem que se aproximava, vindo da sala de visitas.

— Tem um convidado, milorde — tardiamente informou Joe Griffins, em tom reprovador.

A antipatia do velho mordomo era notória e compreendida. Alguém educado para conhecer o protocolo consideraria inadmissível que um visitante chegasse sem prévio aviso e imperdoável que permanecesse sem que o dono da casa estivesse, mas há anos Mitchell Dempsey, o segundo na linha sucessória do marquês Baskerville, não se prendia às formalidades.

Tal comportamento nunca o aborreceu, porém Logan reconheceu que tamanha liberdade se tornava frequente e um tanto incômoda nos últimos meses. Não era raro voltar de alguma viagem mais demorada e encontrar seu amigo desfrutando de uma hospitalidade que não fora solicitada.

Abstendo-se de confirmar o óbvio ao mordomo, Logan aceitou a mão que Mitchell lhe entendia e comentou, à guisa de cumprimento:

— Dempsey, eu não esperava vê-lo em... Quanto tempo? Dois meses, desde sua última aparição?

— Sendo exato, um mês e três semanas, Bridgeford — respondeu o homem sorridente que se equiparava ao duque em altura e compleição. — E não fale assim, homem! Faz-me sentir como um fantasma ou alguém indesejado. Ou o sou?

Logan flertou com verdade, porém reconheceu que, mesmo não apreciando a magnitude que a liberdade do amigo alcançava, gostava da companhia sempre divertida e da conversa fácil. Provavelmente se aborrecesse por sempre chegar cansado, visto que no decorrer do dia sequer se lembrava de sua bronca inicial.

— Um fantasma, talvez — troçou Logan —, pois aparece quando menos espero. Indesejado, jamais!

— Fico feliz que pense assim. — Mitchell indicou o caminho da sala da qual saiu como se fosse ele o dono da casa. Logan relevou também aquele gesto e partiu a frente do amigo que prosseguiu: — Se não for incomodá-lo, gostaria de permanecer em Castle por algumas semanas. Duas ou três. Meu pai tem estado mais exigente do que o normal e minha mãe cismou que devo me casar. Deus me defenda!

— Deus defenda a pobre moça que cair nas boas graças da marquesa! — Logan rogou. Sooou como troça, mas foi sincero.

— Não sou tão mau — Mitchell retrucou, nada ofendido. — Saberei tratar bem uma esposa, mas isso não precisa acontecer nos próximos dez anos.

Ketlyn, que os acompanhava em silêncio, sentou-se em uma das poltronas, deixando-os livres para se acomodarem. Mitchell se sentou na poltrona ao lado dela e Logan no pequeno sofá, a frente deles, com os cães a pedir sua atenção. Para a amante Logan dirigiu um breve olhar, então, analisou o amigo enquanto esfregava as cabeças de pelo curto e macio. Mitchell tinha vinte e cinco anos e como ele, aos vinte e sete anos, igualmente não pensou em casamento até que Ketlyn o empurrasse para o altar, Logan compreendia a colocação.

O problema do amigo, no entanto, não era a juventude, mas a falta de responsabilidade que tornava o marquês Baskerville mais exigente que o normal. Na família Dempsey, Mitchell era o equivalente a Lowell. Curioso que não tivessem se tornado amigos de farra e jogatina, mas, como sempre, Logan não entraria no mérito.

— Pois bem, vamos deixar as jovens incautas em paz. E fique o quanto quiser.

— Eu sabia que poderia contar com sua hospitalidade. — Mitchell sorriu e, depois de correr uma das mãos pelo cabelo acobreado, disse: — Mas, vamos citar ao menos uma jovem incauta? Ketlyn me contou que foi visitar sua noiva. É verdade?

Logan olhou para Ketlyn. Não estranhava a informalidade, concedida há anos, sim, que ela tivesse se adiantado a ele. A indiferença nos olhos verdes não deu a Logan qualquer resposta e como não iria sabatiná-la ali, disse ao amigo:

— Parte da verdade... Fui conhecer uma jovem que despertou meu interesse.

— Foi insólito ouvir de Ketlyn e agora é espantoso ter sua confirmação — disse Mitchell, olhando de um ao outro. Tinha os olhos maximizados. — Está mesmo pensando em se casar? E, se acontecer o inacreditável, sua esposa irá morar aqui?

— Está é minha casa — retrucou Logan —, logo, será a morada da duquesa.

— Como será isso? — Mitchell novamente olhou de um ao outro, deixando clara sua questão.

— Nada irá mudar.

— Tem certeza? — Seu amigo meneou a cabeça. — Deus me livre de ser aquele que dá palpites em sua vida, mas, se está decidido ao ponto de ir visitar uma pretendente em Somerset, talvez fosse o caso de dar uma de suas propriedades a Ketlyn. Ela poderia se mudar e...

— Não será necessário — cortou-o Logan, ainda mais impressionado com o conhecimento de Mitchell, encerrou o carinho nos cães para que se aquietassem. Nunca imaginou que sua amante fosse tão falastrona, mas com ela, conversaria depois. — Desde a morte de meu pai, Ketlyn ocupa a ala oeste do castelo — prosseguiu. — Minha esposa ocupará a parte reservada a mim. Ou seja, apenas dividirão algumas áreas comuns e a mesa, às refeições. Caso não queiram, poderão passar dias sem que haja um encontro. No entanto, espero que sejam amigas e convivam pacificamente.

Mitchell meneou a cabeça mais uma vez, porém sua incredulidade deu lugar à admiração.

— É meu herói! Um exemplo a ser seguido! O casamento deixou de parecer algo maçante. Se isso der certo, vou adotar esse arranjo.

— Meu casamento não é motivo de piada — Logan retrucou, aborrecido.

— E quem ri? — Mitchell indagou. — Homens em todo país, quiçá do mundo, hão de erguer um busto em sua homenagem se conseguir manter a amante e a esposa sob o mesmo teto. Provavelmente seja adorado e ganhe um feriado para receber homenagens se conseguir que sejam amigas.

— Milorde, com vossa licença... — o lacaio chamou ao entrar, calando um impropério de seu senhor.

Logan sequer o olhou, restando a Ketlyn sinalizar para que o rapaz se aproximasse com o carrinho de chá no qual trazia a jarra com o refresco, copos, pratos, guardanapos e sanduíches. O duque realmente não tinha fome e desejou beber algo mais forte, mas aceitou a limonada. Esta deveria bastar para eliminar a secura em sua garganta.

— Vejo que o agastei — disse Mitchell após a saída do lacaio. — Não era minha intenção. É que às vezes vemos de modo diferente, olhando de fora. Não conheço sua noiva nem posso prever com que olhos ela verá a presença de Ketlyn. Ela pode acabar enxergando mais do que deve e você terá problemas, mas, enfim... Não é de minha conta. Perdoe-me!

Logan não acreditou na sinceridade do amigo, mas concedeu o benefício da dúvida. O que pretendia fazer era inusitado e, se conseguisse manter a mente de Marguerite livre de preconceitos, seria de fato um feito admirável.

— Esqueça — disse apenas. Depois de depositar o copo vazio no carrinho de chá, levantou-se e disse aos dois: — Irei saber como Krun tem se comportado.

— Pois eu lhe digo — falou Ketlyn, com evidente desagrado. — Aquele bicho insaciável devorou cinco pintinhos que se aventuraram fora do galinheiro. Se continuar assim, não teremos aves suficientes para o inverno.

— Nada que a Sra. Reed não providencie na cidade, caso seja necessário. — Logan lamentava pelas cinco aves perdidas, mas pendeu para o lado de Krun. Não condenaria o falcão por seguir seus instintos.

— Se é como diz... — Ketlyn suspirou, enfadada. — Vá parabenizá-lo pelo feito.

— Será exatamente o que farei.

— Se não se importar, prefiro ficar aqui com esses deliciosos sanduíches, desfrutando da boa conversa oferecida por essa bela dama.

— Com o acréscimo da comida — Logan observou —, não será diferente do que fazia antes de meu retorno. Com licença...

No aviário, enquanto calçava a luva de couro que protegia sua mão das garras de Krun, Logan cismava mais com a indiscrição de sua amante do que com as observações de Mitchell. Provavelmente, fosse aborrecido ter uma esposa inconformada com a presença de outra mulher sob o mesmo teto, mas não considerava que fosse real problema. Uma vez casados, Marguerite nada mais poderia fazer.

Estranha era aquela sensação de que perdia algo, reconheceu Logan ao abrir a porta do aviário e chamar seu falcão-peregrino para que pousasse em sua mão. Deveria ser ele a prestar conta da própria vida e a quem desejasse, não, descobrir que a discutiam às suas costas.

— Ao menos você não se envolve em mexericos, não é Krun? — indagou ao falcão, alisando as penas de sua cabeça, mirando os olhos marrons. Decidido a se ocupar daquele assunto em outra ocasião, troçou: — Na verdade não os propaga, mas é o foco de alguns deles. Com que então abateu cinco promissoras aves de meu galinheiro?

Krun emitiu um pio agudo e agitou as asas, impaciente. Há tempos Logan e os cachorros compreendiam as reações da ave de estimação, então, não se assustaram. O duque sorriu e assentiu.

— Krun sente vossa falta, milorde — disse o tratador que o ajudou com o bornal e o cantil que levava a tiracolo. — Mostra-se mais ansioso para os passeios com Vossa Graça do que comigo.

— Como deve ser — Logan comentou, sorrindo com satisfação. — Obrigado, Giles! Daqui eu assumo.

Admirando o porte do falcão, Logan deixou o aviário rumo à campina além dos muros do castelo, seguido por Jabor e Dirk. O terreno de aproximadamente um hectare era levemente íngreme. Na extremidade oposta ao castelo havia um perigoso declive de mais de vinte metros até uma pequena área plana antes do início da encosta coberta de árvores daquela colina. A maior dentre todas.

Em tempos remotos criados desavisados perderam a vida ao se desequilibrarem durante as inadvertidas descidas. Quando Logan era ainda menino o pai providenciou para que o local fosse cercado e sinalizado depois de Lowell quase ter o mesmo destino enquanto brincavam. Logan aprendeu naquele dia a respeitar tal limite, mas nunca deixou de ir àquele campo. Gostava da paz e da sensação de proximidade com o céu.

Talvez Krun compreendesse como se sentisse e partilhasse com ele a sensação de liberdade, por isso se mostrasse ansioso, como dissera o tratador.

— Se eu estiver certo, aproveite o passeio — disse ao falcão depois de soltá-lo.

Enquanto via Krun ganhar altitude, Logan tratou de limpar sua mente de assuntos aborrecidos. Era o senhor daquele castelo, o plano de Ketlyn era bom e, apesar de ter sido preciso reformulá-lo no último instante, Marguerite era a escolhida perfeita.

Estas foram as máximas que acompanharam o duque desde aquele instante, durante todo jantar na companhia de Mitchell e Ketlyn até que ela fosse encontrá-lo no quarto para que ambos saciassem a falta que sentiam um do outro.

— A presença de Mitchell o aborrece? — perguntou a amante enquanto ele fazia o penhoar deslizar pelos ombros e braços.

— Não... O que me aborreceu foi ter minha fala roubada. Eu deveria ter dito a ele sobre o casamento, não você.

— Mitchell estava curioso quanto à sua ausência e não vi razão para ocultar a verdade — explicou Ketlyn, indiferente, antes de pegar o penhoar e atirá-lo sobre uma poltrona. — O que mudou? Ele é seu amigo, sabe sobre nós... Não reaja negativamente por tão pouco, querido.

Ketlyn possuía o dom de diminuir a importância de tudo e o exercia naquele momento, pois no primeiro momento Logan realmente acreditou que tivesse supervalorizado o que talvez nem tivesse sido indiscrição ou insubordinação.

— Tem razão — aquiesceu e desviou sua atenção para os grampos que mantinham o cabelo castanho presos em um coque.

— Ao invés de cismar com o que digo ou não, conte-me... Como ela é?

— Esta é a quarta vez que me pergunta desde minha chegada — observou o duque mais interessado no modo como os cabelos escuros emolduravam o belo rosto do que em satisfazer curiosidades.

— Eu teria perguntado apenas uma vez se tivesse me respondido desde o começo — ela retrucou. — Por que não o fez?

Ketlyn tinha razão e fizera uma boa pergunta, Logan considerou. Não sabia a resposta, mas entendia que não seria deixado em paz se nada dissesse.

— Ela é normal.
— Ela é normal?!

Ele usava apenas sua ceroula, estava próximo à cama espaçosa. Depois da viagem, de ter dado atenção aos cães e ao seu falcão de estimação e do jantar na companhia de Mitchell, Logan preferia ter alguns minutos de sexo para em seguida, dormir. Contudo, depois do comentário impensado, soube que não seria assim. Não o surpreendeu que Ketlyn recuasse um passo e o encarasse, mantendo as sobrancelhas unidas.

— O que em nome de Deus significa ser alguém normal em sua concepção? — ela indagou.

Logan realmente não compreendia o que o retinha, então, troçou:

— A jovem em questão tem duas orelhas, dois olhos, um nariz, uma boca — carnuda e direta, ele acrescentou em pensamento. — Compreende nossa língua, obedece às ordens básicas e alimenta-se sem ajuda.

— Se tivesse saído à procura de um terceiro cão, bastaria acrescentar que a criatura rola e late — retrucou Ketlyn, estoica como de costume. — Como não é o caso... Diga de uma vez como é sua noiva.

— Ela ainda não é minha noiva — revelou. — Tudo está claro, porém pedi apenas permissão para lhe fazer a corte.

— Por quê? Não foi esse o combinado. Logan, sua tia...

— Esqueça-se de minha tia — ele a interrompeu, aborrecido. Para aproveitar o tempo que perdiam, livrou-se da ceroula. — O inverno está longe. Até lá a vida dela está garantida.

— Muito bem! — Ketlyn se aprumou, inabalável, ante a nudez do duque. — Vamos nos ater ao plano. O que deu errado?

— Nada deu errado, apenas quis seguir as etapas, corretamente.

— Pensei que a moça escolhida estivesse desesperada para se casar. Estava até mesmo preparada para que voltasse com ela, então, algo deu errado. Diga novamente quem é a jovem.

Repetir-se era entediante, totalmente desestimulante, mas era óbvio que não teria o que queria se não o fizesse.

— Marguerite Bradley é irmã de um amigo — respondeu a contragosto. — O pai é um nobre rural, não faz parte de nenhuma linhagem tradicional. É barão apenas por ter caído nas boas graças da rainha. Westling é bem estabelecido, mas não tem frequentado a corte nos últimos anos, assim como sua esposa e filhas. Não fazem parte de nosso círculo de amizades, ou seja, jamais tiveram contato com o que falam sobre nós.

— Talvez, sim, já que o filho dele é seu amigo — ela observou. — Conheço esse Bradley. É Edrick, não? Alto, bem apessoado, tem o cabelo comprido e um belo cavanhaque.

— Ninguém dirá que não é observadora — zombou o duque. — Sim, é ele mesmo, mas não creio que Bradley reproduza assuntos iníquos para o pai, muito menos a uma irmã virgem.

— Bem... — Ketlyn meneou a cabeça e suspirou com mofa, passando a desfazer os laços da camisola. — Dito desse modo, eu compreendo sua definição de normal. Consigo até mesmo ver o brilho nos dois olhos que a virgenzinha possui e as comissuras de sua boca tocando as orelhas de puro contentamento por ser a escolhida de um duque ainda jovem, bonito e elegante.

Caso houvesse graduação para o erro, a desdenhosa amante não poderia estar mais errada, Logan pensou, recordando-se da visita a Apple White. Não houve um sorriso, moderado ou amplo. E alguns sentimentos foram notados nos olhos azuis de Marguerite, mas nenhum deles se aproximou ao contentamento. Caso tivesse dirigido seu pedido a irmã caçula ele teria visto uma explosão de alegria — dela e da mãe —, mas não fora o caso.

E algo no modo como Marguerite o analisou ao entrar na Sala Rosa, seguida por um galgo de pelo predominantemente branco, fez com que reformulasse o plano. A moça não tinha como desconfiar, mas pareceu que soubesse a real razão de sua visita, por isso tentou burlá-la. Ele descobriu que falhou ao ficarem a sós. A jovem suspeitava de suas intenções. Por um segundo esteve tentado a revelar parte da verdade, dizendo que a queria para que fosse a mãe de seu herdeiro, mas se calou.

Nos olhos límpidos e avaliativos Logan viu também que a moça não se sentiria minimamente honrada por ser a escolhida de um duque ainda jovem, bonito e elegante, e se recusaria a receber sua corte. Sim, Marguerite estava fora dos padrões de beleza, jamais se equipararia a Ketlyn, Catarina, nem a outras tantas damas em graça ou elegância, mas não parecia ser um problema. Muito menos um fardo que a atormentasse.

No segundo seguinte Logan considerou deixar Marguerite Bradley em paz, mas, de súbito, simplesmente acreditou que ela seria de fato a mais adequada. Era de boa família, saudável e não estava à caça de um marido tanto quanto ele nunca ansiou ter uma esposa. E, mesmo que não fosse a primeira escolha de homem algum, estar com ela não seria desagradável. Com sua decisão restabelecida, ele usou os meios que conhecia para não perdê-la e descaradamente a encantou, tocando-a onde e como bem sabia que teria o efeito desejado.

E não tinha perdido o jeito com as moças, pois a desconfiada jovem se tornou receptiva. Sendo um cavalheiro, lamentou a presença da luva que não lhe permitiu sentir a textura da pele alva. Sendo um libertino, Logan praguejou o decoro e a boa índole da jovem que limitaram seu toque, pois o busto farto atiçou sua imaginação. Sempre tivera um inexplicável fraco por colos e decotes. Por peitos tinha verdadeira adoração e, naquele quesito, sua esposa não decepcionaria. A cada minuto a ideia de desposá-la o agradava.

O único ponto falho, que ameaçaria a união, era seu amigo. Edrick o conhecia. Era um dos poucos que sabiam sobre seu caso ilícito e talvez não estivesse disposto a ver sua adorada irmã cair nas garras de um pervertido. Quando voltasse a Apple White talvez tivesse de convencê-lo do fim de seu caso amoroso e jurar que seria um bom marido. Logan não mentiria quanto a esse detalhe, pois era seu desejo sê-lo.

Quando fizesse de Marguerite sua duquesa, ela receberia o tratamento dispensado a uma princesa. Quando seus desejos não fossem da competência da criadagem, ele mesmo se encarregaria de dar a ela o que quisesse. E não seria um marido impositivo. Após a noite de núpcias, caso Marguerite gostasse de recebê-lo, poderia visitar seu quarto algumas vezes na mesma semana. Caso não se agradasse de sexo, ele não a atormentaria além do necessário para que engravidasse.

No que dependesse dele, Marguerite não faria distinção entre Westling Ville e Bridgeford Hills. E, talvez, o contentamento um dia viesse. Talvez até mesmo nutrissem afeto um pelo outro e o plano exposto por Ketlyn se tornasse real. Ao imaginar a possibilidade de dividir suas noites entre duas mulheres, o apetite mitigado pelo tema aborrecido, retornou.

— Já que entendeu meu conceito, podemos prosseguir com o que fazíamos? — Logan indagou ao reduzir a distância e acariciar o colo nu da amante. — Não é como se eu tivesse ido a Dorchester e voltado. Estou exausto, mas, antes... Eu quero você.

— Sim, querido — Ketlyn anuiu, enlaçando-o pelo pescoço. — Tudo dará certo! Faça a sua parte. A Sra. Reed e eu cuidaremos de tudo para receber a mãe de seu herdeiro.

Para receber minha duquesa, Logan reformulou intimamente. Por estar realmente muito estimulado, sequer especulou a razão da correção silenciosa antes de atrair a amante para um beijo.

Capítulo 3

— Por favor, pode parar de me olhar assim? — pediu Marguerite, incomodada.

— Perdoe-me, mas não tem como — disse Madeleine Kelton. — Se ele tivesse vindo um dia antes, não na segunda-feira, eu o teria conhecido e talvez soubesse como aconteceu. Já que não foi assim é você que tem de me contar... O que fez para fisgar um duque?

— Não tenho como explicar, pois nem estive pescando. — Ela tentava não ser grosseira.

Era tarde de domingo, Marguerite e Madeleine estavam sentadas no banco de alvenaria sob o caramanchão recém-construído naquele canto do jardim. Futuramente narcisos e madressilvas enfeitariam o recanto, mas isto não era relevante. Importava saber Marguerite estava nervosa, pois, caso o duque cumprisse a palavra de voltar em treze dias, a qualquer momento chegaria.

Passado o calor do momento, considerando todos os detalhes obscuros daquela corte, a iminência de se tornar duquesa de Bridgeford não a animava. Ao contrário de sua mãe que por duas semanas a obrigou a bordar as iniciais L e M em algumas peças do incompleto enxoval, com a ajuda de Leonor Ulley, criada de quarto e de Nádia Riche, jovem criada da casa.

Desde aquela manhã a baronesa estava aflita, infernizando Beni e as criadas, pois tudo deveria estar de acordo para que recebesse o futuro genro. O barão não cabia em si com o contentamento que nunca o abandonou ao longo dos dias. Catarina, depois de conformada por não ser a escolhida, passou a fazer coro com a mãe, citando as maravilhas de ser desposada por um jovem duque. E não qualquer um, sim, parente distante da rainha.

Ela não poderia jamais se esquecer desse fato.

Entre todos, quem Marguerite queria presente permanecia ausente, viajando a negócios. Seria tranquilizador se Edrick estivesse ali para ajudá-la a desvendar aquele mistério. Talvez até mesmo se opusesse àquela corte por conhecer o histórico do aclamado duque. No entanto, ela não podia contar com o apoio do irmão, muito menos com a compreensão de sua amiga, pois Madeleine fez ouvidos moucos ao seu dilema, preferindo juntar sua voz ao coro de Elizabeth e Catarina.

— Exatamente por essa razão que é uma exímia pescadora — disse Madeleine. — Atrai os peixões sem o mínimo esforço. Eu uso todas as minhas iscas com seu irmão e não consigo mais que um ou dois beijos roubados em nossos passeios pelo jardim.

— Economize suas minhocas, pois é certo que Edrick um dia a pedirá em casamento — disse Marguerite. — É o que nossas famílias esperam e ele gosta de você.

— Quero que Edrick me ame como eu o amo — salientou Madeleine, ajeitando os cachos loiros que emolduravam seu rosto. — Enquanto ele não se decide, sou obrigada a dispensar a atenção de outros cavalheiros. E o tempo está passando. Já estou com dezenove anos, mas... Não é sobre mim que falamos, sim, sobre sua desconhecida habilidade em pescaria. Como o duque pulou no seu colo?

— Lorde Bridgeford é amigo de Edrick, você sabe — disse Marguerite, mirando as pontas das botas que apareciam sob a barra do vestido rosa. — Estudaram juntos e, segundo o duque, meu irmão sempre falava sobre a família. Até aí, nada novo. Complicado é entender como que, a partir de alguns elogios, ele cismasse que uma completa estranha fosse uma noiva ideal.

Perfeita, ele dissera, Marguerite recordou. E não o era, o que tornava aquela proposta em real mistério.

— O duque deve ter algum problema que seja do conhecimento geral, em Londres e em sua vila — elucidou Madeleine. — As damas ou os pais que o conhecem não aceitam tal defeito. É a única explicação para ter escolhido você.

— Obrigada! — Marguerite agradeceu com leve deboche.

— Não quis ofendê-la, sabe disso. Até tem certa graça, mas... Sejamos sinceras? Também sabe que de uns anos para cá não tem se empenhado para ser alguém elegível. Até mesmo dispensa ir às temporadas de bailes em Londres.

— E passo muito bem sem elas. Posso ter um pretendente bem aqui, pelas redondezas. Stuart Grings se mostrou interessado certa vez — Marguerite salientou. A amizade surgida anos atrás dava a ambos a liberdade para usarem seus nomes, para criarem apelidos. — Contava que ele um dia fizesse algum pedido a papai, mas agora...

— Lorde Stuart é sem dúvida um bom partido, mas não entra em nossa conta — Madeleine refutou a ideia. — É um galanteador e o que você chama de interesse, digo que é a polidez com que trata todas as damas em um salão. Quando estiveram a sós para saber que a deseja? Ele já lhe roubou um beijo?

— Não... Nunca — admitiu, odiando dar razão à tão sincera amiga.

Há dois anos Stuart falou em casamento, mas não aprofundou o tema, nem deixou um acordo firmado antes que voltasse para a universidade. Nos encontros futuros nem mesmo demonstrou que se lembrasse. E jamais a espreitou para que pudesse roubar um beijo. Coincidência ou não, entre um encontro e outro ela se apresentou em vestidos mais largos.

— E isso reforça minha teoria — Madeleine animou-se, distraindo-a de suas recordações. — Lorde Bridgeford tem, sim, um grande problema que o trouxe até você e sua família, pessoas que não cometeriam a loucura de recusá-lo. Talvez as outras não o queiram pelo envolvimento com a madrasta. Já lhe contei o que comentam.

— Você contou — murmurou Marguerite —, mas não é fato comprovado, não é mesmo?

— Até onde eu sei, não é — disse Madeleine, um tanto decepcionada. — Imagine o escândalo se o caso iníquo fosse confirmado. Seria incesto?

— Não, sei... Talvez não, mas prefiro não pensar sobre isso. — Marguerite foi sincera. E o duque não parecia ser alguém tão vil. — Em todo caso, mesmo com a inocência de papai e supondo que eu não soubesse, temos Edrick. Ele me defenderia.

Talvez até mesmo Philip alertasse os pais do patrão caso soubesse de um impedimento para aquela união. Contudo, o amigo de Edrick, uma espécie de faz-tudo, acompanhava-o na viagem.

— Sim, com ganas assassinas, antes ou depois do casamento — Madeleine concordou, alheia às suas considerações. Então, torceu os lábios num muxoxo. — Bem... Essa seria uma boa razão para as famílias das moças de bem afastarem o duque. E já que descartamos essa possibilidade, agora só nos resta...

— O que nos resta? — Marguerite se voltou para a amiga, interessada, pois não chegava a nenhuma conclusão satisfatória. — Diga!

Para aumentar sua ansiedade, Madeleine não respondeu de pronto. Primeiro analisou seu entorno com enervante minúcia antes de encará-la e dizer:

— Talvez não haja problema com os pais, sim, com as escolhidas. Talvez o duque guarde algo descomunal em suas calças e a fama de sua espada desembainhada assuste as damas aptas ao casamento.

— Madeleine?! — A jovem escandalizou-se. Não era de todo inocente quanto às armas masculinas, mas jamais teria coragem de dizer algo meramente parecido.

— As criadas falam — disse Madeleine, dando de ombros. — E estamos sós. Podemos especular sobre as partes íntimas do duque. Ou irá para o casamento despreparada? Acredita mesmo que sua mãe seja sincera quanto ao que se passa no leito nupcial?

— Como posso saber? — Marguerite ainda a olhava com espanto. — Nunca estive em vias de me casar para termos esse tipo de conversa. E duvido que mamãe seja tão... Tão específica.

— Eu também nunca estive em vias de casar, mas não tenho ilusões. Quando chegar a minha hora, mamãe dirá que devo me deitar e aceitar o que meu marido fizer. Que, quando ele estiver em mim, será incômodo a princípio, porém algo natural aos olhos de Deus. Que devo me manter quieta e calada, pois somente as rameiras participam ativamente e apreciam o coito.

— Madeleine?! — Marguerite novamente se chocou. — Como pode dizer essas coisas?!

— Como já disse, estamos sós. Há alguns anos ouvi mamãe contar a uma amiga de longa data que essas foram as palavras de minha avó, na noite anterior ao seu casamento. Disse ainda que, como boa esposa, tolerava a procura de papai, mas que jamais apreciou o que ela chamou de ato sujo.

Marguerite guardou para si o novo assombro, especulando qual a necessidade de sua amiga expor a intimidade dos pais. Sabia que ao questioná-la seria lembrada de que estavam sozinhas, então, apenas ouviu.

— Sou virgem, bem sabe — Madeleine prosseguiu em tom conspiratório —, mas não resisti à curiosidade ao flagrar duas criadas de quarto comentado suas experiências e fiquei ouvindo. Se reproduzisse o que elas disseram eu a deixaria com os cabelos em pé.

— Não quero comprometer meu penteado, então, por favor, não reproduza.

— Acho que deveria saber de uma coisa ou duas, mas se prefere assim... — Uma Madeleine com ares de mulher experiente deu de ombros e atendeu à amiga, porém, não completamente. — Nunca vi um homem nu, mas pelo o que ouvi, posso dizer que sei como são e asseguro saber como funcionam.

— Como poderia saber? — Marguerite a encarou, surpresa. Foi impossível não perguntar.

— Bem... Fui beijada por seu irmão consideráveis vezes e em algumas delas, quando ele excedeu seu controle e me abraçou mais forte, pude sentir o que ele tem nas calças, rígido, empurrando meu ventre. E vou lhe dizer...

Por favor, não diga! Por favor, não diga! Marguerite rogou em pensamento. Não queria saber também da intimidade do irmão.

— Pude entender o que diziam as criadas, pois a sensação não é nada desagradável — Madeleine revelou, alheia a agonia que causava em sua amiga. — Muito pelo contrário. Só me faz querer que Edrick peça minha mão a papai para que eu saiba como é ter aquilo dentro de mim, fazendo tudo mais que as criadas disseram.

— Acho que podemos entrar agora! — Marguerite exclamou ao saltar do banco como se este a queimasse. Seu rosto ardia, com certeza.

— Deixe de tantos pudores, Marguerite! — pediu Madeleine ao segurá-la pela mão e puxá-la de volta ao banco. — Estamos...

— Sozinhas, eu sei — Marguerite a interrompeu. — As criadas de Apple White também falam. Especialmente Leonor, a criada de mamãe.

Não sou tão pudica ao ponto de frear minha própria curiosidade ao ouvir seus comentários devassos, mas não quero saber dessas coisas, vindas de você. Não desse modo descarado. E, decididamente, não quero pensar na *arma* que o duque oculta nas calças. Muito menos na de meu irmão.

— Está certa! Eu não deveria ter citado Edrick, mas quanto ao duque, deveria pensar. Afinal, se eu estiver certa, as partes íntimas dele serão apresentadas a você.

— Podemos voltar à parte em que *não* me ofende, lembrando-me de que não sou elegível? Vá por mim, ter uma arma descomunal não é o problema do duque.

Madeleine, que esteve oscilando entre a diversão e a indiferença, maximizou os olhos e com as mãos enluvadas cobriu a boca aberta.

— Indecente! — acusou-a. — Você olhou para as calças do duque!

— Não olhei! — Marguerite negou veementemente e voltou a se por de pé. — Por favor, estou implorando, podemos entrar agora.

— Sim, vamos entrar — Madeleine aquiesceu, imitando-a. — Só Deus pode saber o que você revelaria sobre sua indecorosa inspeção.

Marguerite cogitou repetir a negativa, mas entendeu que estava sendo provocada. Agora, enquanto voltava para casa com Madeleine ao lado, dividia seu nervosismo inicial com a cisma surgida a partir das palavras da amiga. Não sobre analogias para as partes íntimas masculinas ou "atos sujos", agradáveis ou não, sim, quanto ao duque ter um problema. Fazia sentido.

Talvez, ele estivesse falido e a possibilidade que altivamente refutou estivesse correta. Faria sentido se o duque estivesse ali pelo dote. Edrick não havia dito que o amigo era jogador?

Marguerite analisava sua dedução, adotando-a como certa, mas freou o pensamento ao avistar o duque deixando a negra carruagem diante da mansão branca que reinava soberana e dava nome à propriedade, Apple White.

— Senhor misericordioso! — Madeleine exclamou. — Aquele é o duque?! Perdoe-me, Marguerite. De verdade eu não quero ofendê-la, mas aquele homem decididamente tem um problema se veio até aqui por sua causa.

Marguerite não estava ofendida, sim, ainda mais preocupada com seu destino. Seria o duque um interesseiro?

Madeleine tinha razão. Logan de Bolbec estava muito distante do tipo de homem que a escolheria para esposa. Um de seus vizinhos talvez a quisesse por ser robusta e acostumada à vida rural. Até mesmo Stuart poderia levar o assunto a sério e firmar um acordo, mas não aquele homem que subiu os degraus para seguir até a porta principal de sua casa, empertigado e altivo, sem tomar conhecimento da aproximação de duas jovens.

— Duque!

— O que está fazendo? — Marguerite indagou a Madeleine num sussurro aflito. — Ele não nos veria.

— E quem aqui não quer ser vista? — Madeleine deu de ombros, acenando para o duque que olhava para elas. — Céus! Com problema ou não, seu noivo é um sonho.

— Ele não é meu noivo — Marguerite a corrigiu, odiando-se por reagir ao sorriso que o duque dirigia a elas enquanto se aproximava para encontrá-las a meio caminho.

— Quer apostar? — Madeleine cochichou rapidamente, sempre sorrindo para o duque. — Se estiver errada eu darei a você o que quiser, mas esse homem tem um propósito. Se você é uma pescadora com sorte, ele é um caçador experiente. O duque a tem em sua mira e não vai errar. Digo que em dois meses estarão casados.

Marguerite não teve tempo hábil para dar a Madeleine uma resposta, pois Logan se prostrou diante delas, sorrindo para ambas.

— Boa tarde às jovens damas! — cumprimentou-as, erguendo ligeiramente sua cartola.

— Duque! — disseram em uníssono, curvando-se em uma educada reverência.

— Srta. Bradley... — Logan estendeu a mão. Ela não teve escapatória senão deixar que ele segurasse a sua e beijasse seus dedos. — Como tem passado?

— Muitíssimo bem — mentiu antes de indicar a amiga sorridente ao seu lado. — Lorde Bridgeford, permita que eu lhe apresente Madeleine Kelton. Ela é filha de nosso bom amigo e vizinho sir Frederick Kelton.

— Sir Frederick, o banqueiro — disse o duque ao segurar a mão que Madeleine lhe estendia.

— Este mesmo — disse Madeleine, enlevada. — É uma honra conhecê-lo.

— A honra é minha, senhorita — assegurou Logan.

— Se conhece sir Frederick, deve saber que é um empreendedor em expansão — disse Marguerite, fingindo não ver o braço que ele ofereceu ao retomar a caminhada.

— Sim, os negócios de papai crescem a cada dia — Madeleine confirmou as palavras da amiga, tomando a liberdade de apoiar-se no braço que esta recusou.

Logan olhou para Madeleine com estranheza, porém não cometeu a indelicadeza de afastá-la. De braços dados à loira atirada, respondeu a Marguerite:

— Sim, conheci sir Frederick em Londres. Sei de suas ideias de expansão para suas casas bancárias.

— Exatamente! Sir Frederick tem boas ideias aos montes, crescerá rapidamente — disse Marguerite. — Todos os cavalheiros da região demonstram grande interesse em unir suas famílias. Acredito que ter um banqueiro como sogro seja algo a ser considerado por todo nobre decidido a se casar, sem exceção.

Madeleine engasgou e olhou para Marguerite com assombro, mas em seus olhos não havia reprovação. Ao que parecia, Edrick tinha conseguido alguém que lhe fizesse frente aos olhos da jovem. Por ela, a amiga podia ficar com o duque. Não queria ser abatida pela boa pontaria que o experiente caçador possuía. Todavia, sua intenção fora notada e prontamente respondida.

— Sempre há exceções, senhorita. Sou prova viva. Por certo que não seria má ideia ter um banqueiro na família, mas, como minhas finanças estão muito bem administradas, prefiro ter um sogro que providencie a melhor sidra do país para que eu ofereça em minhas festas.

— Por certo que prefere — ela retrucou.

Finanças bem administradas? Pois, sim! Marguerite desdenhou para si. Caçador experiente? Questionável! O duque não tinha visão. Um nobre falido estaria melhor com um banqueiro.

Logan poderia estar alheio ao que pensava Marguerite, porém, mesmo que suas palavras não tivessem passado de um resmungo, ele as ouviu com nitidez e se preocupou.

Ao ser chamado por Madeleine antes que anunciasse sua presença à porta, não pôde deixar de reparar que sua escolhida se encolheu ao lado da bonita jovem, de cabelos mais claros do que os dela, como se o corpo franzino desta fosse capaz de ocultá-la. Enquanto se aproximou, ele tentou acreditar que a simbólica e inútil tentativa de fuga tivesse sido impressão, contudo, após a clara intenção de desviar seu interesse para a moça que apertava seu braço e a reação aborrecida ao falhar, Logan não teve dúvidas.

Antes que descobrisse a razão de Marguerite ter perdido o encanto por ele nos dias de afastamento, tinha de encontrar um modo de atraí-la de volta. Ou talvez devesse aproveitar a visita e educadamente retirar seu pedido, uma vez que a moça não o queria. Porém, para Logan pareceu trabalhoso voltar ao zero e procurar outra que se encaixasse no perfil ditado por Ketlyn.

Verdade fosse dita, há dias ele vinha analisando prós e contras. Logan chegou a se considerar canalha por trair a confiança de um amigo, mas no decorrer dos dias a culpa se tornou um cisco esquecido e ele aprimorou seu plano para que não tivesse falhas. Até mesmo passou a apreciar a ideia de ter Edrick como cunhado.

— Creio que seu irmão tenha regressado, não? — Logan indagou, disposto a dar seguimento ao trabalho que tinha a fazer ali.

— Não, Edrick ainda não voltou — revelou Marguerite ao abrir a porta de sua casa para que entrassem. — O que é uma lástima, pois eu gostaria muito de saber a opinião dele sobre o pedido que fez ao meu pai. O que ele dissesse seria determinante.

— Eu arrisco dizer que Edrick ficará feliz — opinou Madeleine. — São amigos, não são? Então, o que poderia haver para que ele fosse contrário?

O fato de o futuro cunhado há meses manter como amante a última das mulheres que poderia desejar seria o bastante, Logan pensou, voltando a pressentir perigo. Talvez estivesse enganado e seu bom amigo tenha colocado a língua para funcionar, mesmo que a irmã, melhor amiga, fosse uma moça inocente.

A possível indiscrição fez com que Logan pegasse a culpa, reduzida a um grão, e a jogasse fora. Se antes não o faria, agora não mudaria de ideia sob qualquer hipótese, nem mesmo em nome de uma antiga amizade.

— Bradley não tem argumentos que desabonem meu pedido — mentiu descaradamente. — Antes disso, quando souber ficará, sim, feliz.

— Duque! — A aparição de Ludwig à porta da saleta encerrou a conversa, eliminando as chances de a senhorita retrucar.

Caso tivesse argumentos, Logan pensou. Para o barão, pediu educadamente:

— Perdoe-me por não anunciar minha chegada, mas encontrei estas duas adoráveis senhoritas e elas me conduziram até aqui.

— Pena que não o fizeram como se deve — disse o barão, olhando com severidade para a filha. — Onde estão os criados desta casa? Nem mesmo Marguerite pediu vosso casaco e vossa cartola... Dê-me tudo para cá!

Sem demora Logan se desvencilhou de Madeleine Kelton e fez como pedido pelo barão, que entregou seus pertences a uma criada que se aproximou apressadamente.

— Espero que não repare a escassez de criados — pediu o barão, indicando o caminho da saleta. — A baronesa vive a beira de um colapso pela falta de um mordomo e de lacaios que o sirvam.

— Não tem lacaios? — Logan indagou. — E o rapaz que me serviu da última vez?

— Beni? — Foi Marguerite quem perguntou. — O pobre auxilia nos serviços domésticos, especialmente na cozinha. Mamãe o fez assumir uma tarefa para a qual não está preparado.

— Exatamente isto, duque — reiterou o barão, olhando duramente para a filha.

— Entendo... — Logan murmurou. Estava explicada a falta de traquejo do rapaz diante dele. — Pois saiba que não reparo. Nem todas as casas em que vou têm uma extensa lista de criados.

— Folgo em saber. Então, também espero não repare a simplicidade deste cômodo — falou o barão ao entrarem na saleta. — É aqui que tomamos chá com quem consideramos da família.

— Como já me considero um dos membros... — disse Logan, analisando a sala que em nada poderia ser considerada simples.

O espaço condizia com sua denominação, mas, mesmo sendo pequena, a saleta era decorada com bom gosto, clara, arejada. As grandes portas que levavam ao corredor externo, no verão sem dúvida manteriam o ambiente fresco. Ali estavam a baronesa e a filha caçula, assim como o banqueiro e a esposa. Ao se acomodar, após as reverências, os cumprimentos e a apresentação de Dorothy Kelton, Frederick se dirigiu a ele:

— Lorde Bridgeford, confesso que fiquei surpreso ao saber de vosso interesse por uma de nossas moças. Digo desse modo, pois nossas famílias são amigas de longa data. Marguerite e Catarina são como filhas e sei que seus pais sentem o mesmo por minha Madeleine.

— Por certo — concordou a baronesa, sorrindo para a filha do banqueiro.

— Fui informado sobre essa amizade — disse Logan, olhando furtivamente para Marguerite que, por sua vez, parecia muito interessada nas próprias luvas. — E compreendo a surpresa, mas quero crer que o barão tenha explicado como o interesse surgiu.

— Sim — disse Frederick. — A partir de vossa proximidade a Edrick. Foi o que me levou a apreciar essa união. Sei que não me compete, aprovar ou não, mas me alegrei. Nunca subestimo o valor de uma amizade.

De fato não competia ao banqueiro se animar com seu casamento, pensou o duque, porém, se suas palavras o abonavam, eram bem-vindas.

— Fico feliz que aprove minha escolha — disse educadamente.

— Marguerite... — Elizabeth chamou a filha, num murmúrio impaciente, atraindo também a atenção do duque que flagrou o duro olhar que a moça recebeu.

A baronesa nada disse além do nome, mas durante a troca de olhares passou um eloquente recado, pois logo a moça suspirou, pôs-se de pé e se voltou para ele.

— Lorde Bridgeford, permite que lhe sirva chá? — indagou.

— Sim, obrigado! — disse, sustentando o olhar. — Sem açúcar.

A moça anuiu e se dirigiu à mesa para servi-lo como se ali não houvesse uma criada designada para isso. Em sua primeira visita quem exerceu aquele papel tinha sido Catarina. Ficou claro que a orgulhosa — e naquele caso um tanto preocupada — mãe queria mostrar o quanto suas filhas eram educadas.

Enquanto Marguerite se aproximava, encarando-o com um estranho brilho no olhar, sem o estremecimento que fizeram xícara e pires tilintarem nas mãos de Catarina, Logan compartilhou da preocupação que mantinha a baronesa rígida em sua poltrona e intimamente especulou quão quente estaria o líquido fumarento. De fato temeu por suas calças e partes importantes sob o tecido permeável, mas a moça apenas se inclinou com doçura questionável e entregou o pires.

— Obrigado — agradeceu roucamente, após um breve olhar para o colo nu. O instinto se sobrepôs ao temor. Era inevitável. Depois de um discreto pigarro para limpar a voz, voltou a encará-la e disse: — Antes que me ofereça algo mais, senhorita, saiba que chá é o bastante.

— Como queira! — disse Marguerite. Após uma exagerada reverência ela sorriu para a mãe, voltou ao lugar e novamente suas luvas eram mais interessantes do que o duque.

— De minha parte — Ludwig retomou o assunto iniciado pelo banqueiro —, depois da surpresa fiquei muito satisfeito com a possibilidade de unir nossas famílias. Não posso imaginar um pretendente melhor para nossa Marguerite.

— Contento-me em saber que pensa assim — disse Logan antes de experimentar o chá, com os olhos em sua futura esposa. De fato, ele não exercia qualquer poder sobre ela.

— Lamento apenas que Edrick não esteja aqui — comentou o barão.

— Ele ficará contente com a novidade.

— Seremos como irmãos... — profetizou Logan, distraidamente. Marguerite não o olhava nunca, divergindo de Madeleine e Catarina. Uma descaradamente e outra com certa discrição tinham nele sua pessoa preferida naquela sala, mas elas não eram seu foco.

A partir dali iniciou-se uma conversa sobre assuntos corriqueiros aos moradores de áreas rurais, como o início do outono, a proximidade do inverno e as consequências que deixariam nos campos. Frederick especulou sobre as novidades de Londres. Logan respondia, quando solicitado, sem se aprofundar no que era dito, por estar atento à Marguerite.

O modo como se mantinha rígida e distante passou a alimentara impressão de que ela sabia mais do que devia. E o pior, que ele realmente a perdia. A decidida moça até mesmo se recusou a acompanhá-lo ao canil, quando ele estrategicamente perguntou pelo galgo e foi informado por Catarina de que o *selvagem* estava trancafiado para que não importunasse as visitas.

Logan Airy Haltman de Bolbec não era homem que fosse vencido por uma moça obstinada. Até o final da noite daria um jeito de envolvê-la com o charme que sempre lhe rendeu noites apaixonadas com damas mais arredias. Com Marguerite não precisaria ir tão longe. Ainda!

O duque estava decidido, mas com o passar das horas não conseguiu ficar a sós com sua escolhida um mísero instante e a cada recusa dela a determinação dele ganhava força. Tanta que Logan não recusou ao ser convidado para o jantar, após a saída da família Kelton.

Marguerite não ocultou sua contrariedade antes que deixasse a sala para que pudesse se aprontar e não apresentava melhor expressão ao retornar mais bem arrumada, uma hora depois, usando vestido de cetim marrom que, mesmo destacando o volumoso colo, não a favorecia.

Logan soube que jamais entenderia os gostos femininos ao flagrar o olhar de aprovação que a baronesa lançou à filha.

Em todo caso, não estava ali para compreender as idiossincrasias das mulheres daquela família, sim, para conseguir uma dedicada e amorosa esposa.

— Está muito bonita, senhorita! — ele a elogiou ao se aproximar.

— Obrigada! — disse apenas, empertigada.

Logan franziu o cenho e procurou por algum tema que pudesse interessá-la.

— Estive pensando em Nero — comentou. Quando teve os olhos azuis em si, congratulou-se e acrescentou: — Em minha última visita a senhorita comentou algo sobre ele ter sido tratado com selvageria... O que pode ter sido?

— Bobagens infantis, supervalorizadas por Marguerite — disse a baronesa, antecipando-se à filha. Aborrecendo-o pela intromissão. — Nero está vivo e bem. É o que importa.

O barão riu brevemente e Catarina se reacomodou no sofá, evitando o olhar da irmã. Estava claro que os pais não davam valor ao que incomodava Marguerite, feito por sua irmã caçula ao galgo que ela demonstrava amar. Também estava claro que ele ficaria sem resposta, mas, com base na afeição que tinha por seus cães, especialmente por seu falcão, tornou-se simpatizante do ressentimento de sua futura esposa.

Antes que Logan tecesse algum comentário solidário, todos foram chamados para o jantar e a nova tentativa de estreitar os laços se perdeu. Como conquistaria a confiança de sua escolhida? Logan se perguntou enquanto era conduzido à sala de jantar.

À mesa o duque não teve oportunidade de se reportar à moça, pois seu anfitrião, a versão envelhecida do primogênito ausente, monopolizou-o. Marguerite, por sua vez, em tempo algum dirigiu ao duque sequer um fortuito olhar. Ela se distanciava mais e mais.

Em contrapartida, o barão a todo instante salientava sua satisfação com a futura união. Como esperado em casos semelhantes, a vontade da moça seria a última a ser levada em consideração, mas o duque não queria uma esposa rebelde. Queria Marguerite rendida para que aceitasse suas decisões com olhos turvos e um sorriso curvando os lábios carnudos.

Para que tivesse desejos extremos atendidos, devia se empenhar mais, Logan determinou.

— Nossa, veja a hora! — ele exclamou teatralmente ao olhar seu relógio de bolso, enquanto era servida a sobremesa. — Devo partir.

— Decerto, duque — disse Marguerite. — Não é recomendável trafegar por nossas estradas, quando escurece tão cedo.

— Marguerite?! — Elizabeth escandalizou-se.

— Foi apenas um comentário, mamãe — eximiu-se Marguerite. — E a partida do duque não significa o fim da visita já que ele pretende voltar amanhã. Não foi o que disse a papai?

— Sim — Logan confirmou, satisfeito por saber que ao menos ela esteve ouvindo o que ele dizia. Aproveitando uma das raras vezes em que era encarado, tentou indicar com seu olhar que conhecia as regras daquele jogo e queixou-se: — Mesmo que as pedras do caminho tornem a viagem incômoda e traga dor às minhas costas, voltarei quantas vezes forem preciso.

— Oh! — Elizabeth se compadeceu do falso martírio. — Evidente que alguém acostumado às ruas de Londres e Cambridgeshire havia de estranhar nossas estradas.

— Bem... — O barão tomou a palavra. — Como anfitrião e futuro sogro eu me sinto no dever de zelar por seu conforto. Peço que aceite o convite para pernoitar em nossa humilde casa, quantas vezes forem necessárias.

— Será um imenso prazer, barão! — Logan aceitou e sorriu ao notar o olhar contrariado de Marguerite. Aquela brincadeira começava a ser divertida. — Pedirei ao cocheiro que volte ao hotel e avise meu valete de que passarei a noite aqui, caso contrário Ebert será capaz de me esperar, a postos.

— Beni poderá assumir a tarefa de seu valete, Lorde Bridgeford — determinou a baronesa, fazendo com que o rapaz quase deixasse cair uma bandeja.

— Não será necessário — Logan declinou. — Posso cuidar de mim mesmo, quando necessário. Acredite, não será a primeira vez.

— Mas, Lorde Bridgeford...

— Eu insisto — Logan interrompeu a baronesa. — Ainda mais quando vejo que o rapaz parece estar sobrecarregado. Deve haver um mito de que as criadas virem fumaça caso cruzem o caminho de um duque, mas acredite, mesmo com todos os esforços, vez ou outra eu encontro alguma criada de Castle nos corredores e todas ainda estão sólidas e sadias. Não precisa esconder as vossas.

— Obrigada! O duque é tão abnegado e generoso!

Marguerite revirou os olhos para a admiração da mãe. Agora seria duplamente cobrada.

— Duque, não se ocupe de assuntos domésticos. Vamos providenciar o recado ao seu valete assim que encerrarmos o jantar — determinou o barão. — Passaremos ao meu gabinete para que escreva. Enquanto isso minha esposa irá verificar a arrumação do quarto de hóspedes.

— Se nos der sua licença, senhor, Marguerite e eu faremos isso agora mesmo — prontificou-se Elizabeth.

A jovem preferia ficar ali até que comesse todos os pêssegos caramelados, mas sua mãe não lhe fez um convite e seu pai não se importou que deixasse a mesa antes que o jantar chegasse ao fim.

Catarina incluiu-se na tarefa e foi igualmente liberada. Com isso, obediente, Marguerite deixou a mesa e seguiu a mãe e a irmã até o *hall* de entrada, onde a baronesa chamou por Marie e avisou à criada sobre a permanência do duque em Apple White.

— Acho que um condenado à forca se mostraria mais animado que você — Catarina cochichou ao lado enquanto subiam a escada. — Por mais que eu a conheça, nunca serei capaz de entendê-la. Por que não está radiante?

— Porque é uma tola romântica — respondeu Elizabeth, indicando ter ouvido as palavras sussurradas. — Aliás, uma tola romântica sem visão. Catarina, sua irmã simplesmente não consegue dar valor à sorte que caiu em seu colo.

O que a mãe chamava de sorte, Marguerite considerava uma pedra incandescente que danificaria seu vestido — no caso, sua vida —, sem que ela conseguisse segurar e jogar fora antes do estrago ser feito. O que esperaria de um casamento baseado no interesse?

Madeleine tinha razão. O duque abnegado e generoso tinha um propósito, ela estava em sua mira e por mais que desviasse, ele encontrava um jeito de abatê-la.

Capítulo 4

Marguerite não conseguiu conciliar o sono. Há quase duas semanas ela acordou como em todas as outras manhãs ao longo de seus dezenove anos, descompromissada, sem pretendentes, e tinha ido se deitar tendo um duque disposto a cortejá-la. Contrariando a lógica, o nobre interessado, ou interesseiro, não apenas voltou como agora dormia na ala dos hóspedes. Além de falido, devia estar desesperado para desempenhar o papel de pobre homem com as costas doloridas. E o que dizer da declaração de que estava habituado a cuidar de si mesmo? Sem dúvida o valete citado sequer existisse e o duque diariamente vestisse a si mesmo.

Como ela dormiria?

Não tinha como, aceitou Marguerite. E, uma vez que seus pensamentos não davam trégua, decidiu se aventurar até a biblioteca para escolher um bom livro que ocupasse sua mente.

— Você fica! — disse ao galgo, quando este fez menção de acompanhá-la, enquanto ela vestia o penhoar. — Não quer voltar para o canil, não é? Prometo não demorar.

De posse da lamparina, Marguerite deixou o quarto, fechou a porta e espiou o corredor. Nunca teve medo de sua casa durante a noite, então, não começaria por aquela. Não quando estava habituada às visitas noturnas à biblioteca como forma de encontrar o sono perdido. Na presente situação precisava encontrá-lo com urgência ou enlouqueceria de ansiedade até o raiar do dia que, por já estarem no outono, seria tarde demais para seu gosto.

O cerco se fechava, ela sentia, e não sabia como escapar. Também não fazia a mínima ideia de como seria caso fosse capturada. Não sabia o que era esperado dela, quando se tornasse a nova duquesa Bridgeford. Sequer se imaginou no comando de um castelo no auge de seu esplendor, como seria gerir um mausoléu decadente?

Teria restado algum criado além do cocheiro? Passaria frio? Sentiria fome? Por quanto tempo seu generoso dote duraria? Todas aquelas questões a assombravam ao chegar à biblioteca. Com as dúvidas povoando sua mente, Marguerite demorou a escolher o livro que a distrairia. Optou pelo usual: *Sonhos de uma Noite de Verão*, seu preferido. O texto não lhe dava sono por ser enfadonho, sim, acalmava-a por sua trama interessante.

Depois de depositar a lamparina na mesinha, Marguerite se estendeu na *chaise longue*, recostada sobre as almofadas e se preparou para mergulhar no mundo de amores desencontrados e de Teseu, o duque de Atenas.

— Eu dispensaria o título de duque — ela gracejou num murmúrio enquanto folheava as primeiras páginas.

— Qual sua restrição ao título?

A pergunta inesperada, vinda de um improvável recém-chegado, sobressaltou Marguerite. O livro por pouco não foi ao chão, quando ela se levantou de um salto.

— Duque! O que faz aqui?! — Indagou a jovem, trêmula pelo susto, pela visão.

O cabelo escuro, sempre bem alinhado, estava revolto; era maior do que ela podia supor. Logan vestia o robe emprestado de Edrick. Ambos divergiam em altura, mas a compleição era praticamente a mesma não justificando a abertura em V que revelava o peito nu. Ela não queria olhar para aquele ponto, mas parecia ter esquecido como mover o rosto ou baixar os olhos.

— Queria um copo d'água — disse o duque, avançando um passo com cautela.

— Bastava puxar a corda ao lado da cama. Alguém que dorme ao lado da cozinha ouviria a sineta e iria atendê-lo — explicou Marguerite, mesmo sabendo que o duque estava familiarizado com o funcionamento de qualquer casa. — Volte para vosso quarto. Eu irei acordar uma das criadas e pedirei que sirva o que deseja. E por certo ralharei com Marie por não ter atendido as recomendações de mamãe. Sempre temos água, em todos os quartos.

— Ou podemos conversar — ele sugeriu, avançando outro passo. — Não precisa chamar à atenção de uma criada por algo sem importância. Estou bagunçando a ordem da casa.

Ele estava bagunçando os pensamentos dela. Com Logan mais perto, onde só havia eles dois, em trajes de dormir, Marguerite não teve como se manter indiferente. Foi inevitável recordar o toque dele em seu pescoço, leve e preciso. Não era seguro ficar ali com um nobre obstinado, falido, desesperado, quando reconhecia sua suscetibilidade a ele.

— Relevarei a falta — disse decidida, inexplicavelmente arfante —, mas não é apropriado conversamos aqui. Amanhã pela manhã, talvez... Por ora, boa noite! Com vossa licença.

Marguerite fez menção de partir, mas seu pretendente agiu rapidamente e fechou a porta.

— O que está fazendo?! — Marguerite se sobressaltou. — Não podemos ficar fechados, sozinhos!

— Não tenha medo de mim.

— Não estou com medo — ela mentiu, defendendo-se com a verdade: — Não é adequado.

— Todos estão dormindo... E logo sairemos. Preciso apenas saber duas coisas — disse o duque antes de ir até ela em poucas e largas passadas.

Marguerite recuou, mas a *chaise longue* impediu a fuga.

— O que seria? — questionou num novo murmúrio, mais baixo e soprado do que o primeiro ao ter aquele corpo grande e forte a centímetros do dela. Nunca esteve em tal situação.

— Por que rejeitou convites para passeios nos quais ficaríamos a sós? Entende o conceito de uma corte, não?

— Por certo — Marguerite respondeu, descobrindo que fitar os olhos escurecidos ou a boca masculina não era melhor que mirar o peito que o robe não cobria. Tremia, o ar era rarefeito, mas não se acovardou e sustentou o olhar avaliativo: — Não entendo a corte em si. Há outras moças... Eu não sou a escolha óbvia de um duque... Não há explicação lógica para vossa presença aqui. Não uma que não envolva Catarina. Nossos dotes têm igual valor. E, mesmo que não tivessem, sem dúvida, há moças cujos pais sejam ainda mais generosos que o meu. Assim sendo, nunca vi razão para estarmos a sós.

— Sim, há muitas outras moças, mas escolhi a senhorita — retrucou Logan, sem entender a nova menção ao dote. Recordava-se de ter dito que não estava ali por dinheiro. Por um instante acreditou ter encontrado o real motivo do distanciamento. Se não fosse pela indiscrição de Edrick, restaria a aparência dela e o interesse dele no dote. Aquela seria a explicação para o que ela não compreendia. — Por que se desmerece dessa maneira?

— Em meu quarto tenho um grande espelho, duque, que abrange toda minha figura. Homens como o senhor, não olham para moças como eu. Não sem que haja um interesse oculto.

Esteve certo! Congratulou-se. Marguerite por si só chegou à conclusão de que ele a procurou por interesse e apenas se precavia. Enfim, não a perdeu de todo. Logan percebia no modo como ela tremia, na voz falha. E, analisando-a sem tantos panos ou um espartilho que ocultaria formas indesejáveis, Logan sabia que o espelho citado não era largo além do normal.

E Marguerite tinha razão quanto a chamar sua atenção. Em situações normais provavelmente não a olhasse pela segunda vez ao descobri-la em algum salão, mas as circunstâncias faziam com que mantivesse seus olhos postos nela e confirmasse que não seria nada desagradável tê-la como esposa. Precisaria apenas garantir que se casassem.

— Asseguro-lhe, não há nada errado com minha corte. Aceitando-as ou não, já expliquei minhas razões e não pretendo repeti-las.

— O que me disse não faz sentido... — Marguerite considerava uma fuga. Sentia o laço se fechando em seus punhos. Se não saísse dali, seria presa.

— Lamento que não compreenda — disse Logan e, prevendo a intenção de partir, prometeu: — Deixarei que vá, pois este não é o momento de tentar convencê-la de minha sinceridade, mas... — acrescentou, barrando a passagem antes que ela escapasse. — Resta saber uma coisa.

— Saber o quê? — Marguerite especulava se o duque seria capaz de persegui-la caso desse a volta no estofado e corresse até a porta.

— Qual a textura de sua pele.

Imediatamente Marguerite o encarou. Sem rodeios, Logan tocou a bochecha rosada.

— Lorde Bridgeford, não...

— Shhh... Espere! — Abalada, Marguerite o atendeu e imediatamente fechou os olhos, com força, como se assim refreasse o calafrio que corria por sua coluna enquanto o duque repetia o carinho feito em sua primeira visita, agora, sem a luva entre suas peles. — É tão macia!

Marguerite podia se ofender com o tom surpreso e rouco, mas inadvertidamente agradá-lo a envaideceu. E a surpreendeu. De repente era como se ela estivesse ao lado de uma lareira acesa, que a aquecia de dentro para fora. Depois, de baixo para cima, quando o toque se tornou duplo.

Agora o duque mantinha as duas mãos na curva do pescoço dela, movendo os dedos em uma carícia mínima.

— Por favor, senhor, permita que eu volte para meu quarto... — pediu sem convicção, ainda de olhos fechados. Queimando na medida em que as mãos atrevidas cobriam as clavículas, sob o robe, afastando-o. Por que ela não reagia? — Isso não é certo... Não devia...

Por não encontrar resistência, apreciando a pele fresca, o duque abriu o robe e admirou o colo que se movia graciosamente, acompanhando a respiração entrecortada.

— Tão macia! — ele repetiu num murmúrio. — E agraciada pela generosidade divina.

A fraqueza por dotes femininos agia nele ao confirmar que não se decepcionaria com a futura esposa. Não pensava e, antes que considerasse inadequado ou indecoroso, antes até que recordasse onde eles estavam, Logan acariciou os seios dela sobre a camisola.

— Lorde Bridgeford?! — Assombrada com a ousadia Marguerite se desequilibrou e caiu sentada. Não teve tempo de levantar, pois Logan caiu de joelhos diante dela e lhe tapou a boca apenas para que não gritasse. No fim, calou-a com a ansiedade em seu olhar.

— Esqueça toda recomendação — ele murmurou, acariciando seu pescoço. — Não é errado! Ainda que fosse, vou pedir sua mão e seu pai a dará. Respeito-a, muito. E nem pedirei tanto.

— Por favor... — ela pediu sem saber se atribuía sua inércia ao choque ou à curiosidade. — Seja o que for... Não peça...

— Suplico, então... Conceda-me alguma liberdade... Permita que eu veja mais do colo que não sai de minha mente desde que me serviu chá... Não é errado. Juro!

Não devia, pois o que faziam era, sim, errado. Mas, como não permitir o quer que fosse se as palavras mansas dele confundiam-na? Se a ação inesperada associada ao carinho que se estendia do pescoço ao colo aumentava aquele calor bom, de dentro para fora, de baixo para cima?

Calando todas as razões que a fariam correr e se trancar no quarto antes que fosse presa para sempre, Marguerite assentiu. Logan sorriu e liberou um sopro de alívio, ou de vitória. Sem deixar de encará-la ele segurou a fita na frente da camisola e a puxou, sem pressa.

Ver o brilho nos olhos assustados e sentir Marguerite estremecer com maior intensidade o envaidecia, excitava-o. Como ela, Logan respirava pela boca entreaberta enquanto baixava a camisola, deixando os seios livres. Somente então ele desceu o olhar.

— Belíssimos! — Logan deu voz à admiração ao se deparar com os peitos mais bonitos entre todos que tinha visto ao longo de sua vida. E não foram poucos!

Nunca antes ele encontrou uma mulher com seios simétricos, resistentes à gravidade apesar do volume, com auréolas rosadas tão pálidas que provavam a existência apenas por circundarem mamilos eriçados, convidativos.

— Oh... — Arfou Marguerite, quando Logan amparou e acariciou os seios que para sempre teriam dele irrestrita adoração. Ela não raciocinava, pois um ponto entre suas pernas passou a pulsar, dolorosamente. — Isso não é certo...

— É certo — ele a desdisse num rouco murmúrio, beliscando os mamilos mínimos para enrijecê-los mais. Jamais imaginou encontrar tamanho tesouro. — Sim, é certo... Tanto que...

Sem aviso, sem nova súplica, enlevado, Logan se inclinou e cobriu um seio com a boca.

— Por favor, não... Deus do céu! — ela blasfemou quando ele chupou o mamilo com força.

Para o bem da verdade, Marguerite empurrou o duque pelos ombros, mas não pôde afastá-lo. Reflexivo, Logan a prendeu pelas costas. Com um gemido intensificou a ação como se sentisse muita fome e apenas aquele peito fosse capaz de alimentá-lo.

Insatisfeito, Logan deu ao outro mamilo o mesmo tratamento e Marguerite não se opôs. O que sentia calava qualquer protesto. Queria mais, fosse o que fosse. Doía, mas era bom. Ela se sobressaltou ao sentira grande mão tocar sua panturrilha, subir por sua perna e se aventurar no interior de sua coxa, mas não teve forças para lutar. O calor bom se tornou fogo abrasador e a queimava por inteiro. Quando o duque foi além, tocando-a entre as pernas, nada mais restou.

Logan tinha razão! Não podia ser errado se era sublime, considerou Marguerite, permitindo que ele a acomodasse melhor para aprimorar as ações até então tidas como indecorosas. Foi com o duque saciando a fome em um seio e movendo os dedos num ponto específico entre as pernas dela que o que crescia, dolorosa e fortemente, explodiu, levando-a a estremecer.

Marguerite se agarrou ao robe do duque com força e mordeu o lábio inferior para que não gritasse ante as sensações extremas e desconhecidas. Aquilo a mataria!

— Shhh... — Logan soprou, abraçando-a. — Não se assuste. Isso é absolutamente natural.

— O que... O que foi isso? — Marguerite quis saber. Se não morreria, aproveitou para sentir o cheiro que desprendia do peito nu.

— Isso, senhorita... — disse ele, sorrindo, arfante, depois de afastá-la e passar a recompô-la. — É apenas uma amostra de tudo que posso lhe dar depois de nos casarmos. Devo acreditar que ainda se aterá a dúvidas descabidas?

Marguerite nunca teve a chance de responder. Antes mesmo que pensasse em uma resposta, a porta da biblioteca foi aberta para dar passagem a Nero que imediatamente correu até eles e passou a latir para Logan. Em seguida entrou o barão que estacou, escrutinando a cena com evidente horror.

— Mas, o que diabo está acontecendo aqui?!

— Papai! — Marguerite se agitou e afastou as mãos do duque para prender a frente do robe sobre a camisola ainda aberta.

— Westling, eu posso explicar... — disse Logan, olhando do cachorro ao barão.

— Cale a boca! — gritou Ludwig, colérico, levando Nero a latir ainda mais. — Duque ou não, eu vou matá-lo!

A excitação não saciada o impossibilitava de se levantar, portanto Logan apenas ergueu as mãos lentamente como se já tivesse sob a mira de uma arma, mantendo a calma para que tudo saísse de acordo. Era fato que espreitou no corredor da ala familiar, rogando para que a jovem deixasse o quarto em algum momento durante a noite ou que inconscientemente lhe indicasse atrás de qual das portas estaria para que ele arriscasse visitá-la. Por sorte deu-se a primeira opção e ele não negaria que sempre esteve disposto a aliciá-la, mas não planejou o flagrante. Porém, se o destino quis que fosse descoberto, usaria aquilo em seu favor.

— Barão, por quê? — Logan estava seguro, confiando também que Nero não o atacaria.

— Como ousa me fazer essa pergunta?! — Ludwig passou a andar de um lado ao outro, aos brados. — Eu o recebi sob meu teto! Acreditei que fosse um homem decente! E como me paga? Como retribui minha acolhida? Ataca minha filha!

— Acalme-se! — Logan soou conciliador. — Nós estamos praticamente noivos.

— Nenhum compromisso, antes da benção de um sacerdote, lhe dá o direito de atacar minha filha! — Retrucou o barão, descontrolado. — Você a corrompeu! Vou matá-lo! Vou matá-lo!

— Senhor, o que está...? — A baronesa igualmente se calou ao entrar e se deparar com a cena. Catarina chegou logo atrás e parou à porta. Assombrada a princípio, mas logo sorria com disfarçada malícia.

A cor abandonou o rosto da mãe enquanto olhava de um ao outro. Segurando a abertura do robe, Marguerite chorava baixinho. Considerando que não pioraria a situação, Logan levantou, preparando-se para o novo ataque, porém Elizabeth o ignorou e correu para abraçar a filha.

— Querida? O que este senhor lhe fez? Ele... Ele a machucou?

— Não machuquei sua filha, baronesa — Logan assegurou e, incomodado com os latidos, ordenou ao cachorro: — Nero, calado!

Para surpresa de Marguerite, Nero silenciou e se sentou sobre as patas traseiras, encarando-o.

— O descarado mente! — gritou o barão, rubro. — Eu o peguei em flagrante. Ele sobre ela... No estofado... Ele...

— Não cheguei nem perto de fazer o que insinua! — Logan perdia a paciência também com o futuro sogro. — Compreendo sua posição, mas sua reação é exagerada. Eu vou me casar com Marguerite, inferno!

— Não vai! Nunca mais há de machucar minha filha! Nem a filha de mais ninguém porque vou mesmo matá-lo!

— Pois irá tirar a vida de um homem inocente — redarguiu Logan. Decidido a encerrar o espetáculo, acrescentou: — Nessa sala não aconteceu nada que sua filha não tenha permitido.

— O quê?! — Ludwig parou e o encarou. — Está dizendo que minha Marguerite deixou que a tocasse sem que estivessem, no mínimo, oficialmente comprometidos?

— Estou — Logan sustentou sua palavra. — E, veja! Ela está bem aqui. Pergunte.

Marguerite rogou para que o chão se abrisse e a terra a engolisse, quando foi encarada por seu pai, por Catarina e também por Marie, que agora estava à porta. Quem fez a pergunta sugerida pelo duque foi Elizabeth, depois de se afastar para olhá-la de frente.

— Isso é verdade? Marguerite? Você permitiu que ele...?

Antes que respondesse, Marguerite ergueu o olhar para Logan. Confirmar na expressão do duque a tranquilidade que percebia na voz, fez com que o odiasse. O experiente caçador tinha um plano e de bom grado ela pisou na armadilha que ele friamente preparou.

— Estamos esperando, Marguerite — disse o barão. — Esse senhor diz a verdade?

Por um segundo Marguerite cogitou mentir. Seria merecido que tão odioso cavalheiro sentisse na carne a fúria de seu pai ou que pagasse com sangue por ludibriá-la, fazendo com que acreditasse que estivesse satisfeito com o que via, mas, se ela fosse responsável por sua morte — ou até mesmo a do barão caso chegassem a duelar —, não seria muito melhor que ele.

— Marguerite, querida... — Elizabeth a chamou amavelmente. — Diga a verdade. Somos sua família e estamos aqui para defendê-la. Se esse cavalheiro a forçou a... Se ele a...

— Não forçou — respondeu em bom tom. Imediatamente lamentou não ser forte o bastante para apagar com um soco certeiro o sorriso do duque. Contudo, ser fraca não a impedia de lutar por liberdade. Engolindo seu embargo, garantiu: — Porém, nada aconteceu. Mortes são tão desnecessárias quanto um casamento. Continuo pura quanto sempre fui. Deve haver um modo de provar o que eu digo.

— Sim, há — disse Elizabeth, claramente aliviada. — O doutor...

— Não! — Reagiu Logan, surpreso com o argumento da ardilosa jovem. Arrastá-la daquela casa passou a ser uma questão de honra pelo atrevimento de medir forças com ele.

— Não? — indagou Ludwig, ainda rubro, porém um tanto mais calmo. — Marguerite confirma vossas palavras e você a desmente? Decida-se!

— Não — disse Logan, sustentando o olhar de Marguerite —, eu não forcei sua filha a nada, barão. Não, não é preciso chamar doutor algum para provar que ela continua pura. E, não, decididamente não, eu não vou aceitar que desfaça nosso acordo.

Abalado de um modo que não poderia prever que acontecesse, Logan olhou para o barão e, em tom baixo, incisivo, prosseguiu:

— Excedi-me. Abusei de sua hospitalidade, barão, mas consentiu com a corte. Aceitou que me casasse com sua filha e essa união não é menos do que espero. Eu serei o melhor genro que possa conseguir, mas se me rechaçar... Se negar meu pedido... Eu juro por Deus que minarei sua boa relação com as pessoas mais importantes da corte. Inclusive com Sua Majestade.

Respirando aos bocados, Marguerite olhou para o pai. Seu título podia ser insignificante se comparado à tradição e legitimidade que dava peso ao do duque, mas era homem de brio, mais velho. Marguerite via no semblante resignado do barão que estava salva. Ludwig não desafiaria o duque a um duelo, mas o colocaria para fora a pontapés por sua canalhice e vil chantagem.

Marguerite experimentava o sabor da liberdade, quando ouviu a sentença do pai:

— O casamento deve ser ainda esta semana. Arranje uma licença especial, o que for... Case-se com ela e suma de minhas vistas. E vá sabendo que de mim não receberá nem um Pence. O dote seria dado por uma filha virtuosa, não por esta desfrutável que desconheço.

Sem mais palavras o barão deu meia volta e saiu, espantando com brados quem encontrava em seu caminho.

— Não! Papai, por favor! — Marguerite quis segui-lo, porém a mãe a deteve. — Deixe-me ir atrás dele.

— Não é aconselhável — disse Elizabeth, com calma enervante, olhando para o duque. — Tudo foi resolvido da melhor forma.

— Por certo, baronesa — Logan confirmou, satisfeito.

— Por certo uma ova! — Marguerite rebelou-se. — Mamãe, não percebe? É um plano... Não pode deixar que esse senhor o leve adiante.

— Querida, o que está dizendo? — A baronesa meneava a cabeça com pesar. — A que plano se refere?

— Eu também gostaria de saber — o duque a desafiou. — Explique! Mas, seja realista, pois esta é a vida real. A senhorita não esteve enfeitiçada por Puck muito menos envolvida em uma das fantasias que cria em seu pomar sobre donzelas em perigo.

Edrick! Marguerite pensou, derrotada. Nem mesmo se impressionou pelo duque citar Puck, o ser mitológico que confundiu os casais apaixonados no livro esquecido sobre a *chaise long*. Devia ter imaginado que o irmão tivesse contado ao amigo sobre as brincadeiras dela no pomar. Inocentemente, Edrick deu munição ao duque para enredá-la ainda mais. Não era criança, mas aos olhos de todos era uma moça avoada, que se perdia em um mundo de ilusão.

Estava irremediavelmente perdida, Marguerite viu nos olhos castanhos da mãe.

— Está certo, Lorde Bridgeford! A mente de minha filha é fantasiosa. Os acontecimentos dessa noite a confundiram. Apesar de tudo, sei que veio até nós com a melhor das intenções.

— Tem razão, mamãe! — Marguerite sustentava o olhar do duque. — Fui traída por minha mente fantasiosa. Não sou uma donzela em perigo tanto quanto o duque não é um vilão de fábulas infantis.

Não, o nono duque de Bridgeford era pior, Marguerite acrescentou em pensamento. Muito pior, pois vilões podiam ser cativantes. Logan de Bolbec era apenas calculista e odioso.

Capítulo 5

O sol que rompeu a escuridão encontrou Marguerite acordada, sentada na cama, com os olhos fixos em um ponto qualquer do assoalho, perdida na análise de seus sentimentos. Não, em tempo algum ela esteve perto de se apaixonar pela versão viva de uma criatura monstruosa, vulgo, Logan de Bolbec, mas não seria cínica ao ponto de negar que, apesar de sua resistência e desconfiança, desde o primeiro toque se sentiu atraída pela máscula beleza e altivez. Também não negaria que apenas pensar no duque a desestabilizava depois da licenciosidade concedida na biblioteca.

Com seu ânimo acalmado, Marguerite entendeu que o sentimento forte que a exortou a lutar por liberdade foi antes de tudo uma profunda decepção por descobrir que as palavras mansas, a súplica, os carinhos ousados e excitantes não passaram de estratégia para que Logan garantisse o vantajoso casamento. Fora tola, fraca e leviana. A vergonha a corroía. Caso pudesse, imitaria o duque que, ao deixar a biblioteca, vestiu-se em poucos minutos e partiu na companhia do criado sonolento que o levou a Westling Ville.

Marguerite escondeu o rosto entre os joelhos. Logan não voltaria uma vez que havia perdido o dote. Devia se alegrar por não voltar a vê-lo, mas parte dela se entristecia. Estava dividida. Uma parte odiava o duque, outra ficou ligada a ele pelo frisson que despertou e a estremecia toda vez que recordava o sugar em seu seio e o mover da mão entre suas pernas.

E tudo aquilo tinha sido uma amostra, ele dissera.

Com um suspiro resignado Marguerite ergueu a cabeça, decidida a mirar aquele sentimento. Com ou sem interesse de ambas as partes, não haveria casamento, então, não devia desejar ter mais do que teve.

— Marguerite — ouviu sua mãe chamar.

Nero se levantou. Marguerite nada fez, rogando para que Elizabeth pensasse que ainda dormia e partisse. Não aconteceu uma coisa nem outra. Mesmo sem resposta a baronesa abriu a porta e entrou, seguida de Leonor que trazia uma bandeja com o desjejum.

Até mesmo sua mãe sabia que estava livre do compromisso depois de ter sido bolinada, pensou a moça. Somente isso explicaria o inusitado de a baronesa trazer um suntuoso café da manhã até a cama. E para uma filha solteira! A criada deixou a bandeja no aparador e se retirou. Não sem antes olhá-la com disfarçada reprovação. Marguerite a ignorou e esperou que a mãe se pronunciasse.

— Como se sente? — indagou Elizabeth, analisando-a com enervante atenção.

— Não estou doente, mamãe. Não precisa me olhar assim, nem havia a necessidade de ter trazido o café até aqui.

— Desarme-se, Marguerite. Estou preocupada com você. Com... Com o que aconteceu essa madrugada...

— Já disse que nada aconteceu.

— Querida... — Elizabeth meneou a cabeça com pesar. — Alguma coisa aconteceu. Não tem como negar. Eu só não sei até onde foram antes de serem flagrados pelo barão.

No que dependesse dela, Marguerite pensou, a mãe continuaria na ignorância, pois jamais reproduziria as ações do duque em palavras.

— O rubor em seu rosto a desmente — observou sua mãe. Após um longo suspiro ela foi se sentar ao lado da filha. — Tranquiliza-me perceber que, seja lá o que tenha acontecido não a traumatizou.

— O que poderia ter me traumatizado?

— Não sei se sua pergunta me alivia ou preocupa — comentou a baronesa, escrutinando-lhe o rosto corado. — Continua inocente ou... teria gostado?

Como pensou antes, não negaria ter apreciado a amostra, mas se sua mãe não fosse clara, não avançariam naquela conversa estranha.

— Sinceramente, eu não estou entendendo, mamãe.

De súbito o rosto de traços ainda jovens se tornou escarlate. Elizabeth titubeou, torceu os lábios, então, disparou:

— Marguerite, seja sincera! Lorde Bridgeford mostrou a você o quanto os homens são diferentes de nós?

— Ah! — Marguerite por fim compreendeu e antes que filtrasse o pensamento, disse: — A senhora quer saber se eu vi a arma do duque.

— Arma do duque?! Quando passamos a falar sobre armas? Nós... — Elizabeth se calou e maximizou os olhos ao entender. — Nem quero imaginar como chegou a esse termo, mas é assim que se refere ao... a... ao... Enfim, Marguerite, você viu ou não a bendita arma?

— Não, senhora — disse seguramente. E já que tinha falado sem pensar, baseada no que ouviu de Madeleine, acrescentou: — Nem mesmo a senti.

— Graças ao bom Deus! — Elizabeth suspirou, aliviada. — Então, nada está perdido. Caso o duque não volte e os criados se mantenham discretos, não haverá danos à sua reputação. Não precisamos de mais esse detalhe para manter os pretendentes longe de você.

— Obrigada, mamãe! — ela agradeceu, reconhecendo que a preocupação da baronesa havia voltado ao seu estado natural. — Já que está tranquila, eu poderia ter meu café da manhã agora?

— Já que está bem, não doente ou ferida, pode se vestir e descer para ter o café da manhã com todos nós — disse Elizabeth antes de se levantar e confiscar a bandeja. — Não demore.

A baronesa enviou Nádia ao quarto para ajudar Marguerite com a toalete. A criada havia sido contratada para ocupar o posto destinado a Cora Hupert. A filha de criados já falecidos, amiga de Marguerite desde a infância, jamais saberia que, depois de aprender a servir todos da casa, seria sua criada exclusiva. Marguerite até mesmo estudava a possibilidade de ter a amiga sempre em seu quarto e, fora das vistas de todos, poderiam dividir o cômodo como as irmãs que se consideram ser.

E teria sido perfeito caso Ruth Wood, velha cozinheira da casa e avó de Cora, não tivesse expulsado a neta após uma agressão sem explicação, extremamente violenta, numa tarde onde até mesmo o barão agiu de modo estranho. Sendo sincera, Marguerite acreditava saber com exatidão o que havia acontecido, quais os envolvidos e a razão para que sua amiga com apenas quinze anos de idade fosse posta para fora sem uma única libra. No entanto, em sã consciência Marguerite preferia pensar que estava errada em sua dedução, caso contrário, adoeceria.

Como em todas as vezes que pensava em Cora, Marguerite fez uma prece silenciosa, rogando para que a moça, atualmente com dezessete anos, estivesse bem e feliz. Pedia também para que um dia se reencontrassem. Marguerite finalizou seu pedido silente quando Nádia passou a apertar seu espartilho.

— Lembre-se de que eu preciso respirar — resmungou.

— A baronesa pediu que deixasse bem apertado — explicou a criada.

Claro que pediu, Marguerite pensou, revirando os olhos. Depois de ter perdido um duque, teria de redobrar esforços para conseguir um marido que se equiparasse.

Ao descer e encontrar seu espaço à mesa já servido com metade do que tinha visto na bandeja levada ao seu quarto, Marguerite teve a confirmação de seu pensamento, mas não se abalou. No estômago espremido entre a coluna e as costelas não caberia mais do que meia xícara de leite, uma torrada e uma tira de toucinho.

Antes que iniciasse sua parca refeição, Marguerite olhou para o barão que, empertigado, ocupava a cabeceira da mesa. Não deixou de reparar que o pai não respondeu ao seu cumprimento. Reconhecia seu erro, mas, se sua desconfiança quanto ao ocorrido com Cora estivesse certa, ele seria a última pessoa com direito de apontar o dedo a quem quer que fosse.

— Papai...

— Coma, Marguerite! — demandou o barão, sem olhá-la. — Tenho muito trabalho na sidreria. Não há tempo para conversas.

Outra situação conhecida. As prioridades do pai se limitavam ao filho varão e ao galpão de pedra, afastado da casa principal alguns metros, onde ambos produziam a sidra que levava o nome da propriedade, apreciada por muitos nobres em toda Inglaterra. A filha desfrutável, desconhecida, estúpida ao ponto de gerar uma indisposição com um influente duque, sem dúvida ocupava o último lugar em sua lista.

Reconhecendo que não teria muito a dizer uma vez que a opinião do barão estava formada, Marguerite fez como ordenado e comeu sua *ração*, ignorando os olhares curiosos de Catarina. Ao terminar a refeição esperou que pudesse sair para um longo passeio com Nero, contudo foi requisitada pela baronesa para a sessão de bordados para seu enxoval.

— Não haverá casamento, mamãe — disse o que devia ser óbvio para todos.

— Há a possibilidade — retrucou Elizabeth —, mas não temos certeza, então... Nada mudou.

Com isso restou a Marguerite obedecer e, com a mãe, Leonor e Nádia, passar boa parte do dia espetando as pontas dos dedos sempre que inadvertidamente divagava, pensando na bendita amostra, imaginando se com outro homem haveria de ter as mesmas sensações. Enquanto não houvesse outro pretendente, jamais saberia, disse a si mesma ao se recolher.

Na manhã seguinte Marguerite deixou a cama preparada para atravessar outro dia entediante, desperdiçando tempo com bordados que futuramente seriam desfeitos, portanto, literalmente engasgou quando Marie foi à saleta para avisar que duque Bridgeford estava à porta na companhia de seu valete.

— Por que ele voltou? — especulou Marguerite, intimista, após a saída esbaforida da mãe.

— O duque foi fisgado definitivamente depois do encontro noturno — Catarina a provocou.

Leonor riu disfarçadamente, Nádia moveu a cabeça, repreensiva. Marguerite pôs o bordado de lado e, ignorando-as, seguiu os passos da mãe. Chegou ao *hall* em tempo de ver um galgo traidor agitando a cauda para o duque. Ao lado de Logan estava um homem alto e magro, loiro. Ele não usava uniforme, mas somente podia ser o valete que ela supôs não existir.

— Que bom recebê-lo, Lorde Bridgeford! — exclamou Elizabeth.

Marguerite desejou que a mãe disfarçasse o alívio. Ao menos, reconheceu, a baronesa sabia o que sentia. Ela, por sua vez, não identificava os sentimentos que a visitaram quando o duque sorriu e respondeu:

— Folgo em ver que não se aborreceu comigo, baronesa. Saiba que por minha vontade teria voltado ontem mesmo para resolvermos essa situação embaraçosa. Infelizmente somente hoje tive a resposta ao meu pedido e pude trazer boas notícias.

— Boas notícias? — indagou a baronesa, ansiosa.

— As melhores... — Logan enfim olhou para Marguerite e, sem cumprimentá-la, declarou: — Consegui a licença especial. Baronesa, em cinco dias o casamento se realizará na igreja de sua vila.

Marguerite recuou um passo, confusa.

— Oh! — Suspirou Elizabeth, olhando para a filha. — Ouviu isso, Marguerite? Irá se casar no domingo. Não é perfeito?

A união, tão próxima, poderia ser muitas coisas, mas nada que beirasse à perfeição, conceito ultimamente insistentemente empregado fora de contexto. A existência de um valete nada provava, então, oque poderia haver de perfeito no casamento entre um embusteiro falido e uma desonrada sem dote?

— Minha futura esposa ficou sem palavras. — Logan se aproximando para cumprimentá-la, estendendo a mão. — Como tem passado?

Marguerite o tocou por reflexo e se obrigou a não saltar quando sentiu os lábios dele nos dedos nus. Seria possível que se esquecesse da total necessidade de haver tecidos entre eles?

— Perdoe-a por se apresentar com simplicidade, duque — pediu Elizabeth. — Marguerite não o esperava. Estava bordando.

— Seu enxoval, eu espero.

Por que ele tinha de sorrir tanto? Pensou Marguerite, aborrecida com o modo como reagia ao duque. Onde estava sua voz?

— Sim — respondeu a baronesa —, corríamos com o enxoval. Agora será preciso correr com os preparativos para o casamento. E ainda precisamos acomodá-lo — acrescentou ao apontar as maletas que Ebert segurava.

— Por favor! E também aos meus criados — pediu Logan. — Amanhã cedo seguirei para Dorset e tomei a liberdade de vir direto para Apple White. Isso facilitará a partida. Devo iniciar o quanto antes os preparativos para receber a nova duquesa em Castle.

Não havia voz e Marguerite perdeu também o ar ao entender as implicações contidas na mudança de sua condição, contudo, não desmaiou. Mesmo enfraquecida, ela ergueu a saia do vestido e correu para a saleta. Com Nero em seu encalço, Marguerite escapuliu pela porta dupla da varanda sob o olhar surpreso das mulheres presentes.

Em tempo de perder os sentidos ela chegou ao pomar e caiu sobre as folhas úmidas ao redor da macieira mais antiga. Talvez tenha desmaiado, pois foi como se acordasse ao sentir as lambidas de Nero em seu rosto. De súbito Marguerite se sentou, abraçou seu cachorro e chorou. Não importava o quanto tivesse apreciado a amostra de tudo que teria de seu marido.

Podia não odiá-lo como devia, mas não o amava. Não queria gerir um castelo decadente. Não queria ir aonde não tivesse seu pomar. Nem aonde não levasse Nero, pois não obrigaria o inocente animal a passar fome, especialmente depois de ter sido maltratado ao chegar àquela casa, pensou, acariciando a pata marcada.

Simplesmente não queria mudar a vida que tinha. E, decididamente, não queria partir.

— Nero, o que vou fazer? — indagou entre uma fungada e outra. — O que eu fui fazer? Por que tive de ser fraca e permissiva? Antes eu tinha uma chance de o duque mudar de ideia, mas agora... Agora tudo está perdido.

Nero ganiu como se respondesse. Fazer a interpretação livre de que o galgo igualmente não desejasse sua partida, por amá-la e temer não ter quem o defendesse ao ser deixado, fez com que Marguerite o abraçasse com força e chorasse mais. Quando o pranto cessou, minutos depois, o galgo a muito havia se desvencilhado e, deitado sobre as folhas, olhava para a dona.

Acalmando-se, Marguerite tentou secar o rosto. Conformada com seu destino ela determinou que Edrick zelasse por Nero uma vez que indiretamente era o culpado por tê-la colocado na mira do duque. E por ser o único que tratava o galgo com algum carinho além dela; aquele era o fato que mais pesava.

A moça determinou também que nunca mais se desesperaria ao ponto de fugir de uma situação, como fizera. Nunca havia sido covarde e não começaria a ser a partir dali. Se aquele era o destino que a vida lhe reservou, amém!

Com a decisão tomada, Marguerite se pôs de pé. Ela poderia ter se despedido do pomar, mas sabia que se escrutinasse seu entorno e recordasse quanto havia sido feliz entre as macieiras, voltaria a chorar e não era o que queria, então, livrou o vestido das folhas, aprumou os ombros e partiu, sem olhar ao redor nem para trás. Guardaria dali apenas os momentos alegres.

— Milorde?

— Diga Ebert — liberou Logan. Ele estava à janela do quarto de hóspedes, segurando a cortina com uma das mãos, mantendo a outra rigidamente fechada no bolso da calça enquanto o valete organizava as poucas peças de roupa que havia trazido.

— Quem dos seus virá para vosso casamento?

— Pretendo convidar Alethia. E Dempsey, para que seja meu padrinho.

— Com vosso perdão, milorde, não imagino Lorde Mitchell nessa vila.

— Eu também não, mas ele não virá para ficar, sim, por poucas horas caso dispense a comemoração. No mais, eu o arrastarei comigo caso não venha de bom grado. Seria o mínimo em retribuição à minha eterna hospitalidade. Bradley viaja a negócios e Alweather continua perdido nos confins africanos... Quem resta senão Dempsey? Oferecerei a ele o mesmo que à minha tia. Assumirei todos os gastos que tenham e tempo não lhes falta.

— Milorde, se me permite... Não sentirão falta de vossa madrasta e de vosso irmão?

— Até o momento não foram citados, então, espero que não. Caso aconteça, darei alguma justificativa pela falta. Não tenho com o que me preocupar.

E, sem dúvida, aquela não deveria ser uma questão para seu valete, mas não o repreenderia por se consternar com detalhes que a ele mesmo não afetavam. A presença de seu irmão seria dispensável tanto quanto a da mulher que amava. Em todo caso, nos últimos dias dispensava pouco de seu tempo a Ketlyn. Quem ocupava sua mente a maior parte do dia era Marguerite. No momento, fugida.

— Eu digo a você, Ebert — falou Logan, esquadrinhando o jardim. — Minha noiva sabe como abater o ego de um homem. Entendo que não se anime com o casamento, mas... Não me dirigir a palavra? Correr de mim?!

— Bem sabe que não entendo a mente feminina, milorde — disse Ebert, atento à sua tarefa. — Tanto que nunca quis uma esposa. São adoráveis. Sem dúvida, necessárias, mas mulheres são seres de complicada compreensão.

— De complicadíssima compreensão — o duque fez coro, ainda mirando o jardim. — Outra estaria feliz. Desta criatura nunca recebi um sorriso sequer. Nem por educação! Antes disso, ela é esquiva, desconfiada e descaradamente tenta me afastar mesmo sabendo ser inútil. Marguerite mede forças comigo. Onde já se viu?!

Houve algum exagero, Logan reconheceu. Sempre que teve a chance de tocá-la Marguerite se rendeu. Na biblioteca bem que tentou escapar, mas bastou pedir e dizer as palavras certas para retê-la. O duque reconheceu também que, tanto quanto atingiu o alvo, fora atingido em seu ataque premeditado, pois, continuava impressionado com a beleza dos seios fartos.

Após o flagrante, partiu justamente para que tivesse mais tempo disponível. Precisava garantir a licença especial que o fizesse senhor de Marguerite.

Não, a intimidade consentida não despertou nele nenhum sentimento romântico, mas um desejo sem precedentes fora atiçado. Enquanto a tocava ele a quis. E ainda mais, quando deu a ela o primeiro orgasmo. Apenas recordar despertava o desejo que corria sua coluna e inquietava seu sexo. O rubro barão não precisava ter ordenado que adiantasse o casamento ou que dali a carregasse. Enquanto Marguerite estremecia, assustada, agarrada a ele, já fazia novos planos para que encurtasse o tempo entrevê-la diante do altar e nua em sua cama.

Regressar — mais ansioso do que jamais reconheceria — e descobrir que não havia despertado nela a mesma ânsia fora um duro golpe no ego citado.

— Não posso parecer assim, tão mal — disse intimista antes de ver Marguerite surgir em meio às árvores que margeavam o jardim, com

Nero em seus calcanhares. — Até que enfim! Lá está minha noiva fujona.

— E como a senhorita lhe parece, milorde? — indagou Ebert, indiferente.

— Miserável — Logan resumiu a impressão em uma palavra. — Sim, Marguerite sabe como arrasar os egos masculinos mesmo quando não está tentando.

— Talvez a senhorita reaja assim apenas à Vossa Graça — opinou Ebert.

— Obrigado por salientar detalhes que, sozinho, eu não notaria — desdenhou o duque, contrafeito, seguindo a moça com o olhar.

— Estou aqui para ajudá-lo, milorde.

Logan encarou o valete que começava a lustrar os sapatos que o patrão usaria naquela noite. Como sempre, não pôde distinguir se o homem de quarenta e seis anos fora debochado ou sincero. Ficaria com a segunda opção, como sempre, para que não se livrasse de um criado discreto e eficiente.

— Cuide de tudo para essa noite — ordenou, encaminhando-se para a porta. — Vou tentar descobrir como minha noiva se sente.

— Rogo para que não seja nada próximo à miserável, milorde. Esse sentimento não é bom. Especialmente antes das núpcias.

Ao fechar a porta, Logan se perguntou se para seu valete ele parecesse demente, pois o homem insistia em citar o óbvio.

Esquecendo-se de John Ebert, Logan desceu para o *hall*, acreditando que seu caminho se cruzasse com o de Marguerite, disposto a estabelecer a paz. Não viu a moça ou o galgo em parte alguma. Nem mesmo um criado. Em Castle, por mais que tentassem ficarem fora de seu caminho, os serviçais eram vistos aqui e ali. Não em Apple White. Natural, pensou ao se lembrar de que ali não havia um mordomo ou uma governanta.

Os hábitos daquela família eram algo curioso e talvez se devessem ao fato de seus membros não serem originalmente nobres. Fosse como fosse, não era de sua conta, apenas precisa ver alguém que o ajudasse. Tinha de encontrar Marguerite antes do jantar que a baronesa providenciaria, atendendo ao seu rompante.

Ao imaginar que uma jovem conhecidamente fantasiosa fosse também romântica e passasse a olhá-lo com outros olhos, Logan decidiu pedi-la em casamento diante dos pais, da irmã caçula e de amigos próximos, mesmo que o gesto fosse desnecessário. Esperava também recuperar a simpatia do futuro sogro para que ao partir, não deixasse rusgas.

Passos de alguém que se aproximava, chamaram a atenção do duque. Era uma mulher e vinha do corredor que levava à saleta, à biblioteca, ao gabinete e à Sala Rosa: cômodos que ele conhecia bem.

Ao se lembrar das portas duplas que davam para o jardim, Logan acreditou que fosse Marguerite e involuntariamente se empertigou.

Era apenas uma das criadas. Enfim!

— Por favor! — pediu, assustando a moça que imediatamente estacou. — Saberia dizer onde posso encontrar a senhorita Marguerite?

— Não a vi, milorde — disse a criada. — Lamento. Mas posso chamar Marie. Ela é a pessoa certa para ajudá-lo.

— Estarei esperando.

A criada fez uma rápida reverência e seguiu seu caminho. Passou por ele de cabeça baixa, olhando-o de esguelha enquanto ocultava um tímido sorriso.

— É sobre isso que estava falando — resmungou. — Por que aquela garota não pode ter a reação esperada?

— Disse alguma coisa, milorde?

A chegada de outra criada o sobressaltou. Aquela ele não ouviu se aproximar. Recompondo-se do susto, negou:

— Não. Espero por Marie. Outra criada foi chamá-la.

— Então, espera por mim — disse a senhora, curvando-se, servil. — Sou Marie Channing, vossa criada. Em que posso ajudá-lo?

— Preciso saber onde encontrar minha noiva.

— Ela está no quarto, milorde — informou a criada, com pesar. — E pediu para não ser incomodada antes que fosse hora de descer para o jantar. Seria algo urgente?

— Não seria — resmungou. — Apenas gostaria de entender como ela pode estar no andar superior se desci ao vê-la se aproximar da casa e nunca nos encontramos.

— Ela entrou pela cozinha, milorde, e subiu pela escada da ala dos criados.

Claro! Sempre havia a escada da ala de criados. Onde estava Ebert para lembrá-lo do óbvio? Era mesmo um demente, considerou Logan, aborrecido. Ou apenas perdesse suas capacidades cognitivas ao ser obrigado a lidar com uma jovem que jamais agia como esperado. Como seria capaz de estabelecer a paz se Marguerite continuava a fugir?

Capítulo 6

— Cinco dias, Marie! — Marguerite disse em meio a um muxoxo, mirando a criada pelo espelho enquanto esta abotoava o vestido amarelo. — Domingo é o dia em que a vida conhecida irá mudar.

— Acontece o mesmo com todas as moças ao se casarem, em qualquer data. A senhorita não tem com o que se preocupar. Está preparada para assumir sua nova condição.

— Essa nova condição me assusta e é algo que não posso evitar... Como se eu fosse obrigada a passar por um bosque, numa noite sem lua, sem uma lamparina, desconhecendo as criaturas que o assombram.

Marie riu mansamente, meneando a cabeça.

— A senhorita sempre criativa! — Comentou, ainda sorrindo. — Mas descreveu com precisão o sentimento de todas. A diferença é que as outras moças, mesmo com receio, não acreditam que haja alguma criatura assustadora e cruzam o bosque, felizes pela oportunidade. No seu caso, ao final das árvores estará o duque. Considerei ser o que quer uma vez que...

— Pode dizer — a moça liberou, ocultando seu aborrecimento. — Uma vez que fomos flagrados na biblioteca.

— Isso, senhorita.

— Caí em uma armadilha, Marie — Marguerite deu voz ao pensamento. — Não sei como o duque sabia que meu pai nos encontraria e nos obrigaria a casar, mas ele sabia.

— Pelo o que soube, o barão veio ao seu quarto ao ouvir Nero arranhar a porta. A senhorita não estava, então ele saiu no encalço de seu cachorro.

Ao ver Marie olhá-la com pesar, Marguerite se inflamou.

— Ah, sim, sou a culpada! Quem acreditaria no que diz uma jovem fantasiosa e feia, filha de um plebeu elevado a barão graças à caridade real quando um nobre da estirpe do duque se abala de Dorset até aqui apenas para desposá-la? A lunática devia estar dando piruetas de alegria, não colocando em xeque as boas intenções do abastado senhor e... Pare de rir agora mesmo, Marie!

— Perdoe-me, mas o que resta se além de criativa é exagerada? Sabe que não é feia, como sabe que não se pode adivinhar o que pensam as pessoas. Digamos que a participação de Nero não seja relevante... Talvez, tanto empenho seja porque o duque tenha se apaixonado.

Marguerite meneou a cabeça, descrente, e voltou a se olhar. Enquanto alisava o corpete enfeitado por delicadas pedrarias de um de seus vestidos preferidos, riu com mofa.

— A paixão salta aos olhos do duque! — zombou.

— Ele me pareceu verdadeiramente preocupado ao procurá-la esta tarde.

— O duque me procurou?

— Sim... Parece que a viu se aproximar e desceu para encontrá-la. Caso não tivesse subido pela ala dos criados, poderiam ter conversado e talvez chegasse à mesma conclusão que eu.

Não aconteceria. Marguerite reconhecia que, com a volta do duque sem que houvesse um dote a receber, estava novamente confusa, mas cortaria todas as mechas de seu cabelo se o nobre senhor estivesse ali por motivos românticos.

Sabendo que aquela conversa não a levaria a canto algum, Marguerite suspirou e aquiesceu:

— Talvez tenha razão, Marie. Por ora, é melhor encerrarmos a conversa. Não quero me atrasar para o jantar de meu noivado. Dê um jeito em meu cabelo, por favor!

— Está bem! Vou prendê-lo...

— Deixe solto — pediu. — Não preciso de artifícios que melhorem minha figura. Já tenho a paixão do duque.

Minutos depois, sozinha, Marguerite seguiu para a saleta. Descobriu que todos chegaram antes dela. Até mesmo Frederick Kelton, a esposa e a filha. Os amigos testemunhariam o desenrolar da anedota.

Marguerite cumprimentou a todos rapidamente. Seu futuro marido ria de algo engraçado dito por Frederick Kelton. O contentamento relaxado do duque atiçou o ressentimento dela. Diante dele a jovem preferiu fechar os olhos, segurar o vestido e fazer uma respeitosa reverência. Se Logan estranhou, Marguerite não saberia dizer, pois ao abrir os olhos tinha o rosto voltado para seu pai, afastado alguns passos. Do barão não recebeu qualquer cumprimento.

Como ela perdoaria o duque por isso?

— Uma pena não termos oficializado a aposta — cochichou Madeleine tão logo pôde encurralar a noiva. — O que eu disse sobre o duque estar decidido a ser seu marido?

— Disse em dois meses, não em uma semana — retrucou Marguerite, evitando olhar para o duque. — Mas, se o tempo não contasse, poderia se alegrar. Não terá nada meu e igualmente não terá de me dar algo seu. Seria vitoriosa em todos os sentidos.

— Serei uma vitoriosa feliz se me contar a razão da pressa. Acaso o duque apresentou suas armas antes da hora?

— Se está tão curiosa, por que não pergunta ao duque? — sugeriu duramente e se afastou.

Precisava de ar, mas não seria tão simples.

— Sorria — ordenou a baronesa ao impedir que a filha fosse até a varanda. — É seu noivado, não seu velório.

— Não de onde eu vejo.

— Marguerite! Não pode apenas agradecer sua sorte? O duque é um homem bonito, de muitas posses... Por favor, sorria!

— Meu pai também é um homem bonito. Deveria ser ainda mais quando jovem. Como Edrick é agora. Não havia um título quando o conheceu, mas não lhe faltavam posses, entretanto não me recordo de já tê-la visto sorrir, agradecida por sua sorte.

Sem novas palavras Marguerite fez o caminho de volta. Mais uma vez ela teve sua passagem obstruída, agora pela criatura mais astuta de todas.

— Se me der vossa licença, poderei passar — disse Marguerite sem erguer o rosto.

— A adorável jovem pode, ao menos, desejar-me boa noite sem fazer-me sentir um estranho — pediu o duque. Ele ria, ela sabia. — E seria interessante se eu recebesse um sorriso ou um olhar enlevado. Os convidados nos observam.

— É natural que uma jovem afortunada fique nervosa na noite de seu noivado. — Ela mirava o rico alfinete que enfeitava a gravata do duque. — E as reações são adversas. O fato de eu não olhá-lo depois do que fez, facilmente será confundido com recato.

— Estamos entre amigos. — Sem se importar com o fato que citou, Logan segurou a jovem pelo queixo e a obrigou a encará-lo. — E talvez seja o excesso de luz que a confunda, mas nada fiz sozinho. Gostaria de avivar sua memória. Como não posso, contento-me com um sorriso.

— Agora, sim, somos o centro das atenções — avisou-o num murmúrio. — Solte-me!

Como estabeleceria a paz se Marguerite não o ajudava? Contagiado pelo mau humor, Logan ciciou:

— Ainda não é minha esposa, quando poderá supor que me ditará ordens. Vamos lá! Sorria, ria e me olhe com adoração.

Marguerite não riu por obediência, sim, por divertir-se com o pedido. Imediatamente o duque a soltou, olhando sua boca. Valendo-se do momento de distração, Marguerite se afastou.

— O duque contou uma anedota — Dorothy Kelton arriscou o palpite, sorrindo, quando Marguerite procurou refúgio entre as mulheres.

— A mais engraçada de todas — Marguerite confirmou ao ver a consternação cruzar o semblante antes convencido do duque.

— Por favor, Lorde Bridgeford — pediu Madeleine —, conte-nos a anedota!

— Perdoe-me por não atendê-la, senhorita, mas creio que o jantar será servido — escusou-se Logan, ainda mirando os lábios carnudos de Marguerite, curvados num sorriso.

O riso da jovem foi desrespeitoso, totalmente acintoso, ainda assim alimentou o interesse do duque ao transformar a expressão sempre séria. Marguerite, sem dúvida, atrairia mais olhares se sorrisse com maior frequência.

— O jantar está servido — anunciou a baronesa depois que Marie discretamente entrou e se reportou à patroa.

Logan gostaria de conduzir a noiva à mesa, porém sua anfitriã se adiantou e tomou-lhe o braço. Marguerite foi levada pelo barão até a sala de jantar. Ludwig não dirigiu à filha uma palavra sequer. Desde sua chegada ele mesmo não tinha conseguido trocar mais do que cinco frases curtas com o futuro sogro e começava a duvidar que conseguisse restaurar a boa relação entre pai e filha. Talvez tivesse maiores chances durante o jantar.

Com todos acomodados, criadas passaram a servi-los. Pelo visto o atrapalhado Beni fora dispensado dos serviços de lacaio. Elizabeth e Dorothy conversavam sobre o casamento. Frederick minou a esperança de Logan, monopolizando as atenções masculinas, provavelmente sem notar a distância que separava o anfitrião e o futuro genro. Por outro lado, Madeleine desistiu de entabular uma conversa com Marguerite, então, ateve-se a Catarina, deixando a noiva em paz para rolar sua comida pelo prato.

Antes que fosse servida a sobremesa, Marguerite foi trazida de volta ao jantar pelo tilintar de um talher sendo batido contra a taça de cristal. Descobriu ter sido Logan quem chamou a atenção de todos antes de se colocar de pé, sorrir para ela e se dirigir ao barão:

— Westling, bem sabe o quanto me alegra unir nossas famílias. Tenho em Edrick um irmão e, se me conceder a honra, farei de Marguerite minha esposa.

— Pois faça — disse o estoico barão.

— Muitíssimo obrigado! Eu brindo a isso... — Logan ergueu a taça de champanhe, que Marguerite não notou ter sido servido, e bebeu um gole. Todos fizeram o mesmo antes que o duque deixasse a taça de lado e fosse até a noiva. Sabendo ser tolice se rebelar, ela levantou e o esperou. — Dê-me sua mão, por favor!

Ao ver surgir um sorriso que parecia sincero quando Logan segurou sua mão esquerda e beijou, por um segundo Marguerite esqueceu todo o ocorrido, todas as questões. Entretanto, bastou vê-lo retirar um anel do bolso de seu casaco para que se empertigasse.

— Este anel está em nossa família há mais de cem anos. Harriette, minha mãe, entregou toda coleção a mim para que eu ofertasse à minha futura esposa. Caso estivesse entre nós, ela ficaria muito feliz com minha escolha.

Embasbacada, mirando o anel, Marguerite caiu sentada. Acreditava ter agradecido, mas não tinha certeza. Aliás, aquele era outro conceito perdido, pois tudo era incerto, sem sentido. O anel de noivado era delicado, porém de grande valor. Provavelmente, a reluzente safira que imperava na armação de ouro, circundada por pequenos diamantes, ultrapassasse o valor de qualquer dote.

E o duque mencionou toda uma coleção!

Caso vendesse aquele anel, um colar, brincos e, quiçá, uma pulseira, Logan conseguiria uma pequena fortuna e resolveria seu problema financeiro. Talvez até mesmo se recuperasse com o passar dos meses, caso fosse comedido. Ou não, se tivesse mentido quanto ao conjunto e aquele anel fosse falso, reconsiderou Marguerite, analisando-o disfarçadamente, desejando conhecer a fundo pedras preciosas.

Com Logan de volta ao lugar houve um breve discurso em agradecimento aos donos da casa, no qual ele novamente citou sua amizade com Edrick, lamentavelmente ausente, e falou do encantamento que tomou seu coração, não permitindo que partisse sem que a levasse com ele. Para Marguerite, as palavras do noivo tiveram o mesmo valor de um Juramento de Sucessão*. Ela apenas agradeceu por Logan não ter mencionado o amor ou a paixão.

Após o jantar, enquanto os cavalheiros fumavam charutos e provavam *brandy* no gabinete, as damas se reuniam na saleta. Marguerite, contudo, depois de alegar súbita indisposição, resultante da infinita alegria que a tornava dispersa, estava na varanda.

Com novas perguntas tumultuando sua mente, analisava o anel que Dorothy Kelton elogiou e atestou a originalidade ao vê-lo de perto. Marguerite lamentava que toda sua criatividade não trouxesse respostas satisfatórias nem acenasse com a promessa de um final feliz para aquela confusão.

— Vejo que se livrou do bom humor. Deve ser o frio.

Marguerite fechou os olhos e se sentiu enregelar; não pelo frio da noite.

— Por favor! — rogou. — Já conseguiu o que queria, então, volte ao charuto e à bebida.

— Prefiro ficar e cortejar minha noiva. E saiba que estou longe de ter o que quero.

— E não se acanha de dizer assim? — Marguerite o encarou. — Madeleine, Catarina e nossas mães podem ouvi-lo.

— Todas foram se juntar aos cavalheiros — atualizou-a o duque, displicentemente recostado ao batente. — E, antes que tente me mandar embora mais uma vez, saiba também que consegui autorização para termos um instante a sós.

— Por que faz essas coisas? — Ela meneava a cabeça. Não sabia mais o que pensar daquela situação. — É inadequado.

— Diga isso aos senhores indiferentes e às senhoras enlevadas que deixei para trás — Logan recomendou, enfim, aproximando-se.

Marguerite se empertigou, repreendendo-se por considerá-lo bonito no traje formal. O rosto estava bem escanhoado, o cabelo ordenado. Ebert sabia como arrumar seu patrão.

Quando Logan se prostrou diante dela, Marguerite especulou por que tudo tinha de estar acontecendo daquela forma. Por que não se livrava das deduções nem aceitava a versão apresentada desde o começo e agradecia a boa sorte como dizia sua mãe?

Não queria ter medo, pensou, mirando o noivo. Infelizmente, as dúvidas não davam trégua.

— Senhor, por que me escolheu? — Marguerite desistiu de tentar elucidar aquele mistério por si só. — Seja sincero. Chegamos a um ponto sem volta. Se há uma razão para ter vindo até mim, diga, por favor! Irei compreendê-lo.

O pedido era justo, válido, mas ele jamais responderia àquela pergunta, pois a ofenderia profundamente. Seria odiado e, especialmente naquele momento, não era o que queria. Com Marguerite pacata, súplice, exibindo o farto colo, Logan desconsiderou a razão que o moveu.

Sua noiva não seguir os padrões nunca foi um problema. Era fresca, cheirosa. O riso era melodioso, o sorriso muito bonito e, desde o encontro na biblioteca, ela inspirava nele uma ereção apenas pela iminência de tocá-la. E isso sem que tivesse provado a boca carnuda.

Expectante, Logan acariciou o lábio inferior.

— Marguerite... — murmurou o nome distraidamente.

— Não! — Ela se afastou. — Não vou cair em outra armadilha.

Infelizmente para Marguerite, Logan não lidava bem com rejeição. Rapidamente ele a imitou e a aprisionou entre seu corpo e a balaustrada da varanda.

— Por favor! Se não tem respostas, deixe-me ir...

— Não vou me repetir, senhorita — disse em baixo tom. — Pode não acreditar, mas sabe o que me trouxe. E, na biblioteca, não foi uma armadilha. Não esperava que o barão nos visse. Nunca iria expô-la. Nunca promoveria a discórdia. Como pode pensar assim?

— Não se parece com alguém que se preocupe com os outros — retrucou, sem a convicção desejada. A proximidade desconcertava-a. — E, com o flagrante, assegurou o casamento.

— Está certa em um ponto. Geralmente me preocupo apenas com quem mantenho algum tipo de relação — garantiu Logan antes de se curvar para falar diretamente ao ouvido dela: — E sempre consigo o que quero. Nossa união era certa. Posso ser acusado de segui-la e seduzi-la, mas nada do que fiz foi para os olhos de seu pai. Quis apenas mostrar o quanto será agradável quando estivermos juntos.

Seria sublime, Marguerite não duvidava. Isso se o encanto do momento não tivesse sido quebrado, com ou sem intenção.

— Pediu-me sinceridade, então, digo... Nunca me comprometi, logo, nunca estive tão próximo a uma donzela... Posso pedir perdão por algum excesso, mas será inútil... Agora que compartilhamos alguma intimidade, recairei no erro.

— Ainda pode se comportar... — soprou Marguerite, eximindo-o de qualquer culpa.

— Nunca primei pelo bom comportamento. — O sussurro rouco, acompanhado pela carícia dos lábios dele em sua orelha despertou o fogo conhecido sob as saias. O hábil duque não parou por ali. Como se soubesse as sensações que despertava nela, ele tratou de agravá-las ao rir mansamente e descaradamente confirmar suas palavras: — Eu saboreei seus peitos...

— Não repita isso! — A simples menção do ato a excitou.

— Eu a toquei e lhe dei prazer — insistiu o duque, decidido a levá-la para o ponto em que estava: desejando-a.

— Senhor... — Marguerite ofegou, quando ele correu uma das mãos por sua cintura e a atraiu para perto. — Não...

— Sim, Marguerite! — Logan lhe mordiscou o lóbulo da orelha. — Sim! Sempre diga sim e terá mais daquilo... Terá tudo... Tente imaginar como será quando eu a tocar sem a restrição da pantalona. É criativa, mas muito jovem, pura, sequer imagina as sensações maravilhosas que podemos nos proporcionar... Vou agradá-la, eu prometo. Com minha boca, com minhas mãos... Com meu sexo. E, assim que puder, eu a ensinarei como me agradar...

— Oh... — Marguerite gemeu ao ter uma língua passeando nos contornos de sua orelha.

Enquanto as palavras e as ações feriam o ego, as reações dela aos seus toques envaideciam o duque. Ao sentir Marguerite estremecer por tão pouco e segurar com força a manga de seu casaco, Logan especulou quão agradável seria quando desse a ela real prazer depois que a livrasse da virgindade, tendo os corpos nus.

Estava pronto e não viu razão para esperar por mais de uma semana.

— Marguerite... — gemeu ao ouvido dela: — Diga sim! Diga sim e poderemos começar essa noite ainda... Se não trancar a porta de seu quarto.

E mais uma vez seu noivo conseguiu quebrar o encanto. Como horas atrás, valendo-se da distração, Marguerite o empurrou e se afastou da balaustrada.

— Quase me enganou! Não se aproxime! — demandou com a mão erguida para freá-lo ao notar que Logan avançaria, arfante, trêmula.

— A ordem dos acontecimentos não mudará o resultado — resmungou Logan, rouco. — Independente do que aconteça, vou honrar meu compromisso. Vamos nos casar no domingo, então, receba-me em seu quarto. Ninguém jamais saberá... Quer isso, tanto quanto eu.

— Mentiria se negasse, mas fui educada para esperar enquanto o senhor foi criado para satisfazer seus desejos a todo custo — replicou a moça, tentando ignorar o olhar que se tornava soturno. — Alega inocência, assegura não ter dito a intenção de me indispor com meu pai, mas anseia enganá-lo sob seu teto. O que aconteceria caso fôssemos flagrados em meu quarto?

— Não aconteceria — ciciou mesmo que, no fundo, desse razão a ela.

— Não tem como saber. — Sentida, Marguerite acrescentou: — Ouvi dizer que na vila vizinha tem uma mansão com mulheres bem dispostas a recebê-lo em seus quartos em troca de algumas moedas. Fique à vontade para visitá-las. Isto, sim, ninguém saberá. Boa noite, senhor!

Já que aqueles eram os termos de sua noiva jovem e pura, Logan não se furtou de retrucar:

— Quando precisar dos serviços de alguma rameira eu irei onde habitam, seja em Wisbury, Dorchester ou em Londres, solteiro ou casado, mas, em todos os casos, eu não precisarei de sua discrição e prontamente dispensarei sua recomendação.

— E cai a máscara de noivo sedutor! Por que não me surpreende? — zombou, incomodada por saber que mesmo casado o duque iria atrás de rameiras. — Até o altar, senhor!

Marguerite segurou a saia de seu vestido e correu antes que Logan a detivesse. Começava a odiar aquele péssimo hábito, ele reconheceu ao vê-la escapar sem olhar para trás. De tudo que disse a ela, acertou ao expor seu despreparo: não sabia como lidar com virgens. Que inferno!

Sem se importar com a boa educação Marguerite não se despediu dos convidados e seguiu para o andar superior. Ao se trancar no quarto, realmente temendo que o duque estivesse em seu encalço, afastou-se da porta, sem deixar de mirá-la.

No pomar, ao lado de Cora, Marguerite brincou e sonhou com um cavalheiro de armadura reluzente. Era tola, mas acreditou que ele um dia viesse na forma de um homem decente, de bom coração, que a amasse e respeitasse, mesmo que não fosse bonito. Pois se tal homem existisse tinha se perdido, deixando o caminho livre para que o belo e envolvente vilão tomasse seu lugar. Aquela história, ela nunca previu.

Capítulo 7

Enfim, livre do desejo não saciado, Logan seguiu os passos de Marguerite, porém, ao deixar a saleta marchou para o gabinete.

— Senhores, senhoras — chamou os presentes como se não fosse encarado. — Minha noiva pediu que eu me despedisse de todos em seu nome. As emoções do dia a exauriram, então recomendei que fosse repousar. Espero que não reparem.

— Absolutamente! — disse Frederick Kelton, com exagerada afetação. — Sabemos bem como as jovens se sentem antes do casamento.

— Assim como os noivos — acrescentou o barão. — Talvez o duque também devesse se recolher, já que partirá logo cedo.

Logan compreendeu a deixa para que se despedisse e sumisse de suas vistas. Nada menos do que queria, já que Marguerite o privou de sua contraditória e instigante companhia. Como dispensou as recomendações de sua noiva, não aceitaria sugestões de seu futuro sogro.

— O descanso da tarde me revigorou — disse ao se acomodar. — Sobre o que conversavam?

— Especulávamos quando Edrick se animará a imitá-lo, senhor, e pedirá minha mão — respondeu Madeleine, adiantando-se aos senhores presentes para os quais ele dirigiu a questão.

— Interessante!

Logan analisou a moça com maior atenção. Apesar de viver em uma vila rural, Madeleine Kelton apresentava o ar sofisticado das moças londrinas. Mantinha o queixo erguido, os ombros eretos. Como ele havia observado, o cabelo era mais claro do que o de sua noiva. E ela não precisaria sorrir para mostrar sua beleza.

Não o surpreenderia se descobrisse que Edrick cercasse e experimentasse os encantos de Madeleine pelas varandas daquela casa ou até mesmo por algum canto mais reservado do jardim. Logan ficaria menos surpreso se também soubesse que a jovem permitia os arroubos de seu amigo experiente sem nunca tê-lo afastado em nome do recato;

verdadeiro ou falso. Mas, o duque cairia para trás se um dia recebesse o convite para aquela união.

Simplesmente, por mais que desse asas à imaginação, Logan não conseguia colocar o Edrick que conhecia em uma cena de casamento no qual Madeleine fosse a noiva. Tanto que perguntou ao barão:

— Já está certo que aconteça?

— É o esperado — respondeu Ludwig, sustentando-lhe o olhar. — Nossas famílias são amigas há muitos anos. Será uma união feliz. Nos últimos meses acreditei que outro casamento esperado, enfim, tornasse realidade. O de Marguerite e Stuart Grings, filho do conde Stamford, também nosso amigo e vizinho.

— A Srta. Bradley tinha um pretendente?! — Logan não pôde calar seu espanto. Se estivesse de pé, aquela seria uma novidade que o derrubaria para trás. Não se recordava do filho, mas conhecia o conde citado.

— Nada que fosse oficial — a baronesa apressou-se em esclarecer —, mas nossas famílias faziam gosto. O tema chegou a ser discutido, quando Marguerite completou dezessete anos. No verão daquele ano a amizade entre eles se fortaleceu e o próprio rapaz acenou com sua intenção durante um dos jantares oferecidos pela condessa.

— E ela aprovou a ideia?!

— Lorde Bridgeford... — Elizabeth sorriu ternamente e se inclinou para desferir leves tapas na mão que Logan mantinha nos braços da poltrona. — Não há motivo para ciúme. Vossa noiva sempre teve uma mente dispersa e não pensava em casamento por mais de cinco minutos.

O comentário da baronesa levou os presentes ao riso. Notar que simpatizavam com sua reação em vez de ridicularizá-lo não evitou que Logan se aborrecesse. Estava longe de sentir ciúme, aquele sentimento menor, como diria Ketlyn. Estava apenas curioso. Surpreso por ter acreditado que sua escolhida não pensasse em casamento nem mesmo por um segundo.

E ainda queria ouvir a resposta.

— Que seja! — retrucou, tentando domar sua reação exagerada. — Todavia, gostaria de saber desses detalhes sobre minha noiva. Acho... Importante conhecer sobre seu passado.

— Oh! Como é atencioso! — suspirou Madeleine.

Logan a ignorou e olhou para a baronesa, esperando.

— Marguerite não se opôs à ideia — Ludwig tomou a palavra. — E talvez tivesse a união como certa, pois sempre se recusou a ir aos lugares onde pudesse haver outros pretendentes.

— Entendo... — Logan murmurou, imaginando Marguerite mais jovem, desmanchando-se em sorrisos para um rapazote esquálido.

— Como ficou acertado que retomaríamos o assunto depois que Lorde Stuart se formasse e regressasse — prosseguia o barão —, nada mais foi dito nesse sentido e o tema perdeu sua seriedade. Ao aceitar vossa corte à minha filha, Bridgeford, eu não rompi qualquer acordo. E como ela também não se opôs à vossa proposta, talvez eu tenha estado enganado quanto aos pensamentos dela. Como se alguém fosse capaz de prevê-los!

Saber que nem mesmo o pai compreendia Marguerite não trouxe qualquer alívio ao duque. Intimamente Logan especulava se a falta de sorrisos para ele estava relacionada a algum sentimento mais nobre que a moça nutrisse pelo rapaz. Um futuro conde, quem diria?

Edrick nunca comentou aquele detalhe. Talvez fosse certo aceitar que o barão tenha mesmo errado em suas deduções. Logan não sabia a razão, mas preferiu acreditar que a moça realmente não tenha pensado naquele ou em qualquer outro casamento por mais de cinco minutos. De toda forma, se esperava pela volta do futuro conde ou não, agora ela estava comprometida.

— Entendo — repetiu com maior convicção. E para eliminar qualquer mal-entendido quanto ao que sentia, acrescentou: — Estava preocupado que meu pedido trouxesse alguma situação indesejada para as famílias envolvidas.

— Tranquilize-se — disse o barão. — Se Stamford fizer questão de unir nossas famílias, ainda temos Catarina.

— Eu?! — Catarina empertigou-se, apontando a si mesma com os olhos azuis maximizados.

— Há outra? — Ludwig indagou com carinho que Logan em tempo algum viu ser dirigido à outra filha.

— Espero que haja outra, papai, pois não está em meus planos me casar com nenhum senhor aqui da região. Nem mesmo com um que irá se tornar conde. Já está tudo acertado e sabe disso. Quero aquilo que Marguerite sempre recusou. E um pouco mais, se for possível. Ano que vem iremos à Londres para o circuito de bailes. Quero um marido que seja bonito, jovem, bem estabelecido, que resida na capital de preferência, que me mime tanto quanto eu mereço. Se ele tiver um título, será como ver meu sonho máximo realizado!

Logan temeu por seus amigos e conhecidos bem estabelecidos. Muitos deles seriam atraídos pela beleza inquestionável daquela menina, sem saber que pousariam no bulbo digestivo de uma aspirante a planta carnívora, não no receptáculo de uma futura flor, doce e delicada. Estava ali outra surpresa. Antes daquele educativo discurso Logan jamais imaginaria que Catarina, ainda tão jovem, fosse interesseira.

Na verdade, nunca a analisou com atenção. Catarina, não dirigiu a ele mais do que alguns olhares fortuitos em sua primeira visita, chegou a insinuar-se ao servi-lo, mas sem saber como fazê-lo. Claramente se animou ao imaginar que ele estivesse ali, por ela. Contudo, ao descobrir o erro e se livrar do assombro por ter sido preterida, cumprimentava-o com educação e nada mais. Eles nem mesmo conversavam, então, sim, Logan se surpreendeu ao descobrir que fosse decidida e leviana.

— Não sei se gosto da ideia de vê-la tão longe — disse Ludwig, trazendo Logan de suas considerações.

Estava ali outro sentimento que o barão em tempo algum demonstrou à outra filha. Para Marguerite não houve consternação pelo distanciamento iminente. A baronesa nada dissera, mas Logan a incluiu nas observações. Elizabeth não escondia a predileção pela caçula, igualmente se espantou ao saber por quem ele estava ali, sem disfarces. Desde que Marguerite entrou na Sala Rosa a mãe a olhou com reprovação, ralhou ao pé do ouvido. Ele nada ouviu, mas a bronca era explícita. Havia ainda a rapidez com que reiterou a mentira da filha, quando esta tentou escapar.

Ele devia ter notado que um padrão se apresentava, pois as fugas de Marguerite se tornariam constantes, pensou o duque, um tanto divertido. No entanto, não tinha graça notar que ela vivia por si naquela casa — ao menos com o irmão ausente —, o que justificava a autodepreciação e sua permanência no pomar. Longe de olhos que procuram belezas óbvias, na companhia de um galgo que a amava incondicionalmente, Marguerite podia fantasiar, criando situações favoráveis e alegres, mesmo que ilusórias. Não era homem dado a comoções, mas Logan se compadeceu pela solitária vida que levou Marguerite ao ceticismo.

Aquilo era péssimo e Logan se arrependeu de tê-la pedido em casamento pelos motivos errados. Em tempo algum ele poderia julgar os pais ou a irmã caçula de alguém que procurou por saber que não chegaria aos pés de uma amante deslumbrante e vaidosa. Era, sem dúvida, pior que todos eles, juntos, pois a levaria para conviver com a dona de seu coração.

Se pudesse voltar no tempo, Logan não a teria seguido até a biblioteca nem teria arruinado sua reputação. Quando tivesse aquela iluminação ele poderia se levantar, pedir perdão pelo ato impensado e romper o noivado, deixando Marguerite livre para que encontrasse alguém melhor. O tal Grings, talvez.

Não era o caso. E, sendo egoísta, não queria que outro homem pousasse os olhos nos peitos perfeitos de sua noiva. Ele os descobriu, eram dele. E não lhe agradava a ideia de Marguerite se abraçar a outro ao experimentar os prazeres carnais. Era o pior de todos, Logan aceitou, mas seria aquele que melhor a trataria.

Em seu castelo havia um pomar. Marguerite poderia transferir para lá seu mundo imaginário e nele ser feliz, longe de uma família separatista. Não a amaria, mas daria a ela amizade e proteção. Cuidaria para que a esposa jamais descobrisse sobre seus sentimentos por Ketlyn e, quando Edrick fosse visitá-la, seriam dias de festa. Aquele, sim, era o arranjo perfeito.

— Duque?

Logan ouviu o chamado, e não soube quem o fez. Depois de piscar algumas vezes, olhou em volta e descobriu ser o centro das atenções. Irritou-se, porém disfarçou a bronca com um sorriso.

— Perdão! Creio ter divagado.

— Tal qual a noiva — observou Frederick. — Irão se entender à perfeição.

— Não é menos do que espero, sir Frederick — disse Logan. — Mas, chamaram-me. Deixei de responder a alguma pergunta?

— Sim, Lorde Bridgeford — respondeu Frederick. — Perguntei quem será vosso padrinho.

— Ah, sim! Convidarei um bom amigo, Mitchell Dempsey, para assumir esse posto. Com tudo acertado, ele virá comigo, na tarde de sábado.

— Folgo em saber que não estará sozinho — disse o banqueiro.

— Não haverá ninguém de vossa família — observou Catarina. — Sabemos que é órfão, mas... Não tem irmãos ou irmãs?

— Tenho um irmão — disse laconicamente.

— E uma madrasta — acrescentou Madeleine.

— Ah, sim, é verdade — disse Elizabeth. — Ela virá?

— Não creio — Logan disse com pesar. — A duquesa viúva não aprecia longas viagens e se tornou uma pessoa reclusa após a perda do marido.

— Pobre mulher... — compadeceu-se Dorothy Kelton.

— Que providencial!

— Por que disse isso, Madeleine? — perguntou a baronesa, olhando para a moça com estranheza. Logo todos os olhos estavam voltados para ela.

A jovem, por sua vez, encontrou o olhar do duque e, corada, meneou a cabeça.

— Foi um ato falho... — ela balbuciou. — Eu... Eu... E quis dizer... Que sentimental.

— Sim, minha madrasta é sentimental — disse Logan, olhando-a duramente. Ao que parecia a moça não somente exalava ares da capital, como mantinha as fofocas atualizadas. Talvez a indiscrição não tenha partido de Edrick, sim, da pequena linguaruda.

— Bem, esqueçamos a duquesa — Catarina retomou a palavra. Depois de sorrir para Logan, disse: — Fale-nos mais sobre vosso irmão. Eu gostaria de conhecê-lo.

Daquela vez, Logan temeu por Catarina. Nem mesmo ela merecia Lowell.

— Sim, é verdade — confirmou —, e antes que lamentem a falta dele nesse momento em minha vida, adianto-lhes que nossa relação não é das melhores. Eu o amo, decerto, mas meu irmão não aceita minha autoridade. É rebelde e inconsequente. Está com vinte e quatro anos e longe de demonstrar ter algum juízo.

— O que é uma pena — disse Madeleine. — Ainda mais se for bem apessoado. Como vossa pessoa, se me permite acrescentar.

O pedido perdia a serventia se feito após o comentário, Logan considerou nem mesmo envaidecido pelo elogio vindo daquela jovem. Intimamente desejou que Edrick não caísse de amores por ela. O duque pensou ainda que, para infelicidade das moças de um modo geral, sim, ele e o irmão eram parecidos. Mas não diria. Logan preferiu sorrir à guisa de agradecimento e mudar o tema antes que retornassem a Ketlyn.

— O que pretendem fazer para o dia do casamento?

Logan não poderia ter escolhido melhor questão. Até que os Kelton se despedissem pôde ficar recostado, apenas ouvindo os detalhes do enlace próximo. Alguns poucos amigos tinham sido convidados naquela mesma tarde. Quando voltassem da vila, após o casamento, provariam um delicioso almoço, preparado pela antiga cozinheira da casa, então, passariam à Sala Rosa.

Pela vontade do duque, dispensaria o almoço, todo o resto e partiria com Marguerite ao deixar a igreja, mas gostava dos esforços de pais descrentes em organizarem um casamento que fosse digno. Não tinha ilusões de que queriam agradá-lo, não à noiva, mas Marguerite poderia não ter o mesmo entendimento e se alegrar com o cuidado.

✽

Alegrar a noiva passou a ser a nova ordem, formulada e assumida pelo duque durante as muitas horas insones antes que sua mente fosse vencida pelo cansaço. No entanto, ele descobriu na manhã seguinte, cinza e chuvosa, que a tarefa não seria fácil. Marguerite não estava entre todos que o esperavam para o café da manhã, antes de sua partida.

— Apesar de ser uma jovem... robusta — repetiu Elizabeth durante a despedida —, minha filha é frágil como uma flor e por vezes amanhece indisposta. Espero que realmente não tenha reparado sua falta.

— Não reparei — Logan voltou a assegurar. — Diga a minha noiva que estimo sua melhora. Até a volta... Na igreja. Contudo, o que disse, ainda está de pé.

— Sim, Lorde Bridgeford! — A baronesa sorriu. — Qualquer imprevisto nós mandaremos avisá-lo, imediatamente.

— Não será preciso — disse o barão, de queixo erguido e mãos postas para trás. — Vemo-nos na igreja. Caso não haja um imprevisto de vossa parte.

— Não haverá — garantiu o duque.

Após as despedidas, Logan assumiu seu lugar e tocou o forro da carruagem com a bengala para que o cocheiro partisse. Enquanto se afastavam, de súbito ele se voltou para escrutinar o andar superior da casa branca pela janela traseira da boleia, acreditando que veria Marguerite espreitando sua partida por trás de alguma cortina.

— Milorde, pelo pouco que pude ver, vossa noiva não parece ser o tipo de moça que espiaria uma partida da qual evitou participar — disse Ebert.

— Realmente — Logan anuiu ao se reacomodar. — Obrigado por me lembrar!

— Disponha sempre, milorde.

Preso à sua eterna dúvida quanto ao modo como o valete considerava sua inteligência, Logan se recostou, fechou os olhos, cobriu o rosto com a cartola, cruzou as mãos sobre o abdômen e estendeu as longas pernas até que apoiasse os pés no banco dianteiro. Ebert sabia que aquela era a deixa para que ficasse calado durante as muitas horas de viagem.

Durante o almoço, em uma estalagem, o duque, o valete e o cocheiro nada conversaram. E mantiveram o silêncio até que chegassem a Bridgeford Castle, tarde da noite. Pelo adiantado da hora e também pela chuva, não havia ninguém à espera fora do castelo.

— Milorde, fez boa viagem? — indagou Griffins ao recebê-lo tão logo entrou.

— Sim — respondeu vagamente, olhando em volta enquanto seu valete seguia escada acima. Ao encarar o mordomo, perguntou: — Dempsey e Lady Bridgeford onde estão?

— Vosso hóspede saiu essa manhã e ainda não voltou, milorde. A duquesa já se recolheu.

Logan assentiu. Não deixou de notar a secura que o mordomo constantemente demonstrava ao falar da patroa e, como sempre, ignorou-o.

— Providencie água para meu banho e alguma comida. Estou faminto. Mande que levem ao meu quarto — ordenou.

— Em poucos minutos, milorde — prometeu Griffins, servil.

Sem mais palavras o duque subiu as escadas e marchou até o quarto. Encontrou Ebert separando roupas limpas. Ainda em silêncio o valete recebeu a bandeja com seu jantar e ajudou a preparar o banho. Logan estava realmente faminto e comeu antes de assear-se.

Minutos depois, banhado e vestido, dispensou o valete. Ebert educadamente se despediu e partiu. Ao ficar sozinho, Logan se sentou na larga cama. Sentia-se impaciente, mas não identificava a razão. Poderia ser a falta que passou a sentir de Ketlyn durante a volta, no entanto, não parecia que fosse. A iminência de ir ao quarto dela não mitigava a estranha ansiedade.

Sem saber o que agitava seu peito, Logan se deitou, decidido a esperar até que fosse hora de seguir para o quarto da amante, mirando o damasco de seda, franjado, que cobria o dossel da cama.

Apesar do conhecimento geral, mesmo sendo o senhor que não devia satisfação a ninguém, ele preferia manter a discrição. Ambos se visitavam após a meia-noite e jamais dormiam juntos. Aquela era a regra que mantinha sua mente livre de remorsos. Quando Marguerite morasse no castelo, tal cuidado seria redobrado. Sua esposa seria feliz.

Faria o que fosse preciso, Logan reiterou o pensamento. Provavelmente um casamento baseado na amizade fosse mais tranquilo e satisfatório do que aqueles em que houvesse amor, Logan considerou enquanto reprimia um bocejo. Depois de fechar os olhos, o duque especulou se Marguerite um dia teria nele ao menos um amigo leal. Respondeu-se afirmativamente.

A primeira impressão que deixou não era das melhores, mas sabia bem como amansar a jovem voluntariosa. Bastaria falar-lhe ao pé do ouvido ou lamber sua orelha, como na noite anterior, na varanda. Quando tivesse a esposa rendida, satisfeita, manteria com ela boa relação.

Ótima relação, corrigiu-se ao desfazer o laço do vestido amarelo e, sem temer ser flagrado, baixar o decote até que descobrisse seu tesouro. Excitou-se ao ver os seios livres. Marguerite olhava para ele com languidez e umedecia os lábios para receber o primeiro beijo. Logan não pôde prever o quanto esperou por aquele momento até estar ali, na providencial penumbra, baixando o rosto sobre o dela. Ao tocar a boca macia, Logan gemeu de puro deleite e urrou ao ser correspondido com paixão.

Apesar de ser virgem, a moça não era inexperiente. O coração de Logan simplesmente parou, quando a noiva virginal encontrou sua ereção e a massageou com chocante intimidade. Seria possível que Marguerite e o aspirante a conde já tivessem...?

— Não! — Logan bradou e a empurrou.

— Logan?!

A voz conhecida, surpresa, despertou-o. Com o peito oprimido Logan viu que não estava na varanda de Apple White com a noiva, sim, em seu quarto, com a amante. Talvez pensasse sobre o profundo alívio que o invadiu, depois. No momento riu contente por ter apenas sonhado que Marguerite fosse experiente.

— Logan, o que deu em você para me afastar assim?!

— Perdoe-me — pediu, sorrindo. Estava feliz em vê-la. — Apenas sonhava.

— Não parecia que estivesse sonhando — Ketlyn resmungou e cruzou os braços, aborrecida.

— Mas estava — assegurou e, ainda excitado pela ilusão, afetado pelos toques experientes dela, segurou-a pelos braços e a derrubou na cama.

— Logan?!

— Shhh... Não faz a mínima ideia do quanto preciso de você — disse antes de beijá-la.

Ketlyn protestou contra sua boca, tentou empurrá-lo, porém logo correu as mãos por sua nuca e retribuiu o beijo. Aflito, sem tempo para preliminares, girou-a de bruços e ergueu a barra da camisola.

— Logan?!

O duque sabia que encontraria a amante nua sob a peça, então, apenas baixou a frente da ceroula e a penetrou com a ereção que sua noiva inspirou, ignorando o chamado; precisava dela. Tanto que espalmou as mãos nas longas costas, prendendo-a no colchão para que tivesse total controle dos movimentos. Sem calar seus gemidos, arremeteu o quadril com força até que a satisfação viesse livrá-lo daquela incômoda ânsia.

Com o corpo suado e trêmulo, Logan se estendeu sobre a amante e beijou seu cabelo, um tanto culpado. Sabia que não tinha dado a mesma satisfação.

— Sentiu mesmo a minha falta, não? — Ketlyn indagou, agitando-se para ser libertada.

— Senti — confirmou ao deixá-la livre e se recostar no travesseiro para encará-la enquanto se recompunha.

Sua amante não parecia aborrecida. Aliás, não teria como saber, Logan observou com certo aborrecimento, pois Ketlyn era naturalmente inexpressiva.

— Gosto disso — disse a duquesa viúva, livrando-se da camisola —, mas contenha seu ímpeto da próxima vez. Recorda-se de que esse jogo é para dois, não?

— Teremos outras rodadas — ele retrucou, especulando se algum dia Marguerite se ajoelharia naquela mesma cama, exibindo as voluptuosas curvas e os peitos perfeitos daquele modo despudorado.

— Gosta do que vê? — indagou a duquesa viúva ao notar seu olhar, acariciando a própria cintura.

— Gosto muito — Logan admitiu e não mentia, afinal, amava-a. Nada significava que no momento pensasse em outra. Como ela mesma dissera, traição seria se entregasse seu afeto, e este estava seguro.

— Também gosto muito do que eu vejo — disse Ketlyn, escrutinando seu dorso nu. Ao encará-lo, determinou: — Depois voltaremos às rodadas. Agora quero saber como foi lá. Fez tudo certo dessa vez?

O modo como Ketlyn colocou a pergunta não o agradou, mas reconhecia que ela não faria de outro jeito. Após um profundo expirar, anunciou:

— Caso-me no próximo domingo.

Ketlyn esboçou um sorriso e assentiu.

— Enfim, a senhorita não é diferente das outras. Já tratou de laçá-lo e amarrá-lo.

Não havia a necessidade de explicar ter sido o contrário.

— Após a pequena recepção trarei Marguerite para Bridgeford Castle — disse apenas — e será como determinarmos.

— Sim. Teremos uma esposinha jovem, de útero saudável que, não apenas garantirá a linhagem dos Bridgefords, a herança de Gaston Welshyn e calará a maledicência para que possamos viver em paz.

Novamente o duque não gostou da fria colocação, mas não podia corrigi-la. Aquele sempre foi o objetivo. Novo era ter se compadecido de Marguerite. Outro detalhe que não seria exposto.

— Como estão os preparativos para recebê-la?

Em vez respondê-lo, Ketlyn analisou seu rosto atentamente.

— O que houve? Não parece satisfeito... Não está pensando em desistir, não é mesmo? Não agora que...

— Estou apenas cansado — Logan a interrompeu antes que fizesse outra colocação que o irritasse mais.

Para distraí-la, lançou-se sobre a amante, derrubando-a na cama. Não houve surpresa, não houve um ofegar. Mirando os olhos verdes que reinavam no rosto irretocável, Logan se perguntou o que esperava. O que procurava?

Não sabia, então, tratou de conseguir o que ainda precisava. Ketlyn roçou seu quadril ao dele e esboçou um sorriso.

— Sinto algo ganhando vida... Não disse que está cansado?

— Não para outra rodada em nosso jogo para dois. Saberei agradá-la dessa vez.

Capítulo 8

Alethia Welshyn era uma senhora de setenta e seis anos, alta, corpulenta, de bochechas rosadas e vivazes olhos castanhos. Resumidamente era o equivalente feminino do irmão, doze anos mais novo, George de Bolbec. Logan a amava a despeito de continuar a ser seu herdeiro ou não. Apenas era prático ao impedir que as posses da tia fossem queimadas em rodadas de pôquer ou com os prazeres da carne, como fatalmente aconteceria caso Lowell tomasse seu lugar na preferência.

Por essa razão começava a incomodá-lo que Ketlyn o fizesse parecer interesseiro sempre que citava a necessidade de agradar a tia viúva. Uma vez que aceitou ter uma esposa para preencher as lacunas de sua vida, Logan queria contentar a senhora, legitimamente. Portanto fizera questão de convidá-la para o casamento, mas, enquanto esperava que a senhora esboçasse alguma reação à novidade, ele especulava se teria feito bem em procurá-la.

Estava no Solar Welshyn nos arredores de Dorchester, há pouco mais de uma hora. De braços dados com a tia, o duque passeou pelos jardins e visitou o orquidário, menina dos olhos de Alethia. Naquele momento, estava sentado em uma cadeira, na sala de estar, ao lado da mesa posta para o *chá das cinco*, que naquela casa era religiosamente servido às 15h30, seguindo a preferência do falecido.

Naquela tarde de quinta-feira não era diferente. O que destoava das outras vezes em que o duque dividiu o lanche com Alethia era a expressão carrancuda desta, seu silêncio. Ao desistir do restante do *Twinings* já morno e deixar a xícara de porcelana chinesa sobre a mesa arrumada para uma refeição frugal, Logan se perguntou quanto mais teria que esperar para que visse a sisuda senhora reagir.

Alethia não podia estar aborrecida, afinal, estava fazendo o que ela sempre quis. Logan considerava perguntar o que se passava, quando a senhora depositou a própria xícara sobre o pires e bradou:

— No domingo?! Nem mesmo havia uma noiva e agora diz que vai se casar no domingo?!

— Por favor, Alethia, não se exalte!

— Era o que estava tentando — a senhora retrucou. — Empurrei a assombrosa novidade goelas abaixo com meu precioso chá e esperei que pudesse digeri-la, mas não. É extraordinário! É assombroso! Não, é impossível conceber que você se casará no domingo. Diga que não ouvi direito.

— Nunca soube que tivesse problemas de audição, titia — Logan troçou.

— Alethia! Alethia! — corrigiu-o. — E não me venha com gracinhas. Se o casamento não é uma pilhéria, diga-me o que devo saber. De onde surgiu essa noiva? Quem é ela? A qual família pertence? Há quanto tempo a conhece? Como...

Ao se calar, a senhora abriu a boca em muda exclamação. Seus olhos castanhos puderam ser visto em sua totalidade enquanto o sangue fugia de sua face. Quando Alethia levou a mão ao coração, Logan se pôs de pé, alarmado.

— Alethia, respire! — ordenou, abanando-a com um guardanapo.

— Enlouqueceu?! — Alethia voltou a bradar, encarando-o, horrorizada. Depois de capturar o guardanapo das mãos do sobrinho, atirou-o sobre a mesa e igualmente se levantou. — Pretende oficializar o descaramento? Tornará pública a indecência na qual chafurda? E quer que eu seja testemunha dessa união amoral, pecaminosa? Eu não queria acreditar! Considerei que minha impressão se baseasse na fofoca corrente, mas agora vejo que me enganei. Saiba que estou profundamente decepcionada! Enojada! Seu pai deve estar dando voltas no caixão se...

— Alethia! — Logan alteou a voz para calá-la. Não queria ser grosseiro, mas não restou escolha. — Por Deus! O que pode estar pensando para me dizer essas coisas?

O duque rogou para que mantivesse a expressão tão estoica quanto às de Ketlyn para que a agitação não refletisse em seu rosto. Não o abalava que a tia tivesse deduzido que se casaria com a amante, sim, ouvir o que por vezes imaginava; o pai dando voltas em seu leito eterno, decepcionado.

Atenuava o remorso e a culpa recordando que amou Ketlyn antes que soubesse quem ela seria. E, decididamente, não havia pecado; não eram parentes. Logan acreditou ter ocultado o que sentia ao ver a tia unir as sobrancelhas e menear a cabeça, confusa.

— Por Deus, digo eu — falou a senhora, arfante. — Diga que não é verdade o que corre de boca em boca. Você e aquela...

— Sei o que dizem — Logan voltou a interrompê-la. — E reafirmo que tudo não passa da mais vil maledicência porque não tive coragem de tirar Lady Bridgeford da casa dela.

— O castelo era de meu irmão e agora é seu! — retrucou Alethia, recuperando a cor de suas bochechas. — Aquela ardilosa caçadora de títulos nunca foi dona de coisa alguma. Eu tentei avisar meu irmão, mas o tolo estava enfeitiçado. — De súbito a senhora o segurou pelo rosto e o escrutinou, claramente consternada. — Rogo todas as noites para que não esteja sob o mesmo domínio nefando. Por essa razão perdi o tino. Eu simplesmente...

Alethia se calou, comovida. Pela primeira vez Logan se constrangeu por mentir, mas não podia ser diferente. E não estava ali para confirmar o quanto ela odiava a cunhada, sim, para falar de seu casamento. Após um profundo expirar, Logan esboçou um sorriso.

— Não estou sob qualquer domínio — assegurou. Para afastá-la de vez das cismas, gracejou: — A menos que o encantamento por minha noiva seja considerado um.

— Como é possível que haja uma noiva? — Alethia meneava a cabeça. — Estivemos juntos há menos de um mês e me lembro bem de que riu de meu conselho para que se casasse. Disse que estava novo e outros tantos pretextos de homens que preferem ciscar aqui e ali.

— A ideia da gaiola nos assusta — Logan replicou, indicando a cadeira para que a tia se sentasse. Ao acomodá-la, fez o mesmo. — Contudo, uma jovem me prendeu.

— Uma jovem? — Alethia sorriu. — Quão jovem?

— Marguerite está com dezenove anos.

— E a jovem tem um nome... Marguerite! A idade é ideal, mas o que me faz gostar dessa mocinha é ver esse brilho em seu olhar ao falar dela.

Logan apenas sorriu. Como pensou antes, não nutria sentimentos românticos por Marguerite. Se seus olhos brilhavam era somente pela satisfação por ter conduzido a conversa para assuntos verdadeiros. Começava a ficar farto de mentir para quem amava. Tanto que foi sincero ao dizer:

— Não há como não se afeiçoar a ela. Sei que a aprovará, Alethia.

— Agora não duvido, mas... De onde é essa moça? Por que a pressa? Acaso você abusou da jovem?

Logan especulou se no tom da senhora não teria a menor nota de repreensão caso fosse tia de Marguerite. Para um sobrinho ela apenas meneava a cabeça, ocultando um sorriso. Em todo caso, não deixaria de contar como tudo aconteceu.

— Não completamente — disse e confessou ter seguido a moça até a biblioteca e a beijado de um modo mais acalorado antes que o barão os flagrasse.

— A moça é filha de um barão — Alethia aprovou, assentindo. — Eu o conheço?

— Apesar de ser um novo nobre rural, sim, você o conhece. Lorde Ludwig é o barão de Westling. Aquele da sidra.

— Ah, sim! — O rosto de Alethia se iluminou. — É uma bebida primária, rústica se compararmos às sidras ou aos espumantes mais antigos, mas a inocência tem seu charme e é agradável ao paladar. Tenho algumas garrafas em minha adega. Apple White.

— Esse mesmo — Logan confirmou. — Enfim, o homem virou uma fera. Ameaçou-me. Retirou o dote e pediu que a trouxesse comigo o quanto antes.

— Uma reação extremada por um beijo acalorado, não? — Alethia uniu as sobrancelhas. — Entendi que estavam na biblioteca, a portas fechadas, mas o beijo já havia sido interrompido, estavam vestidos. Há como saber que a moça não foi desonrada.

Depois de conhecer um pouco mais da família Bradley, Logan entendia a reação. O barão queria apenas se ver livre da filha do meio. Por considerá-la encalhada ou por qualquer outro motivo que ele não poderia imaginar. O duque tinha certeza de que o mesmo não aconteceria caso Catarina fosse flagrada. Ele teria sido morto, ou apenas escorraçado, mas a joia da casa não colocaria um dedão para fora de Apple White.

— Seja como for, foi melhor para mim. Estou muito feliz com minha escolha.

Logan se surpreendeu com a palavra. Satisfeito bastaria, mas se escolheu "feliz", este seria o sentimento que constaria para Alethia.

— E eu começo a me agradar cada vez mais dessa sua união — a senhora revelou. — Se você está feliz, é assim que me sinto. E, por Deus! Será no domingo!

O duque riu mansamente, contente pelo novo tom. Depois de sentar na beirada da cadeira, segurou as mãos da tia.

— Irá me fazer muito mais feliz se comparecer. É toda família que tenho.

— Tem seu irmão — lembrou-o, amável. Mirando-o com pesar, elucidou: — Sequer cogitou chamá-lo, não é mesmo?

— Já será uma situação delicada pelos motivos que expus. Acredita que haja a necessidade de criar novas situações embaraçosas? Prefiro que Lowell fique em Londres.

— É por essa razão que não usou sua licença especial para se casar em Westminster? A abadia seria o local apropriado para o casamento do nono duque de Bridgeford, não uma capela em... Onde mesmo?

— Westling Ville, em Somerset.

— Acredito que esta vila seja tão pequena que sequer conste do mapa — comentou a senhora. — Não haveria tempo de mudar? Posso providenciar o que for preciso para que tenha um casamento à altura de um Bolbec. Diante de um bispo.

— Agradeço a preocupação, mas tudo está arranjado. E quero acabar com isso o quanto antes. Eu já baguncei demais a vida de Marguerite. O pai praticamente a expulsou, então, deixe como está. Quero apenas que essa última etapa termine para trazê-la comigo e... O que há?

Alethia o encarava de modo estranho, meneando a cabeça enquanto esboçava um sorriso.

— Está mesmo encantado — ela disse, sorrindo, enlevada. — Decididamente seus olhos brilham. E o que dizer dessa pressa em tê-la para si? Agora sei que amo essa jovem pelo simples fato de promover tal transformação em meu querido sobrinho, antes tão empedernido.

Logan deixou a dedução passar. Não seria traição estar encantado por uma amiga e justificaria a vontade de revê-la. Friamente pensando, ele admitia ter reconhecido o teor da ansiedade que o atacou ao voltar para casa. Longe de Ketlyn, extenuado depois do sexo, ele entendeu que queria Marguerite no quarto destinado à duquesa. O quanto antes queria colocar em prática tudo que determinou para ela.

— Até mesmo sorri alheio ao que digo! — A voz de Alethia o resgatou de seus pensamentos. — Preciso conhecê-la. Não estava preparada para um casamento, mas irei, com certeza.

— Perfeito! — Logan exultou, ignorando o comentário sobre seu sorriso. — Eu ofereceria uma de minhas carruagens, mas...

— Precisa trazer os pertences de sua esposa em uma e não há de querer alguém entre vocês na outra — Alethia se adiantou, agitando as mãos no ar. — Sossegue. Sabe que meu querido Gaston me fez uma mulher independente. Apenas me diga quais são seus planos.

❦

Nunca antes esperar tinha sido tão entediante, Logan constatou enquanto via seu falcão recolher as asas para dar velocidade ao preciso mergulho. Logo este saiu de seu campo de visão, porém em segundos voltava a ganhar altura, agitando as asas com a elegância que lhe era peculiar. O pio agudo expressou a frustração de Krun pela perda da presa.

— O dia não está favorável para nenhum de nós, meu amigo — disse o duque como se o falcão pudesse ouvi-lo ou compreendê-lo. Jabor e Dirk o encararam, indiferentes, e voltaram a deitar sobre as patas.

Era inédito que nem mesmo as horas dedicadas à bela ave e aos cães ajudassem a distraí-lo.

Estar com Ketlyn não seria uma boa opção, pois sempre que falava sobre o casamento, ou acirrava sua culpa com frios e verdadeiros comentários ou alimentava sua ansiedade ao narrar os preparativos que fazia. Saber que se mudaria para o quarto por anos ocupado por seu pai para que Marguerite fosse instalada nos aposentos de sua mãe somente aumentava a inquietação.

E não ajudava que Mitchell ainda não tivesse voltado de onde quer que tenha ido. Logan começava a considerar a possibilidade de convidar o banqueiro Kelton para estar ao seu lado, quando o som de passos apressados distraiu-o do pensamento. Ao se voltar, viu ser o hóspede que se aproximava.

— Cogitava colocar a guarda em seu encalço — disse aborrecido, sem cumprimentos. — Onde esteve, Dempsey?

— Um homem precisa de distração — Mitchell retrucou antes de fazer uma exagerada reverência. Curvado, de cabeça baixa, indagou: — Duque... Ainda posso contar com vossa benevolente hospitalidade?

Logan não resistiu. Tirou um pedaço de carne crua do bornal de couro que trazia a tiracolo e atirou na cabeça do zombador.

— Aprume-se! — ordenou ao atingir seu alvo.

— Ei! — Mitchell protestou ao ver o que o acertou. — Quer que Krun me ataque?

— Krun tem o paladar apurado — Logan redarguiu — e decididamente não o confundiria com um coelho nem nenhuma outra presa que o agrada. E o que esperava? O senhor some por praticamente três dias e ao voltar, caçoa de minha acolhida?

— Estou de bom humor — justificou-se Mitchell, afastando-se da carne que atraiu a atenção dos *Staffies*. — As mulheres surtem este efeito em mim.

— Então, estava com uma dama? — Logan sorriu sugestivamente.

— Damas! Sou um mero aprendiz que apenas almeja alcançar a experiência de um mestre como você, mas também gosto de ter duas ou mais, suspirando por mim.

Logan não podia retrucar. Havia a mulher que amava e a eventual amante londrina. E logo teria uma esposa.

— Com damas, então! — Logan deu de ombros, voltando a olhar para Krun.

O duque descobriu o falcão a aproximadamente trinta metros, pousado sobre uma presa, depenando-a. A sorte lhe sorriu afinal.

— E você se orgulha, não?

Logan encarou o amigo. Demorou um instante a compreender que Mitchell se referia ao feito do falcão, não à sua habilidade com as mulheres.

— Sim, orgulho-me. Falcões-peregrinos são predadores, ágeis, mas acertam em média apenas vinte por cento em seus ataques.

— Mas você o alimenta. Krun não deveria precisar caçar.

— E quem tem o direito de mudar a natureza de uma ave ou animal? — Logan indagou, mirando o falcão que já comia a caça. — Ele me distrai, em troca deixo que seja o que é.

— Faz sentido — o ruivo deu de ombros e se abaixou para esfregar o pelo dos cachorros. — Enfim... Vim procurá-lo porque fui informado ao chegar que tinha urgência em tratar um assunto comigo. Procede?

— Procede — Logan confirmou. — Prepare-se, pois amanhã você irá comigo para Westling Ville. Caso-me no domingo e quero que seja meu padrinho.

— No domingo?! — Mitchell se levantou abruptamente.

— Alethia se espantar foi compreensível, você, não. Ketlyn não lhe contou?

— Não a vi ao chegar... Sabia apenas dos planos, não que tudo já estivesse acertado. Muito menos que eu participaria.

— Algo o retém? — O duque lhe escrutinou o rosto.

— Não... — Mitchell passou uma das mãos pelos cabelos. Pareceu pensar por um instante, e disparou: — Não sei se conseguirei olhar para a moça sabendo que...

— Pensei que fosse um dos que ergueriam um busto em minha homenagem — desdenhou. — Agora se enche de pudores?

— Ainda o admiro, sem dúvida, mas... Mas... — Mitchell procurou pelas palavras. — Mas com esposas é diferente. Ainda não conheço a jovem, mas sei que é irmã do Bradley... Seria espantoso se não fosse virgem.

— Marguerite deitará no leito nupcial pura como nasceu — Logan ciciou, recordando-se da rejeição ao seu pedido. Tantos cuidados de seu amigo igualmente o aborreciam. — Ainda não compreendo qual a questão?

— É justamente essa! A moça não é como nós... Não é como Ketlyn, Daisy e tantas outras que circulam por nosso meio que pouco se importam com a existência da outra. Ela é inocente.

— E assim continuará — redarguiu o duque. — Farei o que for preciso para que ela jamais se decepcione. E acredite, ela estará melhor aqui, sob minha proteção.

— Ainda acho que devia dar uma das propriedades para Ketlyn — opinou o amigo. — E uma mesada para que vivesse por sua conta. Esqueça-se de todas as bobagens que eu disse sobre bustos e homenagens. Você não vai conseguir manter seu envolvimento longe dos olhos de sua esposa. E ela o odiará... Sua amizade com Bradley será perdida para sempre.

Não perderia um segundo de seu tempo considerando a possibilidade de afastar Ketlyn. Se fosse preciso escolher entre uma e outra ele... Logan refreou o raciocínio, surpreso ao constatar que não abriria mão de nenhuma das duas. Não tinha como, não eram comparáveis. E daria certo, ele sabia. Para encerrar de vez a questão, disse:

— Você poderia me ajudar a distraí-la.

— Creio não ter entendido. — Mitchell franziu o cenho. — Está sugerindo que eu...

— Encoste um dedo em minha esposa e morrerá! — Logan o calou, apontando-lhe o dedo em riste. — Torne-se amigo dela enquanto estiver aqui. Principalmente nos primeiros dias, se perceber que Marguerite está desconfiada, distraia-a. Discuta sobre literatura, jogue gamão, fale sobre cachorros, o que for. Mas faça com que olhe em outra direção.

— Bridgeford, eu não...

— Pense de outra forma — Logan voltou a interrompê-lo. — Se está cheio de cuidados, o que fará depois que eu estiver casado? Pois a união é certa e Marguerite virá morar aqui. Se não sabe como olhá-la, deixará de vir?

— Confesso que eu não pensei a respeito. — Mitchell colocou as mãos nos bolsos de sua calça de sarja creme e mirou a ponta de seus sapatos. Então, bufou e encarou o amigo. — Está bem! Sei que você não seria maluco de magoar a irmã de um amigo.

— Prepare-se — disse Logan, satisfeito. — Partiremos amanhã às sete da manhã.

Antes de usar o apito que chamaria seu falcão de volta, Logan riu da reclamação quanto ao horário da partida. Para alguém que deixava a cama depois das dez horas, seria uma tortura acordar tão cedo, com a manhã ainda escura.

Ele, por sua vez, estaria de pé muito antes das seis horas, como nos últimos dias. Quando disse a Alethia que queria ultrapassar aquela última etapa para que pudesse trazer sua esposa para casa, foi sincero como nunca antes.

Capítulo 9

Em um dia! Caso fosse levada para o castelo do duque ainda no domingo, a vida como conhecia iria mudar radicalmente em apenas um dia, pensou Marguerite alisando a saia do vestido floral. Estava sozinha, sentada em um dos bancos sob o caramanchão, aproveitando o silêncio e a paz do jardim, mesmo que esta destoasse do turbilhão que agitava seu estômago.

Em um dia tudo mudaria. No entanto, mesmo com a barriga infestada de borboletas ela estava conformada com o destino. Não haveria volta.

Marguerite teve a confirmação à medida que a preparação para o casamento se intensificava. Os candelabros da Sala Rosa e da sala de jantar foram limpos, as toalhas e os guardanapos de linho bordados com o brasão dos Preston Bradley foram lavados. As grossas cortinas e os tapetes foram batidos sempre que a chuva dava uma trégua. Móveis foram lustrados e flores foram espalhadas pela casa. O aparelho de jantar, as taças de cristal e a prataria reluziam. As cozinheiras trabalhavam em turnos dobrados.

Ao receber o vestido e todos os acessórios que usaria no domingo pela manhã, Marguerite se conformou em definitivo. No momento era abalada pela expectativa, não pelas deduções que a afligiam nos primeiros dias. Queria que o grande acontecimento viesse logo. No mais, tentaria encontrar um modo de conviver em paz com o marido.

As ações do duque eram questionáveis, as intenções eram nebulosas, mas na verdade ela não o conhecia para considerá-lo pior que um vilão. Tiveram um mau começo, apenas isso. E se não fosse tão simples, não era ela que desde pequena esteve inclinada a dar segundas chances aos vilões? Talvez se surpreendesse com o duque.

Foi a essa conclusão que Marguerite chegou ao se deitar na noite de seu noivado. Concedeu a Logan o benefício da dúvida quanto ao flagrante. E fora Nero que os delatou, o detalhe era incontestável.

Ao pensar em seu cachorro, Marguerite olhou para o galgo deitado aos seus pés. Seu coração estava apertado, sentir-lhe-ia a falta, mas ficaria tranquila. Edrick seria um bom tutor e, sendo amado ou não, aquele era o lar que o animal conhecia.

Como se soubesse que era observado, Nero ergueu a cabeça, porém não olhou para a dona, sim, para frente e passou a rosnar baixinho.

— Nero, o que foi?

— Marguerite.

O chamado a sobressaltou mesmo que o galgo tivesse indicado que alguém se aproximava. Imediatamente o cachorro se pôs de pé e passou a latir. Marguerite se levantou e indagou:

— Quem está aí?

— Marguerite, sou eu... Contenha seu cachorro. Precisamos conversar. É urgente!

— Nero, quieto! — ela ordenou, fazendo com que o galgo encerrasse os latidos mesmo sem que tivesse reconhecido a voz. — Junto!

Obediente, Nero sentou sobre as patas traseiras no momento exato em que um rapaz alto, loiro, usando calça xadrez e casaco preto surgiu no campo de visão da moça.

— Stuart Grings?! — Marguerite se admirou. — Não reconheci sua voz. O que faz aqui?

— Vim assim que soube de seu casamento. — Ele se aproximou e, sem que Marguerite pudesse prever, segurou-a pelos ombros. — Não pode se casar.

— Como?! — Surpresa, ela sequer tentou se libertar. — O que está dizendo?

— Como pôde permitir que seu pai aceitasse o pedido de outro? E nosso compromisso?

Stuart a segurava com força, mantinha o cenho franzido. Mas não parecia estar aborrecido, sim, entristecido. Marguerite se forçou a pensar. Por não encontrar uma resposta, devolveu a questão:

— Qual compromisso?

— Somos comprometidos há dois anos, esqueceu?

— Eu não esqueceria algo assim. Lembro-me de que tocou no assunto durante um jantar e, depois, nada mais foi dito nesse sentido. Encontramo-nos em outras ocasiões, muitas vezes por sinal, e em nenhuma delas você agiu como um pretendente.

— Como não? — Stuart meneou a cabeça, descrente. — Tratamo-nos por nossos nomes. Às vezes até pelos apelidos que nos demos. E depois, em outras ocasiões, eu a conduzia às mesas ou levava-lhe refrescos. Pedia que reservasse danças para mim.

De súbito Marguerite pensou em Logan. Ela não conseguia encaixar o duque em nenhuma daquelas situações. No curtíssimo tempo entre a corte e o noivado, ele a seduziu mesmo sem beijá-la e a prendeu para sempre. Até mesmo Madeleine refutou o interesse de Stuart ao saber que jamais roubou um beijo. Como ele podia acreditar que eram comprometidos?

— Fez o que qualquer amigo atencioso faria, Stut. Em tempo algum criou situações que nos deixasse a sós. Nunca me beijou.

— Por que eu a respeito! — Stuart se exasperou. — E não achei que precisasse provar algo quando era tido como certo. Como disse, esperava concluir a faculdade para oficializar a união.

— Eu sinto muito. — Marguerite realmente sentia, pois tinha pelo amigo um grande apreço. Teria sido uma boa união.

— Não sinta! Ainda está em tempo de cancelar esse casamento.

— Stut... — Marguerite meneou a cabeça com pesar.

— Eu a amo, Margy!

— O que você...

Stuart a calou apertando seus lábios nos dela, com força. Marguerite se enregelou ao compreender que recebia seu primeiro beijo. E não era de seu noivo. Caramba!

O certo seria se afastar, contudo o contato era agradável. Tornou-se um tanto úmido, quando Stuart passou a mover cabeça de um lado ao outro, esfregando as bocas. Em tempo algum Marguerite fechou os olhos, diferentemente do rapaz que tinha as pálpebras cerradas desde o primeiro instante.

Livre do choque e do frisson, Marguerite começou a considerar que beijos eram entediantes. No momento, melados demais para seu gosto, o que os tornava o oposto de agradável. Em poucos segundos ela passou a considerá-los nojentos e decidiu que seu primeiro beijo deveria chegar ao fim.

— Stuart, já chega! — disse ao livrar seus braços e afastar o amigo.

Decididamente, beijos eram asquerosos, sentenciou antes de retirar um lencinho da faixa em sua cintura e secar a boca.

— Por quê? — Stuart indagou roucamente, com os olhos brilhando para ela. — Não sentiu a ligação entre nós?

— Não, Stut, eu não senti. Gosto muito de você...

— Posso saber o que está acontecendo aqui?

Daquela vez o coração de Marguerite simplesmente parou ao reconhecer de pronto a voz daquele que estava às suas costas. Por estar de frente para Stuart, viu-o se empertigar e fechar a expressão depois de encarar o recém-chegado. Trêmula dos pés a cabeça Marguerite se voltou para fazer o mesmo.

E lá estava Logan de Bolbec, maior do que ela se lembrava. Talvez por estar com os punhos cerrados, apoiados no quadril, olhando de um ao outro com o cenho franzido. Sua roupa era predominantemente preta, combinando à perfeição com a tarde outonal. E o brilho no olhar era frio como a mais tenebrosa noite de inverno.

— Creio ter feito uma pergunta — Logan sibilou, recordando ter visto o rapaz em algum evento londrino. — O que está acontecendo aqui?

— Tenho certeza de que não lhe devo satisfações — Stuart o afrontou.

— Pois eu lhe digo...

— Lorde Bridgeford! — Marguerite se colocou entre os dois com os braços estendidos antes que o duque avançasse em direção ao rapaz. — Talvez não tenham sido apresentados. Permita que eu o faça... Stuart, este é Lorde Logan de Bolbec, nono duque de Bridgeford, meu noivo. Senhor, este é Stuart Grings, filho do conde Stamford, um bom amigo de minha família.

Antes que o rapaz se pronunciasse, o duque salientou:

— Não vejo sua família em parte alguma. E, Grings, agora que recorda quem sou, responda! O que faz com minha noiva, longe dos olhos de todos?

— Apenas conversávamos — disse Stuart no mesmo tom, nada intimidado.

— Qual era o tema? — Logan queria detalhes que explicassem a declaração que ouviu de sua noiva ao chegar.

— Stut e eu apenas...

— Stut?! Isto foi um espirro, Srta. Bradley? — o duque a cortou, azedo. A intimidade dela piorava tudo. — Sugiro que entre. Não quero que adoeça a poucas horas do nosso casamento.

— Não vou deixá-los para que briguem. — Marguerite se posicionou de frente para o noivo, tentando não se abalar com o gélido olhar. — Somos amigos, vizinhos, apenas conversávamos.

— Devo parecer alguém que não prima pela inteligência, senhorita, então, digo que entendi bem até essa parte — Logan ciciou. — Quero saber qual era o tema.

— Pois eu lhe digo.

— Stuart, não...

— Vim pedir que Marguerite cancelasse esse casamento infundado — revelou Stuart, para horror da moça.

Logan sentiu o sangue gelar. Aquela era a terceira vez que acontecia em tão curto espaço de tempo. Primeiro ocorreu ao chegar e não ver a noiva em parte alguma. A segunda, ao ouvir a declaração àquele homem temerário, ou estúpido, que acreditava ser capaz de medir forças com ele. Logan não gostava do que sentia.

— Com quais argumentos? — ele indagou apenas. Pela afronta, podia desafiar o filho de um conde, mas preferiu lutar por seus direitos de modo legal.

Marguerite se surpreendeu. Estava preparada para correr, à procura de ajuda.

— Há dois anos temos um compromisso — Stuart respondeu.

— Até onde sei, tudo não passou de sugestões durante um jantar. Mas, se meu futuro sogro se enganou, apresente-me um contrato. Se um compromisso foi firmado, deve ser honrado.

Novamente Marguerite se surpreendeu. Não imaginava que o duque soubesse daquele detalhe. Muito menos esperava descobrir o quanto era racional. Em um instante parecia prestes a esganar alguém, no outro, mostrava-se centrado. Por outro lado, Stuart ficava cada vez mais rubro. Provavelmente por saber que não havia o que ser feito.

Certo ou errado, o noivado com o duque era legítimo.

— Eu amo Marguerite! — declarou Stuart, corajosamente — E até onde eu sei, o senhor sequer a conhecia.

— Esse fato é incontestável.

Apesar da irritação Logan reconheceu a verdade nas palavras de Stuart e, de modo inédito, colocou-se em seu lugar. Não era o que queria, em absoluto, mas poderia transferir para ele a tarefa de cuidar de Marguerite. Acostumara-se à ideia de tê-la, desejava-a, mas, em nome da simpatia que passou a sentir, deixá-la-ia livre se assim ela quisesse.

— Senhorita... — Marguerite se empertigou ao ser chamada; mais pela rouquidão da voz do duque que por sua intensidade. — Retribui o amor deste rapaz?

Logan considerou que os constantes calafrios que atingiam seu coração e eletrizavam sua coluna fosse prenúncio de alguma doença. O último não podia estar relacionado ao fato de Marguerite olhar de um ao outro, ponderando. Logan estava preparado para a resposta direta e rápida, afinal, ouviu-a dizer que gostava do outro.

Se Marguerite pensava a respeito, não havia amor da parte dela. Portanto, caso optasse pelo outro, estaria mentindo apenas para descartá-lo. Se ela o fizesse, não admitiria ser ludibriado. Contudo, sua noiva não o fez.

— Eu gosto muito de você — ela repetiu, olhando para Stuart —, mas não o amo. Se tivesse firmado um compromisso, nós nos casaríamos e eu poderia amá-lo. Formaríamos uma boa família, mas não foi assim. Peço desculpas. Espero que me compreenda e me deseje felicidades.

— Margy, não se desculpe — disse amavelmente, assentindo, derrotado. — Sou culpado de crer que tudo estivesse certo. Desejo que tenha toda felicidade merecida e, se me der licença...

Sem despedidas Stuart passou pelo casal e partiu, pisando duro.

— Stuart, espere! Eu... — Marguerite quis segui-lo.

— Deixe-o! — Logan demandou, segurando-a pelo braço. Por um ínfimo instante lamentou por eles ao notar afeto entre ambos, mas Marguerite escolhera. — O que resta dizer?

— Nada — entristecida, reconheceu —, mas não queria que ele se fosse assim, magoado.

— Em questões do coração alguém sempre parte magoado — disse ao soltá-la.

O duque podia não ser pior que o vilão, mas a insensibilidade sempre fora aparente. Então, a nota de pesar na voz grave fez com que Marguerite o olhasse, vendo-o de outro modo.

— Fala como se conhecesse o sentimento.

— Não vou negar... Já padeci pelas agruras do amor — declarou Logan, depois de cruzar as mãos às costas.
— E o que aconteceu? — Marguerite se interessou. Jamais teria imaginado nada igual.

Após alguns anos conseguiu a mulher que a amava e estava bem, ele pensou. Sabendo que aquela era outra resposta que não poderia dar, disse apenas:
— Curei-me.
— E é assim? — A moça uniu as sobrancelhas. — A pessoa se cura, como se tivesse sido acometida por uma gripe?
— Às vezes, pode-se ser comparado a uma doença mais grave — ele gracejou —, mas a pessoa se recupera. Não há outra palavra.
— Quem diria?

O modo intimista com que Marguerite indagou, como se pensasse, levou Logan a indagar:
— Estou certo em acreditar que jamais tenha sentido algo semelhante?
— Está certo, mas gostaria de sentir — Marguerite confirmou ao sentar. — Esperava viver um grande amor, desses que vemos nos livros. — Ela riu sem humor. — Na verdade, esperava me casar por amor e viver feliz para sempre.
— Prometo fazer o que for preciso para que seja feliz — comprometese Logan ao ocupar o espaço vago ao lado dela.
— Mas não que o ame, nem me amará — disse Marguerite ao encará-lo. — Não me corrija, pois eu me ofenderia. Nada sabemos um do outro além do pouco que disse meu irmão. E, perdoe-me, mas, tomando por base o que mostrou, eu não sinto que aconteça um dia.

A boca carnuda mais uma vez liberou palavras direitas e verdadeiras. E não seria diferente, ao menos da parte dele, pois seu coração estava ocupado.
— Podemos ser amigos — ele expôs sua vontade. — E, como disse a Stuart, a convivência fará surgir algum tipo de afeto. Pareço-lhe assim, tão mau ao ponto de duvidar que aconteça?

Se a mesma pergunta tivesse sido feita dias atrás, a resposta seria afirmativa e imediata. Naquele momento, entretanto, o duque se mostrava diferente. Havia algo novo no modo como ele a olhava. Era como se estivesse desarmado.
— Não, não se parece.
— Então... — Logan sorriu e estendeu a mão direita. — Seremos amigos e deixaremos que o tempo se encarregue do resto?
— Pois bem, seremos amigos e que o tempo nos mostre o que acontecerá! — Ela retribuiu o sorriso e apertou a mão do duque, firmando o acordo. Afetada pelo bom humor, gracejou: — Ainda bem que chegamos a um consenso. Seria estranho ser casada com um inimigo.

— Sem dúvida seria — Logan riu brevemente. — Então, minha boa amiga, conte-me como passou esses dias?

— Sendo ignorada por papai, enxotada de todos os cômodos em preparação por mamãe e atormentada por minha irmã que todo momento me lembra da necessidade de listar os rapazes abastados que eu vier a conhecer com potencial a bom marido.

— Lamento por seu pai — Logan foi sincero quanto ao que atraiu sua atenção. Ser dispensada da arrumação da casa seria natural e as futilidades de Catarina pareciam não abalá-la. — Reafirmo que não esperava a aparição do barão.

— Hoje eu sei — ela revelou num murmúrio. — Não o eximo da culpa, senhor, porém reconheço ter minha parcela da mesma. Naquela noite deixei Nero preso em meu quarto. Papai acordou ao ouvi-lo arranhando a porta. Quando não me encontrou, bem... Sabe o que aconteceu.

— Então, Nero é o grande culpado! — Logan troçou para livrá-la da tristeza.

— Pobre Nero! Nosso delator.

Alheia à avaliação de Logan, a moça meneou a cabeça para o galgo que os olhava. Quando ela sorriu para o animal, o peito do duque se aqueceu e por fim ele se livrou da ansiedade que o levou até Apple White antes do combinado, mesmo cansado da longa viagem.

— Quando a conheci disse algo sobre Nero ter sido tratado com selvageria — comentou. — Pode me dizer o que aconteceu?

— Foi Catarina — contou Marguerite. — No dia em que papai o deu a mim, eu e uma amiga, Cora, brincávamos com ele na saleta. Catarina estava com dez anos na ocasião e, por ciúmes, talvez por inveja já que o queria para si, pegou-o e o atirou na lareira.

— Na lareira?! — Foi impossível não se alarmar.

— Sim... Eu não soube o que fazer. Por sorte as chamas estavam baixas e Cora agiu com rapidez. Ela o resgatou antes que o pior acontecesse. Desse dia restaram as marcas em uma das patas traseiras e o nome. Papai considerou a maldade de Catarina apenas divertida traquinagem e o apelidou de Nero.

— E qual era o nome que escolheu? — Logan preferiu seguir por aquele caminho a comentar a crueldade de Catarina ou a parcialidade do barão.

— Senhor Graveto, por motivos óbvios. — Marguerite riu com a lembrança. E riu mais ao ver a expressão do duque. — Não me olhe assim! Sei que é péssimo, mas eu tinha apenas treze anos.

— A circunstância foi horrível, mas Nero soa melhor — Logan comentou ainda afetado pelo riso. — Acha que ele se adaptará a Castle?

— Não vou levá-lo — disse Marguerite, mirando o cachorro.

— Por que não? — Logan desejava se chutar por encerrar o bom humor de sua noiva.

— Vou deixá-lo aos cuidados de Edrick... Aqui é o lar dele. Eu não o obrigaria a viver em um lugar estranho.

— Basta a senhorita — o duque deu voz ao pensamento.

— Sim — ela anuiu, provando o quanto ele a conhecia.

— Eu prometo que...

— Não precisa me prometer nada — a moça o interrompeu, tocando-o no braço. — Já ofereceu vossa amizade e disse que me fará feliz.

— Por certo farei — Logan jurou e, em uma ação impensada, movido pela falta que sentiu e reconhecia, segurou-a pela cintura e a puxou para o colo.

— Lorde Bridgeford?! — Arfou Marguerite, encarando-o com olhos maximizados.

— Senhorita Bradley?! — Logan imitou-a, simulando a mesma surpresa. — Seremos obrigados a nos casar caso nos encontrem?

Mesmo com o coração aos saltos pelo susto, Marguerite riu da expressão do duque. Ainda o considerava uma incógnita, mas gostava do que via. Caso a amizade vingasse e ele se mostrasse mais vezes como naquele momento, talvez, de fato, algum afeto surgisse. E se acaso Logan confirmasse estar ali apenas pelos motivos que apresentou, ela até mesmo agradeceria sua *sorte*.

— Se acontecer, eu não demonstrarei resistência — disse no mesmo tom, antes de juntar sua coragem e perguntar: — Sanaria uma dúvida? Com toda sinceridade, já que seremos amigos?

— Somos amigos — Logan a corrigiu, empertigado. — Exponha sua dúvida.

— Está falido? — Marguerite indagou a um só fôlego.

— Falido? — Logan não sabia o que esperar, mas sem dúvida não seria nada parecido. — De onde surgiu essa questão?

— Bem... — Marguerite torceu os lábios, desconcertada. — Madeleine concorda que o senhor se abalou até Apple White para desposar alguém como eu por ter um problema. Então, conclui que fosse financeiro. Confesso que me surpreendeu ao voltar, mesmo que papai tenha retirado o dote, mas, então, considerei que ainda seria um casamento vantajoso caso as opções melhores estivessem também perdidas.

— Não, senhorita, eu não estou falido. Não menti em nosso primeiro passeio. E, antes que insista... também não menti sobre vir procurá-la atraído pelo o que disse seu irmão. — Valendo-se da conversa sobre o amor, concluiu: — Não havia outra a quem amasse. Quando eu decidi me casar, considerei que seria a esposa ideal e acho que não me enganei.

— Fui preparada para ser boa esposa, mas, olhe para mim... — ela pediu, ainda a torcer os lábios cheios. — Eu sou...

— Uma jovem bonita — ele a cortou gentilmente. E sorriu ao senti-la estremecer, quando correu a mão livre pelo longo pescoço nu. Lamentando que a luva não permitisse que sentisse a textura da pele, reiterou: — É uma jovem bonita, sem dúvida. O que mais posso querer?

— A real beleza — Marguerite replicou. — Não é o que todos os homens procuram?

— E quem sabe identificar a real beleza, senhorita? — Logan passou a acaricia-la na nuca, amolecendo-a, afetando-se também com o carinho leve. — Esta estaria em nosso corpo ou em nossa alma?

— Eu... — ela murmurou. — Eu acredito que... Esta esteja em nossa alma, mas... Mas a maioria das pessoas, especialmente os homens... Procuram-na no exterior e eu...

— Tem olhos adoráveis! Nariz empinado que lhe atribui uma falsa arrogância. Esta pode ser providencial num primeiro momento, afastando companhias indesejáveis, mas, ao conhecê-la, sabe-se que é delicada e humilde. Tem boca carnuda e muito direta. Parece malcriada às vezes, mas me chocaria se um dia mentisse.

— Não gosto de mentiras.

A confirmação da moça novamente enregelou o duque. Cada vez mais reconhecia que a queria em sua vida. Logan preferiu não enveredar por aquele assunto e desceu seu carinho para o busto de alabastro.

— E seu colo...

— Creio ter entendido! — Recuperada do torpor que a amolecia, Marguerite escapou antes que o duque a beijasse e gracejou com a verdade: — Sabemos o que acontecerá se começar a enumerar as qualidades abaixo de meu pescoço. E nem pedirá que o receba em meu quarto.

— E me receberia? — indagou Logan, muito interessado, ao se levantar e encará-la.

— Não. Mesmo que passasse a noite aqui ou descartássemos que eu estaria enganando meus pais, creio que não me sentisse à vontade para... para que nós... Pois eu nunca... Eu não...

— Compreendo. — Ele a salvou, comprazendo-se com o embaraço que a ruborizava.

Seu desejo e sua experiência com as mulheres exortavam-no a fazer muitas coisas com sua noiva, porém, mesmo que não tivesse parâmetros para lidar com virgens, sabia do desconforto e da dor; do sangue. De fato uma incursão ao quarto dela somente traria prazer a ele. Para ela restaria a culpa e o sofrimento caso não fosse um amante gentil ou habilidoso.

— Saberei esperar — disse com carinho. — Jamais irei forçá-la a fazer o que não queira.

— Promete?

— Prometo! Não imporei meus direitos de marido a menos que esteja à vontade e concorde — Logan se comprometeu.

Não era menos do que lhe devia se a quisesse feliz. Ser recompensado com um sorriso amplo e sincero ajudou a barganhar com a parte dele que protestou pela promessa limitante.

— Obrigada! Agora, vamos entrar? — Marguerite convidou, ainda sorrindo. — Já devem estar se perguntando por que demoramos.

— Espere — Logan pediu, segurando-a pela mão. Ao ver os olhos azuis em si, pediu: — Pode me chamar de Logan. Se vamos nos casar e nos tornamos amigos, a formalidade deve ser esquecida.

— Tem razão... Logan — Marguerite anuiu.

Daquela vez o duque de fato temeu por sua saúde, pois simplesmente não tinha como crer que estivesse se tornando tão sugestionado pela moça ao ponto de galvanizar-se ao ouvi-la dizer seu nome como se o saboreasse.

— Por certo que tenho. Vamos, Marguerite?

A moça assentiu e seguiu pelo caminho que o duque indicava, perguntando o que teria acontecido para que ele mudasse de humor de um segundo ao outro. Como sempre, achou por bem indagar.

— Eu disse algo errado, Logan? Parece que o aborreci.

— Não me aborreceu — assegurou ainda mais sério ao confirmar que seu nome, na voz dela, agia de modo estranho sobre ele. Tanto que se preparava para lhe tocar as costas, e desistiu. — Creio que o cansaço resultante da longa viagem tenha me abatido.

— É verdade, não esperávamos que viesse hoje. Mamãe comentou que o senhor... — Logan a encarou duramente. — Digo, que você viria se houvesse algum imprevisto. Algo aconteceu?

Aconteceu o imprevisto mais surpreendente de todos para alguém tão comedido. Logan não conseguiu ficar meia hora no quarto que reservou no hotel da vila, sabendo que estava tão perto. Quis vê-la e para tanto arrastou uma tia septuagenária exausta e um amigo enfadado até Apple White com a desculpa de apresentar a noiva antes do casamento.

Por essa razão enregelou-se, decepcionado por não vê-la ao ser recebido na saleta. E agora, até mesmo acreditava em alguma premonição de sua parte, pois se não tivesse aparecido no momento oportuno, somente Deus saberia se teria perdido a noiva para um aspirante a conde.

— Não...

— Não? — Marguerite tomou a negativa como sua resposta e, inadvertidamente se permitiu divagar. — Então, por que veio?

— Para apresentar minha tia e meu padrinho.

— Trouxe vossa tia? — A surpresa eliminou a súbita decepção por ter acreditado que o duque tivesse sentido sua falta. — E um amigo? Estão mesmo em minha casa?

— Estão — confirmou, quando já se aproximavam de sua carruagem.

— Por que não disse antes? Demoramos uma vida para voltar!

Curiosa quanto às visitas, com o coração livre das questões, Marguerite tomou o noivo pela mão e o obrigou a correr com ela escada acima. Logan não via razão para a pressa, mas divertiu-se com o gesto espontâneo. Ao menos daquela vez Marguerite o levou até que parasse antes que chegassem à saleta e o analisou atentamente. Ato contínuo passou as mãos em seus ombros e peito, alinhando seu casaco. Logo ela conferia os cachos do próprio cabelo e alisava o vestido.

— Como estou? — Marguerite sorria. — Bem para conhecer vossa tia?

— Sim... — Foi tudo que Logan pôde dizer. Ela devia sorrir mais vezes e, decididamente, devia tocá-lo muito mais.

— Então, vamos!

Ao entrarem os homens presentes se colocaram de pé. Marguerite teve olhos apenas para o cavaleiro parado ao lado do barão e parecia que ele tinha olhos apenas para ela.

— Marguerite, permita que lhe apresente lorde Mitchell Dempsey, segundo filho do marquês Baskerville. Dempsey esta é Marguerite Bradley, minha noiva.

— Senhor... — Marguerite inclinou a cabeça levemente.

— Mitchell, por favor! — ele a corrigiu, tomando-lhe a mão ao se curvar. Olhando-a de baixo para cima, acrescentou: — Prazer em conhecê-la, senhorita. Bridgeford, não me disse o quanto é encantadora. Tem em mim seu eterno criado.

Encantadora, na voz macia, soou como música e Marguerite se envaideceu. Nem por um segundo discordou ou diminuiu-se. Inevitavelmente ela reparou no cabelo acobreado, bem cortado e penteado. Nos olhos claros, dóceis como os de Nero. E na boca rosada, curvada num sorriso sincero. Mitchell Dempsey era um príncipe!

Marguerite se livrou do encantamento ao ouvir Logan pigarrear.

— O prazer é meu! — disse apressadamente, sentindo os olhos do noivo postos nela. — E, pode me tratar por Marguerite, já que pede o mesmo.

— Não me atreveria, senhorita — Mitchell refutou amavelmente.

— Depois podem chegar a um acordo, querida — determinou Logan antes de levá-la até a senhora sentada ao lado da baronesa. — Marguerite, esta é minha tia paterna, Alethia Welshyn. Alethia, esta é Marguerite.

— Lady Welshyn... — Marguerite a reverenciou.

— Oh, o que é isso? Endireite-se minha jovem — pediu a senhora. — E deixe-me olhá-la.

Analisando a tia do duque do mesmo modo como era avaliada, Marguerite desejou agradá-la. Se ela era a única representante da família presente, devia ser especial. A face muito pálida e enrugada, destacada pela gola altíssima do vestido azul escuro, estava iluminada por um sorriso e havia vivacidade nos olhos. A mão de Alethia não tremia ao estendê-la nem havia uma bengala que sugerisse certa dificuldade no caminhar.

Marguerite aceitou a mão estendida e retribuiu o sorriso. Não tinha como conhecer o caráter da nova tia, mas simpatizou com a senhora de aparência enganosamente frágil.

— Como bem colocou o jovem Dempsey, você é uma criatura encantadora, senhorita — disse Alethia, assentindo. Olhando para o sobrinho de modo enigmático e, com a franqueza que a idade lhe concedia, acrescentou: — Nunca pensei que Logan escolhesse alguém como você.

— Alethia... — Logan a advertiu.

— Ora, não digo nada de mais, querido. Não me interprete mal, Marguerite.

— Não interpreto — assegurou Marguerite. Mesmo que esta fosse dura, ela sempre primaria pela sinceridade.

— Que bom! — Alethia sorriu mais. — Veja bem... É adorável, um botão em flor, mas não o tipo que homens superficiais escolham colher. Agora vejo que meu sobrinho não é um cabeçudo de mente oca. Confesso estar em êxtase pela escolha. Seja bem-vinda, querida!

— Obrigada!

— Com alívio por não ser um cabeçudo de mente oca, peço licença às damas — disse Logan, afastando-se para se juntar aos cavaleiros.

Marguerite, por sua vez, não sabia se agradecia ou se ofendia. Antes que decidisse, até mesmo antes que Catarina apagasse o risinho maldoso ou que Elizabeth se recuperasse da própria surpresa, Alethia a convidou para sentar ao seu lado e mudou o assunto, questionando sobre os preparativos para o casamento.

Mudança providencial, que deixou Marguerite livre para apenas ouvir e, vez ou outra, olhar para o grupo ao lado. Talvez, mente oca tivesse ela, pois passou a reparar a pessoa errada. Seria um imprevisto?

Capítulo 10

Não, não foi um imprevisto, mesmo que Marguerite tenha pensado no padrinho mais que em seu noivo até que fosse vencida pelo sonho. Na manhã seguinte ela se sentiu presa a alguma magia do tempo, pois os acontecimentos avançaram sem que ela os percebesse. Como se um manto nebuloso cobrisse tudo à sua volta, Marguerite se viu ser banhada e vestida para a grande ocasião por Marie, Leonor e Nádia. A mãe e a irmã estavam presentes, falavam sem parar, mas não as compreendia. Na verdade, Marguerite não as ouvia.

Não havia receio ou medo. O que a distanciava da realidade era a expectativa do novo.

Como se vagasse pela bruma, com o coração batendo forte, Marguerite cruzou a nave central da pequena igreja de Westling Ville. Sentia a multidão à sua volta, ouvia o burburinho, ecos distantes. Percebeu Alethia, única representante dos parentes de Logan. Percebeu a própria família acomodada no primeiro banco. O barão soturno, a baronesa resignada, Catarina contente, Edrick... Ausente.

A falta do irmão a entristeceu, mas a noiva não chorou.

Nitidamente Marguerite viu o noivo, Logan Enigmático de Bolbec, estonteante no traje escolhido para a ocasião. Casaco de lã preta, com gola curta e rígida decorada com ramos bordados tão dourados quanto os botões frontais que desciam em fileiras duplas. O duque mantinha o peito empoado, exibindo o broche com o brasão da família fixado à faixa púrpura que descia diagonalmente de um dos ombros e se juntava no quadril.

Mitchell novamente se destacou, mesmo que não se vestisse com semelhante pompa. Enquanto repetia os votos que padre Angus ditava, Marguerite facilmente dividiu sua atenção entre o noivo e o padrinho. Contudo, não demorava a olhar para Logan, como se ele pudesse ver a inquietação de seus olhos sob o véu. Este, erguido somente para o beijo, casto.

E, então, estava feito! Num minuto era Srta. Marguerite Bradley, no outro, Lady Logan de Bolbec, nova duquesa.

Ao final da cerimônia, de braços dados, o casal deixou o altar rumo à carruagem que os aguardava. As felicitações foram ditas ao longo do pequeno trajeto. O que dissera às pessoas sem rosto, Marguerite jamais recordaria. Lembrava apenas que sorriu como reflexo à reação do marido.

O foco voltou gradativamente no decorrer do almoço e foi restabelecido durante a primeira valsa. O coração de Marguerite pulsava forte e o corpo estremecia consciente do ombro largo que ela tocava, da grande mão em sua coluna, das palmas unidas. Rodopiando pela Sala Rosa, face a face com Logan, o mundo se mostrou para Marguerite como sempre foi. Sem bruma, sem sensação de sonho e, ainda assim, apenas dois homens se destacavam.

— Não tive a oportunidade de dizer o quanto está bonita — disse Logan. — Sinto-me afortunado.

— Fico feliz que pense assim — ela murmurou, obrigando-se a não olhar para os lados. — Também não está nada mal, Logan. Se pudermos manter a amizade firmada ontem, creio que nossa união será próspera e feliz.

— Evidente que a manteremos. — Logan sorriu. — Seremos felizes, Marguerite!

— Assim espero!

A música findou, obrigando-os a se afastarem. Marguerite retribuiu a reverência que recebia. Os poucos convidados os aplaudiram e, antes que ela os agradecesse, Mitchell se prostrou ao lado do casal.

— Posso ter a honra de ser o segundo a dançar com a duquesa? — A pergunta fora feita a Logan, porém Mitchell mantinha os olhos em Marguerite.

— Por certo — disse Logan antes que se afastasse e oferecesse a mão para a sogra.

— Duquesa... — Mitchell reverenciou Marguerite e a tomou nos braços, como Logan fizera.

Marguerite engoliu em seco ao sentir as mãos suarem, as pernas falharem. Não queria sentir todas aquelas coisas, especialmente quando estava recém-casada com outro, mas não podia evitar. Mitchell tinha uma beleza rústica, excessivamente masculina, atraente. Vistos de perto, os olhos apresentavam uma cor nova, indefinida, entre verde e castanho. A boca era carnuda, o maxilar acentuado, o queixo levemente dividido.

Decididamente Mitchell era a personificação do príncipe de histórias encantadas. Ela estava encantada, Marguerite admitia. E reconhecia que esteve presa ao sonho por considerá-lo um pretendente ideal. Era verdade que ela mal o conhecia, mas simplesmente sabia que Mitchell tinha bom coração. Era um cavalheiro no sentido da palavra. Alguém que jamais a espreitaria no meio da noite.

Não, não estava triste por ter se casado com Logan. Estabeleceram a amizade, ele prometeu ser paciente, mas, sinceramente, Marguerite teria escolhido se casar por amor. Comprometer-se com o equivalente a um doce príncipe, gentil, teria sido a realização dos planos traçados ainda na infância.

— Sou péssimo condutor? — indagou Mitchell, despertando-a. Marguerite se deparou com o rosto sorridente. — Sinto-a tensa, duquesa. Ou seria eu um desastrado que pisa em vossos pés?

— Não é desastrado. Culpe a situação. Não sei se sabe, mas este é meu primeiro casamento.

— Caso não soubesse, eu teria deduzido. Alguém tão jovem não pode ser viúva. E nunca será, pois rogo para que este seja o único.

A voz de Mitchell era mansa, acolhedora.

— Logan é robusto e forte... — Marguerite murmurou. — Sem dúvida será.

— Desejo que além de robusto e forte meu amigo seja bom marido — disse Mitchell no mesmo tom, sustentando-lhe o olhar. — Considero real pecado que seja liberada de um casamento infeliz apenas pela morte.

— Pensamento curioso. — Marguerite esboçou um sorriso, tentando não tirar conclusões erradas do que ouvia. — O que diria padre Angus?

— Jamais saberemos! Melhor manter a ignorância do padre quanto aos meus pensamentos curiosos sobre vosso futuro.

— Também considero ser o melhor.

Para cada resposta surgia duas ou mais questões. Por que Mitchell diria aquelas coisas? Teria sido um gracejo? Preferível imaginar que ele apenas brincava com as palavras, considerando-a uma nova amiga. Era complicado saber, pois não tinha parâmetros para entender mentes masculinas.

— Por Deus! Não se sente bem?

— O quê? — Marguerite uniu as sobrancelhas e olhou em volta.

Recordou que há alguns minutos fugira das danças e conversava com Alethia. A senhora a avaliava com um misto de preocupação e curiosidade.

— Não diga isso, querida. Especialmente nesse tom. É descortês — Alethia a repreendeu amavelmente depois de fechar o leque de cetim azul escuro, como seu luxuoso vestido. — Perguntei se não se sente bem. Está pálida.

— Oh, perdoe-me! — pediu, tocando o estômago que de súbito protestou sob o apertado espartilho. — Acho que hoje não era dia para leitão.

— Para o leitão, sem dúvida não era! — Alethia sorriu e piscou. — Mas, para nós, o infeliz não poderia estar melhor. A cozinheira de Apple White é uma sumidade no trato com a comida. O almoço estava irretocável. Duvido muito que algo que tenha comido seja a causa de sua palidez. Na verdade, arrisco dizer o que tem.

— Arrisca?

— Sim. — A senhora se aproximou e segredou: — Está apavorada com a noite iminente.

Não estava. Não até aquele momento. Escrutinando o rosto enrugado da nova tia, Marguerite reconheceu não ter pensado no que aconteceria na noite iminente. Com a questão exposta, recordou o encontro noturno na biblioteca e estremeceu.

— Eu sabia! — exultou Alethia, batendo levemente o leque fechado no ombro da noiva. — Mas não tem com o que se preocupar. Tenho certeza de que a baronesa explicou o se passa no leito nupcial. De minha parte, contribuo, assegurando que meu sobrinho será gentil.

— Espero que esteja certa... — murmurou, procurando o marido com o olhar.

Logan estava à sua direita, conversando com Mitchell e dois vizinhos mais próximos a Apple White, Verne Zimmer e Cameron Hope. O marido ria de algo dito por Hope e, por reflexo, ela sorriu. Contudo, voltou à seriedade quando seu olhar encontrou o de Mitchell.

Marguerite imediatamente desviou os olhos, mas a curiosidade fez com que retrocedesse. Novamente encontrar o olhar de Mitchell foi desconcertante.

— Estou! Ele será gentil — Marguerite quase saltou ao ouvir Alethia, que prosseguiu: — E tudo será melhor se não acreditar que mulheres de bem não devem apreciar receber um homem. Não se prenda a muitos pudores, querida, e esta noite conhecerá o céu.

— Lady Welshyn?! — Marguerite olhou em volta, temendo que estivessem sendo ouvidas.

— Alethia, querida! — corrigiu-a. — Não se esqueça do que lhe disse ontem. Deve me tratar por Alethia.

Como esqueceria? A presença de sua nova tia era tão marcante quanto à de Mitchell. Ao que parecia ambos entraram em sua vida com a força do vento oeste. A prova estava no modo como o padrinho sempre atraia sua atenção. No caso da senhora, tinha todo seu entorno.

Analisando o salão, Marguerite especulou se ao menos um vaso estaria no lugar determinado pela baronesa. Segundo soube, durante a "inspeção" da visitante na tarde anterior, a decoração sofreu drástica reorganização. Até mesmo o cardápio teria sido avaliado. Aquela era Alethia. Como esquecer o que dissesse?

— Perdoe-me! — pediu Marguerite. — Estou mesmo nervosa. Acho que uma taça de vinho trará cor às minhas bochechas.

— E depois da bebida você pode aproveitar sua festa de casamento — sugeriu a senhora, sorrindo. — Casa-se apenas uma vez. Ao menos, é o esperado... Aproveite!

Era o esperado por Deus, mas não por todos os homens, pensou a noiva. Assim como Logan, Mitchell era uma incógnita. Porém, não competia a ela desvendá-lo. Casando-se em meio a um sonho ou não, seguindo seus planos lúdicos ou obedecendo à realidade, nunca mais seria uma jovem solteira. A partir daquele dia era a duquesa e deveria ter olhos apenas para o duque.

— Repito o que disse na igreja — Mitchell sussurrou discretamente para Logan. — Tem em mim um eterno admirador. Marguerite não é exatamente como imaginei, mas é espirituosa. E bonita, sem dúvida. Um achado. Congratulações pela escolha!

Logan se aborreceu com o tom e com o olhar lascivo que o amigo dirigia à sua esposa. No casamento, ao ouvir o mesmo gracejo, não lhe deu maior atenção por estar embasbacado — não havia outra palavra —, admirando a sílfide que vinha em sua direção, linda no vestido de noiva de tecido creme, bordado em relevo.

Ele não a comparava ao ser da mitologia celta pela compleição, mas pela aura de leveza que a envolvia. Era como se Marguerite flutuasse e não importava que a malditamente pequena igreja estivesse iluminada por mais velas que um católico tivesse permissão de acender. Ela dominava a fumaça branca que espiralava ao seu redor, tornando-a uma visão. Foi por estar sem palavras desde então que não a elogiou como merecia.

Um dia, talvez, Marguerite fosse capaz de parar a agitação de um salão. Ainda era cedo, mas a moça tinha seu valor. Logan ainda estava sob o efeito que a noiva causou e provavelmente a olhasse do mesmo modo que o amigo, mas, ele a escolheu. Marguerite era *seu* achado!

— Agradeço o cumprimento, mas dispenso todo o resto — retrucou sem deixar de olhar para a esposa, no momento, monopolizada por Alethia. — E fiquei curioso... Descobriu que ela é espirituosa no curto período de uma valsa? Sobre o que conversaram?

— Trivialidades comuns entre pessoas que pouco se conhecem. — Mitchell deu de ombros. — Mas as respostas eram prontas e diretas.

Logan reconheceu Marguerite no comentário, e não gostou.

— Não se perca em sua admiração por ela — avisou.

— Farejo ciúmes? — provocou-o Mitchell, inabalável.

— Pernil. E o cheiro vem de você, Dempsey — disse Logan, tentando ocultar o azedume. — À mesa tinha água de lavanda. Serve para lavar os dedos ao pegar comida com as mãos.

— Não. Estou certo de que seja ciúme e vem de você. — Mitchell o encarou. Logan não se moveu, mas por sua visão periférica via os olhos do amigo postos em seu rosto. — O que fará quando Ketlyn perceber que está encantado por outra? O faro dela é tão bom quanto o meu.

Logan calou um impropério e olhou para o grupo ao lado. O assunto com Hope e Zimmer estava encerrado, mas os vizinhos do barão ainda estavam próximos. Não poderia perder a linha apesar do comentário absurdo, mas não se furtou de fuzilar o amigo com o olhar e ciciar:

— Nunca mais repita tamanho disparate! Não há a mínima possibilidade de isso acontecer.

— Há controvérsias... — Mitchell meneou a cabeça, divertido.

A vontade de estar com ela ou admirá-la não significava que estivesse encantado. O que sentia por Marguerite tinha nome simples e deliciosa solução: desejo. Saciá-lo, quando e como quisesse, não fugia ao combinado. E, decididamente, os anseios de seu pênis em relação a uma esposa jovem e instigante não era tema que discutisse com o amigo falastrão.

— Não, não há — Logan o desdisse. — Tanto que pedi sua ajuda para distraí-la. Está lembrado?

— Lembro-me também que me ameaçou de morte caso a tocasse.

— Mantenho a palavra! Mas para que a respeite, não por estar padecendo com sentimentos pequenos.

— Então, não o aborrece que a duquesa dance com outro, não é mesmo?

— Absolutamente! Vá em frente e a convide. Marguerite está bem ali, com Alethia e... — Logan se calou ao ver que a sua velha tia conversava apenas com a baronesa.

— Não falava de mim — esclareceu Mitchell, ainda divertido. — Sim, daquele cavalheiro que dança com ela, bem ali.

O duque seguiu a indicação de Mitchell e encontro sua esposa de braços dados com o futuro conde, rodopiando em uma animada quadrilha. Logan não gostou do que viu. Estava decidido a atrapalhar a dança, mas conteve o ímpeto que fatalmente seria mal-interpretado por seu atento amigo.

— Com Grings, com você, tanto faz! — disse ele, impassível. — Uma jovem tem o direito de se divertir em seu casamento.

— Não creio que uma noiva de família tradicional se mostrasse, assim, esfuziante. E formam um interessante casal. Veja como sorriem um para o outro!

— Todos estão sorrindo.

— Talvez eu esteja vendo demais, mas, sabe...? O corpo fala e se ali não houver a mínima centelha de desejo, eu comerei minha cartola.

— O infeliz acredita estar apaixonado por ela — Logan informou, acompanhando o par com atenção. Sem o véu, alguns cachos do cabelo loiro se desprendiam, emoldurando o rosto corado, sorridente. O duque engoliu em seco e com despeito acrescentou: — Ontem flagrei o infeliz se declarando. Marguerite é romântica e por um instante acreditei que a tivesse perdido, mas Grings foi preterido. E ela expressou a decisão com palavras, não com os braços ou pernas.

— O que sai pela boca de uma mulher pode não ter significado algum, mas a declaração dos braços ao nosso redor é irrefutável. — Mitchell meneou a cabeça, sorrindo. — Pernas nuas em nosso quadril praticamente declamam um poema. Obsceno, mas, sem dúvida, um poema.

De súbito, Logan soube que seu punho tinha algo a dizer para os dentes de Mitchell, mas reconheceu que a bronca devia ser dirigida ao projeto de conde. Se um corpo falava, o de "Stut" implorava pela atenção de Marguerite e o modo como ela sorria sempre que a dança os unia, respondia com total aceitação.

No fim, o que incitou o duque a marchar para o salão não foi um sentimento menor, sim, a certeza de que a duquesa não se comportava de acordo com sua posição. Logan não esperava que a filha de um nobre rural agisse como uma dama londrina, porém esta não devia ser tão expansivamente provinciana.

E uma senhora casada decididamente não devia deixar o salão na companhia de outro ao término da dança, pensou Logan, quando Stuart pousou a mão nas costas de Marguerite e a guiou rumo às portas que levavam à varanda.

— Grings! — Logan se prostrou diante do par, olhando fixamente para o rapaz. — Não esperava vê-lo tão cedo.

— Não perderia o casamento de Marguerite por nada — retrucou Stuart.

— Fiquei feliz que Stuart tenha vindo. — Marguerite olhava de um ao outro, com receio. — Afinal, somos bons amigos.

— Perdoe-me se não me fiz entender. Estou satisfeito com sua presença, afinal, creio que também seremos amigos.

— Perdoe-me, duque! — Stuart empertigou-se. — Receio que uma amizade entre nós não seja possível. E se deseja saber a verdade...

— Não, Stuart! — rogou Marguerite. Tinha aceitado ir ao jardim, mesmo que o tempo não fosse dos melhores, justamente para evitar aquele encontro. — Por favor, não!

— Ora! — Logan o desafiou. — O que Stamford diria de um herdeiro que recebe ordens de uma mulher? Não o decepcione, Grings. Diga a verdade.

— Stut...

Logan odiou a súplica murmurada. Odiou mais ainda ver o poder que a esposa tinha sobre o fracote. Seja lá o que Stuart tinha a dizer, foi engolido com o orgulho. Stuart acintosamente o ignorou e sorriu para a duquesa.

— Tranquilize-se, não arruinarei seu dia especial, Margy. Saiba que, para mim, nada mudou.

— Ora, seu...

— Logan! — Marguerite segurou-o pelo braço, impedindo que seguisse Stuart, que deixou a sala sem olhar para trás. — Por favor!

— Pensa que fará comigo o mesmo que fez a ele? Não me dite ordens, Marguerite.

— Foi um pedido. Se não percebe a diferença, talvez, não seja mesmo inteligente. Se o seguir, chamará ainda mais atenção.

— Não mais do que a senhora desde que aceitou deixar o salão com o bom amigo depois de dançarem escandalosamente — ciciou o duque. No momento, a raiva que sentia era extensiva a ela que ainda tratava o outro com a mesma intimidade com que aceitava ser tratada. — É uma Bolbec, ou melhor! É uma Bridgeford e deve se portar como tal.

— Tem razão.

Logan abriu a boca, pronto para o revide, mas voltou a fechá-la após a anuência. Surpreso, escrutinou o rosto da esposa e claramente viu porque Stuart insistia em lutar.

— Decerto que tenho — disse brandamente, desarmado. — É duquesa.

Marguerite esboçou um sorriso.

— Acho que preciso aprender a ser duquesa... Não conheci nenhuma em toda minha vida, portanto, não fazia ideia de que não se divertiam em festas familiares. Instrua-me, marido! Não é permitido que dancem? Que sorriam? Terá algo errado em beber? Se, sim, no caso dessa duquesa aqui, comer, nem pensar!

— Eu deveria ter previsto que não reconheceria minha razão — retrucou o duque, divertido mais do que aborrecido. Se não tomasse cuidado com os truques da espirituosa jovenzinha, logo seria ele o fracote. — Sarcasmo será o tom de nossa amizade?

— Perdão! — Marguerite se rendeu. — Esqueci que não há razão para me defender de você. Apenas tenha o mesmo cuidado, por favor! Iria com Stuart apenas até a varanda, aos olhos de quem está no salão, e sabe que somos amigos. Nunca faria nada que o envergonhasse. E eu não sou escandalosa.

Antes que caísse nos truques dela Logan soube que seria convertido à banha derretida em tacho quente caso aquele olhar implorativo surgisse constantemente.

— Não, não é — ele reconheceu, acariciando o queixo erguido, movendo o polegar próximo à boca que beijou apenas no altar. — Perdoe-me. Ataquei-a, sim, mas fui incitado pela ousadia daquele rapaz. Foi muito atrevimento vir aqui, tentar demovê-la quando já está casada.

— Acho que ainda é cedo para que ele se sinta curado — Marguerite observou, galvanizada pelo carinho leve. — No seu caso, não teria feito o mesmo se tivesse a chance?

Se Ketlyn não fosse noiva de seu pai certamente ele a tivesse roubado na porta da igreja. No entanto, a similaridade da situação e suas ações não o tornariam condescendente, quando apenas um detalhe daquela questão era relevante.

— Grings tinha uma chance?

— Não, não tinha! Dias atrás, sim, mas não agora. Nosso casamento pode ser baseado na amizade, mas meus votos foram sinceros e vou honrá-los, até que a morte nos separe.

— O mesmo vale para mim. — Logan sorriu, mesmo sabendo que não honraria todos os votos. — Agora, vamos deixar tanta seriedade de lado e usufruir da festa organizada para nós?

— Pensei que nunca me convidasse! Quero ver se meu marido se sai bem em danças mais animadas.

— Só há um modo de descobrir.

Marguerite sorriu e aceitou a mão que Logan oferecia. Gostaria de dizer que até o final da festa teve olhos apenas para ele, um homem bonito que magicamente se tornou muito divertido, ótimo par em todas as danças. No entanto, a verdade inquietante era que, nos passos em que era necessária a troca de pares, o peito dela se agitou sempre que Mitchell lhe segurou os dedos, sorriu ou piscou matreiramente.

Sem dúvida honraria seu compromisso, mas, horas depois, enquanto se despedia de seu quarto antes que partisse naquela mesma noite, Marguerite aceitou que Mitchell não tornaria a tarefa fácil.

A chegada de alguém interrompeu os pensamentos da duquesa.

— Vou sentir falta daqui — ela disse à mãe.

— Sinta, mas não seja uma esposa chorosa — recomendou a baronesa, tomando o chapéu que a filha segurava. — Homens não apreciam mulheres aborrecidas e infantis. Desde que se casou, Bridgeford Castle passou a ser seu lar.

— Seria reconfortante imaginar que Apple White sempre fosse meu lar, mesmo depois que Edrick a herdasse. — Marguerite torceu os lábios, comovida, mirando a mãe que passou a ajudá-la com o chapéu. — Saber que não, por papai, não me surpreenderia, mas pela senhora...

— Não seja tola! — ralhou Elizabeth, amarrando a fita marfim, formando um laço ao lado do rosto da moça. — É evidente que Apple White sempre estará de portas abertas para você, mas quanto antes aceitar que agora pertence à outra casa, mais fácil será a adaptação. E não se esqueça de que Nádia estará com você. Não há de se sentir deslocada. Por mim, poderia até mesmo levar aquela fera.

— Nero estará melhor aqui. — Marguerite achou por bem se livrar do sentimentalismo. Também evitou pensar que a ajuda da mãe de alguma forma estivesse relacionada à pressa de vê-la partir. — Caso Edrick não aceite ser o novo dono, eu peço que o leve para mim.

— Talvez seja exatamente assim. Seu irmão não terá tempo para cuidar daquele cachorro.

Elizabeth recuou um passo, analisando seu trabalho. Apesar da seriedade, sua expressão exibia satisfação. Marguerite soube que estava pronta, mas apenas mirou a aliança.

— Lamento que Edrick não esteja aqui.

— A situação foi tanto inesperada quanto inusitada. Ele compreenderá que não havia como ter sido diferente.

— Temo que ele se aborreça quando souber como tudo aconteceu.

— Desperdiçará energia. Em todo caso, entenda que é sua responsabilidade dissipar a raiva de seu irmão. Bem sabe que nada de bom virá caso se indisponha com o duque, assim como sabe o quanto você é importante para ele. Se Edrick vir que está bem, não haverá nada que não perdoe.

— Sim, eu sei.

— Então, tudo acabará bem! — A baronesa esboçou um sorriso. — E tenho certeza de que não mentirá para seu irmão. Desde ontem pude reparar que sua postura junto ao duque está mudada. Hoje tive a confirmação enquanto se divertiam. Posso acreditar que agora agradeça sua sorte?

Não lamentava por sua sorte ou destino. Aquilo era tudo no momento, mas sua mãe não precisava saber.

— Pode — tranquilizou-a. — Agora, imagino que devamos descer.

— Sim! Sim! — Elizabeth agitou as mãos. — Por isso vim chamá-la, mas nos distraímos. Até mesmo a tia do duque e Nádia já partiram. Também o padrinho.

Restava apenas o casal. Sem olhar em volta, Marguerite deixou o quarto. Liderou o caminho pelos corredores até o *hall*, olhando em frente. Se Apple White estaria sempre de portas abertas, não havia motivo para despedidas.

A frágil estabilidade ruiu, quando Marguerite deixou a casa e viu Nero, contido por Marie. Não chorou ao se agachar e lhe acariciar o pescoço por dizer a si mesma que logo o veria. Ao se pôr de pé, olhou para a irmã que exibia um largo sorriso.

— Não reclamarei por ter se despedido primeiro desse cachorro — declarou Catarina. — Prefiro acreditar que me ama mais, mas que é orgulhosa demais para demonstrar.

— Por incrível que possa parecer, amo e sentirei sua falta! — confessou Marguerite, avançando para um abraço.

— Alto lá! — disse Catarina com a mão em riste. — Sabe que não aprecio contatos desnecessários. E não sinta minha falta, afinal, não diremos adeus. Espero que tão logo se estabeleça, convide-me para uma visita. — Aproximando-se, cochichou: — Não reclamarei se organizar um baile repleto de nobres cavalheiros iguais ao padrinho. Em juventude e beleza, não em condição.

Marguerite riu brevemente. Deveria ter imaginado que nem mesmo sua partida comovesse Catarina, assim como esta não fosse suscetível à beleza sem nobreza.

— Fique atenta à correspondência — disse apenas. Depois de deixar Catarina feliz, Marguerite se voltou para o pai. Intimamente agradeceu a falta de comoção; de ambos os lados.

— Até breve, senhor!

— Seja feliz! — Foi tudo que disse o barão, mantendo as mãos para trás.

— Obrigada! — Aquilo era mais do que Marguerite poderia esperar.

— Fazê-la feliz é meu compromisso — disse Logan às costas dela. — Duquesa, está pronta para a partida? Gostaria de encurtar nosso caminho antes que escureça mais.

— Sim — ela aquiesceu, olhou para a mãe e sorriu. — Obrigada por tudo!

— Os cuidados de uma mãe não são favores, logo, não se agradecem — replicou a baronesa, não tão séria quanto queria fazer parecer. — Apenas me mostre que cumpri bem meu dever, empregando tudo que ensinei. E seja feliz por sua conta.

O acréscimo foi rude, mas Marguerite entendeu que não era um ataque dirigido ao duque.

— Meu marido e eu trabalharemos nisso, juntos — contemporizou ao notar que Logan não entendeu da mesma forma. — Até logo, mamãe!

Sem que Marguerite pudesse prever a baronesa a puxou para um abraço e sussurrou em seu ouvido:

— Trabalhe nisso sozinha. Fez um ótimo casamento, mas não espere que um homem a faça feliz. Há boa vontade, mas lhes falta determinação e as distrações do mundo não permitem que sejam capazes. Reze ao bom Deus para ter o melhor, mas sempre esteja preparada para o pior.

— Rezarei para que o duque não seja como o barão — disse ao ouvido da mãe.

— Rezarei para que seja atendida — prometeu a baronesa, embargada. — E que Deus a proteja!

Capítulo 11

Marguerite mantinha o rosto voltado para a janela. Por vezes suspirava, mas não de modo que o marido adivinhasse o que sentia ou pensava. Logan esperava que o momento da despedida eliminasse o bom humor, mas não imaginou que a tristeza perdurasse por mais de uma hora. Ele gostaria de saber o que a baronesa segredou, tanto ou mais do que entender a razão de ela ter se voltado contra ele. Entretanto, a curiosidade ainda não era maior que a vontade de conhecer melhor sua duquesa.

Marguerite havia refeito o penteado comprometido durante as inúmeras danças. Também colocou um lindo chapéu. Era pequeno, do mesmo tecido do vestido de noiva, ornado com três plumas e uma pedra âmbar. A fita emoldurava o rosto contrito e formava um exagerado laço no lado esquerdo do queixo.

As pontas da mesma fita desciam pelo colo, mas não ocultavam a beleza dos seios. O corpete evidenciava-os de modo excitante, levando Logan a desejar que a moça não demorasse a se sentir pronta. Ali, na privacidade da boleia, sabendo que o botão em flor era exclusivamente seu, ele queria colhê-lo depois de livrá-lo do maldito chapéu e do volumoso vestido.

— Seria indiscrição de minha parte perguntar o que disse a baronesa? — indagou para por fim à distância que sentia haver entre eles.

Sem deixar de olhar para as árvores que margeavam o caminho, Marguerite reprimiu um sorriso. Logan franziu o cenho e disse:

— Foi uma anedota? Sua mãe não me parecia divertida. Nem mesmo sorria na ocasião.

— Não! — Marguerite riu brevemente. — Decididamente mamãe não contaria uma anedota. Apenas considerei divertida a coincidência. Imaginava quanto tempo demoraria a perguntar.

— Saiba que esperei o quanto pude. Não quero ser um marido impositivo, muito menos intrometido, mas gostaria de ter elementos que me fizessem entender vossa família. E você.

— O que deseja saber, exatamente? — perguntou Marguerite, mirando seu anel.

— O que disse a baronesa para deixá-la como está.

— A baronesa é uma mãe preocupada e sentia pela minha partida. Não tome como pessoal.

A baronesa sentia pela partida? Pumft! Mesmo poucas, as visitas que ele fizera à fazenda, permitiram que visse bem como todos da família a tratavam. Marguerite mentia.

— Entende que agora sou seu marido, não?

— Desde que respondi afirmativamente diante de padre Angus e de uma considerável parcela de moradores da vila — ela gracejou.

— Então, sabe que desde aquele momento passou a ser seu dever dividir comigo o que quer que seja. A baronesa estava estranha e você tem estado calada por tempo demais. Ela lhe deu algo em que pensar e eu gostaria muito de saber o que foi.

— Para alguém que não deseja ser impositivo está sendo bem incisivo.

— Marguerite... Não é hora para brincadeiras!

Marguerite sabia. Após um suspiro, finalmente encarou o marido. Esqueceu o que diria no segundo seguinte. Na penumbra da boleia, a séria feição do duque o tornava tão estonteante quanto esteve no altar. Caso ostentasse dragonas em seus ombros facilmente seria confundido com um oficial da coroa, imponente e inquiridor.

Sem dúvida ela rezaria para que o amor viesse se juntar à amizade, pois um homem como Logan teria o poder de tornar sua vida miserável caso não houvesse um bom sentimento.

— Mamãe não é feliz — revelou. — Portanto, é o que almeja para todos nós. Foi o que ela disse. Nada mais.

Logan se moveu, desconfortável. A vida particular dos sogros não era tema a ser discutido por recém-casados. Especialmente, quando os noivos estavam a sós, em uma estrada tranquila, distantes algumas milhas da pousada na qual pretendiam passar a noite.

— Lamento por sua mãe — disse sinceramente —, mas asseguro que fazê-la feliz é meu compromisso, Marguerite. E essa decisão está tomada desde antes de empenhar minha palavra diante de seu padre e de uma considerável parcela de moradores de sua vila.

— Acredito em você e prometo fazer o mesmo.

— Considero prometido.

— Considere, pois está.

— E para tanto, faria por mim qualquer coisa, em qualquer lugar?

Logan exibiu um meio sorriso que fez o coração de Marguerite palpitar. Não era experiente, mas conhecia um pouco seu marido. Devia ter notado que a voz rouca, assim como o lânguido olhar, indicava que ele alimentava segundas e imediatas intenções. Estava indecisa quanto

117

aos beijos, mas mentiria se negasse o desejo de ter mais do êxtase que experimentou na biblioteca.

— Qualquer coisa — ela aquiesceu. — Em qualquer lugar.

Logan assentiu. A nova inspeção durou um minuto inteiro. Partiu da barra do vestido, passou pelas mãos cruzadas, pelo corpete bordado e terminou no busto farto. Marguerite estremeceu, quando ele se juntou a ela. Não o temia nem tencionava rejeitar o que propusesse, mas foi inevitável encará-lo com os olhos maximizados e recordar:

— Estamos em caravana.

— Todos partiram cinco minutos antes que deixássemos Apple White — Logan garantiu, aproximando-se. — Estamos casados, sozinhos...

— Também prometeu ser paciente — recordou-o ainda.

— Prometi não fazer nada que não quisesse. — Ele mirava a boca entreaberta. — Não posso tocá-la?

— Pode — murmurou a duquesa, quando o duque já tocava seu lábio inferior. Trêmula, ela tentou regular a respiração, especulando de onde vinha o inesperado calor.

— Quero que confie em mim.

— Eu confio.

Sem deixar de escrutinar o rosto jovem, Logan desfez o laço e a livrou do chapéu, jogando-o no assento oposto, sobre seu sobretudo.

— Ficarei descomposta — ela protestou, passando a conferir a arrumação do penteado.

— Ficará confortável — ele a corrigiu, enquanto retirava as próprias luvas. Depois de atirá-las ao lado do chapéu feminino Logan segurou o queixo da esposa. Novamente acariciou o lábio inferior. — Eu posso, enfim, beijá-la?

Pensando apenas na parte boa do beijo, Marguerite assentiu. Logan sorriu e migrou o carinho para o pescoço nu. Mais do que pôde prever ele apreciou o estremecimento do corpo intocado quando as bocas se encontraram. O dele mesmo vibrou enquanto acariciava a boca carnuda, deleitando-se com a maciez, com o hálito morno.

Com um gemido expectante, imaginando quão prazeroso seria sentir aquela boca em determinadas partes de seu corpo, Logan segurou Marguerite firmemente e deu início ao beijo como devido.

O ar faltou, mas ela manteve a boca bem fechada, lamentando que a melhor parte do beijo tivesse chegado ao fim. E havia o agravante de o marido mover a língua sobre os lábios dela, de um lado ao outro. Em momento algum Stuart havia feito tal coisa.

— Abra a boca, Marguerite — Logan demandou roucamente.

— Por q... Hummm! — Bastou dar voz à curiosidade para que o duque introduzisse a língua entre seus lábios. A primeira reação foi afastá-lo, mas ele a segurou com força, ignorando os protestos abafados. O marido a mataria!

Porém, ao contrário do que imaginou, a asfixia não veio, sim, o pulsar na cavidade entre suas pernas, quando o duque esfregou a língua à dela, rolando-a de modo lento e ritmado. Sem que pudesse evitar, Marguerite gemeu. Ainda era molhado, mas decididamente nada monótono ou nojento. Marguerite tentou copiá-lo, sendo participativa.

— Isso, Marguerite... — Logan a incentivou ao ser correspondido, apertando um dos seios. — Exatamente isso...

Contente com a destreza da boa aluna, Logan resolveu avançar no ensinamento. Sem deixar de beijá-la, pegou uma das delicadas mãos e a pousou em seu rosto. Bastou movê-la para que Marguerite compreendesse o que queria e o acariciasse. No rosto, na nuca, excitando-o mais.

Enquanto beijava o pescoço esguio, apreciando a languidez com que a esposa tombava a cabeça para trás, Logan novamente capturou sua mão e a pousou no próprio peito.

Tinha um novo propósito. Movendo os lábios nos dela, indagou:

— Ainda tenho sua confiança?

— Tem...

Tão trêmulo quanto Marguerite, ansioso como jamais estivera, Logan guiou a mão que segurava até sua ereção.

— Logan?! O que você...?

Marguerite tentou se afastar, alarmada, porém Logan a prendeu pela cintura com o braço livre. No mesmo instante um solavanco fez com que seus corpos arriassem no assento. Nem mesmo assim Logan a soltou.

— Isto é que faz comigo — declarou roucamente. — Por possuir os peitos mais belos que já vi, o sorriso mais encantador, a língua mais desafiadora e, agora, o beijo mais quente. Não cometerei a indelicadeza de deflorá-la aqui, mas preciso que logo se sinta preparada para me livrar deste fardo.

— Fardo?!

— Fardo, sim... Delicioso, mas muito doloroso. Sinta, Marguerite! — pediu, guiando a mão pequena por toda extensão de seu sexo enrijecido. — Conheça-me...

Impossível não obedecer. Marguerite bem sabia que estava sendo apresentada à "arma" de seu marido. Não uma espada, mas uma pequena lança, roliça e dura. Apenas senti-la agravava o latejar entre suas pernas.

— Devo mesmo tocá-lo se dói tanto?

— Está aprendendo a me agradar... — Logan respondeu roucamente.
— Também disse que é delicioso...

Marguerite não tinha como saber o quanto o agradava. Mesmo que ele a guiasse, por si só a jovem curiosa encontrou a combinação perfeita entre velocidade e pressão. Era hora de encerrar a lição senão ocorreria um desastre.

— Marguerite, deve... Oh! — O gemido de surpresa e prazer o calou, quando o gozo veio antes do esperado. Restou ao duque apertar a esposa junto a si, pois não tinha como freá-lo.

— Logan? — Marguerite se preocupou com o forte estremecimento, com o rosto contorcido. — Eu o machuquei? Fale comigo!

— Shhh... — Logan tentou silenciá-la, ainda de olhos fechados, saboreando o frisson que corria suas veias. Sua ceroula estava arruinada, seria frio e molhado até que se livrasse dela, se seu sobretudo não estivesse ali teria um problema, mas ele pouco se importava.

Ela queria respostas, mas bastou ser encarada e receber um débil sorriso para que entendesse.

— Não o machuquei, não é mesmo? — Logan meneou a cabeça, escrutinando seu rosto sob as pálpebras semicerradas. — Sentiu o mesmo que eu, na biblioteca, estou certa?

— Totalmente... E eu a agradeço por isso. O fardo não está tão pesado no momento.

Ignorando o incômodo provocado por seu sêmen, Logan se sentou corretamente e beijou a mão que ainda segurava.

— Disponha — disse ela, incerta. Seu coração batia descompassado, seu corpo vibrava e as perguntas se multiplicavam. — É sempre assim?

Tão inocente! Logan regozijou-se. Não tinha mais como negar a observação de Mitchell: estava encantado. Caso não amasse Ketlyn ele seria facilmente seduzido pela inexperiência, associada à despudorada e adorável ânsia de saber.

— Isso, minha doce esposa — disse, voltando a beijar a mão que o satisfez — é o ápice do encontro feliz entre um homem e uma mulher. E, já que perguntou, quando não usamos as mãos, mas nossos sexos encaixados, o que sentimos é infinitamente melhor.

— Melhor?! — Marguerite estremeceu. — Mas... E a dor?

— Será desconfortável na primeira vez. — Logan acariciou-a no rosto, lamentando por não vê-la com nitidez. — Depois, restará apenas o prazer. Serei gentil, quando estiver pronta.

Como Alethia disse que seria, pensou Marguerite, sufocando o temor. Se o que sentiu tivesse a mínima chance de ser melhor, decididamente queria experimentar. Mesmo que doesse neles dois, mesmo que fosse um ato sujo.

— Estou pronta! — garantiu. Uma dama não devia ser direta, porém, Logan era seu amigo, seu marido. Esperava que não a julgasse. — Não vou me importar que seja aqui, agora.

Não haveria nada que Logan quisesse mais, mas...

— Importará a mim — murmurou. — Tenho meus defeitos, mas não sou descortês. Quero fazer direito, Marguerite. Em uma cama. Merece que seja especial.

— Onde pernoitarmos, então? — ela arriscou; nunca quis tanto alguma coisa.

Logan sorriu, envaidecido. E não era o que queria? Por que esperar? Faria ser especial.

— Onde pernoitarmos — anuiu.

— Obrigada! — Marguerite beijou-o no rosto, agradecida. Seria apenas isso, mas o duque voltou a prendê-la pela cintura, mirando sua boca. — Vai me beijar?

— Certamente.

Não havia cláusulas no acordo verbal firmado com Ketlyn que restringisse a obtenção dos mesmos favores sexuais em uma união legítima. Logo, nada o impedia de ensinar o que mais fosse preciso para que Marguerite lhe desse total prazer.

— Saiu-se bem em nosso primeiro beijo — disse com a boca roçando a dela. — Quero ver se decorou o que aprendeu para que eu possa dar continuidade aos ensinamentos.

⚜

— Por Deus, querida! Não viemos pela mesma estrada? — Alethia olhava para Marguerite com assombro, analisando-a de alto a baixo.

— Eu... — balbuciou, desconcertada, ruborizada. Logan parecia impecável sob a cartola e o sobretudo. Ela, entretanto, não precisaria de um espelho para ter consciência de seu desmazelo. O vestido tinha amarrotado, cachos soltos escapavam do chapéu mal-amarrado. — Eu...

— Minha carruagem deve ter passado por duas ou três pedras. Desequilibramo-nos, não é mesmo? — Logan troçou, piscando para ela.

Diante de Alethia, Nádia e, especialmente de Mitchell — primeiro homem a piscar para ela como o marido acabara de fazer —, Marguerite não conseguiu encontrar seu bom humor. Antes disso, mortificada por entender que todos sabiam o que havia feito, ela rogava para que o chão abrisse e a engolisse.

Era muita sorte que Ebert, com a ajuda dos dois cocheiros, tivesse entrado com a bagagem necessária, caso contrário, seriam mais três pessoas para aumentar seu desconforto.

— Que seja! — Alethia deu de ombros. Esquecendo-se do casal, dirigiu sua análise ao sobrado de pedra. — Não estou certa de que aqui seja o melhor lugar para ficarmos. Não parece digno de nós. Muito menos, seguro.

— Se houver lençóis limpos, água fresca e boa comida, considerarei digno, Alethia — disse o duque, indicando a entrada para as senhoras.

— Por que simplesmente não podemos seguir viagem? — Alethia sequer se moveu. — Ficar aqui não é adequado para nenhum de nós e logo estaríamos em casa. Estou certa de que sua madrasta está ansiosa para conhecer a nova duquesa.

— Conhecerá amanhã, na hora devida — retrucou Logan, subitamente sério. — Os cavalos também precisam de descanso. A estrada não está em bom estado devido às últimas chuvas o que torna a viagem mais lenta e perigosa.

— Tranquilize-se, Alethia! É uma estalagem decente — disse Mitchell, sorrindo. — Não se equipara aos grandes aos hotéis, mas servirá por essa noite. Estamos cansados. E olhe para a duquesa!

Novamente Marguerite era o centro das atenções.

— Poderíamos entrar, por favor? — ela indagou, mirando a barra do vestido.

— Vamos! Ebert deve ter tudo pronto. — Logan a apoiou pelas costas para guiá-la e discretamente acariciou o pedaço de pele que encontrou, dizendo à tia e ao amigo: — Depois de nos instalarmos podemos descer e ver o que servem aos hóspedes. Digamos... Em uma hora?

— Não tenho fome — declarou Marguerite ao entrar no grande salão e se deparar com várias mesas, algumas ocupadas por pessoas estranhas, comendo e bebendo. De imediato, todos pararam suas ações e olharam para os recém-chegados. — Se não se importar — disse ao marido, sem olhá-lo —, prefiro ficar no quarto.

— Será como quiser. Nós...

— Poderíamos passar essa noite juntas — Alethia interrompeu o sobrinho, olhando para as mesas com desagrado. — Também não tenho fome. Já que todos estão cansados, não haverá problema, não é mesmo?

— Alethia, eu não creio que seja preciso. — Logan não gostou da sugestão.

— Deixaria vossa velha tia passar a noite sozinha em um lugar estranho?

A representação da senhora frágil era exemplar. O sobrinho não cairia, mas um novo e inocente membro da família, sim.

— Se não se importar com a presença de Nádia, lhe faremos companhia — disse Marguerite, solidária. — Também não quero que ela fique sozinha.

— Não me importo — Alethia sorriu. — Gosto de ter rostos jovens ao meu redor.

Logan quis intervir, mas não estenderia a conversa. Não diante de olhos e ouvidos atentos.

— Que assim seja! — anuiu a contragosto. Olhando para Mitchell, indagou: — Também tem receio de dormir sozinho?

— Eu não! — Mitchell ergueu as mãos, contendo o riso divertido. — Prefiro ter um quarto só meu, mas também não tenho fome. E, caso não precise de minha companhia, parto assim que acordar.

— Faça como achar melhor — Logan o liberou.

— Obrigado! — agradeceu, olhando em volta. Parou ao avistar Ebert que se aproximava. — E então, homem?

— Aqui, as chaves de vossos quartos. — Ebert as entregou ao patrão, ao amigo deste e à senhora. — Nádia e eu iremos acomodar milorde e milady.

— Houve uma mudança de planos — explicou Logan, soturno. — Leve os pertences da duquesa para o quarto de minha tia.

Ebert assentiu. Logan poderia jurar que o valete sorriu discretamente para Alethia antes de obedecê-lo, mas não teria provas de que estavam de prévio acordo. Analisando friamente, porque estariam?

— Então, que todos durmam — determinou o duque. — Partiremos mais cedo.

Sem mais palavras Logan conduziu a esposa até o quarto que dividiria com sua tia. Impediu que ela entrasse antes das outras mulheres, segurando-a pela mão.

— Não precisava ter cedido — murmurou depois que obrigá-la a olhá-lo. — Com o tempo vai aprender que essa senhora não é nem de longe essa criatura temerosa, como fez parecer.

— Ouvi isso, Logan! — disse Alethia, do quarto. Parecendo mais divertida que aborrecida, confirmando suas palavras.

Marguerite riu mansamente, escrutinando o rosto do marido. A interrupção do que faziam na boleia escura freou sua ansiedade e algo dito por Alethia trouxe de volta a lucidez. Temerosa estava ela, por isso sem pestanejar se agarrou à alternativa oferecida.

— Estou cansada — repetiu. — E teremos muito tempo.

— O que aconteceu? — Logan segurou o queixo de Marguerite com firmeza para que ela não escapasse de seu olhar. — Está triste?

Marguerite meneou a cabeça e baixou os olhos. Ela sempre encontraria um jeito de fazer o que queria, ele reconheceu, exasperando-se.

— Não precisa dormir aqui se não é o que quer. Venha para meu quarto! — demandou, enchendo-se de esperança. — Durma em minha cama! Vamos...

— Não! — Marguerite o deteve, quando tentou se aproximar. — Estou realmente cansada. Apenas se despeça, por favor!

Logan franziu o cenho. Quis protestar, mas o corredor de uma hospedaria, à porta do quarto onde uma senhora de ótima audição perambulava, não era o lugar adequado.

— Boa noite, Marguerite! — Atendeu-a antes de beijá-la na testa, demoradamente. — Tenha bons sonhos!

Sem mais palavras fez com que entrasse. Fecharia a porta, mas se detevê ao ver que Ebert se aproximava com o baú de Marguerite. Sua contrariedade atingiu o limite e, antes que mudasse de ideia e a resgatasse daquele quarto, Logan partiu a passos largos para a porta ao lado.

Ebert retornou quando o patrão já soltava os botões dourados de seu grosso casaco de lã.

— Permita-me ajudá-lo, milorde — pediu Ebert, adiantando-se.

— Por que demorou? — indagou rispidamente, passando a tarefa para o valete.

— Perdoe-me, milorde.

O pronto pedido, quando não houve demora alguma, trouxe remorso ao duque, mas não se desculparia. Estava frustrado, aborrecido e precisava descontar em alguém.

— Apenas faça seu trabalho — disse de modo mais brando, pensando na esposa. Entregue e participativa num minuto, reservada e fria no outro. — Mulheres!

— Disse alguma coisa, milorde?

— Não! Quando terminar, providenciasse água limpa para que eu me lave — disse sem olhá-lo, cismando.

— Farei o mais rápido que puder para que Vossa Graça possa descansar.

— O que me resta? — resmungou, afastando as mãos do criado para puxar ele mesmo as fraldas da camisa branca para fora da calça com fortes puxões.

— Noto que está aborrecido — comentou o valete, indo até a jarra para despejar água em uma bacia de ágata.

— Sua percepção é apurada — escarneceu o duque, agora a lutar com uma das botas.

— Agradeço por isso, milorde.

Logan calou um impropério e tratou de se livrar da outra bota. Não estava com ânimo para aturar as graças do valete. Preferiu ignorar o comentário.

— Como está a água?

— Muito fria. Se Vossa Graça desejar, posso providenciar...

— Muito fria está perfeita! — calou-o.

Como de costume livrou-se da calça, da ceroula e, nu, seguiu para o suporte no qual estava a grande bacia. Com raiva crescente, lavou o rosto, o pescoço, as axilas, o peito. Por último limpou o pênis flácido, evitando pensar que poderia ser sua esposa a banhá-lo.

— Deus me livre de aborrecê-lo mais, milorde, mas... Casou-se hoje. Devia estar contente.

Estaria caso tirasse a virgindade de uma esposa predisposta a aprender as obscenidades que se dispusesse a propor, não ali, acalmando o corpo com água muito fria, sozinho.

— Já que sabe tudo — disse o duque, azedo, pegando a toalha com brusquidão para se secar —, diga-me... Quando minha tia se tornou tão medrosa?

— Creio que vossa tia não haveria de permitir que a noite de núpcias da nova sobrinha, uma duquesa, se desse em um albergue à beira de uma estrada lamacenta — falou Ebert, impassível, segurando as roupas e as botas que recolheu do chão. — Não é como lhe parece?

— Não foi o que perguntei — retrucou o duque, indo para a cama, irritando-se mais com a tentativa do criado de induzi-lo a aceitar a explicação. Enquanto vestia a ceroula limpa que o eficiente valete havia reservado, acrescentou: — Sou duque há muito mais tempo e dormi em lugares piores. E sou perfeitamente capaz de decidir o que é melhor para minha esposa.

— Já que me honra com a exposição de vossas questões — disse Ebert com seu eterno tom de enfado, mirando as roupas sujas do patrão —, creio que tenha a liberdade de salientar que, nesse caso, decidiria o melhor para si. Vossa esposa não...

— Ebert, sabe a que horas me acordar, então, tire seu nariz intrometido daqui! — demandou Logan antes de vestir o camisão de algodão branco.

— Como queira, milorde.

Ebert se curvou e saiu. Por um instante Logan considerou trazê-lo de volta apenas para ocupá-lo com qualquer serviço. Seria uma boa vingança pela velada insubordinação, mas não era um nobre desumano, considerou ao afastar as cobertas e se deitar. Ebert estava acordado desde muito cedo, ajudou-o a se vestir para o casamento e sacolejou ao lado de Murray até que finalmente chegassem àquela estalagem. Justo e merecido que tivesse uma boa noite de sono.

Ele, no entanto, não teria a mesma sorte, pensou ao apagar a luz.

De braços cruzados sobre o peito Logan mirou as sombras projetadas no teto, tentou conformar-se. Deveria ter imaginado que Alethia aprontaria algo. Estava claro no modo como os analisou ao saltarem da carruagem. Agora era tarde para se repreender. Ainda mais quando sua tia não somente roubou a oportunidade de despir a esposa do vestido de noiva, como o recordou que Ketlyn estaria esperando por eles.

Com o rosto perfeito povoando sua mente, o duque reconheceu que sentia falta da amante. No momento, pouco importava qual de suas duas mulheres estivesse naquela cama, mas percebia que algo tinha mudado. Por algum motivo, o plano bem traçado, bem-sucedido, de repente não parecia tão bom.

Ao fechar os olhos, Logan rogou para que aquele incômodo fosse apenas má impressão.

Capítulo 12

Marguerite olhou para o vestido brocado que Nádia acomodava no baú. De fato, uma pena que não tivesse sido o duque a tirá-lo dela na noite anterior. O *desequilíbrio* que a descompôs ao longo do caminho aumentou as expectativas. Logan podia não ser o príncipe de seus sonhos, mas a cada beijo, a cada aperto indecente em seus seios, conseguia sua atenção.

Distraiu-a ao ponto de fazê-la esquecer de tudo que pensava enquanto Apple White ficava para trás. Não esteve cismando apenas com a recomendação da baronesa. Ela também se questionou quando daria início ao seu interrogatório. Os eventos acelerados dos últimos dias a fizeram ser negligente quanto a temas relevantes.

Por Catarina soube que teria um cunhado insubordinado. Também por sua irmã soube que a madrasta do noivo não iria ao casamento por não apreciar a viagem e também por ter-se tornado reclusa. De Logan não teve nenhuma palavra quanto a isso. Nem mesmo havia entendido por que a duquesa viúva iria conhecê-la tão prontamente ao chegarem.

— Posso ouvir caraminholas se formando nessa cabecinha.

— Consegue? — Marguerite sorriu para Alethia. Gostava daquela senhora.

— Sim, consigo, desde ontem. Apenas não escuto bem do que se trata. Pode ser uma sobrinha boazinha e me contar. Eu perguntaria antes que dormíssemos, mas o cansaço me derrubou como uma pedra.

Uma pedra barulhenta, Marguerite observaria caso sua educação permitisse. Era provável que até mesmo os cocheiros — que passaram a noite nas carruagens — tivessem escutado os roncos daquela senhora, ela considerou, contendo o riso. De toda forma, antes ou no presente momento, ela nada diria.

— Sabe bem o que me dispersa — falou, valendo-se de uma desculpa pronta. — Ontem, no percurso até aqui... Consegui mais detalhes a considerar sobre a noite de núpcias.

— Se não fosse totalmente inadequado, eu perguntaria quais seriam. — Alethia sorriu com malícia. — Aprecio detalhes iníquos, mas jamais os que envolvam meus sobrinhos.

— Compreendo — murmurou Marguerite. Ao ver que Nádia havia terminado seu serviço e arrumava o próprio chapéu, indagou: — Estamos prontas?

— Sim, milady.

— Podemos descer? — Marguerite perguntou à tia. — Estou ansiosa para seguir viagem.

— Claro! Anseia por mais detalhes. — Alethia piscou com cumplicidade, mas mudou o tom ao alertá-la: — Todavia, tente não se desequilibrar tanto. Ou tente se recompor direito. Não quer ser confundida com uma criança traquinas ao saltar diante de todos em seu novo lar. Nunca se esqueça de que é a nova dona daquele castelo.

— Por que está me dizendo isso?

Batidas à porta impediram Alethia de respondê-la. Não que ela tivesse dado indicação de que fosse fazê-lo mesmo sem a interrupção.

— Entre! — liberou a senhora. — Estamos prontas.

— Bom dia! — cumprimentou Logan ao entrar.

Nádia imediata e reverentemente se curvou. Alethia inclinou a cabeça discretamente antes de estender a mão para que o sobrinho segurasse e beijasse. Marguerite, por sua vez, conteve o ar ao ver o marido igualmente pronto. A calça escolhida era cinza, a camisa branca, o colete que evidenciava o peito largo era preto como o casaco de lã e o sobretudo que ele trazia dobrado em um dos braços. Calçava sapatos lustrados, não as botas de montaria que ajudaram a compor o pomposo traje de casamento.

O duque estava lindo como a duquesa se lembrava e a confundia, encarando-a de modo soturno ao se inclinar e lhe tomar a mão.

— Como passou a noite?

— Bem... — disse sinceramente, ainda impressionada.

— Gostaria de dizer o mesmo — falou o duque, empertigando-se, sem deixar de encará-la. — Podemos descer? O estalajadeiro providenciou nosso desjejum. É simples, mas nos manterá até que cheguemos à Bridgeford Hills.

— Agradeço por isso — disse Alethia. — Essa manhã eu não me importo com a dignidade deste lugar, nem com a simplicidade das refeições. Necessito de energia para suportar esse dia. Venha mocinha! — chamou por Nádia. — Recarregue também as suas forças, pois quero que venha em minha carruagem. Os baús de sua patroa ficarão bem sozinhos.

Logan sorriu, divertindo-se com as palavras da tia, mas em momento algum a olhou. Coube a Marguerite desviar o olhar, desconcertada.

— Faça como disse Alethia, Nádia. — Para o marido respondeu: — Sim, podemos descer.

O duque assentiu e indicou a porta. Enquanto caminhavam pelo corredor, Marguerite sentia o olhar de Logan em seu rosto. A observação perdurou por todo café da manhã, nada simples a seu ver. Tiveram bolos, pães, ovos, frango assado, toucinho, chá, café, mel, geleia de mirtilo e frutas vermelhas variadas. A extensa mesa de madeira não foi forrada com uma toalha, a louça era de cerâmica branca, sem ornamentos e os talheres de latão. Os guardanapos eram de linho branco, limpos, porém o característico odor de tecido há muito guardado indicou que estes eram usados somente em ocasiões especiais.

Se mais alguém notou, nada disse. Marguerite considerou que Mitchell talvez comentasse, mas ele não estava presente. Segundo Logan, o amigo tinha partido há mais de uma hora. Após a explicação, todos comeram em silêncio, no mesmo ritmo, ansiosos pela partida.

De volta à estrada, com as carruagens em fila, Marguerite fugiu à observação do duque, olhando para a vegetação lavada pela leve chuva. No entanto, daquela vez foi ela quem deu voz às questões.

— Posso saber por que insiste em me olhar desse jeito? Acaso tenho geleia de mirtilo em meu rosto?

— Caso estivesse eu o teria limpado com minha língua — disse o duque, mansamente.

Marguerite estremeceu e, sim, excitou-se ao encarar o marido e notar que ele falava sério. Deveria evitar os gracejos para encobrir o embaraço. Com Logan o resultado poderia ser surpreendente e o efeito contrário.

— Estou limpa, então — retrucou com a estabilidade possível. — Mas não me respondeu. Está bravo?

— Talvez, sim... — Logan também assentiu, como se assim endossasse as palavras. Passou a noite tentando elucidar o que estaria errado. Estava aborrecido por não ter chegado a nenhuma conclusão. — Mas não é algo com que deva se preocupar. Não estou bravo com você.

— Seria extraordinário se estivesse. O que eu poderia ter feito?

— Posso apontar uma ou duas coisas. — Logan esboçou um sorriso provocativo.

— E eu posso assegurar não haver nenhum. — Ela meneou a cabeça, segura.

O duque não insistiu. Apenas escrutinou o cabelo loiro cujos cachos foram presos no alto da cabeça. Não havia um chapéu, sim, uma larga fita preta que se destacava. O vestido era azul turquesa, de cetim, com delicada renda branca no redondo decote e nas mangas que iam até os cotovelos. Não havia exagerados ornamentos, o rosado dos lábios e das bochechas era natural.

A inocência estava lá, intacta, esperando que ele a roubasse, ainda assim Logan lamentava que tivesse perdido a primeira noite com a *noiva*. E por culpa dela, que se fechou em copas ao deixar a escuridão daquela boleia e escapou para o quarto de Alethia.

— Por quê? — Logan indagou como se seu raciocínio tivesse sido exposto. Quando a esposa uniu as sobrancelhas, ele insistiu: — Por que fugiu? Achei que estivéssemos de acordo sobre a noite.

— E estávamos.

— Então, é fato... — Logan bateu em um dos joelhos e no mesmo apoiou o cotovelo ao se aproximar para olhá-la de perto. — Nunca irei entendê-la, Marguerite!

— Eu queria — Marguerite procurou as palavras certas, ignorando a aproximação—, mas surgiram algumas questões...

— Quanto ao que faríamos? — O duque segurou as mãos da duquesa e entrelaçou os dedos aos dela. — Se, sim, peço que me deixe mostrar como será. Não sou tão bom com palavras.

— Não tenho dúvidas, Logan — Marguerite sorriu, fitando o contraste entre a luva branca e a preta das mãos unidas. — Mas, não é nada relacionado ao que faríamos. Apenas que é desigual o conhecimento que temos um do outro. Soube muito de mim por Edrick e nada sei de você nem como será quando chegarmos ao seu castelo. Quem eu encontrarei? Quais os nomes? Catarina me falou de seu irmão. Como é ele? Por que não foi ao casamento? Há outros parentes além dele e de Alethia? E vossa madrasta? Ela é nossa vizinha?

Desde que compreendera o rumo que aquela conversa tomaria Logan tinha soltado as mãos da esposa e se acomodado corretamente no assento.

— Hum... Surgiram muitas questões, não foi mesmo? — observou, olhando-a de esguelha, tentando ganhar tempo. — Porém, não vejo porque intervieram em nossa noite de núpcias. Eu poderia responder a todas, depois.

— Tem razão... Não pensei desse modo, então, rogo para que perdoe minha falta e me responda agora — ela retrucou.

Logan não queria falar de Ketlyn, não ainda. Começou pelo mais fácil.

— Tenho alguns primos pela parte de minha mãe, mas nos encontramos raramente, em ocasiões especiais. Pelo lado de meu pai, não, pois Alethia é sua única irmã e não teve filhos. Hoje, minha família se resume a Lowell, meu irmão. Isso mudará, quando nossos filhos vierem.

Mais do que jamais imaginou Marguerite gostou da ideia de dar herdeiros ao duque. Mas, antes que filhos viessem, eles teriam de consumar o casamento. Ela conhecia bastante do marido para saber que se enveredasse por aquele caminho ele encerraria a conversa com alguma obscenidade antes mesmo que esta engrenasse.

— Que venham fortes e saudáveis, mas vamos manter a atenção aos familiares existentes. Fale-me sobre Lowell. Quantos anos ele tem?

— Vinte e quatro — disse Logan, tirando um cisco imaginário de sua calça. Não gostava de falar do irmão, mas a alegação de sua esposa era legítima. Ele sabia muito mais sobre ela. — E irá conhecê-lo em breve. Assim que a notícia de nosso casamento chegar a Londres, ele virá.

— Será um prazer conhecê-lo. — Marguerite sorriu para encorajá-lo, pressentindo que o assunto era delicado: — E por que não o convidou para o casamento?

Logan riu brevemente, sem humor.

— Sabe a ligação que tem com Edrick? — Marguerite assentiu em resposta. — Pois então, não temos a mesma. Nos últimos anos nossos encontros têm sido... barulhentos. Quis poupar a todos do espetáculo.

— Oh! — Sem dúvida Marguerite gostaria de mais detalhes sobre a rusga entre os irmãos, mas não insistiria. Não, ainda. — E quanto à...?

— Joe Griffins é nosso mordomo e Agnes Reed a governanta — Logan a interrompeu.

— Mamãe sempre foi resistente quanto a ter uma governanta e também, preceptoras — disse a duquesa, guardando para si a impressão de que o duque fugia do tema. — Um mordomo ela nunca admitiria. Ela dizia que sempre daria conta de tudo. Creio que ela jamais esperou receber um duque. Agora é bem capaz que tenha mudado o pensamento.

— Desnecessário. Em minhas propriedades não abro mão do conforto oferecido por criados capacitados e eficientes, mas não ouso exigir que todos pensem do mesmo modo. Cada um dita as regras da própria casa. Em momento algum me senti ofendido com o tratamento que recebi.

— Mamãe ficará feliz ao saber. — Disso Marguerite não duvidava. — Conte-me mais.

— Pois bem... Finnegan é o mordomo no comando de Haltman Chalet, a casa que ocupamos em Londres. Também não tardará a conhecê-lo, pois planejo uma viagem.

— A Londres? — Marguerite maximizou os olhos, ansiosa. — Desde quando?!

Desde aquele instante, era a resposta. Ele mesmo estava surpreso com o anúncio espontâneo, mas... O que os impedia?

— O casal sair em férias logo após o casamento tem se tornado um hábito cada vez mais frequente. — Logan deu de ombros. — Muitos chamam de lua de mel.

— Entendo o conceito... — Marguerite riu, divertida. Logo suspirou e voltou ao assunto: — Mas não somos um casal nas mesmas condições, então, não se sinta na obrigação. Posso esperar para ir a Londres em outra ocasião.

— Acaba de me confundir, senhora. — O duque meneou a cabeça, simulando confusão. — Não nos casamos?

— Sim, mas...

— Graças aos céus hoje damo-nos bem, não?

— Sim, somos amigos, mas...

— Quero crer que aprecia quando estamos juntos.

Marguerite assentiu ao entender que Logan se referia aos beijos, todo resto, desistindo de argumentar. Ele voltaria a interrompê-la, ela sabia. E o mal-educado parecia se divertir.

— Pois somos, sim, um casal como qualquer outro — ele concluiu, altivo. — E digo mais! Somos melhores porque somos amigos. Acho que será divertido.

— Se é como diz... — Ela se rendeu ao bom humor. — Finalmente conhecerei tudo de que só ouvi falar.

— Vou levá-la a Buckingham, à Abadia de Westminster, ao Hyde Park — prometeu Logan, animando-se com o plano inesperado. — Verá o Tamisa, o Parlamento e ouvirá os toques do Big Ben.

— Seu entusiasmo dá a medida do quanto gosta de Londres.

— Gosto muito.

— No entanto, reside em Dorset.

— Gosto mais de Bridgeford Hills. É meu lar — Logan declarou.

— Entendo...

— Não era a observação que faria, não é mesmo? — Logan arriscou o palpite ao vê-la mirar os dedos, subitamente séria. Como não obteve resposta, insistiu: — Não é mesmo?

— Tem razão! É que... Ouvindo-o falar assim... De todos esses lugares que já conhece tão bem... Certamente, há de ter muitos conhecidos.

— Conheço algumas pessoas... Qual é a questão?

— É que... — Marguerite se calou, encarou-o. Sabia que não teria escapatória. — Tem certeza de que quer ser visto comigo?

Logan não respondeu, mas por sua expressão Marguerite soube que não tinha feito uma boa pergunta. Talvez não tivesse sido clara. Iria se explicar, quando ele demandou com voz baixa e incisiva:

— Que esta seja a primeira e última vez que diz algo meramente parecido.

— Logan...

— Tive mostras das razões que a levavam e se desmerecer, mas estas ficaram para trás. Fiz de você minha esposa, carrega meu nome, viverá sob meu teto, então, está claro como o dia que não tenho motivos para me envergonhar de você. Caso tenha um problema, resolva-o, mas não deduza que eu o compartilhe.

— Foi um pensamento infeliz.

— Infundado — Logan a corrigiu e, de repente, estava ao lado dela segurando-lhe o queixo. — Não sei o que vê no espelho. Eu vejo uma moça bonita e... Bem, como eu disse, sou melhor com ações.

Sem preâmbulos Logan segurou-a pela nuca e a beijou. Passada a surpresa, Marguerite o correspondeu com o mesmo empenho. Abriu os lábios para que as línguas se provassem. Uma das mãos a apoiou pelas costas, levou-a para mais perto. Quando Marguerite estava em vias de perder o ar, Logan desceu o beijo para seu pescoço. Movendo a boca ao longo da pele sensível, ele alcançou a orelha e mordiscou o lóbulo, chupou-o.

— É desejável — soprou-lhe roucamente ao ouvido, galvanizando-a. — Sentir-me-ei orgulhoso de ser visto ao seu lado, Marguerite.

— Logan... — gemeu, apoiando-se nos braços fortes.

Mais uma vez, seu nome na voz lânguida o abalou. Tanto que Logan freou o que fazia. Não era hora de explorar seus limites, sempre à borda quando se referiam a ela.

— Fui claro? — indagou ao unir sua testa à dela, acariciando-lhe os cabelos da nuca.

— Eloquente... — Marguerite arfou.

— Assim eliminamos de vez esse assunto. — Recostado, Logan cruzou os calcanhares no assento oposto e fazer com que ela se arriasse em seu dorso para abraçá-la. —Como eu dizia, irá ao teatro e às compras. Não há nada de errado com seus vestidos, para o campo. Agora que é minha duquesa, deve vestir-se de acordo.

— Está bem... — ela murmurou, mirando os braços ao redor de seu corpo.

— Sem protestos? — provocou-a.

— Dê-me um minuto. — Sorriu mansamente. — Sua eloquência me deixou sem palavras.

Logan riu, considerando os extremos de sua esposa. Tanto quanto sabia arrasar os egos masculinos, ela sabia alimentá-los. E com tão pouco Marguerite o envaidecia.

— Mas não haverá protestos — disse a moça, brincando com as abotoaduras no punho da camisa branca. — Tenho consciência de quem sou agora e entendo a necessidade de adequação. Farei tudo que disser. E isso me leva ao que conversávamos... Como será quando chegarmos? Nunca administrei uma casa o que dirá um castelo!

— Não se preocupe, nem se impressione. Há castelos infinitamente maiores. Ao todo são cinquenta e oito cômodos, divididos em duas alas. Bridgeford Castle ocupa o topo da colina, então, praticamente de todas as janelas externas temos uma vista esplêndida.

— Quando não souber o que fazer, será bom me desesperar admirando uma bela vista.

Logan compreendia a preocupação, mas não conteve a gargalhada. Mitchell estava certo também ao considerar que Marguerite fosse um achado. A língua direta era igualmente divertida. E exagerada.

— Um amigo não riria de meu tormento — lamuriou-se a jovem, comprovando o último pensamento do duque.

— Não terá por que se desesperar. Griffins e Reed estarão à sua disposição, para instruí-la se preciso e obedecê-la sempre. Assim que chegar irá encontrar os criados principais à nossa espera para que sejam apresentados.

— Como saberão que estamos chegando? — Ela queria se distrair, pois estava, sim, impressionada.

— Eles saberão. Você verá... E não tenho dúvidas de que será capaz de cumprir seu papel. Castle agora é seu. Mantenha o que considerar que deve, mude o que desejar. É a única senhora do meu lar.
— E vossa madrasta? Ela também estará lá? É mesmo nossa vizinha? Como se chama?
— Ketlyn. — Não foi uma resposta, sim, o reflexo ante ao assombro. Por alguns minutos havia se esquecido dela. Era um traidor!
Logan fechou os olhos e respirou fundo, tentando ordenar os pensamentos. Não traíra Ketlyn, considerou. Tinha apenas se distraído com a leveza de Marguerite. Seguia o plano. Foi imbuído no intuito de manter-se nele que revelou:
— E não é nossa vizinha. A duquesa viúva mora conosco.
Marguerite se enregelou. Tinha se colocado em alerta ao notar o tom empregado ao nomeá-la e agora, aquilo. Não queria pensar na fofoca feita por Madeleine, mas foi inevitável.
— Conosco, a partir de agora — ela salientou. — Antes, morava apenas com você.
— Eu não tive coragem de pedir que saísse após a morte de meu pai — ele se valeu da velha desculpa. — Tem alguma objeção quanto a isso?
Tinha, ela pensou. Pelo pouco que conhecia do duque, sabia que a sensibilidade não fazia parte de sua personalidade. Poderia dizer exatamente isso, salientando que até mesmo a mãe e os irmãos mais novos se mudavam depois que o novo titulado assumia a herdade. Em especial quando este se casasse. Em vez disso, Marguerite encheu-se de coragem e se afastou para encará-lo. Logan sequer se moveu.
— Deve saber o que falam sobre a viúva e você — comentou.
— Como agora sei que você ouviu o que todos falam — ele retrucou.
Seu ar estoico, antes de tranquilizá-la, consternou-a. Não sentia ciúme, apenas queria a verdade.
— E, estão certos? Na especulação? — Antecipando-se ao duque, acrescentou: — Tentarei entender se confirmar, mas, se for você a me dizer. Se nós somos amigos, devemos confiar um no outro.
A verdade brincou na língua do duque, mas ele a engoliu. De repente não pareceu certo confessar à esposa que em algumas horas ela seria apresentada à sua amante. Não importava que fossem amigos, conformados com a eterna falta de amor.
— Todos estão errados — Logan disse sem pestanejar. — São maledicentes que não entendem minha compaixão. Quando a duquesa viúva estiver pronta, ela partirá.
Marguerite perscrutou o rosto impassível. Nem mesmo a mais fina veia se moveu para indicar que ele mentia. E por que o faria, quando nada estava em jogo? Desarmando-se, ela sorriu:
— Será um prazer ter a amizade e a companhia de sua madrasta até que ela decida partir. E, talvez, nem seja necessário. Afinal, cinquenta e oito cômodos nos deixa com espaço suficiente.

Logan sorriu e lhe beijou sua mão demoradamente.

— Bonita, desejável, e também dona de um coração generoso — elogiou-a roucamente. — Ainda duvida que seja perfeita?

— Sim, eu duvido — ela gracejou. — Mas, se repetir mais vezes, um dia posso acreditar.

— Não hoje. Não vamos estragá-la — ele a acompanhou no bom humor, puxando-a de volta para seus braços. — Já que sua curiosidade foi sanada, concorda em ficarmos quietos.

— Sim, se também concordar em me deixar dormir um pouco — anuiu ao fechar os olhos, acomodando-se melhor no peito de seu marido. Sorrindo mansamente acrescentou: — Vossa tia tornou a tarefa impossível.

— Conversaram a noite toda?! — O assombro foi real. A tagarelice de Alethia teria dado origem às questões?

— Antes fosse! — disse Marguerite, de olhos fechados, permitindo que o som da chuva e o balanço da carruagem a embalassem. — Alethia roncou a noite toda. Por favor, não conte a ela! — pediu rapidamente ao se dar conta da indiscrição.

Logan soltou o ar ao ser invadido pelo alívio. Mirando a cabeça loira, ele se arrependeu da desnecessária mentira. Talvez devesse reconsiderar e admitir o envolvimento com Ketlyn. A jovem disse que entenderia. Por alguma razão, ele não conseguiu fazê-lo.

— Minha boca será como um túmulo — prometeu a ela e a si mesmo.

Inocente quanto ao pensamento do marido, Marguerite assentiu, agradecida. Com as respostas satisfatórias, rendeu-se ao cansaço. Logan não se moveu, deixando que ela dormisse enquanto pensava na razão de ter calado a verdade. Como na noite anterior, continuou sem resposta. Restou seguir o exemplo da esposa, fechar os olhos e dormir.

Capítulo 13

Logan acordou quando a carruagem oscilou em uma curva acentuada. Reconhecia aquele movimento. Sentindo o peso em seu corpo, desnorteado, ele abriu os olhos e se deparou com a moça loira aninhada em seu peito. Imediatamente olhou pela janela e viu que estava a poucos metros do castelo. Demorou apenas um segundo para recordar tudo que tinha acontecido até ali.

Pela primeira vez chegava a Castle acompanhado. Estava feito, tinha se casado!

Marguerite despertou com o movimento do duque, que sentou corretamente. Enquanto ela se afastava, olhando em volta, aturdida, Logan dirigia a si mesmo toda sorte de xingamentos dos quais conseguia se lembrar. Onde esteve com a cabeça para aceitar aquele plano? Não daria certo!

A duquesa bocejou e olhou pela janela. Ao ver que subiam a colina rumo à construção de pedra, voltou-se para o marido, sorrindo, entre temerosa e incrédula.

— Chegamos? — Notando o olhar fixo do duque, Marguerite uniu as sobrancelhas e voltou a olhar pela janela, analisando a construção cada vez mais próxima. — O que houve? Aquele não é Bridgeford Castle?

Não daria certo se não fosse sincero, Logan reiterou em pensamento. Também, pela primeira vez, não sentia a boa expectativa ao se aproximar da entrada de seu castelo.

— Marguerite! — Talvez houvesse tempo de dizer a verdade. — Eu preciso...

— Que lugar lindo! — Ela estava encantada com a vista, sequer o ouviu. Lamentava que estivesse dormindo quando começaram a subida. Não queria ter perdido nenhum detalhe. — É como o cenário de um sonho!

Tão inocente! Pensou Logan, escrutinando o rosto corado, marcado pelo sono. Perdido na análise de sua esposa, não atentou que cruzavam os grossos muros e entravam no espaçoso pátio principal. O tempo havia expirado. Decididamente, não daria certo!

— Marguerite, eu tenho algo importante a dizer...

— Ah, chegamos, sim! — Marguerite elucidou, ainda sem lhe dar atenção. — Veja! Mitchell está junto aos criados. Estão todos nos esperando, como disse que fariam. E aquela deve ser...

— Ketlyn... A duquesa viúva.

Mais uma vez o nome veio reflexivamente aos lábios do duque antes que ele olhasse para a janela e visse a mulher que amava, esperando-o como sempre. Não havia tempo de voltar atrás.

Novamente a duquesa estranhou o tom. Tomando aquilo como sua resposta, Marguerite tratou de correr as mãos pelos cabelos, pelo vestido. Sentia o rosto quente. Provavelmente estivesse marcado pelo do colete do marido, mas quanto a isso ela nada podia fazer.

— Chegamos — disse, quando a carruagem parou.

— Chegamos — Logan fez coro, mas não se moveu. Sem deixar de olhá-la, esperou que Ebert viesse abrir a porta e baixar a escada. Após um longo expirar, o duque deixou seu lugar, sem se importar de pegar o casaco ou o sobretudo. Despojado como estava, saltou e estendeu a mão para a moça. — Venha!

Marguerite voltou a lamentar que tivesse dormido, pois gostaria de ter se preparado melhor para aquele momento. Como não poderia, aceitou a mão do marido e saltou. Registrou o sorriso acolhedor de Mitchell e os olhares especulativos dos criados, mas seu olhar se deteve na mulher que estava um passo à frente, cuja beleza tirou seu fôlego. Logan rapidamente soltou sua mão e se afastou. Minimamente, era verdade, mas se afastou.

Ketlyn, por sua vez, media Marguerite de alto a baixo. A princípio com seriedade, então, sorriu e assentiu. A duquesa entendeu a ação e por algum motivo não gostou da aprovação. Esteve sendo avaliada?

— Marguerite — começou Logan formalmente —, deixe-me apresentá-la à Lady Ketlyn Bridgeford. Duquesa viúva — disse à madrasta —, conheça...

— A famosa Marguerite! — Ketlyn o interrompeu. Ignorando o olhar de reprovação do duque, acrescentou: — Há dias Logan não fala em nada mais além de você. Posso tratá-la informalmente, não? Claro que posso, afinal, sou praticamente sua sogra.

As senhoras que conhecia em Westling Ville, ao dizerem todas aquelas coisas a um só fôlego, teriam se valido de muitas expressões, teriam demonstrado alguma emoção. A mulher que Marguerite tinha diante de si não esboçou qualquer reação, o que eliminou a proximidade que quis incutir em cada palavra. Em alerta, Marguerite aquiesceu:

— Fique à vontade.

— Que maravilha! — Ketlyn exultou teatralmente antes de se voltar para o duque. — Deve estar cansado, querido. Caso queira, posso fazer as apresentações.

— Agradeço, mas não repassaria minhas obrigações, Lady Bridgeford. Nem que estivesse no limite da exaustão — ele retrucou, sem compreender a atitude da amante.

— Quis apenas ajudar, duque.

Sem se mostrar ofendida ou triste com a recusa, Ketlyn recuou um passo e cruzou as mãos sobre saia de seu vestido.

Logan não voltou a tocá-la, mas Marguerite o acompanhou até que estivessem diante de um senhor alto e forte, de expressão séria, cuja postura lhe dava ares de eficiência.

— Duquesa, este é Griffins, nosso mordomo.

— É um imenso prazer conhecê-la, milady! Será uma honra servir Vossa Graça — Griffins a reverenciou. — Permita que apresente vossos criados. — Voltando-se para uma senhora de cabelos grisalhos, séria como ele, disse: — Esta é a Sra. Agnes Reed, a governanta. Conte conosco para o que precisar. Assim como todos.

— Olá! — Marguerite acenou discretamente, causando estranheza nos criados.

— Milady — disse Agnes Reed, indicando uma das criadas. Era ruiva, alta, e mantinha os olhos baixos. — Quero que conheça Phyllis Carson. Ela será vossa criada particular.

— Oh! — Marguerite olhou para a criada com pesar. — Espero que possam aproveitá-la em outro setor, pois tenho minha criada, Nádia Riche. Ela deve chegar a qualquer momento.

— Phyllis poderá voltar a exercer sua função anterior — Logan se antecipou à governanta. Parecia aborrecido.

— Sim, milorde... — Griffins aquiesceu. — Tinha minhas próprias restrições quanto a essa troca. Carson já está habituada a servir a duquesa viúva.

Então, aquela era a criada de Ketlyn, pensou Marguerite, achando por bem não opinar. Apenas observava a cena.

— Será como deseja, milorde — Agnes Reed anuiu antes de se voltar para Marguerite. — Perdoe este imprevisto.

— A senhora não sabia — tranquilizou-a.

Empertigado o mordomo pigarreou e retomou a apresentação. Marguerite não decoraria tantos nomes, mas fez questão de sorrir para cada criado ou criada sempre que era reverenciada. Aproximava-se de Mitchell, quando ouviu a aproximação das carruagens que faltavam.

Marguerite não se voltou para olhá-las. Estava presa ao olhar acolhedor e corou ao receber uma piscadela, seguida de um sorriso.

— Não sou criado, mas enquanto estiver aqui, terei imenso prazer em servi-la naquilo que precisar — Mitchell gracejou, tomando-lhe a mão para beijá-la.

— Espero que o oferecimento seja extensivo a mim — resmungou Logan. — Ebert talvez precise de ajuda para lustrar minhas botas.

— Sob o risco de perder a acolhida, digo que o oferecimento é restrito à duquesa. E apenas para entretê-la, pois me falta habilidade para trabalhos braçais.

— Falam, falam e se esquecem de mim! — A lamúria de Alethia calou o impropério de Logan. — O que uma velha cansada deve fazer para ter alguma atenção?

— Alethia! Que bom revê-la! — exclamou Ketlyn. Igualmente soou teatral. — Pedirei a um dos lacaios que a atenda.

— A duquesa viúva, sempre tão receptiva — observou a senhora, sem se importar em reverenciar a cunhada —, mas não se incomode. Bridgeford Castle tem uma senhora. Ela ditará as ordens que forem necessárias para meu bem-estar.

Não uma "nova" senhora, apenas "uma senhora" e ponto. Para Marguerite foi impossível não notar a animosidade existente entre as duas mulheres. Seria pela juventude de Ketlyn? Talvez Alethia nunca tenha estado de acordo com o segundo casamento do irmão.

— Por certo — anuiu Ketlyn, recuando um passo.

— Talvez agora se sinta inclinada a cuidar de sua vida — acrescentou Alethia, direta. — Um casal no início de sua história não precisa da companhia de alguém que nem mesmo é seu parente.

— Alethia! — O chamado de Logan foi duro e repreensivo. — Sabe que a respeito e que é sempre bem-vinda, assim como igualmente sabe que não aprovo certos comentários. Minha madrasta não é uma hóspede e tem cuidado desse castelo com primor desde que se casou com meu pai. Ela não vai à parte alguma se não for sua vontade.

A resposta à pergunta feita na carruagem, verdadeira e tardia, não ficou explícita no tom duro e repreensivo, sim, na vermelhidão do duque e na altivez da duquesa viúva a cada palavra dita em sua defesa. Aquela reação exagerada não era a de um enteado atencioso. Ao olhar para Mitchell e reconhecer pesar nos olhos de cor indecifrável, Marguerite teve a confirmação da impressão e, mais uma vez, manteve-se calada. Nada tinha a dizer.

— Bem, agradeço a hospitalidade, mas se não posso dizer o que penso, seguirei para minha casa — anunciou Alethia, empertigada.

— Alethia, fique! — pediu Logan, arrependido de seu arroubo. A ideia da partida de Ketlyn sempre o irritava, mas daquele dia em diante deveria se conter. — Tenho certeza de que a Sra. Reed cuidou para que preparassem nosso almoço. Deve estar faminta, cansada.

— Uma dama jamais fica faminta e do cansaço me livrarei em meu solar — retrucou a tia. Dirigindo-se à Marguerite, disse: — Fique com Deus minha criança! Nunca se esqueça do quanto estou feliz por tê-la em nossa família. Espero-a para uma visita em breve.

— Não pode mesmo ficar? — De súbito, Marguerite sentiu que ficaria sozinha.

— Sim, ela pode — disse Logan, firmemente, sinalizando para que o cocheiro da tia seguisse com a carruagem na mesma direção tomada por seus próprios cocheiros.

Ao mover da mão de Alethia o pobre homem interrompeu a ação e esperou. Sem dar atenção ao sobrinho ela sorriu para Marguerite.

— Lamento, mas, não posso. Não repare minha partida intempestiva e não a tome com um adeus. Em breve nos veremos. — Ao se aproximar, sussurrou: — Não se intimide com essa mulherzinha repugnante.

Marguerite assentiu, reprimindo o desejo de olhar para Ketlyn que assistia a despedida de queixo erguido, impassível. Num rompante, Marguerite abraçou a nova tia.

— Obrigada por ter ido ao meu casamento! Sentirei sua falta!

— Oh! O que é isso? — Alethia a afastou, corada, surpresa. — É uma jovem espontânea e adorável! Espero que meu sobrinho não elimine suas qualidades.

— Alethia! — E lá estava o tom repreensivo de Logan mais uma vez.

A senhora ignorou o sobrinho. Com um aceno se despediu de Mitchell. Por gratidão pela companhia, educação ou desaforo, a senhora se despediu também de Nádia e seguiu para sua carruagem. Quando a portinhola foi fechada ela cerrou a cortina, deixando claro que sua participação naquele estranho e constrangedor episódio tinha chegado ao fim.

— Perdoe-nos por isso! — pediu Logan, atraindo o olhar da esposa para si. — Alethia não mede o que diz, especialmente quando o cansaço altera seu humor.

— Sim, querida! — disse Ketlyn. Até mesmo quando sorria a mulher era inexpressiva. — Espero que não guarde má impressão. Alethia e eu nos damos muitíssimo bem.

— Obrigada por esclarecer — Marguerite murmurou sem pensar. Imediatamente olhou para Logan, mas o olhar aborrecido do marido não era dirigido a ela, sim, à duquesa viúva. Era ela o centro de toda atenção do duque. De fato, não havia dúvidas. Ele tinha mentido.

Marguerite não se sentiu traída, pois não se casou por amor. Contudo, sentia-se enganada, o que era igualmente incômodo.

— Bem... — Mitchell recuou alguns passos em direção à entrada. — Não sei vocês, mas eu, ao contrário de uma dama, fico faminto e no momento seria capaz de comer um boi inteiro.

— Não tenho problemas em reconhecer que estou com fome. — Marguerite sorriu para ele. Intimamente agradeceu por Mitchell não ter partido como Alethia.

— O que faz muito bem, querida! — Com um frio sorriso curvando lábios perfeitos, Ketlyn sinalizou para que os criados entrassem. Por costume, todos a obedeceram, com exceção ao mordomo e à governanta que olharam para o patrão e, então, para a nova patroa. A duquesa viúva não se deixou abalar. — Ora, o que esperam? Que a duquesa já lhes dite ordens? Deixe que ela entre, recomponha-se e se habitue à nova casa. Alguém que cresceu em uma fazenda nem mesmo deve estar acostumada à...

— Apenas cuidem de tudo — demandou Logan, encerrando a conversa. Notava que ficar entre sua esposa e sua amante não era confortável como imaginou que seria e a cena de sua tia, assim como a própria reação, em nada ajudavam. Não precisaria de muitas cenas como aquela para que Marguerite descobrisse a farsa.

Tomando o devido cuidado de não olhar para a amante, disse à esposa:

— Venha! Vou levá-la aos seus aposentos.

— Antes... — Marguerite o deteve, olhou para os criados no comando e disse em bom tom: — Sr. Griffins, Sra. Reed, está é Nádia Riche, minha criada pessoal. Podem acomodá-la?

— Certamente, milady — disse Griffins. Como a governanta, ele a olhava com admiração. — Depois que estiver instalada, milady, peça que ela acompanhe uma das criadas até a cozinha.

Marguerite assentiu, satisfeita e, sem olhar para os demais, voltou-se para o marido.

— Estou pronta para conhecer meus aposentos.

Logan indicou a porta para que ela fizesse a frente. Ao entrarem no *hall* principal, Mitchell e Ketlyn se afastaram discretamente. Marguerite não os olhou. Estava admirada com a amplitude ao seu redor. A entrada de Apple White caberia, com folga, três vezes naquele mesmo espaço.

A escadaria acompanhava a grandiosidade do castelo. Esta se dividia no patamar em direções opostas, formando um semicírculo até que chegasse ao piso de mármore polido, branco e preto. Entre a escada dupla havia uma mesa de mogno entalhado que servia de apoio para um grande jarro de cerâmica branca e azul. Marguerite considerou que caberia facilmente dentro dele.

Divertindo-se, ela reconheceu que brincar intimamente seria preferível a cismar com tudo que tinha acontecido após sua chegada àquele castelo imenso e frio. A graça se perdeu, quando olhou com atenção para uma grande, imponente e assustadora armadura medieval colocada no alto da escada. Era evidente que não havia ninguém ali, mas Marguerite juraria que via olhos bravios observando sua aproximação.

— Não se impressione com essa velharia — disse Logan, notando seu estremecimento. — Está em Castle desde que foi erguido. Crescemos ouvindo histórias de um bravo antepassado que usou essa armadura em torneios de vida e morte. Reza a lenda que em uma dessas justas* esse antepassado ganhou o amor de uma bela donzela.

O duque contou a história por saber o quando sua esposa gostava dessas aventuras. Sentia-a distante, intimista. Queria trazê-la de volta.

Marguerite meneou a cabeça, sem nada dizer. Claramente desinteressada.

— Vejo que está cansada — ele observou. — Talvez queira descansar. Posso pedir que levem o almoço para seu quarto.

Com o oferecimento Marguerite reparou que aquela era a segunda vez que o duque citava um aposento exclusivamente dela.

— Por que não diz *nosso* quarto?

— Porque o quarto é apenas seu. O meu fica ao lado, interligado por uma porta dupla. São os aposentos dos proprietários. Antes eram ocupados por meu pai e minha mãe.

— Depois por seu pai e sua madrasta... — Marguerite quis morder a língua que, por alguma razão, não domava.

— Não — corrigiu Logan. — O Quarto Josephine foi ocupado apenas por minha mãe, por minha avó e por todas as primeiras esposas. Outro quarto foi escolhido para Lady Bridgeford. Meu pai lhe fez companhia, todas as noites.

Evidente! Marguerite se congratulou por ter calado este comentário. Era realmente evidente que um homem desejasse passar todas as noites ao lado de uma esposa como Ketlyn. A mulher podia ser inexpressiva o quanto quisesse, pois compensava com beleza estonteante.

A duquesa viúva tinha cabelos escuros, impecavelmente arrumados no alto da cabeça; não se via um fio fora do lugar. As joias eram esplêndidas. O vestido era de cetim lavanda, mas podia ser de qualquer cor. Todas, até mesmo o branco, combinaria com a pele alva, incólume.

Enquanto seguia pelo extenso corredor, sem nada mais dizer, Marguerite aceitou sua descoberta. Se não bastasse a reação de Logan ante a possibilidade de a bela mulher ir embora, tinha o que ela pensou antes. Logan não era o tipo sensível. E no pouco tempo em que eles estiveram juntos ficou claro o quanto era impositivo e viril. Se nem mesmo ela ficou livre do assédio pervertido, como uma linda e experiente mulher ficaria sob o mesmo teto sem que nada acontecesse entre eles?

Marguerite não se ressentia, apenas lamentava a falta de confiança. E não entendia o que estava fazendo ali. Se Logan e Ketlyn formavam um casal, por que ele a desposou?

— Chegamos! — anunciou Logan, alheio às considerações da esposa, enquanto o lacaio abria as imensas portas duplas para lhes dar passagem.

Depois de tudo que viu, das tapeçarias, das esculturas, das inúmeras portas, Marguerite não deveria, mas se surpreendeu. O Quarto Josephine não era espaçoso como supôs, entretanto, era decorado com extremo bom gosto. O dossel da cama escura era coberto por brocado perolado, com franjas douradas. O mesmo tecido cobria o colchão e quatro travesseiros.

Havia uma escrivaninha com todos os itens necessários para manter a correspondência em dia. Havia uma cômoda, diante da qual sua bagagem eficientemente fora deixada. Havia ainda um armário para seus vestidos e um aparador. Sobre este a jovem duquesa avistou uma bacia ao lado de uma ânfora, ambas de porcelana branca.

— Atrás daquele biombo está o quarto de banho — informou Logan, indicando a armação de madeira entalhada com ramos e flores. — Originalmente este cômodo tinha quase o dobro do espaço, mas meu pai mandou erguer uma parede para que minha mãe tivesse total conforto. Ele gostou tanto que fez o mesmo no quarto dele. Gostaria de conhecê-lo?

— Seu quarto de banho? — Marguerite uniu as sobrancelhas.

— Não! — Logan riu com a confusão. Se apesar do começo estranho, a esposa o divertia talvez desse certo, ele considerou. — Convidei-a para conhecer meu quarto. Basta cruzarmos aquela porta. Nádia pode começar a arrumar suas coisas enquanto passamos para o aposento ao lado.

— Sim, vamos... — Estava curiosa.

Logan assentiu e se adiantou até a porta de ligação. Antecipando-se ao lacaio, num gesto amplo abriu as folhas duplas, mesmo que não houvesse necessidade. Estava agitado e não media suas ações. Estava igualmente curioso quanto ao quarto que a partir daquela noite seria seu.

Para sua surpresa, Ketlyn reproduziu ali o quarto que há anos ocupava. Tudo que possuía estava em seu devido lugar.

— É lindo! — elogiou Marguerite, indo até o meio do quarto, olhando ao redor. — Mas a decoração é diferente do meu. Não sei a razão, mas achei que seriam parecidos.

E eram, antes que Ketlyn atuasse! Por um instante Logan se enterneceu, mas logo se lembrou de que a amante era pragmática. O que por um instante acreditou ser cuidado, era apenas o resultado de um recado óbvio. A mudança de estado civil e a troca de quarto não significavam que ele devesse deixar algo ou alguém para trás.

Com a constatação Logan se sentiu livre para dar seguimento ao plano. Aparentemente Marguerite não tinha tirado conclusões de tudo que viu e ouviu; o que eliminava seu súbito e inexplicável temor. Assim sendo, tinham assuntos inacabados, eram recém-casados... Caso não descessem, quem poderia reparar?

— São assim desde que me lembro — Logan respondeu, aproximando-se dela. — Gostou?

— Sim, são lindos — anuiu Marguerite, atenta aos movimentos do marido.

— Então, o que acha de repousarmos em vez de descermos para o almoço?

— Acho que seria extremamente rude de nossa parte — disse a jovem, afastando-se antes que ele tocasse seu pescoço. Fingindo não ver o cenho franzido, ela seguiu para a porta de ligação. — Vou me recompor. Estarei pronta em dez minutos. Vou esperá-lo à minha porta.

Logan ficou sem ação, vendo a esposa escapulir para o quarto ao lado. Ebert o encontrou no mesmo lugar, mirando a porta fechada.

— Milorde? Não sabe que rumo tomar?

— Não — foi sincero. Sentia a falta de Ketlyn. Queria estar com ela; abraçá-la, beijá-la. No entanto, estranhamente sentia a falta de Marguerite e queria as mesmas coisas com ela.

— Como é possível? — Ebert olhou em volta. — A duquesa viúva fez um trabalho perfeito ao recriar vosso quarto. Tenho certeza de que absolutamente tudo está como era antes e...

— Ebert, ajude-me, sim? — interrompeu-o. — Se tudo está exatamente como antes saberá encontrar o que preciso para estar apresentável em cinco minutos.

Talvez aquele fosse o tempo que ainda lhe restasse. E não duvidava que Marguerite seguisse sozinha para o andar inferior, caso se atrasasse. Para provar sua tese, seis minutos depois ele a encontrou no corredor, três portas além da dela.

— Aonde vai? — Logan acelerou seus passos para alcançá-la.

— Estou mesmo com fome e você se atrasou — disse inocentemente.

— E não poderia esperar alguns minutos? — O duque se exasperou, nem sabia o motivo. — Poderia se perder!

— Caso não haja um fosso e eu me mantenha longe dos furos de assassinatos, ficarei bem.

— Viu que não há um fosso — ele retrucou, gentilmente indicando que andasse. — E, já que conhece furos de assassinatos, deve saber que não os temos tampouco.

— Pelo o que entendi são buracos deixados no piso da área superior a um portão para que possam atirar objetos pesados nos invasores. Estamos num castelo, não? Se um ancestral usou armaduras em combates de vida e morte, porque não ter furos de assassinatos para a defesa?

— Muito bem, contenha sua imaginação! — pediu Logan, livre da bronca. — Este castelo, se comparado a tantos outros, é relativamente novo. Tem apenas duzentos e sessenta anos. Seus muros são grossos e fortes. Foram projetos para a contenção dos inimigos e também para facilitar a evacuação dos ocupantes, sem lutas sangrentas e desnecessárias. Acho que com exceção ao parente medieval, todo Bolbec foi e sempre será um pacifista.

— Como é possível que um castelo tenha o acesso restrito ao mesmo tempo em que a saída é liberada? — Marguerite estava impressionada.

— Todos os portões que vier a encontrar são de madeira resistente. Caso precisem de reforço, os guardas podem baixar as grades levadiças de ferro. Bem, teoricamente ao menos.

— Há guardas aqui?!

— Alguns que cuidam do castelo à noite, mas chame de vigias caso prefira. E, como eu dizia, há muitos anos as grades não são utilizadas. Também temos masmorras que somente são abertas pelo lado de fora. Caso se perca e se tranque numa delas, podemos levar dias para encontrá-la.

Marguerite se impressionou com os guardas e as masmorras, mas não deixou que Logan percebesse.

— Tomarei cuidado, mas não desconverse. Seria complicado entrar, mas não me disse como sair caso o castelo seja tomado.

— No pomar, há uma passagem secreta — revelou, observando qual seria a reação da esposa ante a descoberta. Ela não o decepcionou.

— Tem um pomar? — Marguerite sorriu, alimentando seu desejo de abraçá-la, beijá-la. Sem dar a ela uma resposta, puxou-a para si e se recostou à parede do corredor. — Logan, o que está fazendo?!

— Depois eu posso levá-la ao pomar — prometeu, mirando a boca rosada. — Agora, vamos voltar para o quarto. Temos algo a fazer. E agora não há questões, não é mesmo? Sabe mais de mim, como a boa amiga que é.

Na verdade, se não havia confiança, não havia amizade. E, infelizmente, ela sabia demais. Não restava a mínima dúvida de que seu corpo sempre reagiria ao dele, mas agora que conhecia a verdade, não havia como se entregar. Não, a menos que fosse obrigada.

— Está reivindicando seu direito de marido?

A pergunta direta confundiu o duque. Escrutinando o rosto da esposa, Logan deduziu que a fome se sobrepunha ao desejo que havia entre eles. Não havia razão para a conhecida rebeldia estar de volta. Com isso em mente, ele sorriu e a libertou.

— Não faria isso. Não sou seu dono. Posso esperar pela noite.

Marguerite nada retrucou. Apenas assentiu e se deixou levar até o andar de baixo.

— Aqui temos uma sala equivalente à sua saleta — Logan explicou —, mas nos reunimos nela antes dos jantares. Desde que minha mãe morreu não temos regras para os almoços. Geralmente são lanches rápidos, feitos separadamente, onde nos agradar. Mas hoje é um dia especial, então, sei que nos esperam na sala de jantar.

Marguerite sorriu, demonstrando estar interessada, mas intimamente especulou se os amantes almoçavam juntos em uma sala mais reservada ou na intimidade de um quarto. Os criados saberiam? Provavelmente, sim.

Ao chegar à sala de jantar a duquesa colocou as novas questões de lado. Como o *hall*, se comparado a Apple White, aquele cômodo poderia ser considerado três vezes maior.

O mordomo e dois lacaios uniformizados estavam à disposição para servi-los. Marguerite se encolheu internamente ao pensar em Beni usando as roupas de domingo para servir o duque. Teria sido mais digno se a baronesa tivesse deixado a tarefa nas mãos das criadas, mas nunca diria isso à sua mãe.

Marguerite não deixou de notar que Mitchell e Ketlyn conversavam animadamente. Ainda sorriam, quando se voltaram para os recém-chegados. Marguerite sentiu uma pontada em seu coração ao descobrir o quanto eram próximos e se repreendeu no segundo seguinte. Mesmo que não entendesse sua função ali, era uma senhora casada.

Logan não pareceu se importar com a proximidade. Sem nada dizer, sentou-se à cabeceira oposta depois dela, também sendo ajudado por um lacaio.

— Perdoe nossa demora — disse no momento exato em que Griffins sinalizou para que fossem servidos, abrindo o guardanapo sobre o colo.

— Não demoraram. — Mitchell ocultava um sorriso. Mas, teria sido compreensível.

— Duvidei que acontecesse — revelou Ketlyn, com seu sorriso belo e envernizado. — Era o tema de nossa conversa antes que chegassem. Eu disse que Marguerite não era o tipo de moça que se *recolhesse* no meio do dia. Mesmo vinda de uma fazenda.

— Por isso riam? — Marguerite indagou, olhando seriamente para Mitchell. — Sou a piada?

— Não! — ele se apressou em negar. — Esse comentário me lembrou de uma passagem engraçada, quando estive em uma fazenda no verão passado. Jamais riria da duquesa.

— Assim espero — Logan resmungou, mirando o caldo que o lacaio apresentou ao lado para que se servisse; sopa de aspargos.

— Bem, respondendo à sua pergunta, Ketlyn — Marguerite tomou a liberdade de também tratá-la pelo nome de batismo —, acredito que a criação dada às moças do campo deva ser a mesma dada em qualquer lugar. Somos educadas para sermos recatadas, mas obediente aos nossos maridos, logo...

Reticente, Marguerite tomou uma colherada de sopa, encarando a duquesa viúva de modo inocente. Estava corada, pois uma dama não devia ser dada a vulgaridades, mesmo as veladas, mas desde que chegou ela compreendeu que não devia permitir que a humilhassem. Antes de tomar outra colherada de sopa, viu que Ketlyn e Logan a encaravam. Ele com o cenho franzido, ela, surpresa e avaliativa. Foi Mitchell quem quebrou o silêncio, rindo com gosto.

— A duquesa é sincera! — elogiou-a. — Acabo de lembrar como chegaram à estalagem.

— Como chegaram? — Ketlyn quis saber, encarando o duque.

— Exaustos — Logan respondeu secamente, sustentando-lhe o olhar. — Agora chegamos famintos. Melhor comermos em silêncio.

O duque foi atendido até que servissem a sobremesa.

— Perdoe-me por não ter ido ao casamento — disse Ketlyn a Marguerite. — Desde que meu marido morreu não tenho saído. Ainda sinto muito a sua falta. Sei que uma dama não deve dizer essas coisas, mas estamos em família, então, saiba que eu o amava demais.

— Não precisa se desculpar. Foi algo inesperado. E, sinto muito por sua perda — disse a moça, reflexiva.

— Faz tanto tempo! — comentou Logan, visivelmente aborrecido. — Devia ter ido e se divertido. Apesar de inesperado, a recepção foi animada. Não foi mesmo?

Marguerite olhou para a mão que segurou a dela carinhosamente. Não se sentira traída até ali. Engolindo a raiva que travava sua garganta, sorriu para o duque e respondeu enquanto libertava a mão:

— Sim, foi divertida. Vocês, bem-nascidos, criados na corte, não conhecem a real diversão até estarem numa festa rural de maioria plebeia. Sema forçada educação, sem a falsidade disfarçada por sorrisos. Sem segundas intenções em cada gesto.

— Foi exatamente o que senti — disse Mitchell, recostado no espaldar da cadeira. — Gostei muito de tudo que vi. A comida estava ótima e a música, exemplar. Sem mencionar a sidra do barão... Que primor!

— Obrigada! — Marguerite sorriu. — Foi um prazer recebê-lo.

— Vê como é educada — Mitchell a indicou, sorrindo. — Fico feliz que agora esteja aqui. Será um sopro de juventude e beleza nessa casa.

— Sim, Marguerite será um sopro de juventude — reiterou Ketlyn, sem entonação especial. — E de beleza, por que não? Não que esta seja notada de imediato. Sua compleição e a face bronzeada poderiam ser um problema, mas a torna exótica. Seria como se os fúteis londrinos se deparassem com um cisne azul, caso algo assim existisse. Todos ficariam chocados com a novidade. É bonito por ser diferente? É feio, já que todos os cisnes são brancos?

— No século passado foi descoberta uma espécie de cisne negro — informou Marguerite, dando mais atenção à sobremesa.

— Que seja! — Ketlyn não se abateu. — Um cisne azul ainda seria chocante. Adoramos? Repudiamos? Enfim, após muita deliberação seria unânime: há graça em tudo que é diferente.

— Eu não pensaria muito para admirar um cisne azul — disse Mitchell, ainda sorrindo para Marguerite. — Gosto do que é diferente.

— Todos gostam — retrucou Logan, olhando duramente para todos, sendo visitado por três ressentimentos distintos: de sua amante em relação ao seu pai, de seu amigo em relação à sua esposa e da esposa pela rejeição ao seu toque. — Vamos encerrar essa conversa sem sentido sobre cisnes, pouco me importa de qual cor.

— Bem... Esse cisne azul está de papo cheio, mas ainda muito cansado — disse Marguerite. — Se o duque lhe der licença, ele gostaria de se recolher.

— Todas as noites jantamos às nove horas — disse Ketlyn, estoica.

— No campo jantamos às oito horas — replicou Marguerite ao se pôr de pé. Imediatamente Logan e Mitchell fizeram o mesmo. — Essa noite eu não lhes farei companhia, pois realmente estou cansada, mas a partir de amanhã iniciaremos o novo horário.

— Às oito horas será perfeito! — Logan interviu antes que Ketlyn argumentasse. — Anotou a mudança, Griffins?

— Sim, milorde. Jantar às oito horas a partir de amanhã.

Intimamente Marguerite deu de ombros, os amantes que se entendessem como quisessem. Se havia sido levada até ali como esposa com autoridade, assumiria seu posto.

— Tenho vossa licença? — insistiu.

— Tem toda — Logan a liberou. — Irei acompanhá-la.

— Não é necessário. Já aprendi o caminho de meu quarto.

— Sim, querido, fique! — pediu Ketlyn. — Nem terminou sua sobremesa. Pedi que a Sra. Reed providenciasse sua preferida.

— Se é sua sobremesa preferida, não deve desperdiçar — Marguerite fez coro com a mulher que começava a desprezar.

Pêssegos e creme não era sua sobremesa preferida, pensou Logan, olhando de uma a outra, soturno.

— Vemo-nos mais tarde? — ele perguntou à Marguerite, deixando claro em seu tom que não aceitaria recusas.

— Sim, mais tarde — ela anuiu.

Caso não fosse atirada em uma das masmorras! Marguerite acrescentou em pensamento ao flagrar o olhar da duquesa viúva. Com um aceno, despediu-se de Mitchell e partiu.

— Cisne azul, não tão rápido! — pediu Mitchell, deixando seu lugar. — Os corredores desse castelo velho são traiçoeiros.

— Mas, o quê...? — Logan fez menção de segui-los.

— Deixe que ele a escolte — Ketlyn o deteve, segurando-o pelo braço. — Que mal pode haver?

— Nenhum — resmungou o duque, mirando a mão que acariciava seu braço. Ao ouvir o pigarro de Griffins, ele se sentou e ordenou discretamente: — Não faça isso aos olhos de todos.

— Aos olhos de todos? — Ketlyn fez-se de desentendida e olhou para os criados. — Eles são cegos, surdos e mudos. Caso não sejam, encontrarão o caminho para fora desse...

— Basta, Ketlyn! — Logan soou baixou, bravio. — Segui seu conselho, então, aceite as novas regras e seja discreta.

— Vejo que as coisas realmente mudaram. Creio que devemos conversar. Longe dos olhos de todos, não? — Ketlyn afastou a cadeira e se levantou.

— Siga-me!

O duque afastou a própria cadeira com estrondo e partiu à frente dela, rumo à biblioteca. A ideia era repreender a amante, mas ao vê-la passar ao seu lado, fechou a porta rapidamente e a segurou pelo braço. Sentia sua falta, estava com o corpo desperto desde o dia anterior, então a beijou. Ketlyn correspondeu sem a mesma paixão. Não estremeceu quando ele apertou um seio. Desestimulado, Logan logo a soltou.

— O que há de errado com você? — Ele seguiu para o meio do cômodo, arrumando seu casaco.

— Comigo? O que há de errado com *você*? Cumpriu apenas parte do acordo ao trazer uma garota sem graça e gorda, mas, o que há entre vocês dois? Pensa que não reparei o modo como a olhou enquanto a ajudava a descer da carruagem? Nem mesmo estava composto!

— É uma longa viagem. Eu apenas estava confortável. E está desvirtuando minha gentileza para encobrir suas ações — acusou-a. — Por que age como se fosse uma completa estranha? Toda essa falsa animação, sobremesa preferida... E o que pretende, anunciando o funcionamento do castelo? Agora é Marguerite quem decide. Se quiser que o maldito jantar esteja à mesa às três horas da tarde, isso é com ela!

— Se me excedi foi sem intenção. E quis ser simpática para mostrar que sou boa madrasta e que posso ser boa amiga, boa sogra — replicou, inabalável como de costume. — Viu como a garota agarrou a pobre Alethia. Parecia um animalzinho assustado em busca de proteção e afeto. Claro que depois desse almoço vi que de bicho Marguerite tem apenas as garras e os dentes, mas sou capaz de domesticá-la.

Logan odiou tudo que ouviu. Marguerite se defendia do mundo, sim, mas por conhecer apenas o afeto do irmão mais velho.

— Marguerite não é uma gata arisca. Se pré julgou-a tola, o erro foi seu. Ela é educada e perspicaz, então, seja discreta.

— Ou o quê? — desafiou-o. — Se a esperta esposinha descobrir sobre nós, o que fará?

— Nada, porque não acontecerá — disse com o dedo em riste, repudiando a possibilidade de ser obrigado a fazer tal escolha. — Marguerite é uma moça simples e nunca chegará aos seus pés, como pediu. Então, descarte seu ciúme e haja como combinado.

— Eu?! Mesmo que experimentasse sentimentos rasos, não os direcionaria para uma criatura inflada e insossa? Veja! — Ketlyn abriu os braços, indicando a si mesma. — Entre nós não há comparação.

Em alguns aspectos não havia, no entanto, o que podia ser comparado não favorecia a bela amante. Amava-a, mas Logan reconhecia que nos últimos dias as discrepâncias entre as duas pendiam a balança para sua esposa.

Além de educada e perspicaz, Marguerite era deliciosa, espontânea, nada insossa. Era uma moça tão sagaz quanto imprevisível que o instigava como há anos não acontecia. Exatamente por essa razão ela não podia descobrir seu romance clandestino. Jamais!

---

*Justa é um desporto. Consiste em uma competição marcial entre dois cavaleiros com armaduras, montados em cavalos, revezando o uso de três armas: lança, machado e espada.

Capítulo 14

— Não dê ouvidos ao que Ketlyn diz — Mitchell pediu a Marguerite à porta do quarto.

— Não tenho problemas com cisnes azuis. — Ela esboçou um sorriso.

— Então, por que me responde apenas com resmungos? — Ele cruzou os braços diante do peito, expandindo-o, e a encarou.

— Não fiz isso — defendeu-se, desviando o olhar.

— O pernil estava bom, duquesa? — Mitchell repetiu a pergunta feita quando ainda subiam as escadas e a imitou na resposta: — Hum-hum.

Marguerite riu, ainda mirando o chão.

— O dia está lindo, não é mesmo? Hum-hum... Acho que vou tirar uma soneca! Hum-hum...

Marguerite riu ainda mais e, vencida, encarou-o.

— Respondeu com um resmungo e nem tinha sido uma pergunta! — Mitchell fingia exasperação.

Realmente esteve economizando palavras por estar acanhada, reconheceu Marguerite. Aquela era a primeira vez que ficava a sós com ele. Agora via ser tolice.

— Na verdade, eu disse que era uma boa ideia, mas seus ouvidos já estavam habituados aos resmungos — gracejou timidamente.

— Seja como for, eu a fiz sorrir — Mitchell observou. — Talvez, sequer imagine o quanto fica bonita.

Marguerite voltou à seriedade e se empertigou, quando Mitchell tocou seu rosto.

— Não se assuste — ele pediu mansamente, ousando mais ao mover o polegar na bochecha corada, mirando a boca. — Aos padrinhos é reservada alguma liberdade.

— Por favor, não... — pediu, petrificada. Ele a beijaria?

— Acalme-se! Não vou desrespeitá-la... Com esse casto carinho quero demonstrar que pode confiar em mim. Serei seu amigo nesta casa. Conte comigo sempre que precisar.

— Está bem... — ela murmurou, estremecendo com o toque delicado.

— E, de verdade, não ouça Ketlyn. — Mitchell avançou um passo, ficando muito perto. — Ela só está defendendo aquilo que acredita ser dela.

— Logan?

— Eu diria o castelo — Mitchell corrigiu sem convicção.

Ele desceu o *casto* carinho pelo braço da duquesa até a mão que levou aos lábios e beijou demoradamente sem nunca deixar de encará-la. Ao se afastar, disse: — Saiba que tem um amigo fiel em mim. Para o que precisar, a qualquer hora, basta me procurar. Bom descanso!

Boquiaberta, sentindo o rosto e o braço formigarem, Marguerite ficou onde estava vendo Mitchell se afastar. Saiu da catatonia e entrou apressadamente, quando ele sorriu para ela antes de entrar no próprio quarto, alguns cômodos à frente.

— Milady, o que houve? — Nádia veio ampará-la. — Está trêmula, pálida. Quer se sentar?

— Não... Estou bem! — assegurou. — É que...

— Sim? — Nádia a incentivou.

— Não houve nada. — O que mais diria? Que estava abalada porque um homem, não seu marido, descaradamente a acariciou enquanto lhe oferecia amizade e fidelidade? — Acho que vou me deitar. Estou cansada da viagem.

— Quer que eu me retire? Posso continuar a arrumar seus vestidos em outra...

— Não! Fique... — liberou a duquesa ao se deitar e fechar os olhos.

— Milady, antes que durma, devo dizer que falei com as criadas sobre o funcionamento da correspondência. A cada dois dias um dos funcionários vai à cidade. Ele leva e traz as cartas. Perguntei para o caso de a senhora querer avisar vossa mãe de que já está instalada e bem.

Instalada e bem, Marguerite repetiu em pensamento. Estava bem, com certeza, pois ninguém naquele castelo tinha munição para atingi-la. Tinha estofo para suportar comentários maldosos. Ser considerada exótica ou comparada a um cisne inexistente, de beleza questionável, nada lhe dizia. Contudo, se a realidade em sua casa fosse outra, faria o caminho de volta, sem hesitar.

— Amanhã providenciarei um recado, obrigada!

Não voltaria para Apple White. Não entendia seu papel naquele castelo, mas, fosse qual fosse, seria melhor que voltar a ser a filha encalhada, constantemente cobrada. E se ia ficar, tinha de encontrar um meio de se sentir de fato instada, dona daquele castelo, não uma intrusa.

Mas, como?

Horas depois a jovem duquesa andava de um lado ao outro. Nádia havia descido para a ala dos criados, deixando-a sozinha. E o fez sob protestos por sua patroa não deixar que a ajudasse com o vestido. Estava bem como estava, foi o que disse à criada. E não mentia. Ao menos no novo quarto não se sentia uma forasteira. Sentia-se, sim, acolhida no espaço luxuoso. Especialmente por saber que Ketlyn em tempo algum o ocupou.

Estava impaciente, mas tão somente por odiar a expectativa. Àquela hora, de acordo com a enciumada duquesa viúva, todos estariam jantando. Não importava quanto tempo se passasse, Logan viria procurá-la. E somente Deus poderia dizer como ele reagiria quando ela dissesse tudo que pretendia.

Sorria distraída, segurando a mão que Mitchell beijou ao deixá-la, quando ouviu a maçaneta da porta de ligação ser girada muito antes do previsto. Não a surpreendia que o duque entrasse sem bater, mas ela nunca esteve prepara para a invasão de dois cães marrons que ao avistá-la correram para farejá-la. Nem mesmo o modo como Logan estava vestido desviou sua atenção.

— Oh, meu Deus! — Ela sorria. Maravilhada, imediatamente se abaixou para acariciar os cachorros, sem medo algum. — Que lindos! São seus?

— São — disse Logan, satisfeito. Acertou ao imaginar que a alegraria com os *Staffies*.

— Nunca me disse que os tinha! — A tentativa de olhá-lo acusadoramente era frustrada pelo sorriso que ela não continha.

— Nunca me perguntou — ele retrucou, abaixando-se ao lado dela para também esfregar os pelos castanhos e dourados. — E, em minha defesa, recordo ter dito que gostava de cachorros.

— Eu gosto de raposas e não as crio.

Evidente que Marguerite replicaria, Logan pensou, divertido. A amiga que conquistou estava de volta. Deixando-a com a última palavra, nomeou-os:

— Este é Jabor e este é Dirk.

— Como sabe? São idênticos! Qual é essa raça?

— Staffordshire Bull Terrier. E a diferença está na barriga. Jabor tem pelos brancos, vê?

Interessada, Marguerite confirmou que um dos cachorros tinha a barriga branca enquanto o outro era completamente marrom.

— Agora também saberei reconhecer — disse Marguerite, sorrindo para o duque. Perceber o interesse nos olhos azuis e a proximidade que o amor por cães promoveu fez com que ela voltasse à seriedade e se levantasse. — Acredito que não tenha vindo só para apresentá-los.

— Não, não foi — admitiu o duque já de pé. — Espere um instante.

Marguerite esperou exatamente onde estava enquanto Logan levava Dirk e Jabor para a porta de ligação. Ela aproveitou para analisar o robe de chambre azul marinho que ele usava, com detalhes em fios dourados nos punhos, na lapela e na faixa atada à cintura.

Marguerite sentiu o rosto arder ao constatar que, sob a peça de seda, Logan estava nu. Ela via os pelos do peito largo, as panturrilhas. O cabelo escuro estava úmido, penteado para trás. Quando ele fechou a porta e a encarou, Marguerite estremeceu ao reparar que os olhos azuis estavam mais penetrantes que de costume. Logan franziu o cenho enquanto se aproximava.

— Agora posso perguntar, por que não se trocou? — Marguerite ainda usava o vestido azul. Provavelmente por aquele detalhe Ketlyn tenha dado a cor ao provocá-la. Irrelevante. Importava descobrir por que não estava de camisola. Estreitando os olhos, arriscou o súbito palpite: — Foi a algum lugar? Com Mitchell, talvez.

— Não o vejo desde que me trouxe até aqui — disse a jovem ao encontrar a voz. — Não esteve com ele durante o jantar? Aliás, não devia estar jantando?

Devia, mas desde o beijo sem emoção de Ketlyn e a tensa conversa na biblioteca, sentia-se estranho. Nem por um mísero minuto apreciou ter suas duas mulheres sob o mesmo teto.

— O almoço e o chá da tarde foram suficientes — disse à guisa de resposta, aproximando-se mais. Marguerite recuou, fazendo com que ele parasse. Preocupou-o perceber que, passado o encantamento pelos cães, o distanciamento estava de volta. — Vieram servi-la, como ordenei?

— Sim, obrigada! Para mim, também foi o bastante. — Em tom de escusa, contou: — Nádia recebeu a bandeja e depois a levou à cozinha. Não me sinto pronta para lidar com suas criadas.

— Nossas criadas e criados — corrigiu-a.

— Que seja! — replicou, surpreendendo-o. Tinha algo a dizer e a tensa amabilidade não os levaria a lugar algum. Portanto, ela indagou sem rodeios: — Logan, considera-me estúpida?

— Evidente que não! De onde veio essa pergunta?!

— Se não pareço estúpida, perguntarei pela última vez — Marguerite não se deu ao trabalho de respondê-lo. — É verdadeiro o que dizem sobre você e sua madrasta?

A veemente negativa veio à língua do duque, porém ele a calou. Como dissera a Ketlyn, e à própria, Marguerite não era tola. Se ela repetia a pergunta, de algum modo tinha conseguido a resposta correta. E, por mais que odiasse admitir, ele não desperdiçaria aquele derradeiro voto de confiança.

— Sente-se, por favor!

O coração de Marguerite se enregelou, mas ela nada disse. Acomodada na nova cama, não se moveu nem protestou, quando o duque sentou ao seu lado.

— Por favor, perdoe-me!

— Então, é verdade — ela murmurou, mirando um ponto qualquer no piso de madeira lustrada. — Você... Você e a mulher do seu pai...

— Não nos julgue — pediu apenas, mirando o rosto lívido. A paixão que o movia era mais do que uma virgem poderia compreender. — Não somos pervertidos, não é incesto e nunca houve traição. Nós nos amávamos, Marguerite.

— Não se amam mais? — Ela o encarou.

— Não sei — Logan respondeu sinceramente. Nem mesmo tinha se dado conta de que usava os verbos no passado.

— Bem... Com amor ou não, certo ou errado, isso só interessa ao casal. Para mim, importa saber como fui incluída nessa história.

Enfim a pergunta que nunca poderia ser respondida. Era mentir ou ferir profundamente alguém que prometeu proteger.

— Já sabe... Eu quis uma esposa.

— E não podia se casar com sua madrasta, não é mesmo?

Marguerite novamente o confundiu. Apesar da palidez, não havia tristeza na voz. Até mesmo os olhos azuis pareciam serenos. Logan ficou sem palavras.

— Por certo que não — ela respondeu por ele. — Seria um escândalo. Agora tudo faz sentido. Esse é o problema que Madeleine disse haver. Fui escolhida por estar afastada da maledicência. Realmente era perfeita para encobrir seu caso.

— Marguerite, não...

— Não negue! Confesso que senti quando elucidei o mistério e o odiei quando segurou minha mão para provocar Ketlyn, mas a verdade é que... É que nada disso me afeta.

— Não? — Logan a encarou, incrédulo. Sua esposa seria tão nova e inocente ao ponto de não compreender o teor do que era dito?

— Não — ela assegurou. Com a mente agitada ante as possibilidades, Marguerite se pôs de pé. — Nós mal nos conhecemos. Os beijos foram bons, mas não nos amamos.

Logan não gostou que *ela* usasse verbos no passado. Gostou menos ainda do que veio a seguir.

— Posso representar a esposa feliz enquanto cada um de nós segue o próprio destino.

— O que quer dizer com isso?! — Logan se levantou, em alerta.

— Exatamente o que disse. — Marguerite foi até ele e pousou as mãos em seu peito, sem reservas. O toque despretensioso o galvanizou. Ela, por sua vez, pareceu nada sentir tamanha era a animação. — Encenaremos o casamento dos sonhos para a sociedade e, longe dos olhos curiosos, viveremos como quisermos. Com quem quisermos! Você com Ketlyn e eu...

— Não! — Logan se exasperou. Os pelos de sua nuca se arrepiaram ante a possibilidade de Marguerite se relacionar com outro. — Enlouqueceu? Você é minha esposa!

— Esposa de faz de conta — ela retrucou. Não entendia a reação exagerada.

— Uma ova! Pode ter sido numa igreja minúscula, mas nos casamos de verdade. Não vai me trair com quem quer que seja, senhora!

— Não há traição quando não existe amor.

— Não, Marguerite! Esse assunto está encerrado!

— Logan, seja razoável. Nosso casamento não será consumado e...

Quando uma estranha dor apertou seu peito, Logan puxou Marguerite para si e a beijou com ardor, segurando-a pela cintura e a nuca. Marguerite correspondeu de imediato. Era bom sentir a pressão dos lábios, a decisão da língua morna ao invadir sua boca. Talvez demorasse até que tivesse forças para recusar beijos invasivos. Talvez, também, nunca se opusesse à invasão de seu decote ou à exposição de seus seios.

Decididamente nem tão cedo ela reclamaria quando Logan quebrasse o beijo e explorasse seu pescoço ou, faminto, chupasse um mamilo com força. E nunca, nunca, nunca calaria seus gemidos sempre que seu centro pulsasse, mas daquele torturante e prazeroso ponto eles não passariam. Ela não faria parte do estranho caso amoroso.

— Logan, pare...

— Não! — ele negou guturalmente, passando a desfazer os laços do vestido azul, atento ao trabalho das próprias mãos. Iria despi-la e...

— Nada vai acontecer, Logan... Pare! — pediu, tentando manter-se vestida. — Por que está fazendo isso?

— Por quê?! — O duque parou e a encarou, arfante. — Porque é nossa noite de núpcias! Porque sou seu marido! Porque preciso tirar ideias estapafúrdias dessa sua mente avoada! Ou simplesmente porque a desejo! Escolha uma opção.

Que era desejada não restava dúvida. A seda que cobria o duque era constrangedoramente reveladora. Graças às palavras dele, sabia que era incômodo ter aquela *arma* erguida e entendia que não era a ajuda de sua mão que ele queria. Logan queria deflorá-la e isso, ela não permitiria.

— Escolho a opção que não foi dita — retrucou Marguerite, recuperando-se de seu próprio desejo. — Que está fazendo isso porque é egoísta. Não me ama nem quer que eu seja de outro.

— Ao inferno com o amor! — Logan se afastou, bravio. — Não, eu não a amo, mas gosto de você. Dei-lhe meu nome. Não vai me trair.

— Logan...

— Quem é ele? — Logan inquiriu. — Por que tanto empenho em se livrar de mim? Está pensando em voltar atrás e dar esperanças ao candidato a conde?

— Não há ninguém — mentiu. Toda passividade e o desejo pelo duque se esvaíram. — Acredite, não estou pensando em você, sim, em mim. Também não o amo. No mais, já é grande coisa eu não me importar de ser usada. Eu o ajudarei a manter seu romance iníquo, mas não vai ficar pulando de uma cama para outra.

Logan recuou outro passo. O desejo pouco a pouco mitigava.

— Meu amor por Ketlyn não é iníquo. Pedi que não julgasse o que não conhece.

— Pede muitas coisas e nada dá em troca — retrucou Marguerite, enfim, magoada. — Não posso traí-lo, mas planejava me trair. E agora que sei, espera que eu nada diga. Ou os papéis se inverteram e estaria traindo Ketlyn? Ela não se importa? Que tipo de amor é esse? Quando eu me apaixonar será a ele que irei me entregar e não o dividirei com ninguém.

— Você é nova e inexperiente demais para entender.

— Tem razão! Então, não me tire isso.

— Sexo e amor não precisam, necessariamente, caminharem juntos. E, caso tenha esquecido, concordou em se entregar a mim — murmurou o duque, odiando a sensação de derrota, odiando ver o abismo que se formava entre eles.

— Eu não estava ciente de todos os fatos. Não insista, Logan! Viva em paz com a mulher que ama. Prometo não fazer nada que o denigra e, aos olhos de todos, serei a melhor esposa, mas deixe que eu viva minha vida.

— Marguerite... — Logan tentou tocá-la, porém ela se afastou.

— Se quer que eu faça parte disso deve respeitar minha vontade. Se firmarmos um acordo, eu fico. Se não, partirei pela manhã. Papai ou Edrick deve saber como anular nosso casamento. Temos um novo acordo?

Marguerite estendeu a mão como ele fizera sob o caramanchão, em Apple White.

Logan olhou para a mão da esposa. Podia pegá-la e levá-la para a cama à força. Em última instância podia apelar para sua influência como fizera com o barão, entretanto, subjugá-la ou chantageá-la, ameaçando atirar o irmão que ela amava ao ostracismo social — seu amigo — iria contra tudo que determinou fazer por ela.

Friamente pensando, optar pela partida seria acertado depois de ter sido desmascarado no primeiro dia, mas, ineditamente, não se sentia indiferente. Era obrigado a escolher muito antes do que supôs e mesmo que não a amasse, não conseguia fazê-lo. E, se estava sem ação, concordaria com o modo que Marguerite encontrou de se resguardar, aceitar e ficar.

— Não haverá anulação — disse roucamente ao apertar a mão estendida. — Vou respeitar sua vontade e ver o que acontece. Mas, desde já reafirmo que não aceitarei traição.

— Vamos viver um dia de cada vez e ver o que acontece.

— Temos um acordo. E, então...? — Soou evasivo, lamentando mais do que imaginaria ao permitir que a esposa se afastasse. — Ficamos assim?

— Ficamos assim. Agora, eu gostaria de me recolher.

— Sim! Claro!

Apesar de anuir, sentindo-se ridículo pela inútil nudez sob o robe, Logan não saiu do lugar. Marguerite sustentou seu olhar, esperando que se retirasse, e ele não deu mostras de que o faria. Logo a paralisia e o silêncio tornaram-se constrangedores.

— Logan... — Marguerite indicou a porta. — Pode... Por favor!

— Claro! Claro! — ele repetiu, enfim seguindo para a porta. Antes que saísse, voltou-se para a jovem e pediu: — Que esse acordo fique entre nós. Está bem?

— Não me sinto inclinada a comentar essa situação com qualquer pessoa. Boa noite!

— Boa noite!

Pareceu estranho deixá-la sem que tivessem feito tudo que por dias ansiou e, para ficar um pouco mais, Logan cogitou se desculpar. Não o fez por entender que seria nada menos que hipócrita e retardar sua partida seria vergonhoso para um homem de sua idade e posição.

No próprio quarto, depois de fechar a porta, Logan passou a andar de um lado ao outro sob o olhar de Dirk e Jabor, cismando. Reconhecia que sua arrogância de homem experiente tinha sido pisoteada pela perspicácia de uma jovem virgem. A condescendência dela, assim como a breve briga que tiveram, deveria ter extinguido a atração por Marguerite. Contraditoriamente, queria-a mais.

Como não a teria e era obrigado a aceitar a mudança, Logan esperou. Na hora oportuna saiu para o corredor iluminado pelas lamparinas fixadas às paredes. Felizes por estarem livres, os cães seguiram na direção oposta enquanto seu dono marchava de modo decidido à ala oeste.

Ao girar a maçaneta do quarto da amante o duque se surpreendeu ao descobri-la trancada. Com a mão livre, bateu energicamente, ciente de que não seria ouvido da ala leste.

— Deixe-me entrar! — demandou. — Sei que está acordada!

Tinha de estar. Era relativamente cedo.

— Espere... — Logo Ketlyn lhe dava passagem. — O que faz aqui?

— Por que se trancou? — Logan analisava o quarto.

— Não sei... Reflexo, talvez — disse ela, voltando para a cama. Estava nua, enrolada no lençol. — E, não me respondeu. É sua noite de núpcias. Não devia estar com a esposinha?

— Marguerite está cansada da viagem. — Por se lembrar de que nada fariam e que suas idas àquele quarto não sofreriam alteração, acrescentou: — E um pouco receosa.

— Receosa? A mesma garota que não hesitaria em atender ao chamado do marido com o sol a pino? Estamos falando da mesma pessoa? — desdenhou.

— Não gostei da analogia, mas naquela situação Marguerite estava mesmo mostrando os dentes, defendendo-se de você. Na verdade, ela nem sabe ao certo o que se passa entre homem e mulher. Por isso decidi esperar até que se sinta segura.

— Entendo...

Escrutinando a amante, decidido a mudar de assunto e verdadeiramente curioso, indicou o corpo esguio.

— Posso perguntar por que está assim?

— Porque *eu* não estou cansada — Ketlyn respondeu languidamente, afastando o lençol, sem pressa, revelando-se aos poucos. — Nem sou uma virgem com medo de receber um homem. Na verdade, meu corpo está pedindo por isso. Precisava relaxá-lo. Estava me divertindo sozinha, pensando em você.

Sem qualquer pudor Ketlyn acariciou os seios, agravando a dureza dos mamilos. O desejo de Logan voltou com força. Assistindo Ketlyn se tocar, considerando que acatava a vontade da esposa que o descartou, livrou-se do robe e foi se juntar a ela.

※※※

— Fico feliz que tenha vindo, mas, sinceramente, não o esperava esta noite. — Ketlyn acariciava o peito do duque recostado em seu dorso. — Tem certeza de que está tudo bem? Talvez eu tenha me excedido e arruinado tudo.

— Nada foi arruinado — garantiu, mirando o vazio. Seu corpo estava saciado. Sua mente, não. — Como disse, estou apenas sendo gentil e paciente com Marguerite.

— Sendo assim, melhor para mim!

Logan freou o riso escarninho ante a falta de entonação na afirmação que, supunha-se, fosse de alegria. Meneava a cabeça para seu pensamento, quando um detalhe chamou sua atenção.

— Desde quando dorme com a janela aberta? — indagou, mirando a cortina que se movia mansamente.

— Sempre que assim desejo. Há algum problema nisso?

— Fora o fato de estarmos no outono, problema algum.

Logan correu uma das mãos pelos cabelos, reconhecendo que a frustração o abalava. Aquele era o quarto de Ketlyn, onde ela faria o que bem quisesse.

— Parece aborrecido... Não há mesmo problemas com a esposinha?

— Pare de se referir a ela dessa maneira! — Verdadeiramente se irritou.

— Isso foi uma ordem?

— Um pedido — corrigiu, acariciando os joelhos nus da mulher às suas costas. Não devia descarregar nela sua frustração.

— E por que isso?

— Não deve ser debochada. Marguerite é minha esposa e todos devem respeitá-la. Inclusive eu. Nunca amá-la deve ser o bastante.

— Hum! — Ketlyn resmungou. — Percebo o que acontece. A esposi... A esposa mal chegou e já está reclamando a falta de amor. O que nosso raro cisne azul espera? Que você a adore da noite para o dia? Como se isso fosse acontecer um dia! Será mais fácil ela se transformar em um cisne de verdade — zombou.

Ketlyn estava longe da verdade. Marguerite não queria seu amor e, esperta, invertera o jogo. Agora, era quem dava as cartas. E o prêmio era a liberdade.

— Logan?! — Ketlyn bateu de leve em seu ombro. — Não está me ouvindo?

— Perdoe-me... — pediu ainda aéreo. — O que disse?

— Quero saber se não está me escondendo alguma coisa. Não sei... A visita desta noite... Essa conversa... Algo não está de acordo. Até mesmo o modo como me montou foi estranho.

— Não use esse termo! Não somos animais.

— Aliás — ela prosseguiu como não o tivesse ouvido —, tem sido estranho sempre nos últimos dias. Seu corpo está comigo, mas sua mente... Começo a desconhecê-lo.

— Mulheres e suas cismas! — Logan se voltou para Ketlyn e a puxou mais para baixo de seu corpo. — Como minha mente estaria em outro lugar, quando estou com a mulher que amo?

— Agora, sim... Sei quem é você! — Mais uma vez não houve inflexão especial. — Mas, por mais que me envaideça, não deixe de cumprir suas funções de marido. Ainda precisa de herdeiros.

Logan a beijou com o firme propósito de calá-la para que ela não o aborrecesse.

Antes não atentava ao fato, mas, depois das palavras da esposa, parecia lógico que a amante não devesse estar ansiosa para dividi-lo com outra. Marguerite não dividiria o homem pelo qual se apaixonasse. Ele esperava que nunca acontecesse.

Capítulo 15

Marguerite acordou cedo. Com um profundo suspiro olhou em volta, lamentando a falta de Nero. Mais do que admitiria, lamentava também que estivesse sozinha na espaçosa cama depois de ter criado grandes expectativas quanto à noite de núpcias.

— Melhor que nada tenha acontecido, pois devo me entregar por amor! — disse a si mesma ao se levantar e seguir para o quarto de banho.

Precisaria de Nádia para se vestir, mas nada a impedia de se lavar. Mais uma vez Marguerite analisou a bela banheira de cobre que imperava no meio do cômodo. No dia anterior, por estar sozinha e muito cansada, apenas se lavou com um pano úmido, mas naquele não dispensaria um perfumado banho de imersão.

Minutos depois, de volta ao quarto, inexplicavelmente agitada, Marguerite se cobriu com o robe carmim e dourado que encontrou no espaldar da poltrona e deixou o quarto. O corredor estava deserto. Depois de olhar de um lado ao outro, decidiu seguir seus instintos e o conhecimento que tinha de Apple White. Provavelmente todas as residências, casas ou castelos, funcionassem do mesmo modo e ela pudesse encontrar a cozinha por si só.

Como se estivesse em sua antiga casa, Marguerite seguiu para a esquerda à procura da escada reservada aos criados. Ao passar pela porta do quarto de Logan especulou se ele estaria dormindo ali ou no quarto da madrasta. Repreendeu-se em seguida. Não era de sua conta.

Seguindo em frente, passou pela porta de Mitchell. Quanto a ele não tinha dúvidas. O novo e invasivo amigo dormia e, se não estivesse enganada, seria daqueles que raramente abandonavam a cama cedo demais. Especialmente nas estações mais frias do ano.

Esquecendo-se de Logan e Mitchell, Marguerite continuou sua procura. Chegou a um corredor transversal. Continuou à esquerda. Logo ela se deparou com uma porta dupla, fechada. A estranha claridade entrava pelas frestas. Descobriu que estava destrancada e a abriu.

Prender o fôlego e recuar um passo foi reflexivo. O passadiço que descobrira era largo, não extenso, de madeira e alvenaria; sólido e seguro. No entanto, a vista de ambos os lados era de tirar o fôlego. Recuperada do susto, andou três passos e se recostou ao parapeito.

Marguerite descobriu ali que tinha medo de altura, pois suas pernas tremiam e seu coração pulsava forte. Mas, não havia como recuar. De onde estava podia ver a extensão da colina na qual Bridgeford Castle havia sido erguido e todos os outros montes que a cercavam. Considerou que à luz do dia seria uma paisagem e tanto.

Do lado oposto Marguerite viu outros montes e uma vasta área desmatada; uma campina. Muito mais além viu o que deduziu serem telhados e a torre de uma igreja. Bridgeford, provavelmente, a cidade sob os cuidados do duque. Também sua cidade, agora, considerou.

Lamentando que não pudesse admirar a vista pela manhã estar ainda escurecida, sentindo-se mais estável, Marguerite seguiu em frente. Queria ver aonde aquela passarela suspensa a levaria. A porta dupla da extremidade oposta também estava destrancada. Caso a fechasse o corredor ficaria ainda mais escuro que o outro, pois ali as velas já estavam apagadas.

Após poucos passos Marguerite constatou que aquele lado do castelo era a cópia fiel do outro. O padrão do tapete era o mesmo. Havia quadros e esculturas em pontos estratégicos. E muitas portas. Mais quartos!

A jovem duquesa pensava no trabalho das criadas para manter tudo limpo e arejado, quando ouviu vozes vindas de trás de uma das portas. Não pôde distinguir o que era dito, nem quem falava, mas sabia com certeza se tratar de um casal. Considerando-se uma intrusa, estacou no lugar. Ela se moveu apenas ao ouvir cochichos e risos abafados, gemidos, o ranger da cama.

Graças à introdução do duque sabia bem do que se tratavam tais sons. Não o viu, mas teve também certeza de que Logan estava naquele cômodo. E com quem.

Com o rosto em chamas, Marguerite fez o caminho de volta. Tomou o devido cuidado de fechar as portas ao passar. Embaraçada, nem mesmo voltou a olhar a colina. Queria abrir a maior distância possível dos apaixonados. Casal com ânimo digno de nota, afinal, o dia mal começara e já fornicavam.

Bem, aquela seria a palavra escolhida por Madeleine!

Marguerite gostaria de considerar o pensamento divertido, mas não encontrou graça naquela situação. Não entendia o que a aborrecia, apenas sabia que não devia se sentir daquela forma. Logan seguia com o combinado como ela faria, caso tivesse a chance.

Fosse como fosse, desistiu de sua procura. Ao passar pela porta do quarto do duque, zombou de sua dúvida anterior. Logan não estava ali, muito menos dormia.

— Milady! Onde esteve? E vestida assim?!

Marguerite se sobressaltou ao entrar e encontrar a preocupada criada.

— Credo, Nádia! — disse enquanto fechava a porta. — Eu só estava procurando a cozinha.

— Por que não tocou a sineta? — Nádia se aproximou para ajudá-la a tirar o pesado e abafado robe carmim. — Ou podia ter me esperado. O que queria de tão urgente? Diga! Posso...

— Nádia, acalme-se! Acordei cedo. Estava impaciente. Nem sei direito o que eu queria.

Mas sabia que não devia ter ido tão longe. Agora não calava as vozes, as risadas, os gemidos.

— Sendo assim... Arrisco dizer que não encontrou a cozinha porque deve ter seguido na direção oposta. A escada utilizada pelos criados fica próxima à escadaria principal, não no final do corredor como em Apple White. E descemos dois lances de escada.

— Dois lances?! — Marguerite se compadeceu ainda mais pelos criados.

— Sim. Creio que quiseram aproveitar os desníveis da colina, milady. Disseram-me na cozinha para ter cuidado porque é fácil se perder com tantas portas, andares e corredores.

E com todas aquelas coisas, sem esforço, ela foi parar à porta do quarto de Ketlyn. Marguerite se perguntou por que ainda não via graça. A piada era estupenda, não?

— Vou me lembrar — disse à criada. — Agora, ajude-me e me mostre como chegar à cozinha. Quanto antes eu aprender as direções nesse castelo, melhor.

Nádia assentiu e fez como pedido. Em minutos Marguerite estava pronta. Usava um vestido de linho em dois tons de rosa. O cabelo estava escovado, preso no alto e uma fita de cetim vermelho mantinha os fios restantes longe de seu rosto. Enquanto seguia Nádia pelo corredor, Marguerite cruzou o caminho de algumas criadas. Seu cumprimento matinal causou estranheza a elas tanto quando o pavor de todas ao encontrá-la foi curioso para a duquesa.

A escada dos criados de fato ficava próxima à escadaria principal e Marguerite se perguntou como não atentou àquele detalhe. Disse a si mesma que nas três vezes em que passou por aquele ponto esteve distraída de alguma maneira.

Ao chegar à cozinha, a jovem duquesa causou certa comoção.

— Vossa Graça?! — A governanta se aproximou, depois de reverenciá-la como as quatro criadas que cuidavam do café da manhã. — O que faz aqui? Falta-lhe alguma coisa?

— Não... — Marguerite agitou a mão para que a senhora se acalmasse. — Não me falta nada... Sra. Reed, certo?

— Sim, milady, Agnes Reed — confirmou. Então, uniu as sobrancelhas. — Perdão, Vossa Graça, mas, se não veio cobrar a falta de algo, o que faz aqui?

— Vim conhecer a cozinha.

— Oh!

Marguerite olhou em volta ao ouvir a exclamação assombrada, conjunta. Sorrindo, indagou:

— Por que a surpresa? Toda dona de uma casa deve conhecer cada canto da mesma, não?

— Não uma duquesa, milady — disse Agnes. — Os criados devem ir até Vossa Graça, não o contrário.

— São tantas restrições — disse Marguerite, olhando em volta. — Sou a primeira duquesa a vir aqui, suponho.

— Oh, não, milady... A primeira esposa do falecido duque George esteve nesta cozinha, mas apenas uma vez. Quando cismou de fazer rabanadas para os filhos.

— Ah, a mãe de Logan sabia cozinhar? — Sorriu com a descoberta.

— Tentou, dessa única vez — respondeu a governanta sem abandonar a postura rígida, mas havia nostalgia em sua voz. — A duquesa Harriette bagunçou tudo. As formigas decerto agradeceram por todo açúcar que ela derrubou. O óleo espirrou em todas as direções. Sua Graça até mesmo queimou sem gravidade uma das mãos, mas ao final, depositou um belo prato de rabanadas diante dos filhos e estava muito feliz.

Marguerite se comoveu com a breve história. Jamais conheceria a sogra, mas nutriu por ela sincera simpatia. Até mesmo pôde ver Logan, ainda menino, ao lado do irmão caçula. Ambos admirando as douradas rabanadas preparadas pela mãe.

— Bem... — disse, sorrindo. — Espero não ser uma duquesa decepcionante, mas é provável que eu venha mais vezes. Prometo não bagunçar a cozinha. Hoje quero apenas conhecer tudo e me inteirar do funcionamento do castelo, afinal, sou a esposa do duque.

— E todos nós estamos felizes que seja assim — disse a senhora. A duquesa sentiu no tom que haveria mais a dizer, mas por discrição, ou qualquer outra coisa, a governanta nada acrescentou. Em vez disso, indagou: — O que gostaria de saber, milady?

— Por ora, nada especial — respondeu Marguerite, olhando em volta. Ao reparar na quantidade de comida que era preparada, observou: — Não podem estar cuidando do almoço. Logan me disse que geralmente no meio do dia contentam-se com lanches rápidos.

— Está certa, milady! Estamos cuidando do café da manhã. O Sr. Griffins e os rapazes estão preparando a mesa.

— Receberemos visitas?

Agnes ralhou com as criadas, quando estas riram discretamente, então respondeu:
— Não, milady. Serviremos quatro pessoas.
— Entendo... — murmurou, novamente olhando em volta. Em Apple White havia fartura, ali, escandaloso desperdício. — O que fazem com o que resta.
— Carnes e pães nós aproveitamos para o lanche, mas a maioria do que sobra é atirada aos porcos.
— De quantos porcos estamos falando?
— Três, Vossa Graça.
Por fim Marguerite riu, divertida, ao se lembrar dos cinco porcos da Sra. Wallace, esposa de um dos funcionários do barão. Os animais de sua vizinha eram pobres criaturas miseráveis se comparados aos nobres suínos criados ali.
— O que eu disse para diverti-la, milady?
— Ri pelo absurdo da situação — esclareceu Marguerite, séria. — Não distribuem nada entre vocês? Não há arrendatários.
Novamente as criadas reagiram, porém com espanto. A governanta não chamou a atenção de nenhuma delas. Apenas meneou a cabeça e disse:
— A duquesa nos mandaria embora, milady, caso fizéssemos como diz.
— Sou a duquesa agora. A quem devo dizer a nova regra? Ao duque, ao Sr. Griffins ou à senhora?
— Para mim estará bem, milady. Caso o Sr. Griffins ache necessário, irá procurá-la.
— Sendo assim — falou para que todas ouvissem. — Ao término do café da manhã, podem se servir do que quiserem. Todos os criados. Os porcos não sentirão falta de tortas e bolos. A partir de amanhã, reduzam a quantidade e tudo que não for consumido, repartam entre si.
— Milady... — Agnes meneava a cabeça, entre receosa e admirada. — Não sei se...
— Eu, sim! — Marguerite a interrompeu. — Agora, gostaria de conhecer a lavanderia.
— Se estiver de acordo, milady, eu pedirei a uma das criadas que a acompanhe. Gostaria de ser eu a mostrar-lhe tudo, mas preciso inspecionar o desjejum. Não sei a que horas levantarão, então, precisamos deixar tudo pronto.
— E ainda essa?! Não há disciplina? — Marguerite levou as mãos à cintura. — Vá, Sra. Reed. Cuidarei para dar um jeito nisso também.
Já que tinha um papel a cumprir, faria com perfeição, determinou Marguerite. Em pouco mais de uma hora ela conhecia todo o funcionamento daquela ala, vira o galinheiro, o chiqueiro. Até mesmo visitou as acomodações dos criados e as masmorras. Assim como os outros, Nádia estava bem instalada, mas havia mais espaço a ser

utilizado. Com boa limpeza e alguns ajustes, em cada quarto teriam duas camas, não quatro ou cinco, como contou.

Criados não eram pombos para viverem em poleiros!

Ao entrar na sala de jantar e se deparar com a mesa posta e ver o exageradamente farto desjejum disposto no aparador, Marguerite tinha a cabeça cheia de ideias e pressa para colocá-las em prática.

— Sr. Griffins, diga-me... — ela pediu ao mordomo depois de cumprimentos e reverências, dele e do criado que o ladeava. — Tem muito a fazer essa manhã?

— Creio que tudo esteja sob controle, milady — respondeu o senhor, claramente confuso. — Nada além dos afazeres programados. Tem um pedido especial?

— Que bom que perguntou! — Marguerite sorriu. — Quero que vá cuidar do que está programado, agora. E leve os criados. Eu mesma servirei o duque.

— O quê?! — Griffins engasgou e, rubro, meneou a cabeça. — Absolutamente, milady! Que absurdo!

— Não vejo como — ela replicou. — Sou perfeitamente capaz de fazer como disse.

— Perdoe-me, milady! Jamais repasso minhas obrigações — ele informou, empertigado.

— Considere como um pedido especial de boas-vindas. Seria capaz de fazer-me essa desfeita? — Ela mudou a abordagem, sorrindo. Griffins a encarou por um instante, ainda muito corado. Depois de um minuto que pareceu infinito, anuiu. — Obrigada! Não vou decepcioná-lo. E já que terá mais tempo livre, poderia providenciar que as masmorras sejam limpas. Estou pensando em transformá-las em dormitórios para os criados.

Griffins abriu a boca, mas a fechou sem nada dizer, resignado. Ao reverenciá-la, chamou o criado que estava ao seu lado e partiu. Satisfeita, ainda sorrindo, Marguerite se acomodou à mesa e esperou.

— Vejo que a noite de sono lhe fez muito bem — comentou o duque ao entrar minutos depois, chamando a atenção dela para si. — Parece disposta e... determinada.

Logan usava camisa branca, calça cinza escuro e botas de montaria. O colete, cinza no peito e preto nas costas, acentuava a postura rígida. O cabelo estava úmido, penteado para trás sem um fio fora do lugar. Em matéria de disposição, era o oposto dela.

Marguerite podia entender o cansaço, afinal, o duque esteve em atividade até pouco tempo atrás, mas o mau humor não tinha explicação. Iria comentar, porém achou por bem calar suas observações e disse apenas:

— Bom dia, Logan! Esqueceu-se dos bons modos?

— Pulei essa etapa ao reparar que seu dia já está sendo bom. Mas, se faz questão... Bom dia, Marguerite! — Replicou o duque parado ao lado da cadeira, olhando em volta. — Onde está o lacaio? E Griffins?

— Dispensei-os. — Marguerite sustentou o olhar surpreso. Antes que Logan perguntasse algo mais, explicou: — Ficar aqui, esperando até que cada um de vocês desça, quando bem quiser, toma deles um tempo precioso. Há muito a ser feito nesse castelo, sabia?

— Evidente que não sabia! Assuntos domésticos competem ao Griffins. — Logan franziu o cenho. — Espantoso é que você já esteja ciente de todo esse trabalho. Os criados se queixaram?

— Não, não se queixaram. Eu acordei mais cedo que de costume e fui até a ala dos criados. Por Deus, acompanhe-me para que o sirva ou se sente! Sei que consegue, pois se saiu bem ao se sentar sozinho em minha casa.

Logan soltou um bufo exasperado, olhando-a duramente. Então, olhou para o aparador e de volta para ela antes de marchar até o móvel e pegar prato, talheres.

— Apague a vitória de seu olhar, minha jovem! — ordenou quando ela se aproximou. — Não sou incapaz. Saiba que ao ser servido, faço mais por eles que o contrário.

— Não me diga? — desdenhou Marguerite, imitando-o, escolhendo o que comeria.

— Sim, eu digo. Cada um dos criados cuja causa agora defende, sabe que tem um papel a cumprir e se orgulha disso. Sem um senhor a servir ele se sente inútil. Aprendi isso desde cedo e você aprenderá agora.

— Não pretendo dispensá-los, apenas facilitar-lhes a vida.

— E Griffins aceitou? — Logan a encarou e ergueu uma sobrancelha, desafiador.

— Não sem certa argumentação e relutante condescendência — ela reconheceu, seguindo-o até a mesa. — Não descarto que haja alguma reclamação.

Pela primeira vez naquela manhã Logan viu um motivo para sorrir ao imaginar a cena entre uma moça obstinada e um mordomo sistemático. Quando deduziria que o criado cedesse ou que agora tivesse uma esposa liberal?

— Não ria, Logan! E me ajude, pois pretendo fazer algumas mudanças. — Marguerite depositou seu prato à mesa e se preparou para servi-lo de alguma bebida. — O que prefere pela manhã? Coloca creme em seu café? Prefere chá?

Logan nada disse. Olhava-a, admirado.

— Não é possível que também não saiba o que toma pela manhã — provocou-o.

— Não é sua função me servir. Chame ao menos um lacaio que sirva o que quisermos.

Marguerite não deixou que Logan pegasse a sineta. Quando as mãos se encontraram, ela rapidamente afastou a dela. Seu movimento não passou despercebido.

— Se pretende cumprir as cláusulas de seu acordo não deve reagir como se eu a queimasse — disse Logan, livre do bom humor. — Especialmente na manhã seguinte à nossa noite de núpcias.

O que diriam as criadas, caso vissem o patrão saindo do quarto da amante na manhã seguinte à sua noite de núpcias? Pensou Marguerite.

— Tomarei cuidado para que não se repita — garantiu, no mesmo tom. — Agora, deixe-me servi-lo. Não sei como as esposas que conhece costumam agir, mas de onde venho nenhuma delas se sente diminuída por servir o marido. E não seria a primeira vez, não é mesmo?

Logan sustentou o olhar da esposa por um instante, e aquiesceu:

— Apenas café puro, por favor.

Marguerite assentiu e voltou ao aparador para pegar café. Depois de servir a si mesma, sentou-se. Cada um comeu mergulhado no próprio pensamento. Por vezes a duquesa flagrou o olhar do duque, porém, ignorou-o. Não tinha nada a dizer, tampouco nada a ouvir.

O silêncio foi quebrado com a chegada de Mitchell.

— E eu achando que as pulgas atacaram apenas minha cama! — gracejou, parando ao lado do aparador. — Não deveriam estar dormindo?

— Bom dia, falastrão! — Logan o cumprimentou com evidente mau humor, sem olhá-lo. — Esqueceu-se dos bons modos?

— Fui indiscreto? — Mitchell perguntou para Marguerite. — Ou as pulgas picaram o nobre traseiro do duque?

Marguerite riu, mas se conteve ao encontrar o duro olhar do marido.

— O dia está bonito demais para ficarmos na cama até tarde — ela respondeu, sorrindo para o amigo.

— Não devemos satisfações a esse cavalheiro — resmungou Logan. — E em meu castelo não há pulgas.

— Vejo que não está de bom humor. Ficarei quieto. — Mitchell ergueu as mãos em sinal de derrota e olhou em volta. Com um suspiro indagou: — Onde estão os criados?

— Quem sabe? Minha esposa coordena uma rebelião trabalhista.

— Esta jovem, bela e divertida, é também uma líder rebelde? — Mitchell assentiu, admirado. — Que interessante!

— Não há rebelião — esclareceu Marguerite. — Estou tentando fazer algumas mudanças e já percebo que precisarei fazer ajustes. Até lá, deixe que eu o...

— Sente-se, Marguerite! — Logan ordenou antes de pegar a sineta e tocá-la energicamente. — Dempsey pode esperar que alguém o sirva.

Algo no tom e no olhar do duque não deixou margem para desobediência. Esperando que seu olhar para Mitchell exprimisse o quanto sentia por não servi-lo, Marguerite voltou a se sentar.

Em pouquíssimos minutos Griffins e o lacaio apareceram e assumiram a função de servir a todos. Por vezes olhavam para Marguerite, que esboçava um sorriso, igualmente contando com seu gesto para encorajá-los. Não estavam encrencados por seguirem a nova orientação.

Ao término de sua refeição, Mitchell pigarreou e indagou à duquesa:

— Evidente que não me deve satisfações, duquesa, mas o que pretende fazer em sua primeira manhã em Castle?

— Ainda não sei — respondeu Marguerite, sob o soturno olhar do marido. — Estive pensando em conhecer mais do castelo. É tão grande!

— E assustador! Sua leveza trouxe um sopro de vida a esse mausoléu.

— Não me recordo da vez em que saiu desse mausoléu, correndo de medo — ciciou Logan antes de dispensar o lacaio que o serviria de mais café. Era isso ou confiscar o bule e atirá-lo na cabeça do amigo.

— Não tenho medo dos mortos. Muito menos dos vivos. — Mitchell piscou para a duquesa.

— Algum problema nos olhos, Dempsey? Posso ajudá-lo a resolver. — Logan não sabia a razão, mas as gracinhas do amigo aborreciam-no mais naquela manhã.

— Não se dê ao trabalho. Meus olhos precisam apenas de luz e brisa matinal. — Mitchell sorriu para o duque e se voltou para a duquesa. — Dar-me-ia a honra de acompanhar-me em um passeio pelos arredores do castelo? Pode conhecer o interior, depois.

Marguerite olhou para Logan, esperando alguma reação negativa. Como ele nada disse, ela sorriu para Mitchell e assentiu. Gostava da ideia de passarem mais tempo a sós.

— Durante o passeio, poderíamos ir até o pomar? Eu gostaria muito de conhecê-lo.

Logan travou o maxilar para calar a pronta objeção. Prometeu levá-la. Se ela se esquecera e não via inadequação em aceitar outro como sua companhia, paciência!

— Se o duque não se opuser... — Mitchell encarou o amigo à espera da resposta.

— Não me oponho — Logan anuiu secamente. — Mas insisto que leve um guarda-chuva. O tempo está instável e não quero que adoeça.

— Estou acostumada a tomar chuva.

— Mas eu não estou acostumado a vê-la encharcada. Por favor... Eu insisto.

Com um suspiro resignado, Marguerite fez como sugerido. Os dois homens imediatamente se levantaram e a seguiram até a escadaria, deixando os criados livres para cumprirem suas tarefas. Enquanto a jovem subia, os dois homens a acompanharam com o olhar até que ela saísse do campo de visão. Imediatamente Logan se voltou para Mitchell. Ele não gostou de ver o amigo, sorrindo, ainda a mirar o alto da escada.

Antes que o repreendesse, Mitchell o encarou e pediu:

— Não me agradeça.

— Pelo quê?

— Por distraí-la, como combinamos. Agora poderá aproveitar a manhã com Ketlyn.

— Bem colocado! Pedi que a distraísse, não que a cortejasse sob meu nariz.

— Sei que se esforçará para parecer um bom marido, mas não precisa tanto. Desarme-se! Eu apenas gracejo e não sou levado a sério, mas se não confia em mim, mande uma criada conosco.

Continuava encantado por Marguerite e esperava que estivesse muito longe o dia em que ela se apaixonasse, era verdade. Logan aceitava a irônica realidade desde que deixou o quarto de Ketlyn, exausto e nada satisfeito. A grande questão era que ele sempre seria um homem de brio e não faria nada que denotasse a mínima fraqueza para a esposa depois de ter sido dispensado na primeira oportunidade.

— Posso não confiar em você, mas confio em Marguerite.

— Não me ofenderei, pois agiria da mesma forma com você, Bridgeford.

— Se ambos sabemos do que somos capazes, deve se lembrar de como resolveríamos a questão, caso o outro saísse da linha.

— Esta será a medida do meu bom comportamento — troçou Mitchell.

— Cavalheiros... Desculpem minha demora! — pediu Marguerite antes que começasse a descer as escadas. Trazia o guarda-chuva e havia colocado chapéu. E novamente ela era o centro das atenções.

— Bridgeford — Mitchell sussurrou para que apenas o duque ouvisse —, tem meu respeito por não se render. Sua esposa não é como as mulheres que disputaríamos, mas sem sombra de dúvida é encantadora.

Não a disputavam naquele exato momento? Logan especulou sem conseguir desviar os olhos da jovem que descia com passos apressados. Decididamente preferia quando ela estava livre de chapéus e seus laços gigantes, mas teve de reconhecer que aquele em questão, enfeitado com delicadas flores, deixava-a mais do que encantadora. O sorriso completava o quadro, porém o duque preferiu ignorar tal detalhe ao notar que não era ele quem a alegrava.

Com os lábios travados em uma fina fenda, Logan olhou da esposa ao amigo e confirmou que estavam conectados também pelo olhar. Seu coração inadvertidamente protestou, mas o orgulho não permitiu que externasse seu ressentimento, com palavras ou ações.

— E, então? — ela indagou ao parar diante deles, olhando de um ao outro. — Vamos?

— Imediatamente! Duquesa... — Após uma exagerada reverência Mitchell ofereceu o braço que ela aceitou sem hesitar.

Logan ficou onde estava, vendo-os deixar o castelo, cismando por Marguerite nem mesmo se dar ao trabalho de lamentar a falta de sua companhia. Ou se despedir.

Que fosse ao inferno! Rogou Logan, partindo no sentido oposto. O desejo por Marguerite com o tempo seria esquecido, o encantamento findaria. E uma vez que estava livre de adulá-la para manter seu segredo, faria como tinham determinado, cuidando da própria vida.

Capítulo 16

— Por um instante pensei que o duque nos acompanharia — comentou Marguerite.

Caminhavam sem pressa ao redor do castelo. Ela olhava com admiração para a majestosa construção de pedra, com suas torres e inúmeras janelas, a falta de simetria na fachada. Sentia aquela atração por Mitchell, mas ficar sozinha com ele não estava sendo tão bom quanto imaginou.

— Bridgeford é um homem ocupado — disse Mitchell. — Não me espantaria se já não estiver cuidado de suas responsabilidades.

— Ocupado? — Marguerite se admirou. — Quem diria? Quais são as ocupações do duque?

— Bridgeford cuida das finanças da família, então, precisa manter os livros de contas em dia. Todas as terças-feiras alguns moradores de Bridgeford vêm ao castelo com questões para que ele resolva, como uma espécie de juiz.

— Papai às vezes faz o mesmo, mas não gosta —comentou Marguerite, distraída, tentando imaginar Logan como um justo mediador. — Bem... Não creio que meu marido confira os livros todos os dias e não vi ninguém ao sairmos.

— Não sei dizer com qual frequência ele se dedica aos livros, mas, quanto aos queixosos, hoje deram uma trégua. Acho que irão respeitar os primeiros dias da chegada da nova duquesa.

— Por certo... — ela murmurou. E voltou ao assunto: — Em todo caso, citou duas coisas apenas. O que mais faz o duque?

— Bridgeford frequenta os estabelecimentos da vila para assegurar o bom funcionamento e a ordem. Às vezes ele é chamado a Londres para participar de questões políticas.

Marguerite conseguia ver o marido assumindo todas aquelas funções e gostava da imagem.

— E o que mais? — indagou distraidamente, sorrindo.

— É uma jovem difícil de contentar, não? O que mais um homem precisa fazer para que pareça ocupado o bastante?

A duquesa não soube distinguir se a bronca era legítima ou cênica. Na dúvida, considerou que um homem talvez não gostasse de falar sobre outro e contemporizou:

— Confesse que o duque nos deixou para jogar gamão ou para caçar algum animalzinho indefeso e me darei por satisfeita.

Mitchell riu com gosto.

— Nunca vi Bridgeford jogar gamão sem que fosse com Lowell e ele não caça qualquer animal indefeso às terças-feiras.

Marguerite preferiu pensar que o duque não matava qualquer tipo de animal, indefeso ou não, fosse o dia que fosse. Ficou curiosa quanto ao cunhado, mas imaginou que mudar o foco para outro Bolbec traria de volta a bronca de um Dempsey. Em resposta, apenas assentiu.

Estavam na lateral direita do castelo. Ao olhar para o alto, a duquesa pôde ver o passadiço que descobriu naquela manhã.

— A vista ali de cima é magnífica — comentou sem pensar.

— Já esteve lá? — Mitchell seguia seu olhar. — Quando?

— Essa manhã. Acordei muito cedo e me aventurei pelos corredores. Se tivesse esperado, poderia ter visto todo nascer do sol. Talvez eu faça isso algum dia.

— Ficará impressionada. — Ele ainda olhava o passadiço. — Visto dali, o nascer do sol é esplendido!

— Você já viu?!

— Algumas vezes, sim. Quando puder, não perca a oportunidade. Especialmente no verão.

Intimamente Marguerite sabia que jamais o faria. Não arriscaria um encontro desagradável com o marido. Ou pior, com o casal.

— Vem muito aqui, não é mesmo? — indagou para mudar o tema. — Perdoe-me se estiver sendo indiscreta.

— Não está... E preciso responder a isso, afinal, agora vive aqui e me verá com frequência. Sim, sempre me hospedo em Castle.

— E eu poderia saber por quê? É que, mesmo sendo uma bela propriedade, não tem muito a se fazer.

— É essa tranquilidade que procuro. E agora tenho um motivo a mais para vir...

— Então, é o segundo filho de um marquês?

— É boa em mudar de assunto! — elogiou-a, divertido.

— Quando os temas avançam rápido demais, considero necessário — retrucou Marguerite, ainda desconcertada; e envaidecida.

— Sendo assim... Sim, sou o segundo filho. Nunca serei um nobre titulado.

— E isso o incomoda?

— Apenas quando perco a preferência de alguma senhorita para meu irmão.

— Pois devia se alegrar — observou a duquesa, sustentando-lhe o olhar. — Se transferem o afeto com facilidade por um título talvez não mereçam sua atenção.

— Pensarei em suas palavras quando estiver só e triste.

— Como se isso pudesse acontecer! — Marguerite riu mansamente. — Você é um...

— Termine — ele pediu. — O que sou para a senhora?

Marguerite tinha o coração aos saltos. Não conseguia desviar o olhar do rosto másculo, dos olhos indecifráveis. Sim, Mitchell era um príncipe, mas uma dama podia reparar nessas coisas, nunca dizer.

— É um cavalheiro atencioso e divertido. Não acredito que fique só ou triste.

— Compreendo... Temos um novo tema. Sim, não ficarei só nem triste.

Marguerite agradeceu a anuência. Damas decentes não flertavam. Especialmente as casadas.

— Considero interessante a cor de seu cabelo. Ainda mais a cor de seus olhos.

Marguerite quis morder a língua. O que acabara de pensar sobre flertes?! Mitchell, sem dúvida, entendeu do mesmo modo. A prova estava no amplo sorriso que exibia ao comentar:

— Fico feliz que a duquesa tenha reparado tantos detalhes em minha pessoa!

— E eu não devia — disse ela, mortificada. Sentindo o rosto em chamas, pediu: — Esqueça o que falei!

— Sou eu quem pede perdão — ele se apressou em dizer. — Não devo constrangê-la quando apenas salientou o que naturalmente se destaca. Sou meio escocês. A mistura entre um pai loiro e uma mãe ruiva resultou nesse tom de cabelo em todos os filhos. Aconteceu o mesmo com os olhos. Em certos dias eles estão mais verdes, em outros, o castanho se destaca.

— Então, sua mãe é escocesa... — ela comentou antes que sua língua grande e indômita expusesse sua curiosidade a cerca de kilts xadrezes e as pernas do novo amigo, à mostra. Não precisava de mais fatores que a tornassem tão vermelha quanto uma maçã madura ou mais descarada que Madeleine Kelton.

— Sim, e filha de um visconde.

— Muito bem! — Recuperando-se aos poucos, Marguerite acrescentou: — Já me disse o que faz um duque. Agora, diga o que faz o segundo filho de um marquês.

— Bem, este segundo filho deveria estar em Baskerville, cuidando das propriedades que o marquês deu em vida aos três filhos, mas ele descobriu ser mais agradável estar aqui, passeando com uma bela e curiosa duquesa.

— Não vai se safar com elogios! — Marguerite riu ainda embaraçada. — Acaba de dizer que sempre se hospeda em Castle, então, estava aqui antes que conhecesse essa incrível duquesa. — Voltando à seriedade ela especulou: — Por que não está em Baskerville se tem propriedades a administrar?

— Não sei se devo revelar o motivo. Não para a senhora.

Ele a olhava de esguelha, de modo tão intenso que Marguerite sentia as pernas bambas. Não estava sendo fácil se recuperar das sensações que ele despertava. Talvez fosse simples se resguardar e não flertar nem se importar, caso ele não a tivesse salientado.

— Se estou de certo modo envolvida, acho que devo saber — disse timidamente, com o coração novamente aos saltos.

— Não queria que fizesse mau juízo de mim, mas seria descortês deixá-la sem resposta depois de acirrar vossa curiosidade. — Com um suspiro, revelou: — Estou fugindo de um possível compromisso. Meu irmão mais velho já está casado, então, ao que parece, tenho de ser o próximo.

— E por que não queria me dizer se é apenas isso? — indagou a duquesa, realmente confusa.

— Porque a senhora, dentre todas as damas, é a única que não deve pensar que abomino a ideia de pertencer a uma mulher apenas. Eu seria feliz, caso agora pudesse ter quem quero.

Marguerite quase engasgou. Era estúpida ou o quê, para que insistisse no erro? Com um pigarro, ela indicou o portão pelo qual passavam ao lado.

— Saberia me dizer se ali também tem uma grade levadiça?

— Compreendo... Novamente o tema mudou. — Mitchell assentia. — Pois bem, passemos ao próximo! Sim, todos os portões em Castle têm grades levadiças.

Sem ter o que acrescentar, tendo o cuidado de ficar calada, ela deixou que Mitchell a guiasse pelos arredores citando mais detalhes do castelo.

Segundo Mitchell, a primeira propriedade dos Bolbecs — atualmente em ruínas aos pés daquela mesma colina —, foi um convento confiscado, dado por Henrique VIII na época de sua reforma anglicana.

Ainda segundo o guia, Bridgeford Castle tinha sido construído pelo terceiro duque, heptavô de Logan, para atender ao pedido de sua esposa francesa. Católica fervorosa, a terceira duquesa dizia ouvir o lamento das freiras nos corredores e cômodos, inconformadas com o assassinato do padre responsável pelo velho convento ao recusar romper com o Papa.

Na mesma ocasião a flor de Lis foi incluída no brasão da família, por ser considerado um símbolo francês.

— Muitos dizem que Edmund não media esforços para agradar a esposa, Josephine.

— É a duquesa que dá nome ao meu quarto! — Marguerite sorriu. — Que romântico!

Era lamentável que o romantismo daquela família tivesse sido esquecido. Logan, ao menos, não possuía uma mínima parcela do que moveu o heptavô a eternizar a amada no brasão e construir um castelo daquela magnitude apenas para livrá-la dos fantasmas de freiras infelizes.

— Gosta disso, não gosta? — Mitchell chamou sua atenção.
— Do quê?
— De gestos românticos como esses de Edmund de Bolbec?
— Que mulher não gostaria? Não tenho experiência no assunto, mas me parece ser fácil declarar um sentimento. Demonstrar, nem tanto. Edmund deu uma prova de amor incontestável a Josephine.
— Tem razão! Mas ficaria surpresa, duquesa, com a quantidade de mulheres que não se impressionariam com isso.
— Eu fiquei muito impressionada. Obrigada por me contar essa história!
— Disponha sempre e...
— Oh! Chegamos ao pomar?! — Marguerite o interrompeu sem atentar ao tom baixo e rouco ou à aproximação de Mitchell. Também, sem esperar resposta, caminhou apressadamente até as árvores.

Alheia à observação do amigo, a duquesa fechou os olhos, abriu os braços e respirou profundamente. Em Apple White sentia basicamente o cheiro das maçãs, da terra úmida. No entanto, mesmo que ali os odores das variadas frutas se misturassem ao ponto de não conseguir distingui-los, Marguerite se sentiu em casa.

De imediato se imaginou criança, correndo entre as árvores com Cora. Sua amiga de longos cabelos negros era uma fada e ela uma feiticeira aborrecida que não queria flores em seus domínios. Na maioria das vezes era assim, pois realmente gostava de vilões.

Mitchell a fazia rever seu conceito.

Como se tivesse ouvido seu pensamento, Mitchell a abraçou. Surpresa, Marguerite abriu os olhos e o encarou. Sem saber o que fez de errado para que ele agisse daquela maneira, ela apoiou as mãos no peito largo e manteve certa distância.

— O que está fazendo?!
— Perdoe minha ousadia, senhora, mas estava tão bonita. Não pude resistir.

Marguerite sentia o coração pulsar fortemente. Quem imaginaria que a personificação de um príncipe não fosse de todo dócil e comportada?

— Muito bem! — disse pausadamente fitando os olhos, no momento, castanho-claros. — Reconheço minha parcela de culpa. Então, não resistiu e me abraçou. Não há nada de errado, se não for além disso... Agora, já pode me soltar.

— Não posso — disse Mitchell, roucamente. — Não tenho força para deixá-la ir. E sei que me denunciará a Bridgeford e serei obrigado a partir.

— Prometo não fazê-lo, pois não quero que vá! Mas, isso não pode se repetir.

Ela imprimira maior força, mas não pôde se soltar. Como os homens podiam ser tão fortes?!

— Vejo que será pior. — Mitchell meneou a cabeça, inconformado. — Não serei expulso, mas a senhora me manterá afastado.

— Pare com isso, por favor! Se você tem um propósito, diga objetivamente.

— Objetivamente?

Antes que Marguerite assentisse, Mitchell colou seus lábios aos dela.

— Mitc... — A tentativa de protesto permitiu que ele introduzisse a língua em sua boca.

Marguerite parou de se debater, em choque. Correspondeu por ser Mitchell, por reflexo, mas se ajudasse em sua defesa, manteve os braços caídos, inertes. Não foi um beijo ruim, monótono nem molhado, mas algo faltava mesmo que Mitchell fosse quente, cheiroso. Ele, por sua vez, parecia muito satisfeito, pois gemeu guturalmente e estreitou o abraço.

Quando ela sentiu a incômoda pressão do cabo do guarda-chuva na cintura, o soturno olhar de Logan lhe veio à mente, fazendo com que ela aproveitasse a distração de seu captor e o afastasse.

— Não, Mitchell! — Ergueu a mão trêmula para pará-lo antes que fosse abraçada; ambos estavam arfantes, encaravam-se.

— Por favor, senhora... Perdoe-me! Eu nunca fiz nada parecido, mas agora... Foi mais forte do que eu.

— Não podemos fazer isso... — Nunca imaginou que os ensinamentos de sua mãe e do padre Angus a atingissem tão fundo. Ela aceitou participar de uma farsa por não amar o marido e, mesmo que desastrosamente evitasse flertar, esperava ser capaz de fazê-lo abertamente em algum momento, mas descobria ali que nunca seria promíscua como o dono daquele castelo. Por essa razão disse o óbvio; para ambos: — Sou casada.

Mitchell conseguiu prender sua mão. Depois de livrá-la da luva, beijou-a e olhou para Marguerite de modo apaixonado.

— Traio a confiança de um amigo, mas preciso ser fiel ao que a senhora me inspira. Eu conheço as circunstâncias de vosso casamento. Viverão de aparências, sem amor. Sei que posso preencher essa lacuna.

— Claro que conhece... É amigo de Logan — disse Marguerite novamente para que ouvisse antes que se entristecesse. Era óbvio que até mesmo as pedras do castelo sabiam do que se passava além do passadiço. — Contudo, não pode ser assim. Conhece-me há dois dias apenas! E, mesmo que fosse diferente, sempre terei obrigações a cumprir. Não posso expor meu marido dessa maneira. Por favor, devolva minha luva!

Mitchell meneou a cabeça e cheirou a renda branca antes de metê-la no bolso do casaco.

— Será uma doce lembrança dessa manhã — disse.

— Logan sentirá a falta de minha luva. Por favor, devolva-me!

— Não quero magoá-la, duquesa, mas Bridgeford não notará. Ele tem olhos apenas para Ketlyn. Provavelmente estejam juntos nesse exato momento.

— Que seja! Estou sendo fiel a mim e aos meus princípios, não ao meu marido. Não insista!

— Não o farei, pois não quero que me odeie.

— Não vai acontecer — prometeu.

— Prove!

— Como? — Marguerite recuou um passo, apreensiva.

— Não permitindo que meu arroubo estrague nosso passeio. Há tanto que ainda quero lhe mostrar! Antes de qualquer coisa, aprecio vossa companhia.

A duquesa preferia voltar para o castelo, precisamente para seu quarto, mas ao escrutinar os olhos pidões de seu amigo não teve coragem de encerrar o passeio.

— Se prometer se comportar... — aquiesceu.

— Tem minha palavra de honra, duquesa! — Mitchell a reverenciou. — Serei o exemplo do bom comportamento até que consiga conquistá-la, pois estou decidido a fazê-lo.

Marguerite suspirou profundamente. Caso Mitchell a conquistasse, talvez ela se libertasse de tantos pudores e deixasse que ele preenchesse qualquer lacuna. Resignada, ela assentiu.

Como se nada tivesse feito, Mitchell passou a indicar as árvores do pomar, comentando as particularidades de mirtilos, amoras, cerejas, peras e até mesmo de maçãs, mas a duquesa mal o ouvia. Marguerite especulava se o duque, livre de amarras, teria cruzado o passadiço para voltar à cama da duquesa viúva. Se, sim, quem o condenaria? Ketlyn era experiente, bela e desejável.

Extraordinário era que um homem como Mitchell perdesse tempo com atenções e gentilezas depois de ter sido rejeitado por ela, uma tola desinteressante. E louca, pois também não tinha amarras! Disse a si mesma.

Marguerite considerava rever seus valores e voltar atrás em tudo que disse a Mitchell, quando ouviu um pio alto, distante.

— O que foi isso? — perguntou, olhando em volta. Somente então percebeu que entravam em campo aberto, na campina que avistou pela manhã. — Quando deixamos o castelo? O pomar?

— Senhora, minha conversa a distraiu ou entediou? — Marguerite apenas riu e meneou a cabeça. Mitchell retribuiu o sorriso. — Veja, o pomar está bem ali — ele indicou um ponto às suas costas. — E, se eu não estiver enganado, o que ouvimos foi o piado de Krun. O tratador deve tê-lo soltado para que caçasse.

— Krun?

— Krun é um falcão-peregrino, pertence a Bridgeford — ele explicou mirando céu. De súbito apontou. — Lá está! É mesmo Krun. Consegue vê-lo? Está caçando.

Marguerite não distinguia as cores, mas via o falcão que de repente se lançou num voo rasante. Parecia que atingiria o solo, porém desviou no último segundo e ganhou altitude. Depois de piar algumas vezes, o falcão voou para a campina em que estavam.

Maravilhada com a beleza da ave, Marguerite seguiu seu voo até que fosse pousar no braço erguido de um homem parado a alguns metros de distância. Não demorou um segundo para que o reconhecesse apesar do chapéu preto que usava.

— Não é o tratador!

Inesperado contentamento a invadiu ao ver Logan e, antes que pensasse no que fazia, ela correu para ele.

Krun tinha a cabeça acariciada por seu dono. Acabara de engolir o pedaço de carne que ganhou como prêmio de consolação por ter perdido três presas naquela manhã, quando piou alto, bicou-o e levantou voo. Logan deu um passo atrás, confuso e surpreso com a reação da ave, também de seus cachorros que simultaneamente se colocaram em alerta.

Logan olhou em volta, procurando o que teria espantado o falcão. Ao descobrir, atirou o chapéu ao chão e estacou. Marguerite corria em sua direção. Mitchell a seguia sem a mesma pressa.

— Quietos! — Sem deixar de olhá-la, demandou aos *Staffies* que ameaçavam ir até ela,

Com naturalidade Marguerite se apoiou em seu peito ao alcançá-lo. Sem afastar a mão, ela olhou para o falcão e torceu os lábios num muxoxo.

— Que pena! Espantei o pobre Krun.

Calado e imóvel, sem sequer sentir o ferimento em seu indicador, ele mirava a moça arfante. Os límpidos olhos azuis seguiam o voo do falcão. Logan não esperava vê-la tão cedo, muito menos que se alegrasse com o encontro. Ele esteve de tal modo preso ao prazer de tê-la perto que demorou um instante até que assimilasse o que ouviu. Com o cenho franzido, indagou:

— Como sabe o nome de meu falcão?

— Mitchell me disse — Marguerite indicou o homem que se aproximava. — Ele é lindo!

— Dempsey?! Admira-o?!

— Falam de mim? — Mitchell perguntou ao parar junto do casal e esfregar a cabeça de um dos cachorros.

— Não, de Krun — esclareceu Marguerite, rindo da confusão.

— O que falavam sobre mim e aquele comedor de roedores e aves?
— A duquesa considera Krun bonito, não você — Logan zombou, enfim, sentindo o latejar em seu dedo.
— Não me importo — Mitchell deu de ombros e, seguro, voltou sua atenção ao outro cão. — Tenho outras qualidades interessantes que não passam despercebidas por nenhuma nobre dama.

Logan fechou a expressão. Alheia à mudança do clima entre os cavalheiros, Marguerite se afastou e, como Mitchell, acariciou a cabeça de Dirk e de Jabor.

— Bom dia, rapazes! Como estão? — indagou aos animais, mas olhava para Logan.

Ele vestira um casaco caqui, carregava um cantil e uma bolsa de couro a tiracolo. Uma das mãos estava protegida por uma grande e grossa luva de couro preto. A outra estava descoberta. Um dos dedos sangrava.

— Logan?! — Ela segurou a mão ferida instintivamente. — O que aconteceu?

— Krun se assustou com a sua chegada — explicou, mirando as mãos que seguravam a dele para que a esposa analisasse o ferimento.

Marguerite o encarou, condoída.

— Então, a culpa foi minha? Sinto muito! Não queria que se machucasse.

E ele queria entender por que faltava uma das luvas. Perguntaria, porém Marguerite desviou sua atenção ao retirar um lenço da faixa em sua cintura e, com delicadeza, passar a limpar o sangue. Libertou-se do transe, quando sentiu dor.

— Desculpe-me! — ela pediu ao senti-lo estremecer. — Precisa lavar esse machucado. Não é grande coisa, mas parece que Krun levou um pedaço.

Sem pedir, Marguerite pegou o cantil e usou a água para fazer como tinha dito. Não dava mostras de que o sangue a nauseasse. Antes disso, com os dedos livres da luva desaparecida, ela ajudava a limpar o ferimento.

— Não quer parar de sangrar — disse olhando em volta, falando consigo mesma. Logo caminhou decidida até um arbusto e de lá voltou trazendo uma folha. — Isso deve ajudar.

— Ai! — protestou o duque, quando a jovem apertou a folha sobre o machucado. Ele tentou recolher a mão, mas ela não permitiu. — O que está fazendo?

— Não seja um bebê chorão! — Ela sorria para ele. — Isso deve ajudar com o sangramento até que cheguemos ao castelo. A Sra. Reed deve ter algo que eu possa usar para tratar desse machucado. Vamos?

— Não posso — disse, perscrutando-lhe o rosto. — Preciso levar Krun de volta ao aviário.

Marguerite o encarou por um momento. Ao assentir, mordeu a ponta de seu lenço para que pudesse rasgar uma tira. Depois, enfaixou o dedo do marido com folha e tudo antes de amarrar as pontas.

— Agora pode fazer o que deve para deixar Krun onde quer que seja. Vou indo na frente para falar com a Sra. Reed. Quando chegar, não deixe de me procurar para que dê um jeito em seu dedo.

Logan assentiu. Gostaria de saber o que era aquilo que sentia por uma esposa determinada e atenciosa. Fosse o que fosse, deixou de ser bom quando seu amigo a acompanhou, olhando para ele, sorrindo como alguém que ganha uma disputa.

Contrariado, evitando pensar no significado da falta de uma luva quando um libertino como Mitchell estivesse por perto, Logan recuperou seu chapéu e usou o apito para chamar o falcão de volta. Bem adestrado, Krun não demorou a atender o dono. Com a ave presa pelo pé em sua luva, o duque cobriu sua cabeça até os olhos com o caparão e seguiu para o aviário, tendo Dirk e Jabor em seu encalço.

De volta ao castelo, depois de ser abandonado pelos cães, Logan considerou chamar Griffins ou Reed para saber se Marguerite tinha pedido ajuda a algum dos dois ou deixado instruções de onde estaria para fazer o curativo. No segundo seguinte desistiu e subiu para o quarto. Provavelmente seria perda de tempo, no mínimo pareceria ridículo, pois ao que parecia Mitchell não estava apenas gracejando, sim, disputando por Marguerite e teria dado um jeito de distraí-la.

Entender-se-ia com o amigo temerário depois, considerou ao abrir a porta de seu quarto.

E lá estava Marguerite, esperando por ele no meio do cômodo.

— Eu sabia que se esconderia aqui! — vangloriou-se.

— Não estou me escondendo! — replicou ele, antes de entrar e fechar a porta, averiguando se Mitchell não estaria em dos cantos como um fiel perdigueiro. Para sorte dele, não estava. — O que faz aqui?

— Como se não soubesse... — Marguerite indicou os materiais disposto na mesinha baixa que ficava ao lado da poltrona, junto à lareira. — Vocês, homens, são bravos e valentes até que tenham qualquer ferimento, mesmo pequeno. Edrick sempre fazia o mesmo. Sente-se!

Por costume o duque ergueu o queixo e se preparou para a recusa. Dava ordens, não as recebia. Entretanto, o sentimento bom que o invadiu na campina e ali, ao confirmar que ela o esperava para tratá-lo, não permitiu que se opusesse.

Cordato, Logan se acomodou na poltrona e esperou que Marguerite se sentasse num banquinho, próximo às suas pernas. Com a mesma delicadeza com que limpou o sangue de seu dedo, ela retirou a faixa improvisada e a folha. O sangramento tinha estancado, revelando a gravidade do machucado. Marguerite uniu as sobrancelhas e o encarou com pesar.

— Seu falcão levou mesmo um pedaço. Lamento.

— Ai de mim! — gracejou o duque, pouco se importando com o dedo ferido. — O que me diz? Terei salvação?

— Brinque o quanto quiser — ela ralhou, alheia à análise do marido. — Se houver infecção, terá febre e, de acordo com a gravidade, pode perder o dedo se eu não fizer isso como se deve.

— Confiaria minha vida a você — Logan garantiu roucamente. — Meu dedo ficará a salvo.

Quando Marguerite ergueu os olhos, ficou presa ao olhar dele por tanto tempo que pareceu infinito. Logan se inclinou lentamente. Com o rosto próximo ao dela, mirou a boca entreaberta e umedeceu os próprios lábios, antecipando as maravilhas vindas com o beijo.

Marguerite fugiu do contato e, depois de limpar a garganta, deu atenção ao machucado.

— É melhor eu terminar com isso ou não poderei assegurar a integridade de seu dedo.

Foi uma tentativa de gracejo, mas estava abalada demais para acertar o tom. Não permitiria que voltassem ao ponto em que estavam antes que ela descobrisse a verdade. Não depois de ouvi-lo em ação no quarto de outra. Não seria seguro, agora ela sabia.

Depois do beijo roubado no pomar e do alívio mesclado à alegria ao ver o duque na campina em vez de um desconhecido tratador, Marguerite tinha a forte suspeita de que ele era o único com grandes chances de preencher as lacunas de sua vida. Não podia deixar que acontecesse!

Por seu lado, Logan deixou que a esposa se refugiasse na tarefa. Não seria justo com ela tirar proveito daquele acidente quando tinha concordado com os novos termos. Nada tinha mudado da noite para o dia. Amava Ketlyn, portanto, não levaria aquela jovem a abandonar suas convicções por mero prazer.

Marguerite limpou, desinfetou o ferimento e o cobriu com um pano limpo que prendeu no lugar.

— O ideal é deixar aberto, mas faremos isso amanhã — disse, sem olhá-lo.

— Tudo que me recomendar...

Marguerite riu sem humor e se levantou.

— Vou deixar essas coisas aqui — ela anunciou, arrumando as tiras de pano e o antisséptico na mesinha. — Se for preciso, Ebert pode refazer o curativo. Ou Ketlyn.

Foi a vez de Logan rir sem qualquer divertimento. Seria hilário se não fosse perturbador saber que a amante não se prestaria àquele tipo de trabalho.

— Por favor, realmente me desculpe por ter feito Krun feri-lo! Eu só queria vê-lo de perto. Não pensei que se assustasse com minha chegada.

— Mesmo que aqui tenha Dirk e Jabor, ainda sente falta de Nero, não?

Distraidamente Logan correu as costas dos dedos pela saia do vestido rosa.

— Sim, eu sinto, mas em breve irei vê-lo.

O duque parou o movimento de sua mão e a encarou.

— O que quer dizer com isso?

— Apenas o que disse... Que em breve irei vê-lo. Esta tarde eu enviarei uma carta a mamãe, avisando de minha chegada. Ocorreu-me que poderia aproveitar e deixar uma visita marcada daqui a algumas semanas, ou dias.

— Marguerite, não pode ficar indo e vindo. Aqui é seu lar agora. Se marcar um retorno tão cedo, o que pensarão?

— Que eu os amo e lhes sinto a falta?

— Ou que não é feliz! — Logan se empertigou na poltrona. — Disse que atuaria.

— Não precisa me lembrar — retrucou Marguerite, mirando a porta. — Serei tão boa atriz que todas as esposas sentirão inveja de minha felicidade!

— Marguerite...

— Bem... — Ela se afastou tão logo ele se pôs de pé, ficando perigosamente perto. Para encobrir sua consternação, brincou: — Se eu estivesse em Apple White pediria a Marie que lhe fizesse chá. Ela gosta de mexer com as ervas. Não duvido que um dia seja capaz de curar todas as mazelas. Como não será hoje nem a tenho aqui, verei o que a Sra. Reed consegue.

— Dispenso chá! — Logan a segurou pela mão. — Por favor, espere!

— Mas, seu machucado...

— É só uma mísera bicada, Marguerite! Se meu dedo cair, restarão nove — exasperou-se. Não gostava de vê-la defensiva. — Fique! Sinto que precisamos conversar.

— Eu não...

— Logan, tem um minuto? Eu gostaria... — Ketlyn parou ao vê-los depois de irromper porta adentro, sem bater.

Por que se anunciaria ou seria formal ao se dirigir a ele quando era a real *esposa*? Marguerite zombou em pensamento.

— Veja! — Resolveu mostrar quão bem atuava naquele instante. Sorrindo, indicou a mulher deslumbrante parada à porta. — Vossa madrasta gostaria de falar-lhe. Vou deixá-los a sós. Logan... Ketlyn... — despediu-se.

— Marguerite, volte já aqui! — Logan ordenou, mas não foi ouvido.

— Que interessante! — Ketlyn levou as mãos à cintura e o encarou, mantendo o rosto erguido, depois que a porta foi fechada por uma esposa insubordinada. — Pretendia mesmo pedir que eu esperasse enquanto resolvia o que quer que fosse com outra? O que ela estava fazendo aqui, afinal? Brigavam?

Aquele era um péssimo momento para a amante sabatiná-lo sem demonstrar qualquer reação, ele determinou, indignando-se com a eterna indiferença.

— Para todos os efeitos, é você quem não deve estar aqui, afinal — retrucou.

— Ora... — Ketlyn se calou ao ver a faixa no dedo do duque. Certeira, olhou para a mesinha e riu escarninho. — Que graça! A duquesa estava fazendo um curativo? O que houve? Não é homem de curativos.

— Se precisa saber, Krun me bicou.

Ketlyn gargalhou, irritando-o mais.

— Ora, por favor! — Ketlyn pediu ao se recuperar. — Desde que o conheço levou tantas bicadas daquele pássaro infernal que não me admiraria se já tivesse perdido uma das mãos e nunca o vi com faixas onde quer que fosse. Está disposto a tudo para iludir a esposinha, não é mesmo? Gosto disso, afinal, trata-se de um herdeiro e da herança de Alethia.

— Meça suas palavras! — Logan indicou a porta de ligação. Sequer queria imaginar o que aconteceria se Marguerite conhecesse todos os detalhes daquele plano infeliz. — Lembro-me de ter pedido que não se refira a Marguerite com deboche. Respeite-a! E pouco importa o que faço de novo ou por que faço. Também preste atenção aos novos limites. Não estou mais em meu antigo quarto, nem moramos sozinhos. Nunca mais entre sem bater em qualquer cômodo que eu ocupe. E, de preferência, não me procure aqui.

— Está prestando atenção a tudo que diz? Posso respeitar os novos limites porque algo maior está em jogo, mas eu sou sua mulher, não ela! Ficarei no meu canto, deixando que brinque de curandeira, de senhora desse castelo, do quer que queira, mas é ela quem me deve respeito. Não ficarei calada enquanto a pequena víbora se volta contra mim.

Logan franziu o cenho, confuso.

— O que Marguerite pode ter feito contra você?

— Sua dissimulada esposa não alterou apenas o horário do jantar, mas de todas as refeições. Hoje, ao descer para o café da manhã, não havia nada. Nem a mesa estava posta. Fui informada pela Sra. Reed de que, a partir de hoje, o café estará servido até às nove horas. Depois disso, eu devo solicitar que Phyllis me sirva onde melhor me aprouver.

A novidade dissipou a raiva do duque. Na verdade, começou a diverti-lo.

— A que horas desceu?

— Desci às onze horas, como todas as manhãs.

Ketlyn tinha as sobrancelhas unidas, deixando transparecer que não era tão indiferente quanto aparentava. Sua esposinha conseguia um feito, troçou o duque intimamente.

— E lhe serviram como ordenado?

— Evidente que sim! — Ketlyn ergueu o queixo ainda mais.
— Então, não compreendo qual é sua questão se não lhe negaram comida. — Logan cruzou as mãos às costas.
— Não compreende a questão? Serviram-me o que restou. Porções racionadas de algo que não escolhi. Sabe muito bem que os restos são atirados aos porcos!

Logan assentiu, travando os lábios. Marguerite era, sem dúvida, um achado e tanto! Não era a mais bela das mulheres, mas também sabia como arrasar os egos femininos.

— O que tem a dizer a respeito?
— Acorde mais cedo a partir de amanhã — ele respondeu com indiferença.
— Espero que seja um chiste, Logan! Não sou uma camponesa nem pretendo agir como uma. Fico acordada até tarde, satisfazendo-o em minha cama, então, reservo-me o direito de acordar quando bem quiser.

Logan poderia lembrá-la de que estava de pé desde as oito horas mesmo tendo ido se deitar mais tarde, pois ainda era preciso voltar ao próprio quarto depois de se satisfazer na cama dela. Não o fez. Cansava das queixas.

— Usando suas palavras, pense no que está em jogo — disse. — O casamento não foi consumado e se eu começar a contrariá-la em seu favor, ainda mais depois dessa sua entrada espetacular em meus aposentos, o que supõe que ela faça?

Ketlyn conseguiu erguer ainda mais o queixo, altiva. Divertido, Logan se perguntou como o elaborado penteado não a derrubava para trás. A duquesa viúva respirou fundo, girou nos calcanhares e partiu. Ebert entrou em seguida, antes que a porta fosse fechada.

— Milorde, a duquesa viúva acaba de deixar vosso quarto.
— Obrigado por me avisar, Ebert! — Sozinho eu não teria percebido, Logan acrescentou em pensamento ao sentar pesadamente, mirando o dedo ferido.
— Sempre ao seu dispor, milorde! Vim saber se posso mandar servir vosso lanche... Lady Bridgeford me disse que se acidentou e que talvez quisesse ficar em repouso. Contudo, vejo que está bem.
— Como todas as mulheres, minha esposa tem pendor ao exagero — disse Logan.

Era fato que havia sido bicado inúmeras vezes. Marguerite não reparou, mas ele carregava as marcas da rebeldia de Krun em praticamente todos os dedos e punhos. No antebraço esquerdo tinha cicatrizes deixadas pelas garras do falcão e em nenhum dos casos precisou mais que água e sabão para recuperar-se.

Os cuidados de Marguerite eram desnecessários, ainda assim, apreciou-os. Enquanto ela quisesse brincar de curandeira, ele permitiria.

— Poderia também brincar de ser minha esposa — murmurou, intimista.
— Milorde, o que disse?

— Disse que prefiro lanchar com minha esposa. Onde está a duquesa?

Ebert aprumou os ombros e indicou a janela.

— Caso esteja em condições de chegar até ali, verá.

Logan revirou os olhos. Estava com o humor recuperado graças à Marguerite, então, nada disse antes de levantar e ir até a janela. A esposa ocupava uma das mesas dispostas no jardim e tinha a companhia de Mitchell para o lanche. Seu amigo havia dito algo que a divertia.

Talvez fosse mesmo boa atriz, considerou o duque livre de seu divertimento, pois não parecia que se esforçasse para aparentar estar feliz enquanto ria abertamente.

— Ebert! — Logan chamou o criado, mirando a cena, sendo visitado pelo ressentimento pior que o anterior.

— Pois não, milorde.

— Não é de bom tom chegar atrasado às refeições. Pode trazer meu lanche.

Capítulo 17

Marguerite, enfim, experimentava o banho de imersão na bela banheira de cobre. Tinha os olhos fechados e tentava manter a mente livre de temas aborrecidos. Seria um pecado estragar a paz daquele momento caso cismasse com o que quer que fosse, determinou.

— Milady! — Nádia voltou a entrar no quarto de banho, aflita. — Não é aconselhável ficar tanto tempo nessa água. Pode adoecer.

— Sempre ouvi isso, mas considero tão bom... E nunca aconteceu. Não seja desmancha prazeres como a baronesa!

— Temo por vossa saúde, milady. E se não sair agora irá mesmo se atrasar para o jantar.

— Acabo de decidir que não descerei — informou, sem abrir os olhos. — Por favor, Nádia, peça ao Sr. Griffins que avise ao duque que não participarei do jantar.

— Como queira!

Marguerite respirou fundo ao ouvir a porta ser fechada. Enfim, o silêncio! Gostaria que este durasse mais do que alguns minutos. Quando não era Nádia a chamá-la por algum motivo, eram as lembranças daquele dia que punham sua mente a trabalhar de modo inquietante para decifrar por que sentimentos e fatos não se encaixavam.

Primeiro, desde que o conheceu Marguerite acreditou haver interesse em Mitchell Dempsey. Ele a desconcertava com suas piscadelas e a fazia rir, mas, gostou de seu beijo? Sim, mas não como esperado. Era incoerente.

Segundo, sabia do romance secreto de Logan e o aceitou, mas ela o ignorava ao presenciar a intimidade entre o duque e a duquesa viúva? Não como devia. Também incoerente.

Terceiro, durante o lanche ela riu das graças de Mitchell e à tarde tentou dar atenção ao recado que enviaria a Apple White, sendo positiva e alegre. Na verdade, todo tempo apenas imaginava quão animador seria caso derramasse vinagre do ferimento do duque e atirasse um tacho d'água no penteado perfeito da duquesa viúva somente para acabar com a pose de grandes nobres empoados. Totalmente incoerente.

Por que ela faria tais coisas?!

Marguerite ainda ria de sua confusão e ideias infantis, quando ouviu Nádia voltar ao quarto. Logo esta entrava no quarto de banho. Se a criada nada disse daquela vez, não seria Marguerite quem quebraria o silêncio. Suspirando, satisfeita, ela pegou um pouco da água perfumada e derramou no colo.

A frieza arrepiava sua pele, enrijecia seus mamilos. Reações naturais de um corpo que, depois dos toques e chupões de seu marido, adquiriram nova conotação. Marguerite se irritou ao sentir a comichão abaixo do ventre e determinou o término do banho.

— Nádia, traga o robe, por favor! — pediu depois afundar, emergir e se levantar. Retirava o excesso de água de rosto, quando sentiu o toque do tecido em seus ombros e passou os braços pelas mangas. — Obrigada! Encontrou o Sr. Griffins?

— Não, mas recebi seu recado.

— Logan! — Marguerite gritou ao ouvir voz grave e rouca atrás de si.

Assustada, escorregou no fundo liso da banheira. Teria caído de pernas para o ar se o marido não a segurasse. Antes que ela se recuperasse da sucessão de sustos, Logan a ergueu nos braços e a levou para o quarto. Uma vez posta na cama, Marguerite reagiu, arrastando-se rapidamente até estar encostada à cabeceira, segurando fortemente a frente do robe.

— Como se atreve?! — ela indagou num fio de voz, chocada.

Logan mal a ouviu, preso em seu próprio assombro e temor. Marguerite teria se machucado gravemente caso caísse, talvez quebrasse um membro ou dois. Não queria que ela se ferisse ou ficasse incapacitada de correr; de preferência para ele, como na campina. Acima de tudo, não queria maculas na pele de alabastro. Ao menos, não marcas que não fossem feitas por ele quando tivesse permissão de tocá-la. Marguerite se cobria, mas ele via seus pés e tornozelos. O bastante para manter nítida a imagem do corpo nu, voluptuoso, molhado.

Não era a intenção invadir a privacidade da moça, mas não pensou com clareza ao receber o recado da criada gaguejante que ele parou no corredor. Foi até aquele quarto tão somente para pedir à duquesa que honrasse o acordo. Que se derretesse com os flertes de Dempsey, mas nas horas em que devessem se mostrar senhores daquele castelo, que comparecesse sem desculpas.

Tal discurso morreu na garganta de Logan quando ele viu a esposa pela porta entreaberta. O cabelo preso de qualquer jeito, úmido, e os ombros nus indicavam que ela toda estava despida. Marguerite se banhava sem roupas de baixo, como muitas pessoas ainda faziam.

Ebert se orgulharia de sua dedução, Logan zombou de si mesmo antes de entrar no cômodo e se colocar ao lado de Marguerite. Preso à excitante visão, nem considerou o que aconteceria caso fosse descoberto e ficou lá, a admirá-la. Como imaginou, sob tantos tecidos, anáguas e corpetes ela era deliciosa.

Apetitosa, na verdade, pois ao vê-la de pé Logan quis morder o redondo traseiro tanto quanto agora queria ver o corpo inteiro, chupar os mamilos quase incolores e ter a sorte de mergulhar a língua no monte de pelos entre as pernas dela para provar seu sabor. E ele precisava fazer todas aquelas coisas, logo. O forte desejo que provocava uma ereção não seria facilmente mitigado quando sabia que sob o robe ela estava como viera ao mundo.

— Pare de me olhar como se fosse um pedinte diante de um pedaço de carne!

A ordem o despertou, mas não arrefeceu o desejo. Era um pedinte sem orgulho, o mais faminto de todos.

— Marguerite... — ele a chamou roucamente ao sentar na cama e tocar um de seus pés.

— Não se atreva! — ela voltou a ordenar, cobrindo os pés com a colcha. — Saia daqui, Logan! Onde está minha criada?

— Avisando a Griffins que nos atrasaremos — explicou, puxando a colcha. — Deixe-me ver seus pés... Não considera tarde para pudores?

— Não considero! Pare com isso, Logan! — Marguerite reconhecia que faltava convicção tanto quanto lhe faltava força para manter a colcha no lugar.

— Meu machucado pode voltar a sangrar se continuarmos com esse impasse. — Era golpe baixo, Logan sabia, mas não tinha muitas alternativas. — Quero apenas tocar seus pés. Que mal pode haver se já fizemos tanto?

Respirando com dificuldade, Marguerite pensou por um instante. Trêmula, afastou a colcha e expôs um dos pés. Sem demora Logan segurou o tornozelo, galvanizando-a.

— Disse que queria apenas tocar — salientou, quando ele beijou seu pé, sentindo o rosto em chamas, segurando a frente do robe fortemente.

Logan não a ouviu. A mão no tornozelo deslizou para a curva posterior do joelho, a boca migrou para a macia panturrilha. A posição ameaçava expô-la. O que ele pretendia?

— Logan, isso está errado — tentou fazê-lo raciocinar.

— Por que estaria? — As pupilas dilatadas escureciam seu olhar, a voz naturalmente grave estava irreconhecível pela rouquidão. — Somos casados.

— Ama outra.

— E desejo você — admitiu. — Desde que a encontrei na biblioteca. Mais e mais a cada hora... Não pode mensurar o quanto a desejo nesse instante?

— Creio que posso, mas, tudo mudou e considero válido que me deixe escolher a quem me entregar, por amor.

— Tenha piedade, mulher! Não há a mínima condição de deixar esse quarto sem ter um pouco de você.

— Um pouco? — O carinho na perna nua a aliciava. — Quanto?

— Um beijo! É só o que peço...

Um beijo não era muito, Marguerite considerou um tanto decepcionada. Sabia bem do que o duque era capaz e já que negociava, ele podia pedir um pouco mais, mas ela não diria.

— Um beijo, então — Marguerite anuiu, umedecendo os lábios. Logan sorriu de modo enigmático e meneou a cabeça antes de mordiscar seu joelho. — O que está fazendo?

— Preparando-a para o beijo — esclareceu entre um beijo e outro na coxa roliça. Quando tentou afastar a mão que prendia o robe, lembrou-a: — Você concordou.

— Concordei com um beijo. Logan, o que pretende?!

— Dou-lhe minha palavra de que não farei mais do que permitiu. Irá se entregar por amor a quem quiser, mas, agora... Confie em mim, Marguerite!

— Não pode estar pensando em fazer o que sugere! É amoral! Pecado! Por certo é proibido por lei!

— Se guardar meu segredo, eu prometo guardar o seu. Não seremos enforcados.

A piscadela de Logan teve poder devastador sobre ela, mas ainda não via como ceder. Sequer conseguia imaginar como seria se... O que sentiria caso...

— O que acontece entre marido e esposa na privacidade de um quarto não é nada dessas coisas que citou — ele argumentou por fim. — Livre-se de seus medos, Marguerite! E não se envergonhe... Eu já vi o que tenta esconder, então... Abra o robe.

Impossível não se envergonhar. Provavelmente todo seu corpo estivesse corado, afinal, queimava. Mas não era sem palavra, muito menos covarde. Mortificada, justamente por se lembrar dos toques, Marguerite se estendeu na cama e se mostrou ao marido.

Logan conteve a respiração.

Padrão? Beleza? Quem ditava tais conceitos era cego ou tolo. Os contornos ridicularizados por Ketlyn, condenados pela baronesa e até mesmo pela própria Marguerite, a partir daquele momento, para Logan, assumiam o mais elevado grau da perfeição. De sua esposa ele queria mais, queria tudo, mas naquela noite se contentaria em ter o pouco que conseguiu, determinou enquanto se livrava apressadamente do casaco e da gravata plastrão.

— Por favor... — ela pediu ao ver que Logan se despia.

— Shhh... — silenciou-a, mirando o monte de pelos dourados, terminando de erguer as mangas da camisa de qualquer jeito.

Quando o duque voltou a beijar o interior das coxas nuas, Marguerite se enrijeceu e travou os lábios. A boca morna causava cócegas na mesma proporção em que a excitava. De repente ele a acariciou intimamente, fazendo com que fechasse os olhos e liberasse um gemido baixo. Com dois dedos apenas Logan despertava sensações conhecidas e outras novas, inquietantes.

Então, ela sentiu a respiração dele lá em baixo e a curiosidade se sobrepôs ao embaraço. De olhos bem abertos Marguerite o viu lamber o vão entre suas pernas.

— Oh! — gemeu, estremecendo de surpresa e prazer.

Imediatamente Logan a olhou, sem nunca deixar de mover a língua. Marguerite quis fechar os olhos. Se não visse, talvez o pecado fosse menor, mas não havia como se libertar da cena iníqua. O duque gemeu e, como fazia ao beijá-la na boca, invadiu seu sexo com a língua. A sensação era desesperadora, deliciosa, tão forte que Marguerite tentou se afastar.

Logan grunhiu algo incompreensível e a prendeu no lugar. Com a mão livre colocou um dos pés dela em seu sexo, longo e duro oculto pela calça antes que voltasse a gemer, passeando a língua por cada canto do centro úmido, como se realmente a beijasse.

— Logan... — ela implorou, nem sabia pelo quê.

Aquele era um beijo pecaminoso que de pouco, nada tinha. O excitamento vinha em ondas, crescentes e contínuas. Por ter o quadril e uma perna presa, Marguerite contorcia o dorso. Logo ela chorava, abalada pela deliciosa agonia. Queria que ele parasse, e não queria. E quando o duque fechou a boca num ponto específico e o chupou lentamente, o desejo atingiu seu ápice.

Esquecida do mundo ao redor, estremecendo violentamente, Marguerite gritou e nem assim o duque quebrou aquele beijo. Antes disso, tornou tudo pior, ou melhor, ao estocá-la com a língua repetidas vezes, até se dar por satisfeito. Quando ela considerava se sobreviveria àquilo que faziam, Logan se afastou abruptamente.

Com a mente enevoada, sentindo seu corpo clamar por mais, Marguerite fez menção de segui-lo ao ver que ele entraria no quarto de banho.

— Não venha atrás de mim! — ele demandou guturalmente e se fechou no cômodo anexo.

Marguerite o obedeceu por não ter escolha. As pernas bambas não a sustentariam caso deixasse a cama. Restou fechar o robe e continuar deitada, ouvindo sons característicos e abafados vindos de trás do biombo, semelhantes ao que escutou no quarto da duquesa viúva mais cedo naquele mesmo dia.

A lembrança a atingiu como um raio. Não era como se estivesse arrependida, mas a culpa roubou boa parte do prazer. Com Logan de volta ao quarto, parecendo esgotado e muito sério sem nunca olhá-la, Marguerite soube que ele sentia o mesmo.

As mangas da camisa estavam no lugar, os punhos tinham sido abotoados.

— Descarte a água de sua banheira sem voltar a usá-la. Está arruinada — avisou-a.

Marguerite sentou e assentiu. A calmaria após a tormenta era estranha.

— Não vou ofendê-la, pedindo desculpas — disse o duque, recolhendo a gravata e o casaco.

— Nem há motivos — ela retrucou num murmúrio. — Fez o que deixei que fizesse.

Logan riu escarninho e a encarou. Salientaria que a manipulou, usando a preocupação com seu ferimento, que a seduziu com palavras mansas e toques certeiros, mas se calou. Mesmo que tivesse se rendido a uma das formas mais depravadas de sexo, Marguerite ainda conservava a pureza no olhar, a ingenuidade no pensamento. Não estragaria aquilo.

— Não esperava menos de você! — Foi o que ele disse ao vestir o casaco. — Agradeço a confiança.

— É sempre assim? — Marguerite indagou, unindo as sobrancelhas. Logan apenas a encarou, confuso. — Depois do que fizemos... Do sexo que tanto falam? Todos ficam assim, formais e distantes?

— Cada casal reage de um modo — disse o duque, levando as mãos aos bolsos da calça, analisando a esposa, guardando-a daquele modo na memória. — Esse é adequado para nós. O que fizemos foi extraordinário, mas devemos evitar que se repita por todas as coisas que já dissemos. Perdi o controle quando a vi, mas ainda não me desculparei por isso. E não voltarei a esquecer que sou cavalheiro. Não voltarei a atentar contra sua honra, Marguerite.

— Obrigada!

O que mais diria? Que ele poderia voltar para aquela cama para dar fim à sua honra como bem quisesse? Não. Com o beijo do pecado Marguerite confirmou que sexo era muito bom, mas seu efeito era passageiro. Não trairia a si mesma por minutos de êxtase.

— Tenho de descer — ele anunciou, sem se mover.

— Peça desculpas em meu nome. Prometo não perder outro jantar.

O duque assentiu e, após um longo expirar, seguiu para a porta.

— Logan — chamou-o antes que saísse. — Ficaremos assim para sempre? Distantes?

— Não estamos distantes. — Ele sorriu para tranquilizá-la. — Estamos cansados, satisfeitos depois do que fizemos.

— Ah! — O rosto de Marguerite se iluminou. — Vou poder cuidar de seu machucado?

— De todos os ferimentos que eu tiver, duquesa.

— Então, boa noite! Vemo-nos amanhã, duque.

Logan abriu a porta e voltou a fechá-la. Não haveria orgulho, nem honra, mas tinha de dizer o que sentia. Apenas não teve coragem de encará-la e, de costas para ela, declarou:

— Saiba que lamento profundamente não merecer seu afeto. E Dempsey não é diferente de mim, logo, tampouco o merece. É uma jovem admirável, Marguerite! Tentarei não considerar traição quando encontrar alguém melhor do que nós dois para amar. Boa noite!

Logan seguiu para o próprio quarto. Agradecendo aos céus que Ebert não estivesse para arreliá-lo com alguma observação óbvia, pôs-se diante do espelho. Mirava a si mesmo, mas via outro par de olhos azuis, inocentes, sinceros. Ele igualmente fora sincero. Lamentava não ser digno dela, o que era extraordinário.

— Interessante! — disse sem notar e passou a gravata por seu pescoço.

Tentando se recompor sem a ajuda do valete, Logan pensou que a mudança era interessante, pois, se a dama estivesse interessada, não pensava duas vezes antes de levá-la para cama, ou recanto escuro de um jardim, ou a uma carruagem, ou aonde tivesse privacidade para erguer as saias delas e abrir suas calças. Com Marguerite não foi diferente, até de fato conhecê-la.

Verdade fosse dita, nunca lidou com virgens, considerou enquanto conferia o estado de suas roupas. Em especial suas calças, à procura de evidências do que fez aos pés da banheira, na qual imaginou a esposa enquanto dava fim ao desejo, manipulando sua ereção.

— Não se repetirá — disse em bom tom para que entrasse em sua cabeça ao terminar a inspeção e voltar a se olhar no espelho. — Tem Ketlyn, Daisy, e tantas quanto o senhor quiser. Não precisa de Marguerite.

Não, ele não precisava, reiterou em pensamento. O que ela queria, ele não tinha para dar. Jamais foi o tipo exclusivo.

— E quando exatamente ela pediu que fosse apenas dela? — indagou a si mesmo, odiando conhecer a resposta.

— Milorde, com quem conversa? — Ebert perguntou ao entrar com a água que todas as noites ele deixava ao lado da cama. Logan riu, divertido por um instante.

— Conversava com você — respondeu, seguindo para a porta —, mas chegou tarde demais para ouvir. Apresse-se da próxima vez.

— Apressar-me?! Milorde?!

Sem dar atenção ao valete, saboreando a pequena vingança, o duque desceu para o jantar. No *hall* foi informado de que Ketlyn e Mitchell aguardavam-no no salão ao lado.

— Perdoem-me pelo atraso! — pediu ao entrar.

Acomodado em uma das poltronas, Mitchell assentiu e, sem nada dizer, bebeu um gole de uísque. Ketlyn, deslumbrante como sempre, estava sentada no sofá ao lado. Forte para bebidas encorpadas, ela também estava servida de Scotch puro malte.

— Se considerarmos o horário usual, estamos todos adiantados — disse Ketlyn. — Nota-se que sua escolhida não tem verniz. Alguém precisa lhe dizer que não é correto mudar regras que não pretende seguir.

— A duquesa está indisposta — ele retrucou, indo se servir. — Amanhã nos dará a honra de sua presença.

— Uma lástima! — disse Mitchell. — São sempre agradáveis os momentos que passo com ela. O que tem? Acaso eu a forcei demais esta tarde?

Ketlyn riu discretamente com a insinuação. Logan aproveitou o tempo de despejar uísque em seu copo para domar a irritação. Seus dedos e sua língua desbravaram o amontoado de pelos dourados até as dobras rosadas de sua esposa, não nenhuma parte em riste de seu padrinho.

— Duvido que tenha competência para tanto, Dempsey. — Logan se voltou e o encarou. Bebericando o uísque, acrescentou despretensiosamente: — Se a tivesse forçado demais, também não teria condições de estar aqui.

— Touché! — Mitchell ergueu o copo, brindando-o.

— Cavalheiros, comportem-se! — pediu Ketlyn. — Já que a duquesa não está, vamos deixá-la em paz e falarmos de um assunto interessante.

— Que seria...? — Logan indagou vagamente.

— Seu aniversário! — Ketlyn sorriu. — Tenho pouco menos de dois meses para organizar uma grande festa.

Apreciava festas, desde as recatadas e familiares às depravadas, mas não se animou. A última grande festa da qual participou naquele castelo tinha sido infernal e deu início ao afastamento definitivo de seu irmão, recordou o duque.

— Meu aniversário não merece atenção — disse, mirando a bebida que rolava no copo.

— É um bom motivo para voltarmos a abrir as portas de Castle, como há anos não fazemos. Antes entendia a restrição, mas agora temos uma esposa — Ketlyn insistiu. — Aceite! Imagino um grande baile de máscaras! À fantasia!

— Eu voto pela festa à fantasia — Mitchell fez coro. — Fico imaginando qual será a escolha de minha mais nova e boa amiga, Marguerite.

— Qualquer uma que lhe sirva — comentou Ketlyn, maldosamente.

— Se a manter ocupada, faça a bendita festa — ciciou o duque. — Que seja um convescote nos jardins, um baile de máscaras, à fantasia ou até mesmo uma bacanal digna de Baco, mas não volte a insultar minha esposa. Não é inteligente testar minha condescendência.

— Perdão! — ela pediu, analisando-o com desconfiança. — Foi apenas um gracejo entre nós, mas não se repetirá.

Logan nem mesmo assentiu. Apenas voltou a tomar o uísque, considerando se tinha feito bom negócio ao tirar Marguerite de Apple

White. Era diminuída entre os seus, mas ali, se ele não vigiasse, ela seria ridicularizada.

— O jantar está servido, milorde! — anunciou o mordomo à porta.

Logan deixou o copo no carrinho de bebidas enquanto os demais se levantavam. Mitchell o analisava com a mesma expressão de Ketlyn e, em silêncio, esperou que o anfitrião liderasse o caminho.

Sem que oferecesse seu braço, Ketlyn apoiou-se nele para que fosse conduzida à mesa de jantar.

— Não fique tão sério, querido! — disse languidamente. — Reconheço ter sido um gracejo infeliz. Até mesmo a bronca que sentia por sua esposa pela manhã já se foi. Na verdade, admiro a iniciativa. A duquesa se parece comigo, quando mais nova.

Logan duvidava, porém, guardou a opinião.

— Ora, querido... Desamarre essa expressão. Serei o exemplo de respeito e atenção para com Marguerite. Irá se orgulhar!

— O tempo nos dirá — retrucou, olhando-a enviesado.

— Sabe? Gosto quando se exalta — ela cochichou. Aproximavam-se da sala de jantar. — Parece-me mais viril. Essa noite será memorável! Mal posso esperar para que vá ao meu quarto.

— Não essa noite — Logan negou secamente.

Ketlyn voltou a analisá-lo, tinha as sobrancelhas unidas. Acercavam-se da mesa, quando indagou:

— O que está acontecendo com você, Logan?

— Assumi novas responsabilidades, graças aos seus conselhos— respondeu junto ao ouvido da amante, mirando o lugar que deveria ser ocupado por sua esposa. — E se não tiver seu apoio, não permitirei que me atrapalhe.

Ao se acomodar à cabeceira, Logan fingia não ver a tez pálida, os olhos verdes abertos em sua totalidade. Ketlyn entendera seu recado. A decisão estava tomada. Logan jamais imaginou que esta viesse fácil. Ainda não queria que Ketlyn partisse, mas se tivesse de optar, ficaria ao lado de quem jurou proteger.

Sem temas a discutirem, comeram em silêncio. Ketlyn dispensou a sobremesa e, depois de pedir licença, retirou-se. Impaciente, Logan fez o mesmo, deixando que Mitchell finalizasse a sobremesa, sozinho. Ao passar pelo Quarto Josephine, viu luz por baixo da porta. Pensou em bater, e seguiu em frente.

— Subiu cedo, milorde! — Ebert abandonou o livro que lia e se levantou de um salto ao vê-lo entrar. — Ou estou atrasado?

— Não está — disse Logan, retirando o casaco, pensando.

— Milorde, espere! Deixe-me ajudá-lo. — Ebert foi até ele e assumiu o trabalho de despi-lo. — O que ocupa sua mente? — perguntou ao se afastar.

Somente então Logan se deu conta de que estava pronto para a cama. Bastava aliviar-se, assear a boca. Esteve realmente distante e voltou sem respostas. Olhando para o senhor com ares de sabe-tudo, indagou:

— Ebert, haveria uma forma de voltar ao passado e escolher outro caminho que chegasse ao mesmo lugar no presente, mas sem percalços que trarão sérios problemas no futuro?

— Não, milorde — respondeu Ebert, empertigado —, mas posso pedir que lhe sirvam chá.

— Foi o que pensei. E ficaria grato se trouxesse chá, com leite... E alguns biscoitos. — Logan se animava a cada acréscimo. — Diga que preparem ovos mexidos. Não! Esqueça os ovos... Sabe-se lá quanto tempo demoraria a prepará-los!

— Não acaba de vir do jantar, milorde?

— Ainda está aqui, Ebert? Vá de uma vez!

Ao ficar sozinho Logan passou a andar de um lado ao outro. De quando em vez conferia se ainda havia luz sob a porta do quarto ao lado.

— Por que demorou tanto, homem! — A passos largos o duque foi receber a bandeja que seu valete trazia. — Dê-me cá e se retire.

— Milorde, eu insisto! Não acaba de subir do jantar? Tanta comida à noite não há de fazer-lhe bem e...

— Ebert, bom descanso! — Sem deixar que o valete prosseguisse, indicou a saída com o queixo. — Vá de uma vez!

Ebert meneou a cabeça, inconformado, e obedeceu. Logan esperou até estar sozinho e foi até a porta de ligação. Sem saber como lidar com algo que jamais carregou, contendo tantas peças delicadas, uma delas com líquido quente, ele bateu com o pé.

— Marguerite! Está acordada?

— Sim — ela respondeu depois de se aproximar. — O que deseja?

— Tenho algo para você. Abra a porta.

— Pode me entregar amanhã.

— Precisa ser agora — disse, irritando-se com a demora de um ato simples. — Abra!

Marguerite se calou, aumentando a irritação do duque.

— Pode me dar um minuto?

— Nem um segundo! — Sua indignação se elevou ao ouvir resmungos, passos apressados, um baque seguido de um lamento. A cena que sua mente criou, exasperou-o e o enfureceu na mesma medida. — Se não abrir essa maldita porta imediatamente eu a arrombarei! E não estou brincando, Marguerite!

Logan não esperou para ser atendido, pois não daria a vantagem para Mitchell. Rapidamente deixou a bandeja em sua cama e voltou. Imprimia força para o chute com o qual escancararia a porta, quando Marguerite a abriu. Ao vê-la, de imediato toda raiva dele se esvaiu, deixando-o ofegante. Agora compreendia.

— O que de tão importante tem a me dar que não poderia esperar até amanhã?

Rubra, de pés descalços, abraçada ao próprio corpo como se quisesse ocultar a camisola, Marguerite mirava um ponto qualquer no chão. Logan, por sua vez, mirava o cabelo loiro, dividido em vários cachos enrolados em papelotes. A hesitação era tão somente por vaidade, não pelo motivo torpe que ele imaginou.

E ambos estavam errados. Ela não era dissimulada e traidora, nem ele se importaria de vê-la daquele modo.

— Por favor, não ria! — pediu, corada. — Não piore essa situação. Dê-me seja o que for e permita que eu volte à minha leitura.

— Não estou rindo de você, sim, sorrindo *para* você. Precisa parar de se envergonhar por minha causa, Marguerite. Todos os maridos devem ver suas esposas como está agora.

— Preferia que o não o meu — retrucou, desarmando-se. — Já que aconteceu e estava mesmo disposto a chutar a porta, faça logo o que quer.

Pedido perigoso, pois se fizesse o que queria quebraria a palavra empenhada naquela mesma noite.

— Como não jantou, pedi que trouxessem chá, leite e biscoitos — ele revelou, indicando a bandeja. — Não queria que dormisse com fome.

— Foi muito atencioso de sua parte, mas Nádia trouxe meu jantar.

— Ah, sim? — Decepcionado, Logan assentiu. A desenvoltura e independência da jovem destruíam sua gentileza. — O apetite voltou, enfim...

Marguerite conteve um sorriso e corou fortemente. Confuso, Logan franziu o cenho. Antes que perguntasse o que havia perdido, ela declarou:

— Seu beijo pecaminoso tem todo mérito.

— Meu beijo peca... — Logan se calou ao compreender. A lembrança recente incitou-o a dar um passo à frente. — Marguerite...

Marguerite imediatamente voltou à seriedade e recuou, voltando a mirar o chão.

— Se era tudo, fico grata. Peço desculpas pela recusa e, mais uma vez, tenha uma...

— Espere! — Ele segurou a porta. — Não se despeça ainda... Não era tudo.

Marguerite suspirou e relutantemente o encarou. Escrutinando o rosto corado, contendo-se para não tocá-lo, Logan procurou por algo mais a dizer. Quando o silêncio pesou entre eles, recordou-se da novidade.

— Em dezembro farei aniversário.

— Foi o que disse em Apple White — ela observou. — Preciso pensar em um presente.

— Não se preocupe — tranquilizou-a. Comentou a ocasião apenas para retê-la, mas viu ter sido providencial. Precisava colocá-la a par do que fora decidido. — Apenas quis contar que Ketlyn organizará uma festa.

— Claro que sim! — Marguerite assentiu e se afastou minimamente. Para o duque foi como se ela tivesse cruzado um rio, deixando-o na margem oposta.

— Ela insistiu. Não tive como recusar.

— Por certo que não... E creio que ela não precisará de minha ajuda.

— Deixe que ela se ocupe com os preparativos. Está habituada — determinou seriamente.

— Sim... E sem dúvida surgirão outras oportunidades para que eu adquira minha própria experiência.

Caso voltar atrás não o colocasse em uma posição mais constrangedora do que aquela, Logan o faria sem hesitar.

— Será uma festa à fantasia — comentou, aceitando o sarcasmo de sua esposa.

— Então, pensarei em algo adequado. — Marguerite aprumou os ombros. — E, se agora já disse tudo... Dê-me licença.

— Tem toda... Se precisar de mim, estarei bem aqui. Boa noite, Marguerite!

Logan ficou bons minutos mirando a porta fechada. Aquela jovem o desconcertava com sua sinceridade, elevava-o, excitava-o com um simples ruborizar para em seguida reduzi-lo a um cisco com sua objetividade. Caso não fosse um homem relativamente jovem, em breve teria um ataque de apoplexia, provocado por tantos sentimentos discrepantes.

Talvez acontecesse antes que completasse os vinte e oito anos, pensou ao se sentar ao lado da bandeja e se servir de um biscoito. Estava bem arranjado!

Capítulo 18

A manhã de sexta-feira encontrou a duquesa sentada na cama, abraçada aos joelhos, olhando o céu ainda escuro através da vidraça. Os dez dias anteriores não seguiram o padrão dos dois primeiros, após sua chegada. Sem arroubos no pomar, encontros na campina, voos de Krun, bicadas ou beijos pecaminosos. Naqueles dias de chuva os únicos acontecimentos dignos de nota foram os convites para chás e jantares com ilustres vizinhos e o passeio à vila, no domingo.

O trajeto de ida e a volta serviu para que se apaixonasse pelas colinas verdejantes e mais pelo castelo que imperava em uma delas. Não foi diferente com a vila, formada por construções de pedra e tijolos amarelados, em sua maioria, com seus telhados pontiagudos. Ela se encantou também com os moradores receptivos e respeitosos que se aproximaram para conhecê-la.

A chuva ininterrupta não permitiu que Marguerite visse muito, mas aquela era sua vila, dissera Logan. Poderia voltar quando quisesse.

Em Bridgeford adotaram a doutrina Anglicana. Marguerite, assim como todos em Westling, era católica, mas não se importou. Compreensivo, Logan deixou que ela tomasse sozinha a decisão de se converter ou não. Cuidado favorável à admiração por ele que, aos poucos, crescia.

A gentileza constante e o cumprimento da palavra empenhada mostravam que o Logan com quem ela conviveu nos últimos dias não era o mesmo que conheceu em Apple White. Ele nem mesmo se insinuou nas duas ocasiões em que a chamou ao quarto para que averiguasse um ferimento que sarava rapidamente. Até mesmo Mitchell parecia conformado com sua recusa. Sim, discretamente ele ainda flertava com ela, mas, quando estavam sós, não voltou a roubar beijos.

Ketlyn era um capítulo à parte. Nas poucas vezes em que se viam, tratavam-se com polida frieza e simulada amabilidade. Quando Logan estava presente, Marguerite resistia ao máximo antes de olhar para qualquer um dos dois, evitando flagrar olhares entre o casal. E, por mais que desejasse, nunca retornou ao passadiço.

Marguerite detestava a duquesa viúva tanto quanto sabia ser detestada. Logan podia ter escolhido alguém melhor para se apaixonar, era sua opinião. Entretanto, sempre que chegava àquele ponto, Marguerite se questionava onde estaria caso o duque amasse outra mulher. Em Apple White, sabia. Tudo seria diferente, pois ele seria livre para se casar.

Essa certeza a inquietava. Não queria estar em outro lugar senão em Castle. Apesar dos incômodos detalhes, tudo seguia com tranquilidade.

Nas manhãs em que a chuva lhes deu trégua, Marguerite passeou ao redor do castelo com Mitchell, um amigo divertido. Lanchou com ele e seu marido, dedicou as tardes a ajudar o jardineiro no jardim de inverno e jantou na companhia de todos da casa. Algumas vezes tinha a companhia de Dirk e Jabor.

Dez dias eram insignificantes se levasse em conta o resto de sua vida, mas a cada instante Marguerite se sentia em casa, como se vivesse ali há anos. Com exceção a Ketlyn, ali não havia cobrança, não havia julgamentos. Faltava apenas Edrick, Nero. E ela não reclamaria se tivesse Cora no lugar de Nádia. Gostava de sua criada, mas não eram próximas.

Para a amiga ela contaria sobre o beijo indecente que a fazia corar com a simples recordação, pensou Marguerite ao recostar nos travesseiros, reparando que a manhã, enfim, clareava. Para Cora, ela também admitiria a falta que sentia dos beijos na boca e das ávidas mãos em seu corpo. Confessaria não saber o que sentia em relação à inusitada situação e, principalmente, o que sentia em relação ao duque. Diria ainda que, enquanto os sentimentos por Logan eram incertos, por Mitchell sentia crescer uma forte amizade.

Sim, Marguerite considerou, seria perfeito que Cora estivesse ali. Cuidariam uma da outra e, talvez, a boa amiga encontrasse um homem decente que a desposasse.

— Deixe de tolices! — demandou a si mesma, embargada, ao cair na dedução recorrente. —Tanto tempo sem notícias! Já devia ter aceitado que talvez Cora nem mesmo esteja viva.

— Milady! Milady! Não vai acreditar! — Nádia entrou intempestivamente, livrando a patroa da comoção. Secando as lágrimas que não conseguiu conter, Marguerite se sentou, em alerta.

— O que houve? Diga!

— Vosso irmão está aqui. Vi quando entrou, com Philip.

— Edrick? Edrick está aqui?!

A emoção voltou com força e Marguerite chorou. Logo também sorria. Ansiosa para ver o irmão, a duquesa deixou a cama de um salto e, apressada, calçou os chinelos.

— Milady, aonde vai?! — Nádia se apavorou ao perceber que a patroa sairia como estava.

— Edrick está aqui! — Foi a resposta de Marguerite antes que irrompesse porta afora.

— Querido Deus! Milady, espere!

Marguerite não a ouviu. Nem mesmo se importou com a armadura que lhe causava arrepios e desceu a escadaria o mais rápido que pôde. Edrick não estava o *hall*, então, ela correu para a grande sala anexa. Encontrou Griffins no corredor. Ele a cumprimentou mesmo alarmado.

— Procuro os senhores que chegaram... — ela explicou, sem fôlego. — Onde estão?

— Sua Graça os levou para o gabinete, milady.

Marguerite agradeceu e voltou a correr. Ao chegar onde queria, abandonou os bons modos, abriu a porta sem bater e procurou o irmão do limiar.

— Edrick! — exclamou ao vê-lo, sem deter as lágrimas. — É mesmo você!

— Marguerite?!

Edrick parecia alterado, porém Marguerite não se prendeu à impressão. Com o fôlego que restava, ela correu e se atirou nos braços abertos. Quando estes se fecharam à sua volta, chorou ainda mais.

Logan assistia à cena, petrificado. E não por sua esposa usar apenas uma reveladora camisola à luz da manhã, diante de outros homens, sim, pelo que sugeria. Em um segundo garantiu ao furioso amigo que a irmã deste estava bem e feliz, no outro, ela entrou aos prantos, aflita como se tivesse escapado de grilhões.

— O que fez a ela, Bridgeford?! — Edrick o fuzilou com o olhar, sem soltar Marguerite.

Logan não gostava do que via. Mesmo que Edrick fosse o irmão, não era adequado abraçar Marguerite daquela maneira, ainda mais vestida como estava.

— Solte-a imediatamente, Bradley! — demandou ao avançar um passo.

— Milady, por favor! — Nádia entrou atrás de sua patroa, mas estacou agarrada ao robe que trazia. Depois de se curvar para os cavalheiros presentes, disse ao duque: — Peço permissão para ir até Lady Bridgeford, milorde? Na pressa, milady se esqueceu de...

— Cubra-a de uma vez! — liberou Logan, encarando o cunhado.

— Bridgeford, você e eu, lá fora — Edrick sibilou ao afastar a irmã. — Agora!

O duque esperava por uma reação extremada e se preparou para atenuá-la, mas nos últimos dias estava sob tensão constante, então considerou que trocar socos com o cunhado seria um excelente modo de extravasá-la.

— Depois de você — Logan aceitou o desafio, indicando a porta.

Marguerite acabava de atar a faixa do robe que Nádia a ajudou a vestir, quando compreendeu o que acontecia.

— Não! — Segurou o irmão pelo peito. — Edrick, escute-me!

— Deixe que venha, Marguerite — disse Logan. — Resolveremos como homens!

— O que tem a ser resolvido?! — ela indagou, olhando de um ao outro, secando o rosto com a mão livre. Quando não teve resposta, procurou o apoio de Mitchell e Philip. — Nada farão?

— Caso duelem, serei padrinho do Sr. Bradley — informou Philip, reverente.

— Então, resta-me ser padrinho do duque — Mitchell fez coro. — Espero que escolham pistolas, pois vosso marido é péssimo com lâminas.

Marguerite bufou, exasperada, e correu para a porta.

— Nenhum dos senhores vai a lugar algum — determinou, empertigada sob o batente. — Não até que me respondam por que pretendem brigar.

— Bridgeford a desonrou — explicou Edrick, bravio. — Abusou de minha confiança e se aproveitou de minha ausência para enredá-la. Vou matá-lo!

— E se pretende ir embora, senhora — disse Logan no mesmo tom —, deixe que me mate, pois Bradley a tirará deste castelo apenas sobre meu cadáver!

A declaração do duque a distraiu. Alheia a todos em volta, sustentou o olhar aborrecido. Estava ali outro detalhe para agravar a confusão de sua mente.

— Duquesa, deixe que os homens se batam! — O pedido divertido de Mitchell a tirou do transe.

Marguerite levou as mãos à cintura e bateu o pé, decidida.

— Se tem alguém que irá deixar essa sala será você, Mitchell, e Philip. Pouco me importa o quanto são amigos ou quem está ansioso para recolher os restos de quem. Esse é um assunto de família e será resolvido com civilidade.

Logan e Edrick se entreolharam como se estivessem prestes a se atirarem um sobre o outro. Mitchell suspirou e a atendeu. Philip fez o mesmo. Ao passar por ela, disse:

— A nova posição lhe fez bem... Está mais decidida do que me lembrava. Congratulações pelo casamento, milady!

— Obrigada, Philip!

— Pelo que a congratula, Philip? Saia de uma vez! — Edrick ordenou.

— Agora — começou Marguerite ao fechar a porta —, os dois cavalheiros poderiam, por favor, me explicar o motivo da rusga?

— Isto já foi dito — retrucou o duque. — Seu irmão não veio para uma visita, mas para buscá-la. E eu dizia que não havia necessidade, assegurava que está bem e feliz quando a senhora entrou, chorando!

— Não levante a voz para ela! — Edrick se aproximou perigosamente.

— Marguerite não é mais problema seu! — Logan igualmente se preparou para a briga.

— Parem! — Marguerite foi se colocar entre os dois e os conteve com as mãos espalmadas em seus peitos. — Pensei que fossem amigos.

— Não existe amizade depois do que... Do que... Do que fez esse senhor! — Edrick apontava para Logan sem se importar que este fosse mais alto. — Prefiro ter uma viúva respeitada em Apple White a permitir que fique casada por obrigação sob o teto de um traidor.

— Pois tente levá-la daqui e veja o que...

— Foi por amor! — Marguerite falou alto o bastante para calar o marido.

Sua declaração surtiu o efeito desejado. Ambos recuaram um passo, encarando-a. Logan não devia parecer tão surpreso. Por sorte, preso em seu próprio assombro, Edrick não reparava na reação que a desmentiria.

— O que disse?

Intimamente Logan agradeceu ao cunhado por perguntar o que por muito pouco não fez ele mesmo, arruinando a encenação. Tentando restabelecer a calma, ele se recostou em sua mesa e cruzou os braços.

— O que ouviu — disse Marguerite, calmamente. — Não estou aqui por obrigação, sim por amor, Edrick.

— Não pode ser verdade. — Edrick meneava a cabeça. — Nunca o viu! Papai me disse tudo como aconteceu. Que Bridgeford apareceu e neste mesmo dia pediu sua mão. Se eu estivesse em casa, não permitiria.

— O barão permitiu, é o que vale.

— Logan, por favor! — Marguerite pediu. O duque ergueu as mãos em sinal de derrota. — Obrigada!

— Marguerite, olhe para mim. — Edrick a segurou pelos braços. — Por que aceitou esse absurdo? Como se deixou seduzir justamente por ele? Bridgeford não é o homem certo para você.

— Estou bem aqui, Bradley — Logan o lembrou, aborrecendo-se por ouvir o que já sabia.

E o casamento não tinha sido consumado, não houve desonra. Se Marguerite fosse levada a reconsiderar ele a perderia.

— Foi inesperado! — A duquesa sorriu para endossar suas palavras. — Apesar de papai ter consentido, Logan pediu um instante a sós comigo, para saber minha opinião. Ele explicou as razões de ter me escolhido para esposa e eu as aceitei. Confesso que tive dúvidas e quis que você estivesse em casa para me aconselhar, mas nem mesmo sabia onde procurar.

— Nunca pedirei perdão suficiente por isso — Edrick assegurou. — Sou o culpado!

— Não! Mesmo não estando, me ajudou — ela voltou a sorrir. — Considerei que, se Logan é seu amigo, não seria má pessoa. Quando ele voltou, eu não tive dúvidas. Amei-o no momento em que o vi ao lado de papai. Então, Edrick, o beijo que trocamos na biblioteca foi consensual. Queríamos que o casamento fosse realizado o mais rápido possível. E hoje...

Logan se empertigou, quando Marguerite o encarou e prosseguiu:

— Depois desses dias em que a cada momento Logan não foi nada menos do que atencioso e gentil, sei que não errei. Chorei de alegria ao vê-lo, Edrick, não de infelicidade. Amo meu marido e Castle é meu lar agora.

— Está certa disso?

— Sem a mínima sombra de dúvida — reiterou. Esgotaram-se os argumentos para aquele caso indefensável, então, apelou para o amor que o irmão tinha por ela. — Sou feliz, Edrick! Poderia, por favor, desejar-me sorte e se alegrar por mim?

— Sabe que por você eu faria qualquer coisa — disse o irmão, unindo sua testa à dela. — É minha irmã amada!

Logan voltou a se enregelar. Sabia da ligação, mas não imaginou que os laços fossem tão estreitos. Do mesmo modo que Marguerite influenciava o irmão, ele a manipularia se assim quisesse.

— Bradley! — Logan o chamou apenas para afastá-los.

Conseguiu o contrário. Edrick prendeu Marguerite sob um dos braços e o encarou. Logan se preparou para o que mais viesse, contudo, seu cunhado apenas aquiesceu:

— Não tenho por que duvidar do que diz minha irmã. — Por fim a libertou e recuou um passo. — Se minha defesa era desnecessária, é melhor deixá-los. Voltarei em outra ocasião.

— Não! — Marguerite segurou as mãos do irmão. — Fique! Passe a manhã, o dia. Durma aqui! Senti tanto sua falta.

Antes de respondê-la, Edrick olhou para Logan.

— Sabe que sempre será bem-vindo! — disse o duque. — Seu destempero nada mudou.

— Se continuar a fazer Marguerite feliz, não mudará para mim tampouco — replicou Edrick. Para a irmã, disse: — Ficarei se subir e se vestir. Onde estava com a cabeça para descer assim?

— Fui movida pela ansiedade de encontrar um irmão que demorou a vir — ela respondeu, puxando o cavanhaque dele, levemente. — Volto em um instante. Não se atreva a ir embora!

Tão rápido quanto veio Marguerite se foi, deixando-os sozinhos. O ânimo dos amigos ainda estava abalado, mas não brigaram.

— É cedo, mas aceita uma dose de uísque? — ofereceu o duque, indo se servir.

— Sim, por favor! — Edrick o acompanhou. Ao receber a bebida, disse: — Espero que compreenda minha reação.

— Perfeitamente compreensível — comentou o duque após beber de uma só vez. — Se tivesse feito algo parecido com minha irmã, Bradley, eu reagiria da mesma forma. Julgue-me quanto quiser, mas não é um pretendente melhor que eu.

— Não tenho uma madrasta em minha lista de conquistas — replicou Edrick ao igualmente beber de um gole.

— Mas esteve com algumas damas casadas na ausência de seus maridos. — Com Marguerite longe, Logan podia usar as mesmas armas. — Lembro-me bem de que, por duas vezes, ficou com elas enquanto os maridos estavam no cômodo ao lado.

— Ocupei o espaço que deixaram para estarem em outras camas, bem sabe, pois nas referidas ocasiões o senhor fez o mesmo. — Edrick ergueu uma sobrancelha, desafiador.

— Ah, as festas dos Dickinsons! — Logan esboçou um sorriso, fingindo divagar. — Finais de semana de boa bebida, boa comida, muita diversão e total prazer! Éramos os melhores! E foi em uma dessas festas que conhecemos *Sua Excelência*, lembra-se?

— Sim, Alweather. Como esqueceria? — Edrick não sorria, mesmo não parecendo estar aborrecido. Ao deixar o copo vazio de lado, encarou o amigo. — Não o considero péssimo pretendente para Marguerite por sua libertinagem, Bridgeford, mas por saber de Ketlyn. Até muito pouco tempo atrás não escondia que a amava. De repente, está casado com minha irmã?

— Subestima-a. Marguerite é encantadora!

— Encantadora...? Marguerite é muito mais e o homem que notar será o mais feliz sobre a face da Terra.

— Este sou eu! — retrucou o duque, desejando que tivesse razão.

Até mesmo Edrick duvidava, pois meneou a cabeça e pediu:

— Bridgeford, sejamos sinceros! Ela não é o tipo de moça por quem nos apaixonaríamos à primeira vista. Nossa leviandade não nos permitiria e você não sabia dela mais do que eu lhe dizia. Percebe que não há como estar seguro quanto às suas intenções. Acredito que minha irmã o ame, mas, no seu caso, não me admiraria se usasse um casamento para desviar o foco de seu romance secreto. A questão é: por que *ela*?

— Está enganado.

— O que houve? Romperam? Ketlyn partiu?

O duque se empertigou. Com ou sem seu cadáver estendido no pátio, após aquela resposta ele não teria o direito de impedir o amigo de levar a irmã, caso assim determinasse.

— Não — respondeu. Quando Edrick fechou a expressão e voltou a olhá-lo com ganas assassinas, Logan acrescentou seguramente: — Não partiu, mas rompemos. Acabou, Bradley! Foi de comum acordo. E você ainda não pode me julgar. É difícil conter o coração.

— Nunca acreditei que nesse caso atendesse o clamor do coração — replicou Edrick. — Mas os motivos que o moveram não são de minha conta. Quero é saber como Ketlyn ainda está aqui se acabou.

— Será por pouco tempo. Estamos providenciando uma propriedade, então, ela partirá. Não há razão para expulsá-la, Bradley.

Para a própria surpresa, pela primeira vez Logan considerou fazer exatamente como dizia. E a possibilidade de sua amante deixar o castelo não o agastou. Antes disso, seria a solução de muitos problemas.

— Não me resta muito, além de acreditar. Mas não deixei de reparar que, em meio a tudo que disse, não declarou seu amor por Marguerite. Disse apenas que é encantadora e nada mais.

O duque pensou em jurar que a amava, mas nada disse. Novamente, colocando-se no lugar do amigo, caso a moça em questão fosse sua irmã, não acreditaria.

— Minha esposa sabe o que sinto por ela — retrucou, seguramente. — É o bastante.

— Estou pronta! — A chegada de Marguerite pôs fim à conversa. — Edrick, venha!

— Sim! Com vossa licença, Bridgeford.

Disperso, Logan admirou a esposa e antecipadamente lamentou a perda caso Bradley a influenciasse. Marguerite estava radiante no vestido verde claro, com o cabelo preso sob o chapéu de feltro. Nunca pensou que acontecesse, mas considerou ser imperioso providenciar a partida de Ketlyn.

— Fiquem à vontade! — liberou-os por fim, rogando para que a decisão não tivesse vindo tarde demais.

Sem se despedir do marido, Marguerite passou seu braço pelo do irmão e praticamente o arrastou do gabinete, sorrindo. Feliz.

— Ainda não acredito que esteja aqui! Tive medo de acordar e descobrir que era sonho — ela revelou.

— Ainda não acredito que esteja casada — Edrick a imitou, sem o mesmo humor. — Eu gostaria de acordar desse pesadelo. Por favor, repita que aceitou toda essa loucura por amor.

Aproximavam-se do *hall*. Marguerite o parou e o encarou para que não restasse dúvida.

— Sim, Edrick, foi por amor — garantiu.

Odiava mentir para ele, mas havia muito em jogo. As palavras da baronesa calavam fundo em sua consciência, pois realmente dependia dela o destino daquela amizade. Não seria o pomo da discórdia entre o irmão de futuro promissor e o marido influente.

— Logan me faz feliz!

Com o coração aos saltos Marguerite sustentou a avaliação dos olhos azuis. Aproveitou para também analisá-lo. Edrick era um homem bonito. Desde o último ano de faculdade matinha um belo cavanhaque e o cabelo castanho, comprido, um pouco além dos ombros. Naquele dia este estava preso, formando um rabo de cavalo frouxo, como o dela.

Em estrutura física Edrick e Logan eram semelhantes e Marguerite quis acreditar que em caráter também. Edrick não seria amigo de um canalha. Suas restrições eram tão somente por, certamente, saber de Ketlyn. Acreditar que fosse assim tornava mais fácil se manter firme na tarefa de tranquilizá-lo.

— Acredite Edrick — ela insistiu.

— Sim — Edrick aquiesceu com maior convicção e sorriu, curvando seu cavanhaque —, acredito em você.

— Então, deseje-me sorte! — pediu, retribuindo o sorriso. — Não pode imaginar como senti falta de suas palavras em meu casamento.

Edrick sorriu mais e segurou as mãos da irmã. Depois de beijá-las demoradamente, disse:

— Boa sorte, Marguerite! Desejo com todo meu coração que formem uma bela família! Que sejam prósperos! Que tenham filhos saudáveis! Que Bridgeford e você sejam felizes!

— Obrigada, Edrick! — Marguerite fungou, comovida. — Era muito importante ouvir todas essas coisas vindas de você.

— Muito bem, mas não chore! — ele pediu, estendendo a ela seu lenço. — Se não precisava ser resgatada e é feliz, sorria.

Mesmo que as lágrimas insistissem em correr, Marguerite sorriu. Para mudar o tema, valeu-se de uma verdade.

— Minhas lágrimas são também por Nero... Como ele está?

— A herança de pelos e ossos que me deixou? — Edrick a olhou de esguelha, divertindo-a. — Parece que Nero compreendeu sua determinação, pois nunca fui tão bem recebido ao voltar para casa. Se antes a seguia, agora segue a mim.

— Oh! — Marguerite lutou contra novas lágrimas. — Já o aceitou como seu dono!

— Deixou-me uma sombra — Edrick gracejou.

— Nero é volúvel. Sempre preferiu Cora por tê-lo salvado. Era como se fosse ela a dona. Com a ausência dela, seguia a mim e agora, a você.

— Jura? Nunca tinha reparado nisso.

— É porque Cora não ia onde você estivesse — esclareceu Marguerite. — Lembra-se de que sempre comentei o quanto ela ficava chata quando você estava em casa, sem querer sair da ala dos criados. Enfim, onde Cora estivesse lá estaria Nero.

— Colocado dessa forma... É verdade que raramente via Nero, então, faz sentido. E o que foi feito de sua amiga? Nunca mais soube dela?

— Não, mas não quero falar sobre Cora. Hoje especialmente senti a falta dela e citá-la me deixará triste. — Sorrindo para espantar a comoção, disse: — Também queria vê-lo e agora está aqui. Conte-me mais! — pediu, voltando a puxá-lo pelo braço. — Como estão todos?

Enquanto deixavam o castelo, Edrick relatou como deixou os pais e a irmã caçula; todos bem. Contou que tentaram dissuadi-lo de ir até ali, alegando que, apesar do modo como tudo se deu, ela estava onde queria estar. Se não os ouviu foi por acreditar que algo estava fora de lugar.

— Sejamos francos — ela pediu ao deixarem o pátio frontal e seguirem por um largo e longo corredor ladeado por uma parede de pedra à esquerda e colunas terminadas em arco à direita que davam vista a um dos jardins internos. — Sabe sobre Ketlyn, não é mesmo?

Edrick conteve a respiração e nada disse por um instante, talvez considerando o que dizer. Por fim, anuiu:

— Sim. Dempsey, Alweather e eu somos os únicos a ter a confirmação pelas próprias palavras de Bridgeford. Todas as outras pessoas especulam. Apesar de tudo, sempre foram discretos. Como soube?

— Logan me contou — mentiu. — Um dia antes do nosso casamento.

— Então... Realmente me enganei. Bridgeford foi sincero. E você não se importa que Ketlyn ainda more no castelo?

— Sou paciente — disse com cautela, não sabia o que teriam conversado em sua ausência. — Um dia ela partirá.

— Bridgeford me disse que a partida já foi planejada — revelou seu irmão.

— Então, é certo. Prefiro não me envolver. Confio na decisão de Logan.

Edrick a olhou, admirado.

— Tanta tranquilidade e segurança acalmam mais meu coração. Quando se tornou adulta?

— Ainda me via como a menina que corria no pomar? — Marguerite sorriu. — Era lá que eu passava algumas horas de meus dias, mas não vivia perdida no mundo da ilusão. Bem... Não todos os dias. — ela riu. — Estou com dezenove anos, Edrick!

— Como pode ser? — Edrick meneou a cabeça e riu, divertido. — Acho eu perdi momentos importantes. Com minha formação e, agora, com os compromissos que assumi por nosso pai. Não fico muito em Apple White, não é mesmo?

— Não fica — ela anuiu com um muxoxo, olhando-o com desconfiança. — Mas não creio que seja apenas pelos negócios que fica tanto tempo longe de casa. Quantas semanas você ficou fora dessa vez? Completou um mês?

— Um pouco mais... — respondeu o irmão, evasivo. — Olhe! É o pomar!

— Reconheço um pomar sempre que vejo um — disse Marguerite, conduzindo Edrick para o local indicado. — E não desconverse. Por que demorou? Ou por que não nos informou seu paradeiro? Eu poderia ter mandado um recado, avisando-o de meu casamento.

— Bem... Já que agora é adulta, casada, não vejo mal em dizer. Depois de cumprir minhas tarefas, digamos que eu fiquei em Londres... aproveitando a vida de solteiro.

— Edrick! — Marguerite bateu levemente em seu braço.

— Ora, sou homem, realmente solteiro. Que mal há? Apenas lamento o que perdi. — Edrick parou e respirou profundamente. Com seriedade, acrescentou: — Acredito que minha reação exagerada também se deva à minha falta em um momento tão importante em sua vida. Eu simplesmente não acredito que não assisti ao seu casamento, Marguerite. Perdoe-me!

— Falta muito sentida, que só será perdoada se der o que me deve — Marguerite preferiu gracejar a se comover, então, ergueu os braços.

— O que exatamente eu lhe devo? — Edrick a olhava com desconfiança.

— Uma valsa! — Marguerite riu da expressão que provocou e agitou as mãos para que Edrick a guiasse. — Vamos! Não vai escapar.

— Não há música aqui, Marguerite! — Edrick sequer se moveu.

— Há, sim! — teimou. — Estamos na Sala Rosa e estou usando meu belo vestido de noiva.

— E eu considerei que fosse adulta? Não temos idade para isso.

— Homens e sua seriedade! — ela desdenhou antes de se aproximar e obrigar o irmão a segurar sua a cintura, uma das mãos. Sem dar-se por vencida, iniciou os passos de uma valsa. — Vamos! Não seja tão duro... Está com vinte e oito anos, Edrick! Não é tão velho. E, se isso não bastar, estamos apenas nós dois aqui. Dance comigo.

Ao se calar, irredutível, Marguerite passou a entoar os acordes da Valsa do Imperador.

— Você é incorrigível! — Edrick meneou a cabeça e, sorrindo, assumiu a tarefa de guiá-la, seguindo os compassos da música improvisada. — Por favor, não mude!

— Não está nos meus planos, honorável Edrick Bradley... Mas devo me comportar um pouco mais. Sou duquesa agora.

— De um duque sortudo — salientou Edrick, subitamente livre de humor, ainda valsando. — Espero que ele reconheça e a trate com todo cuidado que merece. Se não o fizer, eu não me importarei com obrigações, convenções, títulos e, neste caso, muito menos com o que diz o Papa. Se Bridgeford a fizer menos que feliz, se um dia sentir que ser duquesa não é o que quer, deixe-me saber, Marguerite. Virei buscá-la no mesmo instante.

Talvez fosse aquele o instante. Talvez devesse revelar que mentiu.

Enquanto giravam pelo pomar apenas ao som dos passos sobre as folhas caídas, Marguerite reconheceu haver muitas alternativas que justificassem o fim de acordos e farsas, mas prevaleceu o improvável. Talvez ela gostasse mais de Logan do que supunha e nada disse naquele sentido.

— Não é menos que espero de meu irmão favorito, mas esqueçamos o futuro e ações condicionais. Fale-me do presente... Quanto tempo ficará?

— Vim para resgatá-la, não visitá-la, duquesa. — Edrick encerrou a dança, reverenciando-a. — Não posso ficar. Como bem lembrou, demorei em Londres. Preciso voltar para a sidreria.

— Não, Edrick! Fique!

— Nada me faria mais feliz. — Edrick acariciou o rosto da irmã, sorrindo com ternura. — Prometo voltar em breve, preparado. Dessa vez, preciso mesmo partir.

— Então, ao menos tome comigo o café da manhã. Considere meu presente de casamento.

— Não posso negar um presente de casamento tão simples. — Edrick ofereceu seu braço. — Vamos ao desjejum!

Marguerite antecipadamente sentia a partida do irmão, mas sorriu e assentiu. Mesmo breve aquela visita trouxe imensa felicidade e luz para alguns pontos obscuros de suas considerações.

Capítulo 19

Logan compreendia a necessidade de expor sua decisão a Ketlyn o quanto antes, porém, não deixou o gabinete para acordá-la. Parado à janela desde que o cunhado e a esposa deixaram o castelo, ele esperou que voltassem. Vê-los no pátio, muito antes do esperado, consternou-o em vez de tranquilizá-lo. Ele se empertigou ao ver que conversavam seriamente para em seguida se surpreender com a explosão de risos.

Aproximando-se mais da grande janela, Logan levou os punhos à cintura e franziu o cenho.

— Mas, o quê...? — A questão se perdeu, quando Marguerite abriu os braços e correu ao redor do irmão que ria, divertido. — O que ela está fazendo?

— Novamente me atrasei, milorde? — indagou Ebert ao entrar. — Falava comigo?

Logan ignorou a questão. Sem tirar os olhos dos irmãos que se aproximavam lentamente, chamou seu valete.

— Veja aquilo. O que lhe parece?

Obediente, Ebert foi até a janela e analisou a cena.

— Parece-me que milady está correndo ao redor de vosso cunhado — respondeu. — O que lhe parecia, milorde?

O duque fechou os olhos e respirou profundamente, calando um impropério.

— Ebert, o que queria? — indagou, encarando-o com seriedade.

— Murray deseja saber se ainda irá a Bridgeford.

— Diga que espere! — ordenou. —Não imaginei que Edrick viesse hoje e atrasasse minha ida semanal à vila.

— Ninguém seria capaz de prever, milorde.

— Evidente! Agora vá. Não deixe Murray esperando.

Com a saída do criado, Logan se voltou para a janela. Ao ver que os irmãos não estavam em seu campo de visão, aborreceu-se com Ebert. Aquele era um raro momento. Não sabia o que fazer, pensar ou esperar. Na dúvida, Logan se acomodou à sua mesa, apegando-se ao fato de haver riso na cena estranha.

— Entre! — disse Logan, de pé, ao ouvir as batidas à porta minutos depois.

Edrick deu passagem à Marguerite. Ela segurava o chapéu, tinha o rosto corado e, para confundir seu marido, parecia aborrecida.

— Logan, isso está errado! — Ela mantinha as sobrancelhas unidas, encarava-o duramente.

— Nada do que diga me fará mudar de ideia, Bridgeford — disse Edrick, seguro.

Logan conteve a respiração e olhou de um ao outro. Recusando-se a tirar qualquer conclusão equivocada, indagou:

— De qual assunto tratavam?

— Pedi que Edrick ficasse um pouco mais e ele recusou! — Com a explicação de Marguerite o duque soltou o ar. Tranquilizou-se, quando ela foi até ele, apoiou-se em seu braço e pediu: — Reitere meu convite, por favor!

— Não se dê ao trabalho. — Edrick ergueu uma das mãos para silenciar o duque. — Como expliquei a essa teimosa, não vim para ficar. Não trouxe bagagem.

— Devo ter algo que lhe sirva — disse Logan.

— Agradeço, mas declino — Edrick recusou educadamente. — Estou com Philip e tenho muito que fazer em Apple White.

— Será bem-vindo, caso mude de ideia! — Logan segurou a mão da esposa.

Não mentia, mas intimamente rogava para que o amigo logo partisse. Odiava a insegurança que provocava.

— Enganou-me! — Marguerite se dirigia ao irmão. — Aceitou tomar o café da manhã e, ao entrarmos, retirou sua palavra.

— Fique ao menos para o desjejum — pediu o duque. Se a presença de Edrick faria a esposa feliz, insistiria. — Fique! Vamos aproveitar esse tempo para voltarmos de vez às boas. Nunca brigamos, não é mesmo? Não gostei que tivesse acontecido.

Edrick considerou por um instante e aquiesceu. Logan sorriu por reflexo ao ver a alegria de Marguerite. Com a espontaneidade que lhe era peculiar, ela o beijou no rosto e foi até o irmão para fazer o mesmo.

— Pedirei ao Sr. Griffins que providencie outro lugar à mesa e que receba Philip muito bem. Com licença!

Antes que qualquer um dos cavalheiros respondesse, Marguerite os deixou.

— Como pode estar sempre com pressa? — Admirou-se Logan.

— Sempre foi assim — Edrick observou, olhando para a porta, indicando ao duque que sua questão não fora apenas pensada. — Torna difícil acompanhá-la. Por anos a fio mamãe tentou colocar-lhe freio, sem sucesso.

Com o devido cuidado de fazê-lo em silêncio, Logan agradeceu pelo fracasso da baronesa. Era difícil acompanhar sua esposa, mas reconhecia que gostava que fosse assim. Marguerite não mascarava emoções, não se envergonhava de expô-las. Era diferente. Quando não tratavam temas tensos chegava a ser divertido. E era bom, muito bom.

— Graças que não teve sucesso! — Logan deu voz ao pensamento, experimentando a liberdade da sinceridade. — Gosto que Marguerite seja assim.

Edrick o encarou seriamente.

— Então, não faça nada que mude isso — pediu.

— Tem minha palavra! — comprometeu-se o duque e indicou a porta. — Vamos! Não sei você, Bradley, mas estou faminto.

Antes que deixasse o gabinete, Edrick o deteve. Logan olhou para a mão em seu peito e para o sério rosto do amigo.

— Não gostei de termos brigado tampouco, Bridgeford. Temos sido amigos há anos e agora, mais que tudo quero que continue a ser assim. Vou confiar que fará Marguerite feliz. Aliás, que continuará a fazê-lo, pois há tempos não vejo minha irmã tão satisfeita, brincando, como nas vezes que lhe contei. Caso me dissessem eu não acreditaria, mas a influencia positivamente, Bridgeford.

Logan olhou para a mão que Edrick estendeu e, sem nada dizer, apertou-a.

— Parabéns por seu casamento!

— Obrigado! — Assim como Marguerite, Edrick não deixava muito a ser dito.

As palavras do cunhado ecoaram na mente do duque durante a refeição. De seu canto, Logan observou Mitchell arreliar Edrick e a ele pelo duelo não realizado, agradeceu por Ketlyn não se juntar a eles e sentiu a insegurança ser dissipada pela tranquilidade de Marguerite, mas não foi conscientemente participativo. Sorriu e riu por reflexo, respondeu quando questionado e só.

Nos dias anteriores Marguerite se aproximou mais e em momento algum se mostrou aborrecida por não ser ela a organizar sua festa de aniversário, o que ele considerava perfeito. Mas, dali a influenciá-la positivamente havia uma assombrosa distância e era essa a questão que detinha a atenção do duque.

O que aquela declaração significava, afinal? Que atingia seu objetivo, tornando a vida de Marguerite melhor do que era em Somerset? Que a moça era boa atriz? Era um mistério.

O café da manhã chegou ao fim sob os protestos de Marguerite, Logan acompanhou seus visitantes inesperados até o pátio principal e se despediu. E em momento algum chegou a qualquer conclusão.

Quando Marguerite correu para o interior do castelo, comovida, Logan não duvidou que fosse apenas por lamentar a partida do irmão querido. Essa certeza tranquilizou-o mais, mas agravou sua confusão. Por um instante considerou ir até ela, mas achou por bem cuidar de suas obrigações. Não saberia como consolá-la.

Naquela manhã incomum até mesmo a visita à Bridgeford foi estranha. Ao ser parabenizado por seu enlace e questionado sobre a nova duquesa por aqueles que não os viram no domingo, Logan lamentou por seu despreparo para lidar com ela. Há muito sabia que Marguerite era o oposto de Ketlyn, logo, se a esposa apreciou uma visita, apreciaria todas. Ao se queixar por não ter conhecido muito da vila num dia chuvoso, tinha sido sincera, como sempre.

Ao regressar para o castelo o duque se repreendia em pensamento por tardiamente considerar que seu convite seria a desculpa perfeita para distraí-la.

— Onde está a duquesa? — Logan perguntou ao mordomo, enquanto entregava a cartola e o casaco a Ebert.

— A duquesa lê no jardim de inverno, milorde.

Decidido o duque marchou até o local indicado e, no limiar, estacou.

Mitchell fazia companhia a Marguerite. Não conversavam, ainda assim Logan não gostou do que viu. Acomodada em um dos bancos de pedra, ela parecia serena, mergulhada na trama do livro escolhido. Tanto que não notou sua aproximação. Dempsey não o notou tampouco, pois estava concentrado na distraída leitora.

Se o contentamento apresentado por Marguerite a Edrick era uma incógnita, o mesmo não se podia dizer do comportamento de Dempsey. Ele estava enamorado! A adoração que dedicava à duquesa era clara. Se Marguerite o olhasse, veria a intensidade com que era observada. Talvez fosse exatamente o que Mitchell esperasse, assim, poderia se insinuar.

— Não sob minhas barbas — Logan ciciou antes de pigarrear e dar um passo à frente.

Marguerite ergueu a cabeça e sorriu ao vê-lo. Mitchell se pôs de pé, mas não se mostrou surpreso ou incomodado com a interrupção.

— Pensei que fosse demorar a vê-lo — disse Marguerite, deixando o livro de lado enquanto Logan se aproximava. — Mitchell me contou que sempre volta tarde de suas idas à cidade. Que geralmente até mesmo é convidado a jantar com o vigário ou com algum senhor mais influente.

— Folgo em saber que Dempsey mantém as informações atualizadas, mas dessa vez esteve errado. Houve convites até mesmo para o almoço, e eu os recusei — respondeu amavelmente.

— E por que não os aceitou? — Mitchell não pareceu se importar também com a zombaria que apenas ele notaria. — Algo aconteceu?

— Sim... — Logan anuiu, sorrindo para Marguerite. — Cometi o erro imperdoável de não levar minha esposa. Ainda há muitos na vila que querem conhecê-la. E algumas senhoras me lembraram de seus convites para o chá. Querem conhecê-la melhor.

— Respondi a todas. Tão logo me sinta confortável em meu novo papel, terei imenso prazer em estreitar os laços. Quanto ao novo passeio à vila, eu teria gostado muito — ela assegurou, confirmando o pensamento do duque. — Não cometa o mesmo erro da próxima vez, senhor!

— Não serei reincidente — prometeu ao tomar-lhe a mão e beijá-la. Logan não foi nada menos que sincero. Verdadeira ou não, cuidaria para que sua influência positiva perdurasse. — Em todo caso, domingo iremos novamente à missa.

— Mal posso esperar — animou-se a duquesa.

— Quanto aos convites, são das esposas de homens importantes, como o coordenador do hospital, o banqueiro, o médico chefe e a viúva de um general. A menos que a rainha a requisite como dama de companhia não há nada de extraordinário em ser duquesa. Não se arrelie tanto.

— Seja onde for, em Buckingham ou nas casas da vila, será sempre bem acolhida — disse Mitchell, sorrindo para ela. — Sempre será cativante em todas as esferas, senhora.

— Obrigada! — Marguerite retribuiu o sorriso. Para o marido, disse: — E obrigada a você também, por me tranquilizar. Vou pedir ao Sr. Griffins que prepare seu lanche. Com licença!

Logan assentiu com os olhos postos em Mitchell. Ao ficar a sós com o amigo, indagou:

— O que pretende?

— Tenho muitas pretensões — respondeu Mitchell —, mas seja específico. Refere-se a quê?

— A Marguerite. O que pretende com tantos elogios?

— Acredita que a duquesa não os mereça?

— Não vá por esse caminho — Logan o alertou. — Desde esta manhã eu não primo pela paciência. E o pouco que me restava passou a se esvair quando vi o que se passava aqui. Então, eu repito... O que pretende?

Mitchell considerou por um instante, aprumou os ombros e ergueu o queixo.

— Marguerite não é apenas divertida e cativante. É também apaixonante e bem sabe que não sou imune a essas qualidades.

— Sua estada se estendeu por demais — sibilou Logan. — Deve organizar sua partida.

— Está me expulsando porque talvez eu esteja apaixonado por uma mulher que não quer para si? — Mitchell cruzou os braços, sustentando o olhar bravio.

— Cuidado com suas palavras, Dempsey. Vamos lá para fora. Agora!

Pisando duro, Logan deixou o jardim de inverno pela porta que dava acesso ao pátio interno. Certificando-se de que não havia ninguém nos arredores, chispou o olhar para Mitchell.

— Sabe muito bem que pouco importa se eu a quero ou não, Marguerite é minha esposa.

— Ah, sim, o plano perfeito! — Mitchell fingiu ter recordado. Com seriedade retrucou: — Marguerite merece mais do que você pode dar a ela.

— E quem tem mais a oferecer? Você?

Para a raiva que Logan sentia não havia precedentes.

— Por que não? Posso não ser o primeiro na linha de sucessão, mas tenho meus rendimentos. Daria a ela uma vida digna.

Logan gargalhou mesmo que não houvesse graça no que ouvia ou no que sentia.

— Ria o quanto quiser... Sabe que tenho razão.

— Posso enumerar todos os erros em cada uma de suas declarações, mas não perderei meu tempo nem o reterei. Tem bagagem a aprontar. Deve partir ainda hoje. E, não, não é uma expulsão. Gentilmente convido-o a se retirar. Será bem-vindo quando recobrar a razão.

Inabalável, Mitchell levou as mãos aos bolsos da calça e escrutinou o rosto do duque.

— Em relação à Marguerite, o que mudou?

— Nada mudou — assegurou. — E agora, infelizmente, não posso mais contar com você. Cuide para que parta antes do jantar.

Sem mais a acrescentar, Logan fez o caminho de volta. Seguia apressadamente, cismando com as palavras de Mitchell, quando esbarrou em Marguerite no corredor. Ela se sobressaltou e não caiu graças à rápida ação do duque que a segurou. Os olhares se encontraram e Logan se perdeu na placidez azul das íris maximizadas. A raiva que o movia se esvaiu e ele reconheceu o quanto sentia falta dos beijos quentes, das inocentes e sinceras reações.

— Não cairei, Logan — murmurou Marguerite, afastando-o gentilmente pelo peito antes que a beijasse. — Pode me soltar agora.

A contragosto, Logan deixou que Marguerite se afastasse.

— Tomarei mais cuidado ao sair para o corredor. Perdoe-me se a assustei.

— Não por isso... — Marguerite agitou a mão, minimizando o ocorrido. — Vim avisá-lo de que seu lanche será servido na sala de jantar.

— Terei sua companhia?

— Já lanchamos, Mitchell e eu... E, por falar nele, onde está?

Soturno, sentindo sua raiva ser renovada, o duque revelou:

— Dempsey deve estar juntando seus pertences nesse instante. Houve um imprevisto e ele terá de partir o quanto antes.

— Mitchell irá embora?! Ainda hoje? — Marguerite recuou um passo. — Vou procurá-lo.

A surpresa mesclada à comoção acirrou mais o péssimo ânimo do duque.

— Não há o que dizer a Dempsey. Deixe-o!

— Disse que houve um imprevisto. Talvez Mitchell precise de apoio.

Dempsey precisava apenas de um vigoroso chute no traseiro que o arremessasse para fora de Bridgeford Castle. De preferência que caísse nas Highlands, junto com os parentes maternos, o mais longe possível, pensou Logan, irritado.

— Não havia lágrimas quando nos separamos — tentou gracejar, mesmo que sua vontade fosse a de arrastá-la com ele para a sala de jantar. — Deixe-o, Marguerite!

— Como pode ser tão insensível? Mitchell é seu amigo.

— Amizades masculinas não englobam sentimentalismos.

— Bem... Sou uma dama e considero Mitchell meu amigo. Preciso ao menos ver como está. Com licença.

— Não é adequado ir ao quarto de um cavalheiro! — Logan deixou transparecer sua bronca.

— Permanecerei no corredor — replicou Marguerite, deixando-o.

Logan liberou um esgar enfurecido enquanto via a esposa se afastar. Naquele instante ele a odiou e extravasou sua ira chutando o batente mais próximo. Em seguida marchou para a sala de jantar, ciciou um cumprimento ao mordomo e ao lacaio e se sentou.

Mastigando furiosamente um dos sanduíches, o duque lamentou que Marguerite não tivesse partido com o irmão pela manhã. Dando fim a outro pãozinho, pensou que a duquesa poderia arrumar suas coisas e partir com Dempsey. No segundo seguinte foi preciso beber um longo gole de suco na tentativa de aliviar a dor que tomou seu peito.

— Griffins! — Logan bradou como se o mordomo não estivesse ao lado. Quando o senhor se aproximou mais, ordenou: — Mande Nádia fazer companhia à duquesa!

— Agora mesmo, milorde! — Após uma reverência, ele se foi.

Marguerite não voltaria a ficar a sós com Dempsey antes que ele fosse para o inferno, considerou o duque, azedo.

— Algum bicho o picou na vila? Ouço louça e talheres reclamando lá da ala oeste.

Logan fechou os olhos e respirou profundamente ao ouvir a voz de Ketlyn. Não se lembrava da vez em que não se sentia disposto a dar-lhe atenção. Em todo caso, não tinha como ignorá-la.

— O que deseja? — indagou antes de tomar um gole de suco.

— Um cumprimento ou o cuidado de perguntar como tenho passado seria apropriado — Ketlyn observou secamente. — Mas, já que pulamos as amabilidades, vamos à sua questão. Desejo lhe falar. Estarei esperando no gabinete.

Logan assentiu e Ketlyn se foi, equilibrando o irretocável penteado. Estava impaciente e grosseiro, ele reconheceu. Talvez devesse adiar aquela conversa, mas, uma vez que sua vontade assemelhava-se à dela, iria ao encontro tão logo terminasse a refeição. Apegando-se ao fato de que Nádia logo estivesse com Marguerite impedindo qualquer assunto indevido, Logan tentou se acalmar. Ketlyn não merecia que a destratasse sem razão.

Minutos depois, ao abrir a porta do gabinete Logan descartou o pensamento. Ketlyn por si só lhe dava bons motivos para ser intratável. Enfurecido, fechou a porta rapidamente e se voltou para a amante que o esperava, acomodada displicentemente em uma das poltronas, nua. Ele, ou qualquer outra pessoa que entrasse sem se anunciar, não veria o corpo despido graças à anágua que a inconsequente mantinha à sua frente.

— Vista-se imediatamente! — demandou o duque, indo até sua mesa.

— O que disse? — Ketlyn se empertigou, olhando-o estupefata.

— Tenho certeza de que não falei em nenhuma língua que não compreenda. Faça como eu disse — retrucou, abrindo uma das gavetas à procura de seus charutos.

— Compreendo perfeitamente suas palavras, Logan — disse Ketlyn ao se levantar e ir até ele. — O que não entendo é sua atitude. Desde quando não se alegra ao me encontrar pronta para recebê-lo?

— Desde que me casei — replicou, ignorando o corpo que se moldou às suas costas. — Não moramos sozinhos.

— Marguerite deve estar lendo no quarto. — Ketlyn passou a acariciar seu dorso. — Ou no pomar, na biblioteca... Conheço os hábitos. E ninguém entraria sem bater, então...

Logan segurou a mão delicada antes que chegasse à ereção que se formava. Reação de um corpo saudável, mecânica, sem sentimento.

— Não me obrigue a repetir— pediu com a calma que não sentia. — Recomponha-se.

— Como queira! — Ketlyn se afastou e passou a se vestir. — Mas saiba que vou esperá-lo em meu quarto. Há três dias não me procura.

— Em seu quarto — Logan repetiu distraidamente, cuidando de seu charuto. Saboreava-o, quando Ketlyn se aproximou e lhe deu às costas.

— Por favor...

Como indicado, Logan a ajudou com o espartilho, apertando as fitas com eficiência.

— Sabe? — Ketlyn indagou após um instante em silêncio. — Se eu tivesse previsto que esta seria sua postura depois de casado, eu não teria insistido.

— Esperava que eu fosse irresponsável? — indagou o duque, finalizando o trabalho.

— Está indo além da responsabilidade. Desconheço-o. Se não estivesse segura quanto ao seu amor por mim, eu pediria que acabasse com essa união.

— Não há nada ser feito nesse sentido. — Reconhecendo que nem mesmo degustar um bom charuto o livraria da impaciência, Logan o apagou.

— Sempre há! Especialmente quando o casamento não foi consumado. Qualquer criada de quarto ou da lavadeira poderia ajudá-lo, atestando o que eu digo. Provavelmente não saiba, mas comentam a demora de encontrarem sangue no leito da duquesa. Então, querido, uma simples anulação resolveria o problema. Caso seja preciso.

— Não há um problema a ser resolvido — redarguiu o duque, soturno.
— E não se fie no que dizem criadas tolas. Há mais de um lugar onde se pode tirar a virgindade de uma jovem.

— Não há dúvida quanto a isso, mas, seja por costume ou mera vaidade masculina, todo marido rompe o selo de legitimidade de sua casta esposa sobre um lençol alvíssimo para que muitos vejam. Antigamente até mesmo o expunham. Não sou tola como as criadas, querido. Sei que nada aconteceu.

— Nunca disse o contrário.
— E tudo isso me intriga — Ketlyn prosseguiu como se não o ouvisse. —Não é apenas responsável, como extremamente paciente, desdobra-se em cuidados. Eu esperava que a jovem o perseguisse, mendigando atenção, mas para minha surpresa é justamente o oposto.

— Não mendigo atenção!
— Faz pior! Disputa a atenção da virgem assustada com Mitchell. Admita ser esta a razão de tê-lo expulsado.

— Como sabe disso?
— As criadas tudo sabem, Logan. Chegou até mim que Mitchell pediu ao cocheiro que o levasse até a estação ferroviária. Ter sido uma expulsão eu tive a confirmação agora, com sua reação. O que está me escondendo?

Logan sustentou o olhar especulativo, sabendo que jamais diria que Marguerite despertava emoções que ele desconhecia ou o quanto apreciava tê-la por perto. Conhecia as mulheres o bastante para saber que Ketlyn chegaria à dedução absurda de que a traía e isso, sim, lhe traria um problema.

Antes que se arreliasse ele devia agir objetivamente. Livrou-se de Dempsey, agora era hora de cumprir a determinação daquela manhã. Para tanto, engoliu sua bronca, atraiu Ketlyn para um abraço e sorriu.

— Sim, pedi que Dempsey partisse porque estava atrapalhando nossos planos. Marguerite é jovem, romântica... Não percebe o risco que corremos se ele a seduzir? O que dirá Alethia se eu for abandonado?

— Não quero nem pensar nessa possibilidade. — Ketlyn meneava a cabeça, pensativa. — E, seguindo essa linha de raciocínio, talvez até mesmo eu deva deixar Castle. Talvez Marguerite se aproxime mais de você quando estiverem sós.

— Faria isso? — Logan sorriu, satisfeito, escrutinando o rosto perfeito. Logo zombou de sua estupidez. Qual emoção esperava flagrar em alguém fria como Ketlyn?

— Eu poderia ir para Haltman Chalet — ela sugeriu.
— Não! Não vou pedir que Lowell se retire para que você ocupe a casa. E não deve ir tão longe... Você poderia ir para minha casa, na vila.

— Quer que eu viva em Bridgeford? Não, fora de cogitação!
— Bem, já que deu a ideia, diga o lugar — pediu Logan.

— Direi, mas não hoje. — Ketlyn se afastou alisando a saia do vestido. — Ainda tenho uma festa a organizar, então, ficarei para seu aniversário. Até lá, eu poderia considerar a compra de uma casa?

Logan pensou por um momento. Com o ducado havia herdado algumas propriedades nos arredores e em Londres, mas, por mais que a amasse não se sentia inclinado a repassar nenhuma delas à amante. Com esse pensamento, teve sua resposta.

— Considere — liberou.

— Que maravilha! — disse Ketlyn, sem entusiasmo ou gratidão, dirigindo-se para a porta. — Estarei esperando em meu quarto essa noite.

Logan ficou a olhar para a porta, repassando tudo que acontecera. Coisas importantes foram ditas e, principalmente, sentidas. Decisões determinantes foram tomadas, ainda assim, o único detalhe que se destacava era a observação de Ketlyn. Em silêncio ele rogou para que Marguerite se aproximasse mais, quando estivessem sozinhos.

Capítulo 20

Mitchell não estava no quarto que ocupava, Marguerite constatou após uma breve inspeção pela porta aberta. Especulava onde estaria, quando ele chegou.

— Duquesa?! O que faz aqui?

— Perdoe-me! — Desconcertada, explicou: — A porta estava aberta, mas não pretendia invadir.

— Caso ousasse, seria bem-vinda — disse Mitchell. Ao passar por ela, levou-a consigo, puxando-a gentilmente pela mão.

— Mitchell, não! — Marguerite tentou se libertar. — Não posso entrar em seu quarto! Vim apenas saber se precisa de minha ajuda. E o que houve, caso não esteja sendo indiscreta.

— O que houve perderá a importância se vier comigo. — Mitchell a segurou com maior firmeza, pelos braços, para que parasse e o encarasse. — Apronte-se e venha!

— Não! — Marguerite se enregelou. — Que tipo de pedido é esse?!

— Meus sentimentos são sinceros, senhora! E sei que não me é indiferente. Juro que tentei, mas não esqueço o beijo no pomar nem que o correspondeu.

Marguerite não podia negar, mas na ocasião acreditava estar encantada por um príncipe. Agora, especialmente depois de tantos dias, não tinha dúvidas de que ele era apenas um amigo. E havia Logan!

— Um ato não justificaria outro — retrucou a duquesa, desistindo da luta. — Não preciso lembrá-lo de que sou casada.

— Vive uma farsa.

— Não importa!

— Comigo seria de verdade — ele insistiu. — Posso fazê-la feliz!

— Assumi um compromisso... Tenho de cumpri-lo.

— Enquanto Bridgeford se diverte com outra?

— Não me importo — repetiu Marguerite, subitamente embargada. — Solte-me, Mitchell!

— Não seja tola de se apaixonar! Bridgeford tem olhos apenas para Ketlyn. Deixe-o enquanto pode. Eu a assumirei e jamais permitirei que seja desrespeitada.

— Não... — murmurou. A comoção roubava sua voz.

— Já aconteceu, não é mesmo? Diga-me, duquesa! — demandou Mitchell, aflito. — Diga!

— Não!

Marguerite não sabia se estava apaixonada. Era o que diria, mas as lágrimas não permitiram que fosse além da negativa. Descobriu que fora mal-interpretada ao ouvir o suspiro de alívio antes que fosse abraçada e beijada.

Daquela vez a duquesa não retribuiu e, sem forças para lutar, novamente ficou imóvel.

—Milady — Nádia a chamou do corredor.

— Inferno! — ciciou Mitchell ao soltar Marguerite. Não completamente, pois ainda a segurou pela mão e prometeu, sorrindo: — Irei, pois não tenho escolha. Contudo, darei um jeito de vir buscá-la, senhora. E cuidarei para que não me esqueça.

— Por favor! Deixe-me ir... — implorou Marguerite.

— Antes, também tenho um favor a pedir... Não se despeça de mim. Apenas vá.

Por desespero, não para atendê-lo, Marguerite simplesmente correu para fora. Ignorando o assombro da criada ao ver de onde vinha, entrou em seu quarto e passou a andar de um lado ao outro, agitada.

— Que dia... — sussurrou enquanto secava as lágrimas.

Quanto mais choraria? Perguntou-se. Pela manhã por seu irmão, agora, por Mitchell. Ou seria por Logan? Por sua sorte infeliz? Ou por ser tola e aos poucos se apaixonar pelo último homem a quem devesse entregar seu afeto?

— Milady, o que aconteceu? — Nádia se aproximou.

— Nada com que deva se preocupar. — Marguerite esboçou um sorriso para reiterar suas palavras. — Ficarei melhor quando me trouxer uma xícara de chá.

— Sim, milady.

Nádia saiu apressadamente, causando remorso em sua patroa. Lamentava a falta de amizade, mas cabia a ela a iniciativa de estreitar os laços, como fizera com Cora. Não era esperado dos criados mais do que respeito, eficiência e servidão. Caso tivesse alguém mais com quem contar, talvez não se sentisse próxima a quem não devia. Fora ingênua ao acreditar que Mitchell para sempre se portasse como um amigo depois de incentivá-lo.

Decidida a se portar como devido e, antecipando a falta que alguém com quem conversar lhe faria, ao receber o chá das mãos de sua criada, Marguerite fez com que ela se sentasse e pediu que falasse sobre si.

— O que deseja saber, milady? — Nádia a encarava com olhos maximizados.

— Fale-me de sua infância, de seus pais... — sugeriu Marguerite, tentando bloquear os sons vindos do corredor. Mitchell partia. — Como foi trabalhar em Apple White.

Nádia assentiu e, após breve hesitação, contou que deixou a casa dos pais à procura de um emprego que lhe permitisse ajudá-los mais do que lidando ao lado deles nas terras de Cameron Hope. Era a mais velha num total de seis irmãos. Tinha vinte e dois anos, há dois tinha sido contratada pela baronesa.

Marguerite conhecia aquele detalhe. Nádia Riche completou o grupo de criadas três meses após a partida de Cora.

— Por que quer saber de todas essas coisas, milady? — indagou Nádia, incerta. — Parece triste. Meus serviços não a agradam?

— Evidente que agradam! — Marguerite sorriu, agradecendo intimamente pela distração. — Apenas percebi que quase nada sabia de sua vida. É meu único elo com Apple White, um rosto amigo neste castelo e sinto que somos distantes. Quero ter em você uma amiga.

— Eu não ousaria tanto... — A jovem corou fortemente. — Conheço meu lugar, milady, mas saiba que pode contar comigo para o que precisar. Serei discreta e fiel, em qualquer situação.

— Por ora é o que basta! — Amizades não surgiam à revelia nem se consolidavam em uma conversa. Quando Nádia percebesse, já teria ousado. Como Philip em relação ao Edrick, ela comparou. — Se tiver algo a fazer, fique à vontade. Quero descansar um pouco.

Nádia torceu os lábios e não deixou seu lugar.

— Nádia, o que há? Tem algo mais a me dizer?

— Não, milady... É que... A quem devo obediência? À senhora ou ao duque?

— Bem... A nós dois, mas por ser minha criada pessoal, em primeiro lugar deve obedecer a mim. Por que pergunta?

— É que vim procurá-la a mando de Sua Graça. A Sra. Reed repassou a ordem de que eu deveria lhe fazer companhia. Como me dispensou, não soube o que fazer. Mas, como bem disse, sou vossa criada pessoal, então... — Nádia levantou e se curvou. — Bom descanso, milady!

Marguerite apenas assentiu antes de ir até a cama e se recostar nos travesseiros, pensando na revelação. Logan não a queria sozinha com Mitchell e enviou a criada. Sem saber ele a livrou de uma situação constrangedora. Era grata. Alegrar-se, contudo, não seria sábio. O duque cuidava da própria reputação, nada mais.

Teve a prova naquela mesma noite. Logan a elogiou, beijou sua mão, mas não dirigiu a ela um olhar sequer durante a refeição. O jantar, sem Mitchell, foi silencioso, breve, tenso. Para o bem da verdade, o duque também não se perdeu em olhares para a duquesa viúva. Esta esteve igualmente séria, ensimesmada.

À primeira oportunidade Marguerite escapuliu para o quarto. Com a ajuda de Nádia, grata pela criada estar mais falante que o usual, preparou-se para se acomodar entre os lençóis com uma de suas figuras literárias favoritas, Dom Quixote. A inspiração para escolher aquele livro veio da tétrica armadura que guardava a escada à qual naquele dia ela batizou de Dom, em referência à personagem principal de Miguel de Cervantes.

O duque que se divertisse com outra! Pensou Marguerite, abrindo o livro ao ficar sozinha. Ficaria na boa companhia de alguém tão imaginativo quanto ela, que se lançava com paixão em suas brincadeiras. Marguerite riu de sua licença poética, pois quanto à criação do escritor espanhol, as aventuras eram baseadas em grandiosos delírios.

— Talvez eu também perca a sanidade um dia — gracejou, mirando o livro. — Ultimamente até falo com as paredes e tento melhorar minha relação com uma armadura velha e vazia.

— Marguerite!

Marguerite se sobressaltou ao ouvir seu nome, seguido de breves batidas à porta de ligação. Deixando o livro de lado, agradeceu o fato de não ter o cabelo repleto de papelotes.

— Sim?

— Eu poderia lhe falar um instante? Serei breve.

— A porta está aberta — disse sem saber se ficava quieta ou pulava para fora da cama.

Na dúvida, sentou-se corretamente e verificou se estava composta. Acabava de conferir a arrumação do cabelo, quando Logan se prostrou ao lado da cama. Não estava trocado, apenas tirara o fraque preto, a gravata e o colete branco. O colarinho aberto e os punhos frouxos da camisa branca, sem as abotoaduras, davam ao duque ar de desleixo.

— Está se perguntando o que vim fazer aqui? — ele indagou ao vê-la unir as sobrancelhas.

— Entre outras coisas, sim.

— Eu... — Logan se calou.

Parecia realmente confuso. Ao passar as mãos pelo cabelo já desalinhado, ele viu os punhos da camisa pendendo livres e resmungou algo ininteligível.

Maldita distração que o envergonhava! Irritou-se o duque enquanto dobrava as mangas de sua camisa apressadamente. E maldita fosse Ketlyn, pensou, pois se calou ao reconhecer que, sim, estava ali para mendigar a atenção da esposa depois de um jantar estranho no qual ela se mostrou distante e fria.

Era fato que a forçada distância de corpos aumentava sua atração por ela, tornando ineficazes suas idas ao quarto da amante. Por esse motivo não a procurava nos últimos dias, como fora acusado. Vivia tenso, mas saía-se bem em disfarçar. Marguerite e ele se entendiam bem depois de seu acordo. Agora Logan notava que a breve discussão antes da partida de Mitchell os afastou. Queria de volta a leveza dela que eliminava a aborrecida seriedade de seus dias, que atenuava a tensão.

— Você...? — Marguerite o encorajou ao perceber que Logan se perdia em pensamentos.

— Eu vim agradecer pelo que fez essa manhã. — Ele decidiu seguir o diálogo que ensaiou diante do espelho. — Ficou e ainda evitou uma indisposição desnecessária. Sou-lhe grato!

— Não havia motivo para partir.

— Sim, claro! — Após a resposta inesperada, Logan procurou o que acrescentar. Decidiu manter-se naquele assunto. — Lamento que seu irmão não tenha ficado.

— Edrick estava certo, então, minha tristeza foi passageira. Obrigada por se preocupar!

Se Marguerite finalizasse com um definitivo "passar bem, seu estúpido!" seria merecido, arreliou-se o duque. Não fora capaz de antecipar nenhuma resposta que viesse dela!

— O que está lendo? — Logan indicou o livro deixado na cama. E se envergonhou, quando Marguerite olhou para o título em destaque, encarou-o e respondeu:

— Dom Quixote de La Mancha... Foi escrito no século XVII por Miguel de Cervantes, um autor espanhol.

A condescendência foi merecida, considerou Logan, derrotado. Ele, um sedutor experiente, estava sendo desconcertado por uma virgem. Decidia-se por uma partida minimamente digna, quando Marguerite indagou:

— Logan, o que realmente deseja?

Podia ser sincero. Há muito sabia que a moça de boca direta e mente imaginativa era igualmente madura para compreendê-lo, mas disse apenas parte de tudo que o incomodava.

— Estou sem sono.

Marguerite arqueou as sobrancelhas, surpresa. Logan não tinha sono e ia procurá-la em vez de divertir-se com Ketlyn? A novidade era digna de nota, mas ainda assim a jovem não ousou se alegrar. Antes de tudo, empenhavam-se para formar uma sólida amizade. Estavam estremecidos desde a tarde, mas isso não eliminava o fato de que se aproximavam mais a cada dia.

Segura em sua dedução, Marguerite colocou o livro no criado-mudo e indicou a poltrona.

— Sente-se! Se você está sem sono, podemos conversar mais do que um instante.

Restava alguma dúvida quanto a quem comandava a situação? Logan zombou de si. Acomodado no lugar indicado, ele apontou para os travesseiros. Da última vez em que se sentou naquela cama não atentou às iniciais deles dois nas fronhas, primorosamente entrelaçadas.

— São seus bordados?

— São — confirmou Marguerite, sem deixar de olhá-lo. — Nádia teve sua cota de participação, então sempre coloca as peças de meu enxoval em uso.

— O que faz ela muito bem. É muito bonito!

— Obrigada! Hoje a chuva resolveu nos deixar. Aproveitou para estar com Krun?

— Gosto de soltá-lo, mas hoje deixei a tarefa para o tratador.

— Por quê?

Porque Krun é sensível a humores diversos e invariavelmente reage a eles, pensou Logan. Não arriscaria ter outro pedaço de um dedo levado ou ganhar um profundo corte das garras afiadas por estar irritado com tudo e com todos. Consigo mesmo, inclusive.

— Hoje tivemos um dia incomum, não foi mesmo? — indagou de volta.

— Lamento por você, por Krun... — Sorrindo, Marguerite aconselhou: — Amanhã não falte ao compromisso.

— Tudo que a senhora ordenar! — De imediato o duque bateu continência.

Marguerite riu, agradecendo por gradativamente relaxarem um com o outro. Por sua vez, Logan se perdeu no riso que tornava sua esposa tão bonita. Decidido a diverti-la mais, escolheu um tema que a agradava.

— Não ouso acreditar que meus cachorros se equiparem a Nero, mas ao menos o pomar daqui substitui o de Apple White à altura?

— Dirk e Jabor não são tão presentes para que eu me apegue, não é mesmo?

— Não são — Logan concordou com um sorriso. — São aventureiros incorrigíveis, isto sim!

— Percebi... Quanto ao pomar, em qual sentido perguntou? — Marguerite ajeitou uma mecha de cabelo atrás da orelha. — Creio não ter entendido.

— Quero saber se aqui consegue criar suas histórias.

— Ah, isso! — Marguerite sorriu. — Não sei o que Edrick contou, mas nos últimos anos ia ao pomar apenas para ter um pouco de paz. Posso brincar às vezes, mas não sou criança.

— Não é... — Era uma jovem adulta muito desejável, Logan acrescentou em pensamento, em especial naquele momento.

— Pois, então... Eu criava histórias, quando era pequena e brincava com uma amiga, a quem tinha como uma irmã. Cora e eu costumávamos ficar no pomar, dando vida às nossas fantasias.

— Não é a primeira vez que fala sobre essa amiga. Cora, não é mesmo? — Marguerite assentiu. — O que houve com ela? Imagino que não esteja em Apple White, caso contrário teria sido a escolhida para ser sua criada de quarto, não Nádia.

— O nome é Cora Hupert e ela realmente não está lá. Os pais dela morreram durante uma epidemia de tifo. Ela ficou aos cuidados da avó materna, nossa cozinheira, mas a relação entre as duas nunca foi muito boa. Mamãe também não tinha paciência com Cora. Por minha culpa, admito. Era mais fácil culpar a pobre do que a mim, pela bagunça que fazíamos.

— Percebo o quanto gosta dessa amiga. Se a avó é a cozinheira, por que ela partiu?

— Foi expulsa pela avó, há dois anos, pouco depois de completar quinze anos de idade. Cora tinha o cabelo comprido, preto como os olhos. Ruth o cortou bem curto, grosseiramente, depois de dar-lhe aquela surra. Nunca consegui descobrir o que aconteceu.

Tinha suspeitas, fortes e coerentes, mas jamais iria externá-las. Era algo chocante até mesmo para ser pensado com frequência. Evitando fazê-lo naquele instante, prosseguiu:

— Pedi que papai impedisse a expulsão, mas ele não me ouviu. Ela não foi de mãos vazias porque a alcancei e lhe dei algumas roupas minhas e também algum dinheiro.

— Foi algo realmente grave. — Comentário típico de Ebert, Logan considerou, estapeando-se em pensamento. Mas, não podia simplesmente pedir que Marguerite esquecesse. Por crer que a alegraria, sugeriu: — Nunca mais teve notícias? Poderíamos trazer Cora para cá.

Marguerite olhou-o com admiração, porém o sorriso não passou de um esboço entristecido.

— É mesmo um bom amigo — suspirou —, contudo, não há como. Cora desapareceu. Nos primeiros meses esperei que me informasse sobre seu paradeiro. Nunca recebi um recado. O que me resta é rezar para que esteja bem, onde estiver.

No céu, talvez, pensou Logan. Se as duas eram tão amigas o fato de uma ser criada e outra filha dos patrões não justificaria o silêncio. E somente Deus sabia o que teria acontecido a uma moça de quinze anos, sem alguém que a defendesse dos perigos no mundo.

— E faz muito bem — disse, decidido a restaurar o prazer das recordações. — E não se passou tanto tempo. Talvez Cora esteja ocupada em um novo emprego. Talvez acredite que irá importuná-la... Talvez tenha medo de que seu paradeiro caia no conhecimento da avó e tema ser procurada pela megera que a escorraçou.

Ou talvez Cora tema alguém pior, Marguerite acrescentou em pensamento. Colocado daquele modo, o silêncio fazia todo sentido.

— Tem razão! — Marguerite se mostrou confiante. — Se Cora estiver bem, um dia nossos caminhos se cruzarão.

— Exatamente! — Logan sorriu, encorajador. — E já que falamos sobre os bons momentos que passavam juntas, conte-me uma das histórias que contava a ela.

— Imagine! — Marguerite riu, meneando a cabeça. — Por incrível que pareça, não sei contar histórias.

— Mas, então... — Logan franziu o cenho. — Como faziam? Achei que contasse o que lhe vinha à mente e brincassem.

— Não, as histórias variavam a cada dia. Escolhíamos as personagens. Às vezes, éramos mãe e filha, quando eu tentava ensinar bons modos à Cora. Ou bruxa e princesa, quando uma prendia a outra para que um herói viesse salvar. Então, corríamos pelo pomar, perseguindo a pobre donzela, ou tentando capturar a vilã... Mamãe ficava furiosa, pois nos dias de maior atividade chegávamos com nossas roupas arruinadas.

Se Marguerite reparou Logan não saberia, mas demorou alguns segundos a rir, reagindo ao seu riso farto. Há dias reconhecia que aquele som melodioso aquecia seu coração, tornando-o consciente dela.

— Deixe-me ver se entendi — disse, movido por sua própria nostalgia. — Se fizéssemos o mesmo neste exato momento, baseado no que disse, escolheríamos as personagens.

— Isso — Marguerite confirmou, olhando-o com estranheza —, supondo que fossemos crianças.

— Não é uma regra — retrucou o duque, altivo. — Adultos também brincam, à sua maneira.

— Não como parece estar sugerindo. — Marguerite o olhava de esguelha.

Decididamente não alguém como ele, ela podia acrescentar.

— Pois, senhora, eu asseguro que adultos também brincam. Vamos lá!

— Aonde?! — Marguerite se empertigou, encarando-o com olhos maximizados ao vê-lo levantar. — Quer ir ao pomar?! É noite!

— Não precisamos sair. Vejamos o que será... Ah, sim! Escolho ser um pirata.

— Não parece um pirata.

Marguerite considerou pedir ao mordomo que reduzisse a quantidade do vinho servido nos jantares.

— Use a sua imaginação, jovem dama! — Logan ordenou, divertindo-se com a expressão de Marguerite. — Mas, tem razão. Eu seria fiel à Sua Majestade até mesmo no mundo do faz de conta, portanto, sou um corsário.

— Está bem! — Marguerite anuiu. — É um corsário. E como se chama?

Logan pensou por um instante, vasculhando lembranças perdidas, então, encarou-a e sorriu.

— Morgan Fly.

Marguerite cruzou as pernas em borboleta sob as cobertas e se inclinou para frente.

— Algum parentesco com William Fly?

Logan assentiu, satisfeito por ela conhecer o temido pirata inglês, condenado à forca há mais de cem anos.

— Um bisneto, talvez. Mais esperto com certeza, pois jamais me prenderam — respondeu de modo convencido, distraindo-a.

Marguerite reconheceu que Logan assumiu ares de pirata, quando ele apoiou os punhos cerrados no quadril e mirou um horizonte imaginário. Alheio à admiração da esposa, ele prosseguiu:

— Eu comando um Clipper. Minha tripulação é limitada a cinquenta e cinco homens. Tenho apenas dez canhões, mas minha embarcação é muito rápida.

Marguerite gargalhou e bateu palmas. Jamais imaginaria o duque dizendo aquelas coisas.

— É perfeito! Confesse! Pensou nisso antes. Sua personagem tem muitos detalhes para ter sido criada agora.

— Fui criança um dia, senhora, e tive meus momentos de fantasia. — Logan deu de ombros, mais interessado em admirar Marguerite relaxada, rindo para ele.

— Então, o pequeno Logan gostava de ser um corsário? Ou seria mesmo um pirata, já que citou Fly? — indagou Marguerite, tentando imaginá-lo menor; não conseguia.

— Um pirata, pois ainda não tinha completa noção de meus deveres para com a Coroa.

— Perdoado pela inocência — ela sentenciou em tom solene.

— Sim... Quando criança eu pilhava moedas esquecidas, frutas recém-colhidas, bolos e até mesmo uma ou as duas coxas de alguma ave preparada para as refeições. E sem dó dos criados que levavam a bronca por não apontarem o vil larápio.

— Oh, como era cruel, Sr. Fly! — Marguerite fingiu estar horrorizada. — Pobre de quem cruzasse seu caminho!

— Ainda sou impiedoso. Como corsário persigo piratas em águas estrangeiras e os dizimo quando se atrevem a cruzar nossas fronteiras. — De súbito Logan fechou a expressão e franziu o cenho. — Gosto de joias, seda, ouro e prata, mas tenho um fraco por donzelas indefesas.

— Como disse? — Marguerite sorriu, porém analisava-o com descrença.

Soturno, sem deixar de olhá-la, Logan começou a se aproximar, dando tempo para que ela entendesse sua intenção enquanto explicava pausadamente:

— Eu disse que agora, depois de adulto, não me contento com bolos ou frutas da estação... Prefiro raptar donzelas desavisadas.

Depois do desconcerto com o qual se apresentou ao chegar, Logan estava especialmente divertido, mas Marguerite não acreditava que ele levasse aquela brincadeira a cabo. Como não podia ter certeza, ao passo que ele se aproximava, por precaução ela deslizava para fora das cobertas, lentamente, sem deixar de olhá-lo.

— E, por acaso... — Marguerite pigarreou. — Quem seria a desafortunada donzela?

— A filha de um mercador de vinhos, que dormia inocente quanto ao perigo que corria.

Marguerite esteve enganada e fizera bem em deixar a cama. Desconhecia o que causara a mudança em seu marido, ainda mais depois de ele se mostrar irritadiço à tarde e soturno durante o jantar, mas apreciava. E não seria ela a estragar a cena.

— Não tão inocente — ela retrucou —, pois a donzela em perigo conseguiu escapar do ataque sorrateiro. Morgan Fly não é tão rápido fora de seu Clipper.

Logan ergueu uma das sobrancelhas e sorriu de modo convencido.

— Ainda não acabou — lembrou-a. — E a donzela não tem para onde fugir.

— Não! — gritou Marguerite no momento exato em que Logan correu, dando a volta pelos pés da cama para pegá-la.

Sem opção, Marguerite ergueu a barra da camisola e correu por cima da cama. Ao parar do outro lado, arfava.

— Eu não acredito que fez isso, Logan!

— Quem é Logan? — ele indagou roucamente antes de voltar ao ataque.

Marguerite calou um novo grito e escapou, correndo por cima da cama.

— Quanto mais trabalho me der para capturá-la, pior será — Logan a ameaçou, excitando-se com a brincadeira que lhe permitia ver os joelhos, as panturrilhas e os pés descalços da esposa.

— Não tem como me pegar! Eu seria uma donzela ingênua se esperasse que contornasse a cama.

— Então, talvez eu devesse passar por cima dela — sugeriu o duque.

Marguerite se empertigou realmente preocupada. Logan não iria tão longe.

— Não se atreveria a pisar em minha cama. Está calçado!

— Quer apostar?

— Louco! — gritou ao vê-lo se descalçar os sapatos com os próprios pés e se lançar à cama.

Marguerite quase foi pega, mas desviou-se a tempo, lembrando-se das manobras que usava para escapar de Cora. Fugir pela cama deixou de ser opção, restando correr pelo quarto. A duquesa ria a cada resmungo do duque, divertida, quando este fechava as mãos no ar. Contudo, estava desacostumada com brincadeiras daquele tipo e se cansava.

Depois de quase ser pega, em um gesto desesperado Marguerite correu para a porta. Era a única rota de fuga, mas não contou com os segundos preciosos que perderia ao parar para abri-la e foi pega.

— Enfim! — Vitorioso, o duque fechou os braços ao redor da cintura dela e a ergueu no ar.

— Solte-me!

— Não adianta espernear — ele avisou, segurando-a com maior força enquanto a levava para a cama. Ao derrubá-la no colchão, sem aviso, sentou-se sobre ela. — Eu avisei que seria pior se resistisse.

— O que vai fazer?

Marguerite respirava com dificuldade. Não sabia o que esperar do duque naquela versão insana.

— Vou castigá-la — avisou, movendo os dedos sardonicamente.

— Cócegas, não! Eu... — Marguerite gargalhou, tentando fugir das cócegas que o duque fazia em sua barriga. — Não... Piedade... Clemência! Eu não aguento...

Há muito o teor da brincadeira estava perdido para Logan. Desde antes de se lançar sobre a cama, uma nova ideia tomava forma. E, ali, montado no quadril da donzela que arfava e se contorcia, desejou que ela o fizesse por outro motivo, livre do humor.

Sem aviso, Logan segurou os delicados punhos e os prendeu acima da cabeça de Marguerite. Ofegante, ele perscrutou os olhos brilhantes e a boca entreaberta antes de beijá-la. Ignorando o breve protesto, o duque forçou a passagem de sua língua pelos lábios cheios e, vitorioso, gemeu ao ser correspondido.

Marguerite tinha plena consciência de que devia lutar não apenas por sua liberdade, mas pela integridade de seu coração, mas não tinha forças. Mentiria se negasse a falta que sentia daquele beijo, dos toques ousados.

— Logan... — chamou-o em meio a um gemido ao ter seu pescoço mordiscado e, mesmo enfraquecida, tentou se afastar.

— Não! — Logan demandou, estendendo-se sobre ela. — Não lute!

— Logan, eu...

O duque a silenciou com um beijo intenso. Foi impossível a Marguerite insistir na fuga. Ao reconhecer a entrega, confiando que ela não o deixaria, Logan enfim soltou os punhos da esposa e a segurou pela nuca. Com a mão livre desfez o laço da camisola, procurou um seio. Encontrar o mamilo teso agravou o desejo. Marguerite arqueou o dorso ao toque e, para Logan, aquele foi um convite mudo. Expectante, ele quebrou o beijo e se afastou minimamente enquanto baixava a frente da camisola para rever seu tesouro.

— Jamais compreenderá a adoração que tenho por seus peitos — sussurrou, acariciando os montes de picos pálidos, hirtos. — Terei inveja de nossos filhos... Mas enquanto não os temos...

A jovem duquesa arquejou ao ter um mamilo mordiscado e logo chupado com força. Livre, fechou os dedos no cabelo de Logan. A intenção era afastá-lo e lembrá-lo de que não teriam filhos, mas o calor que se espalhava por suas veias não permitiu que o fizesse. A perturbadora verdade era que não tinha como pará-lo quando sabia que somente ele aplacaria a indescritível dor, fosse como fosse.

Para minar qualquer reserva que ainda restasse, Logan se acomodou entre as pernas dela e moveu o quadril, acariciando-a também com o membro enrijecido.

— Esqueça o acordo... — Logan pediu roucamente, prevendo quão prazeroso seria quando fosse recebido dentro dela. — É sem sentido... Infundado... Somos casados.

Não era infundado, pensou Marguerite, sentindo que o crescente desejo em breve atingiria seu ápice apenas com aquele indecente roçar dos sexos. Era o que queria, mas sua própria voz ecoou em seus ouvidos e ela não calou o que ouviu.

— O acordo não é sem sentido — sussurrou. No mesmo tom, apegando-se ao resquício de sanidade para resistir ao olhar aflito do duque, acrescentou: — Se não pretende honrá-lo, valha-se de outro e requeira seu direito de marido... Não terei como recusá-lo mesmo que ame outra, afinal... Somos casados.

Logan se enregelou e maldisse o romantismo que limitava a perspectiva de virgens como Marguerite.

O que estavam prestes a fazer não precisava estar ligado ao amor. Era cru, carnal, visceral e não tinha como ser interrompido. Ciente de que ao menos para ele não teria volta, por um instante Logan considerou fazer valer seu direito, mas o olhar de Marguerite alertou-o de que cometeria um erro irreversível.

— Mantenho minha palavra — ciciou —, mas preciso que me ajude...

— Como? — Marguerite estava dividida pela tristeza e o alívio.

Em resposta foi beijada com renovada paixão. E, enquanto línguas se provavam e sexos se acariciavam mesmo com tantos tecidos entre eles, Marguerite sentiu a tristeza ser eliminada pelo crescente desejo até que culminasse em uma explosão de intenso prazer.

Afetado pelas reações da jovem que gemia e estremecia, lamentando profundamente a conclusão paliativa de um ato que seria sublime, Logan deixou vir o próprio gozo em sua ceroula. Abraçado a Marguerite, esperou que a respiração se regulasse, mas não se moveu nem mesmo quando seu corpo de aquietou. Simplesmente não queria ir embora.

— Logan... — Por mais que apreciasse o abraço, o peso do duque começava a sufocá-la.

— Obrigado, Marguerite! — Logan agradeceu ao se afastar apressada e subitamente. Depois de recolher os sapatos, encarando-a de modo perturbador, declarou: — Vou deixá-la em paz para que retome sua leitura.

— Por favor, espere! Precisamos conversar...

Confusa, Marguerite tentou detê-lo. Mas sem nada acrescentar, sem mais despedidas, Logan se foi.

Capítulo 21

Lavado e vestido, não em trajes de dormir para evitar mal-entendidos, Logan marchou para a ala oeste. Decidiu que não voltaria a ter encontros íntimos com Ketlyn em Castle. Considerava aquele um bom começo para anular o maldito acordo firmado com Marguerite. Compreendia a reserva dela, respeitava-a, mas não tinha como aceitar que durasse por muito mais tempo. Era sua esposa e assim seria, para sempre, como devido.

Faria com que Ketlyn entendesse a necessidade de partir o quanto antes, sem levantar suas suspeitas. A dimensão dos estragos era desconhecida, mas Logan sabia que Marguerite abalou os alicerces de todos os sentimentos que por anos dispensou apenas a uma mulher. Com o agravante de, pela primeira vez, não estar inclinado a se dividir entre elas.

Mesmo que amasse Ketlyn, jamais hesitou a frequentar outras camas. Entretanto, nos últimos dias até mesmo beijá-la o incomodava.

— O inferno será convencê-la! — sibilou o duque ao parar no passadiço. Respirando profundamente, Logan olhou para os montes escurecidos, para as poucas luzes em Bridgeford. — Por que são tão complicadas as mulheres?

Previa que Ketlyn o crivaria de perguntas para as quais não tinha respostas. E ao passo que não sabia de si, tinha total consciência de que não se acirrava o ânimo feminino. Se perdesse a cumplicidade da amante, caso ela farejasse a traição, o futuro com Marguerite estaria ameaçado.

— Inferno! — resmungou, socando o guarda corpo de madeira.
— Milorde?
Logan se surpreendeu ao ouvir Ebert chamá-lo.
— O que deseja? Não devia estar dormindo?
— Perdoe-me por interrompê-lo, milorde, mas chegou uma mensagem... De Londres! — Ebert estendeu a pequena bandeja com o papel dobrado em quadrado, lacrado.

Reconhecendo o selo cravado na cera vermelha, Logan se aproximou rapidamente pegou a carta. Soturno, partiu o lacre e leu. O recado era comum, aborreceu-o, mas daquela vez trouxe também a solução para seu dilema.

— Boas notícias jamais chegam tarde da noite — observou Ebert. — O que posso fazer para ajudá-lo, milorde?

— Peça a Murray que prepare minha carruagem, depois, arrume a bagagem — demandou, enfim, agradecendo a indiferente eficiência. — Partiremos o quanto antes para Haltman Chalet.

— Agora mesmo, milorde! — Ebert se curvou minimamente e se afastou.

— Espere! — Logan o deteve, quando uma ideia surgiu. — Procure Nádia. Peça que ela também providencie a bagagem da duquesa. Ela irá comigo.

Ebert assentiu e partiu. Logan seguiu seu caminho. Não se orgulhava, mas se apegaria à providencial desculpa para se manter afastado de Castle por alguns dias.

Como combinado, Logan encontrou Ketlyn à sua espera coberta apenas pela pantalona. Os seios estavam expostos para apreciação enquanto ela mantinha os braços apoiados acima da cabeça. Era realmente notável que a consideração por Marguerite o levasse a recusar os prazeres que outra despudoradamente oferecia.

Com expressão contrita, o duque meneou a cabeça ao se aproximar.

— O que houve agora?! — Ketlyn se sentou, encarando-o duramente. — Por que ainda está vestido assim? O que Marguerite...

— Uma questão por vez — pediu Logan ao levar as mãos aos bolsos da calça. — Antes que a culpe, saiba que Marguerite nada tem a ver com o que direi. Preciso ir a Londres essa noite.

— Ir a Londres? Agora?! — Ketlyn uniu as sobrancelhas. — O que aconteceu?

— Recebi há pouco um recado de Finnegan. Lowell está metido em outra encrenca.

— O que o pequeno irritante fez dessa vez? — Ketlyn se levantou.

— O usual... Dívidas de jogo. O que está fazendo?! — Logan indagou ao vê-la vestir o penhoar e calçar os chinelos.

— Farei desde já a lista de itens londrinos. Faremos como de costume. Partirá agora, eu irei pela manhã. Enquanto você cuida de seu irmão eu irei às compras e, no tempo livre, ficaremos juntos.

— Não dessa vez. Marguerite irá comigo e, como bem lembrou, tem uma festa a organizar.

— Levará Marguerite?! — Ketlyn riu descrente. — Está certo disso?

— Por que não estaria? — Logan a encarou friamente.

Ketlyn pareceu considerar, então, deu de ombros e foi até ele.

— Não há mesmo como escapar de ser visto com ela. — Depois de se recostar a ele, correu uma das mãos pela trama do colete. — Apenas cuide para que sua esposa esteja apresentável e que não corra de um lado ao outro como se fosse perseguida por vespas enfurecidas.

— Mais alguma recomendação? — Logan perguntou secamente.

— Sim... Não se esqueça de estender a Daisy Duport a discrição que impõe a mim.

— Não me esquecerei, então... Até a volta, Ketlyn!

— Vai partir assim? — Ela voltou a unir as sobrancelhas e o olhou de alto a baixo.

— Não há tempo, Ketlyn.

— Sua observação é questionável. Já fizemos muitas coisas em vários lugares, com tempo e conforto limitados, mas não entrarei no mérito — retrucou no mesmo tom. — O que me espanta é a impressão de que partirá sem ao menos um beijo.

Colocado daquela forma até mesmo Logan se surpreendeu. Sequer cogitou beijá-la. E se não havia jeito de evitá-la, ciente de que não poderia jamais inspirar ressentimento, ele sorriu e a abraçou pela cintura.

— Não aconteceria.

Ao ter seu beijo correspondido Logan considerou saciar o desejo que Marguerite despertava e acariciou um seio nu. Não seria a primeira vez nem se estenderia mais do que parcos minutos, mas ao ouvir Ketlyn gemer sem vontade, Logan reconheceu que queria mais. Queria a entrega, a paixão. Queria carne rija que pudesse apertar. Queria mais emoção. Queria Marguerite!

— Boa noite, Ketlyn! — Logan se despediu ao se afastar. — Cuide para que meu aniversário seja inesquecível.

— Será memorável! — ela prometeu depois de levar as mãos à cintura. — Aproveite que estará em Londres e encontre uma fantasia adequada para seu cisne azul.

O maldoso comentário não foi capaz de abalar a satisfação por ter contornado a situação. Ao entrar em seu quarto o duque até mesmo sorria, intimista, por imaginar os passeios que faria com a esposa depois que socorresse o inconsequente irmão. A animação imediatamente se foi ao encontrar Marguerite esperando por ele no meio do quarto.

Sentindo-se como um ladrão flagrado em pleno delito, Logan estacou sob o limiar. Ele procurava por uma desculpa coerente quando ela se aproximou, incerta. Não por não tê-lo encontrado, sim pela novidade.

— Nádia está em meu quarto, arrumando minha bagagem porque entendeu que vamos a Londres. Já fiz de tudo para dissuadi-la, mas simplesmente não me ouve. Poderia desfazer o mal-entendido? É tarde. Preciso dormir.

— Não há mal-entendido. Apronte-se, pois logo partiremos. Dormirá durante a viagem.

— Viajaremos a essa hora? — Marguerite se preocupou. — O que aconteceu?

— Lowell, foi o que aconteceu. — Logan, enfim, entrou no quarto para se acomodar à sua escrivaninha. — Preciso tirá-lo de outra enrascada e você irá comigo. Não fique surpresa... Eu disse que iríamos a Londres. A viagem apenas foi antecipada.

— Muito antes do esperado, em hora incomum — ela observou —, mas se precisa de ajuda, estarei ao seu lado. Dê-me alguns minutos.

Logan assistiu à partida da esposa, meneou a cabeça e voltou sua atenção ao recado que escreveria. Naquele momento não tinha tempo para se perder em considerações sobre o comportamento dela ou o dele mesmo.

Ebert entrou em seguida e passou a arrumar a bagagem, como ordenado. Logan se arrumou apressadamente, ensimesmado, dispensando ajuda. Não bastava a própria inconsequência, teria de lidar com a de seu irmão. Contava que Marguerite mantivesse o encontro entre eles tolerável.

No *hall*, enquanto os criados carregavam malas e pequenos baús, Logan entregou ao sonolento mordomo um envelope lacrado.

— Faça com que seja entregue a Alethia pela manhã — ordenou.

— Mandarei o mensageiro à primeira hora, milorde — prontificou-se Griffins.

O duque apenas agitou a mão em concordância. Sua atenção era voltava para o alto da escada. Mesmo que estivesse abatida pelo adiantado da hora, Marguerite lhe pareceu muito bonita. O penteado era simples, mas valorizava seu rosto e pescoço. Os ombros e boa parte do vestido verde estavam ocultos por uma longa capa preta.

Sem novas ordens a ditar, Logan deixou o mordomo e se colocou aos pés da escada para receber a esposa que descia na companhia da criada de quarto. Quando segurou a mão de Marguerite, ele agradeceu sinceramente:

— Obrigado por sua companhia! Seria uma viagem extremamente aborrecida se não viesse.

— Não o deixaria sozinho — ela garantiu, esboçando um sorriso. — Vamos?

Logan a tomou pelo braço para conduzi-la à carruagem. Prestativo, Ebert a ajudou a entrar na boleia, fez o mesmo por Nádia e, depois de desejar boa viagem a todos, foi se sentar ao lado de Murray. Tão logo Logan se acomodou ao lado da duquesa, deu a ordem para que partissem.

— Ebert irá ao relento até Londres? — Preocupou-se Marguerite quando já desciam a colina. — Por que não conosco ou em outra carruagem, como quando viemos de Apple White.

— Não havia tempo para aprontar duas carruagens, uma servirá bem. E Ebert está lá fora para nossa segurança — Logan explicou.

— Corremos perigo?! — Ela trocou olhares alarmados com Nádia antes de olhar para os troncos enegrecidos pela noite como se o ataque de saqueadores fosse iminente.

— Acalme-se! — Logan pediu mansamente, batendo de leve em sua mão. — É somente precaução, afinal, esta não é a melhor hora para uma viagem.

— Por isso pernoitamos quando vínhamos de Apple White — ela recordou, tentando tranquilizar-se.

— Entre outras coisas — imitou-a para descontraí-la e assegurou às duas jovens: — Acreditem em mim. Chegaremos seguros. No mais, perdoe-me pelo desconforto.

— Estamos bem — garantiu Marguerite, mirando a criada.

— Recoste-se em meu ombro, caso queira — Logan murmurou para ela —, e tente dormir. Será uma longa viagem.

Marguerite não se fez de rogada. Com a cabeça apoiada no ombro largo, suspirou e foi além do indicado, tomando a liberdade de passar seu braço pelo dele para que ficasse mais próxima. Com o medo sob controle, novamente apreciava a aventura noturna.

Mais do que jamais admitiria, Marguerite lamentou não ter encontrado o duque no quarto ao lado. E doeu um pouco mais vê-lo voltar, sorrindo, satisfeito. Não era experiente, mas segundo os cochichos das criadas, ela sabia que tempo limitado não era exatamente um problema para casais apaixonados. Portanto, enquanto se aprontava Marguerite considerou perfeito que se ausentasse do castelo para que ordenasse seus sentimentos.

A duquesa apreciava também a condição oficial que lhe permitia seguir rumo a Londres, aconchegada junto ao *corsário* que por pouco não a desonrou. Gostaria de falar ao duque algo a respeito da *brincadeira*, mas, mesmo que soubesse o que dizer, não poderia. Não estavam sós.

Com o pensamento, Marguerite olhou para Nádia. A alegria de ir à capital saltava aos olhos da criada. Quando o olhar de ambas se encontrou, Marguerite sorriu para ela.

— Nádia, acomode-se como puder e durma — recomendou.

— Será o que farei, quando o sono vier, milady — disse a criada, ainda sorrindo. — Não se preocupe comigo. Estarei bem.

Marguerite assentiu e fechou os olhos.

Descobriu que cochilou quando Logan se moveu. Seu pescoço doía. Como se soubesse, o duque se recostou e passou um dos braços pelos ombros dela para que pousasse a cabeça em seu peito. Sonolenta demais para se importar com o meio abraço diante de Nádia, Marguerite se aconchegou melhor e voltou a dormir, sendo embalada pelo balanço e os sons da veloz carruagem.

Por seu lado, Logan não conciliou o sono. Era grato por jamais ter sido vítima de qualquer ataque, mas tinha o conhecimento de muitos relatos para acreditar nas palavras tranquilizadoras que usou. Assim como Ebert e Murray, tinha uma arma sob seu casaco. Podia não ser bom com lâminas como salientou seu temerário amigo, contudo, tinha algum domínio sobre pistolas e não hesitava ao usá-las.

Graças aos céus a viagem transcorreu sem sobressaltos, ainda assim Logan agradeceu ao chegar à úmida e adormecida Londres. Faltava pouco para o amanhecer e ele não viu uma pessoa sequer no caminho até Altman Chalet. O frio afugentava os madrugadores.

— Acordem — disse gentilmente. — Chegamos.

Nádia foi a primeira a acordar, olhando em volta com estranheza quando Ebert já abria a porta da carruagem. Ao deparar-se com o duque, ela engasgou e se empertigou. Logan agitou a mão para que a criada se aquietasse e demandou ao valete:

— Ajude a Srta. Riche e acorde Finnegan.

Ebert assentiu e obedeceu, estendendo a mão para Nádia. Hesitante a jovem saltou e o seguiu. Marguerite se agitou com o balanço da carruagem e, como a criada, olhou em volta.

— Chegamos? — ela murmurou roucamente.

— Sim, venha... — Logan saltou e lhe estendeu a mão. Marguerite surgiu à porta, olhando em todas as direções. Ao saltar imediatamente tropeçou, obrigando o marido a ampará-la.

— Cuidado!

— O chão se moveu... — disse num fio de voz.

— Dificilmente. — Logan sorriu. — Consegue andar?

Marguerite assentiu, porém, fechou os olhos e tombou ainda mais nos braços do duque. Logan calou uma questão quando ouviu o leve ressonar. Sorrindo, ergueu-a nos braços.

— Precisa de minha ajuda, milorde? — indagou Murray, cercando-o.

— Traga a bagagem.

A esposa não pesava tanto que não tivesse forças para levá-la, pensou o duque. Descobriu ser assim quando a salvou do tombo no quarto de banho e confirmou quando a capturou antes que ela deixasse o quarto e a levou até a cama durante a perseguição da noite passada. Espantando a lembrança, Logan levou a esposa para dentro.

Como se o esperasse para aquela manhã, Finnegan vinha de modo apressado, uniformizado, logo à frente de Ebert. Encontraram-se aos pés da escada, no pequeno *hall*.

— Milorde! — O mordomo o saudou, curvando-se, olhando com curiosidade do patrão a moça que este carregava. — Imaginei que viesse imediatamente. Não sabe o quanto me alegra vê-lo!

— Sempre venho o quanto antes, não? E disse ser urgente. Em breve poderá me contar tudo que aconteceu. Agora... — Logan indicou Marguerite. — Preciso acomodar minha esposa.

Finnegan arregalou seus pequenos olhos negros, mas incontinenti calou seu assombro. De modo eficiente anunciou:

— Vosso quarto está devidamente arrumado, milorde. Encontrará tudo de que precisa. Descanse. Quando acordar, coloco-o a par do que se passa. Há certa urgência, mas nada poderá ser feito agora.

O mordomo realmente o conhecia, mas não deixaria nada para depois.

Colocaria Marguerite em sua cama e desceria à procura de mais informações sobre a nova irresponsabilidade do irmão. Decidido, Logan subiu lentamente, lidando como podia com as muitas saias da duquesa, mas ao deitá-la, descartou sua ideia. Preocupava-se com Lowell, mas não via meios de deixar a moça desconfortável como estava.

Logan já havia se livrado das luvas e do casaco quando Ebert chegou, trazendo a bagagem.

— O que fez da Srta. Riche? — indagou, tirando a gravata, mirando Marguerite.

— Finnegan irá acomodá-la — disse Ebert. — Direi que venha cuidar da duquesa.

— Deixe que descanse — Logan determinou. — Não preciso de você tampouco. Faça o mesmo. Venha me acordar em três horas.

— Como queira, milorde. Agradecido. Tenha um bom descanso!

Com a saída do valete, Logan se despiu até que restasse a ceroula. De sua mala retirou um camisão de musseline branca. Vestiu-o e sem demora foi até a esposa. Tirou dela a capa e descalçou as botinhas brancas, também as luvas. Ao tirar as meias foi inevitável se excitar. Ele não tinha mais que a visão dos pés delicados, mas em sua memória estava viva a imagem dela nua, ainda tinha o gosto das dobras quentes e úmidas em sua língua.

Com Marguerite adormecida, acordos, limites e o cansaço, não havia muito que pudesse fazer, mas Logan não se furtou de beijar demoradamente cada um dos pés antes de sentar na cama e começar a desabotoar o corpete do vestido. Riu divertido, quando Marguerite passou a murmurar algo ininteligível, debilmente afastando as mãos dele antes que a despisse.

— Eu faço isso... — ela resmungou, pondo-se de pé.

Ao vê-la oscilar, executando movimentos vagos e imprecisos, Logan soube que Marguerite ainda dormia. Agia por costume, ou por instinto, precavendo-se dele. Esse pensamento eliminou o divertimento, arrefeceu a excitação, mas não o manteve distante.

Marguerite precisava de sua ajuda e sem nenhum segundo interesse Logan a guiou nas ações. Impediu-a apenas de tirar o chemise antes de levá-la ao lado da cama que ocuparia. Alheia aos sentimentos que despertava, Marguerite se acomodou tão logo deitou. Seguindo para o lado oposto, Logan apagou a lâmpada a óleo e escorregou para baixo das cobertas. Na penumbra ele pôde olhar para Marguerite um pouco mais.

Gentilmente afastou uma mecha de cabelo que caia sobre o rosto sereno. Aproveitou o gesto para acariciar a bochecha rosada, enternecido.

— O que você está fazendo comigo?

— Conhecerei Londres, Cora... — ela sussurrou.

— Conhecerá — Logan disse no mesmo tom e a trouxe para perto.

Marguerite o abraçou e com naturalidade passou uma das pernas sobre a dele, deixando sua coxa perigosamente perto de um membro muito atraído por ela. Logan considerou boliná-la, mas descartou a obscenidade no segundo seguinte. Conformado, beijou a testa da esposa e fechou os olhos. Voltou a abri-los, sobressaltado, ao ouvir toques distantes e secos.

Pela claridade do quarto, horas haviam se passado, não poucos minutos como parecia. O chamado de Ebert confirmou a dedução.

— Vossa Graça?
— Obrigado, Ebert... Descerei num instante.
— Preciso ajudá-lo.
— Não ainda.

Modorrento, Logan olhou para Marguerite e sorriu. Afastaram-se enquanto dormiam.

Agora ela estava de bruços, o cabelo desalinhado ocultava o rosto. Estava serena depois de um sono agitado. Ou assim pareceu a ele antes que fosse vencido pela exaustão. Para alguém ativa, que por qualquer razão corria de um lado ao outro, talvez fosse natural se mexer tanto enquanto dormia.

Se fosse o caso, Logan estava disposto a se habituar, pois apreciou dividir sua cama com ela. Se não houvesse como fazê-lo em seu castelo, aproveitaria todas as chances que tivesse naquela casa. Caso pudesse, velaria seu sono. Não podia!

Ciente do dever a cumprir, Logan deixou a cama e fechou as cortinas do dossel.

Minutos depois, asseado e penteado, vestido em seu robe, Logan desceu. Flagrou Ebert e Finnegan envolvidos com o desjejum, na sala de jantar, divergindo sobre qual acompanhamento o patrão gostaria de provar primeiro. O lacaio presente nada dizia e imediatamente o reverenciou ao vê-lo entrar.

— Nem ovos, muito menos um galeto — Logan encerrou a discussão.
— Bom dia, milorde! — cumprimentaram-no quase em uníssono, empertigados. O mordomo foi além, olhando duramente para Ebert. — Creio que em Castle este senhor não dê palpites ao Sr. Griffins, estou certo?

— Ebert não se atreveria, mas eles não são primos — Logan observou.

— Somos primos distantes, milorde. E o parentesco não deve incitar à rebeldia. Rogo para que o faça parar de me contestar.

— Já bastam meus próprios problemas familiares, Finnegan — respondeu o duque, ao se sentar à cabeceira da mesa. — Tomarei apenas uma xícara de café puro enquanto me conta o que Lowell arranjou desta vez.

— Seria melhor que Vossa Graça tomasse o desjejum — disse o mordomo, sinalizando para o lacaio, indicando que servisse o café pedido.

— Não tenho fome. — Logan tomou café puro, apenas para que eliminasse o resquício de sono, e se recostou no espaldar. — Pronto! Estou aqui, descansei. Não há razão para protelar.

— Milorde? — Ebert lhe chamou a atenção. — Tenho vossa permissão para escolher o que vestirá?

Ebert estava a par do ocorrido. Logan soube pela antecipação, pela consternada troca de olhares entre os primos distantes. Conhecendo bem seu valete, Logan teve certeza de que, fosse o que fosse, era pior do que podia supor. Apostando em sua dedução, com a confiança que lhe depositava, assentiu.

— Apenas tome cuidado para não despertar a duquesa — recomendou. Para Finnegan insistiu, seriamente: — Diga! Deixe de cuidados.

— Tem razão, milorde! — Finnegan sinalizou para que o lacaio se retirasse e atendeu ao patrão: — Eu não tinha notícias de Lorde Lowell há semanas. Não me preocupei, pois é normal que fique fora por dias. Mas, ontem pela manhã, encontrei um bilhete sob a porta que dizia...

— O que dizia o tal bilhete? — Logan se aborreceu com a interrupção.

— Dizia que... — A voz de Finnegan falhou, denunciando emoção.

De um salto Logan se pôs de pé, lívido, aterrado.

— Lowell está morto? — Dar voz ao pensamento lhe roubou o ar.

— Não! — Finnegan veementemente negou. — Pelo bom Deus, não! Todavia, penso que será o mesmo caso Vossa Graça não o salve.

Logan desabou na cadeira, não sentia suas pernas. Forçando o ar a entrar em seus pulmões, chispou os olhos para o mordomo. Sua expressão foi eloquente, pois o senhor atarracado disse a um só fôlego:

— Lorde Lowell está preso em Millbank.

O susto tinha afetado sua audição. Aquela seria a única explicação para que tenha entendido que seu irmão estava detido em uma prisão às margens do Tamisa para estrangeiros que aguardavam a deportação. Tamanho absurdo fez surgir um sorriso de descrença.

— Só pode estar brincando! E foi tão criativo que sou capaz de não me aborrecer por me ter feito vir até aqui. Ou a ideia seria de Lowell?

— Nem uma coisa nem outra, milorde. Gostaria que sim, mas não foi um chiste. Não havia detalhes no bilhete, nem mesmo havia o nome do autor, mas estava escrito que Lorde Lowell e um rufião indiano tinham sido presos há vinte dias por duelarem em via pública. As rameiras que estavam no lugar também foram levadas.

Recuperado do choque inicial, livre do bom humor o duque deixou a sala de jantar. Não agradeceu ao mordomo nem se despediu. Tinha pressa. Tanta que entrou em seu quarto já a retirar o robe. Ebert o esperava ereto, ao lado da poltrona na qual dispôs as peças que o ajudaria a vestir.

Havia sussurros próximos, vozes e risos distantes, o som de cascos batendo em pedras, gritos repetitivos de meninos. A cacofonia era nova e estranha, no entanto Marguerite rompeu as brumas do sono agitado e se sentou ao ouvir as badaladas de um sino.

— O quê...? — Ela se calou ao se deparar com uma cortina de tecido azul e dourado.

— Shhh... Acalme-se!

Imediatamente Marguerite olhou para a esquerda. Encontrou Logan inclinado em sua direção, como se tivesse interrompido uma ação. Parecia sério.

— Logan? — Marguerite voltou a olhar para a cortina. Entendeu se tratar de um dossel. Um diferente do dela, nunca fechado por fazê-la sufocar. — Que lugar é esse? Onde estamos?

— Este é meu quarto. Também seu a partir de agora. Estamos em nossa casa em Londres, Haltman Chalet. Sinta-se bem-vinda! Esqueceu-se de nossa viagem?

— Estamos mesmo em Londres?

— Estamos.

Com a confirmação Marguerite recordou a saída em Bridgeford Castle durante a madrugada, o sacolejar da carruagem. Recordou-se de um senhor roliço e atarracado, de uma grande porta branca. De Ebert, Nádia e bagagens. Recordou-se também de Logan livrando-a da capa, das botas e meias, do vestido, do espartilho. Houve um abraço, um beijo em sua testa antes que a escuridão viesse. Logan e ela dormiram juntos e desse detalhe ela não se lembrava.

— Não foi um sonho — Marguerite deu voz à triste constatação, olhando para o chemise que mal a cobria.

— Não foi. — Com um bufo aborrecido Logan deixou a cama. — E em breve começará meu pesadelo.

— Vai sair? — Estava óbvio pelo modo como o duque estava vestido. Nem mesmo a gravata presa por um rico alfinete faltava. — Aonde vai? Onde está Lowell?

— Irei vê-lo agora — Logan respondeu amavelmente, guardando a imagem na memória. — Volte a dormir.

— Não! Que horas são?

— Segundo o Big Ben são nove horas.

— Nove horas— repetiu, afastando as cobertas. — Irei com você!

— Aonde vou não é lugar para uma dama, Marguerite. — Logan a segurou pela mão quando passou ao seu lado. — Por favor, volte para a cama — pediu, acariciando-lhe o rosto.

Marguerite piscou algumas vezes e se libertou da intensidade daqueles belos olhos azuis, ignorando o estremecimento vindo com o carinho.

— Disse que não o deixaria sozinho — lembrou-o. — E sei me fazer respeitar.

Daquilo Logan não duvidava. Até o marido ela conseguia manter no lugar!

— Está bem! Parece irredutível e não disponho de tempo para argumentações. Mas ficará na carruagem. Pedirei que Nádia venha ajudá-la e...

— De acordo, mas está de saída... Esqueça-se de Nádia! — Decidida, Marguerite pediu: — Apenas se vire um instante.

Restou ao duque obedecer. Ouvindo os sons da água e, depois, dos tecidos que a cobriam, Logan esperou até que ela o chamasse.

— Ajude-me com isso...

Logan a encontrou de costas, segurando espartilho. Havia o chemise, porém a fina barreira entre seus dedos e a pele alva não o livrou da atração. Quis afastar as mechas loiras para beijar o longo pescoço, mas nada fez. Ainda valia a verdade que freou uma ação obscena horas antes: não dispunha de saúde para iniciar o que nunca terminava como devido.

E, naquele momento, decididamente não dispunha de tempo.

Lidando com seu desejo, Logan deixou que Marguerite fizesse dele sua criada particular e a ajudou também com o vestido verde claro. Dos cabelos ela mesma cuidou, improvisando um penteado de cachos suspensos.

— Do que ri? — Marguerite prendia a última mecha e o olhava pelo espelho.

Logan não percebeu que rira ao compará-la à Ketlyn que jamais deixaria o quarto ou iria à rua, em qualquer circunstância, sem que seu farto cabelo não estivesse com cada fio no devido lugar. Por anos ele apreciou o modo frio e refinado, os penteados elaborados. Depois de Marguerite, a cada dia descobria que preferia a simplicidade associada à total indiferença quanto ao julgamento alheio.

Marguerite vivia para contentar a si mesma, o mundo que a aceitasse. Ele aceitava!

— Para quem rio... Você — Logan disse por fim. — Está linda!

— Diga mais vezes e acreditarei — ela gracejou para encobrir o embaraço. Logan a encarava de modo estranho desde que despertou. — Estou pronta!

— Ainda está em tempo de desistir... Não poderei esperar que tome o desjejum.

— Mesmo que estivesse com fome, não o atrasaria.

Logan hesitou. Enquanto a ajudava, começou a apreciar a ideia de tê-la perto. A presença de uma jovem que Lowell desconhecia talvez garantisse alguma paz, no entanto, sobrecarregá-la daquela maneira depois de privá-la da principal refeição não pareceu certo. Mas, pensando friamente, não havia muito a fazer.

Sentia como se o tempo escoasse por seus dedos e se os toques do Big Ben não a tivessem acordado no momento exato em que sentou para sorrateiramente lhe dar um beijo de despedida, estaria mais próximo de resgatar o irmão. E também de lhe dar boas chacoalhadas, caso não tentasse trazer o juízo do estafermo a sopapos após o susto que tomou.

Enfim, como a companhia da duquesa passou a ser primordial, o duque apenas pegou seu chapéu, também a bengala e indicou a porta.

Capítulo 22

Marguerite não pôde se ater aos detalhes de Altman Chalet. Confirmou haver a escadaria branca de balaustrada entalhada que os levava quase que diretamente à porta principal, vista em seu *sonho*. A apresentação ao mordomo foi breve e seca, como se o duque estivesse irritado com o senhor por alguma razão. Se fosse de seu interesse, Logan comentaria.

A construção de tijolinhos aparentes e madeira envernizada, charmosa como um chalé suíço — justificando o nome —, era linda. O quintal entre a porta frontal e o muro baixo, também de tijolos à mostra, era pequeno, tinha um jardim bem cuidado. Apesar do nome, Marguerite esperou encontrar uma imponente mansão, mas por alguma razão gostou mais do sobrado acolhedor, ladeado por outros iguais.

Maravilhada com o que via, com a movimentação de pedestres e carruagens, Marguerite precisou ser literalmente empurrada até que se acomodasse na carruagem do marido.

— Perdoe-me por apressá-la! — pediu Logan ao se sentar diante dela. — Depois verá o que quiser, meu amor.

Marguerite assentiu, distraída do mundo novo pelo ato falho do duque. Logan respirou profundamente e, indicando não ter percebido o erro, prosseguiu:

— Ao contrário do que acredita, não é em todo lugar que basta uma dama saber impor respeito e Millbank é um deles.

— Creio já ter ouvido esse nome — comentou Marguerite, impressionada. — É uma prisão, não? É onde Lowell está?!

— Finnegan recebeu um bilhete anônimo, assegurando que sim — confirmou com desagrado. — Parece que há três semanas o imbecil bateu espadas com...

— Com quem? — Marguerite o incentivou. — Com quem seu irmão duelou?

Tardiamente Logan repensou sua decisão. Nem mesmo os arredores de Millbank eram apropriados a uma dama, assim como os detalhes da nova inconsequência de seu irmão não deveriam ser reproduzidos para uma donzela. Mas, não tinha como voltar atrás.

— Com um rufião indiano — revelou, abandonando a reserva. — Duelos são proibidos por lei. Lowell e seu oponente foram levados sob custódia para Millbank.

— O que vem a ser um rufião?

Logan riu brevemente, meneando a cabeça, sem humor.

— O que estou fazendo? Este não é um assunto para...

— Sou uma senhora casada agora. E estou conversando particularmente com meu marido — interrompeu-o de modo seguro. — Apenas diga o que tem a dizer, sem rodeios. Prometo não me chocar.

— Uma senhora casada, não é mesmo? — Logan esboçou um sorriso. Ainda questionava sua conduta impensada, mas atendeu sua esposa. — Um rufião sobrevive da exploração de mulheres que prestam favores sexuais. Rameiras.

— Oh! — Marguerite deixou escapar a exclamação, mas se conteve. Graças a Madeleine sabia bem o que eram rameiras, mas não diria. — Entendo. O que mais?

— Não há muito mais a acrescentar. Apenas saiba que se eu não conseguir libertar aquele infeliz antes que seja banido de seu próprio país em meio a imigrantes ilegais, irei matá-lo!

Marguerite gostaria de ter algo a dizer que pudesse animá-lo, mas a gravidade da situação não permitia. Inclinando-se para frente, segurou as mãos do duque.

— Disse-me tão pouco sobre Lowell que eu jamais imaginaria que o amasse tanto. Não se preocupe. Confio que dará um jeito de soltá-lo.

Estupefato, o duque olhou para as mãos unidas, então, para os olhos de Marguerite e algo mudou. Sentiu-se ligado à esposa muito mais do que por seus dedos entrelaçados. A sensação era nova, forte, assustadora. Tanto que não encontrou nada a dizer. Apenas assentiu.

— Sabe o que pode ser feito para libertá-lo? — Ela falava com naturalidade, demonstrando que, fosse o que fosse que ele tivesse sentido, não a afetou. — Não devia ter trazido um advogado? Oh, mas que pergunta a minha! Formou-se em advocacia como Edrick, não?

— Sim! E como seu irmão eu não tenho o mínimo interesse de exercê-la — respondeu Logan após limpar a garganta. — Entretanto, sempre recorro aos meus conhecimentos para o bem de Lowell. Gostaria de não ter experiência neste quesito.

— Sinto muito!

— Não sinta — pediu o duque, arrependido. — Eu realmente não devia tê-la trazido. Nos últimos anos meus encontros com Lowell não são nada agradáveis. Quero que esteja preparada.

— Não me impressiono com facilidade. — Marguerite piscou e sorriu. — Estarei bem.

Logan beijou os dedos da duquesa demoradamente antes de soltá-los e se recostar.

— Obrigado por estar aqui!

— Não por isso. Nunca esqueça que sou sua amiga. — Marguerite voltou a se acomodar.

Logan fechou a expressão e olhou para a janela, encerrando aquele assunto. Via a vegetação do parque St. James, mas a dispersão não permitia que a enxergasse. Começava a ser aborrecido ser lembrado da amizade entre eles.

No entorno de Millbank não havia a movimentação vista em outras vias. Mesmo o clima parecia outro, como se uma densa nuvem impedisse que ali houvesse sol. As águas do rio pareciam mais escuras. Reflexos de sua mente imaginativa, Marguerite sabia, ainda assim, era perturbador.

— Chegamos! — Logan anunciou, mirando a fachada da prisão.

Ainda que não o conhecesse, a jovem sentiu pelo cunhado apenas por saber que ele estaria em alguma cela daquela opressora construção de pedra. Sem esforço via o rapaz ser arrastado até a porta de ferro, escura, ladeada por guardas truculentos.

— Boa sorte! — Marguerite desejou.

— Obrigado! Não saia daqui! — ordenou o duque antes de saltar para a calçada.

Logan se dirigiu à entrada principal, empertigado, focado em sua missão. Problemas pessoais não cabiam em Millbank, considerou depois de identificar-se e ter sua entrada liberada. Aliás, nem mesmo Lowell devia estar ali, pensou enquanto seguia os guardas e que o levavam até seu superior.

— Espere aqui, senhor! — disse um deles, olhando-o duramente.

Como pedido Logan esperou ao lado da porta dupla, olhando para o obscuro corredor e sua sucessão de grades, especulando se estaria muito longe do irmão.

— Sua Excelência, irá receber Vossa Graça — anunciou o empoado guarda ao lhe dar passagem.

Ignorando-o, empertigado como sua posição permitia, Logan entrou. Ao avistar o homem com quem barganharia a soltura de Lowell, franziu o cenho e seguiu até ele sem baixar o olhar.

— Lorde Bridgeford, nono duque! — disse o homem, rindo escarninho. — A que devo a honra de tão ilustre visitante?

— Ilustre, sem dúvida, mas não em visita, sir Arthur — retrucou Logan, ignorando a mão estendida. — Vim para buscar meu irmão, Lowell Alexander de Bolbec.

Logan não tinha conhecimento de que sir Arthur McGregor assumira o governo de Millbank, mas sabia bem que a detenção de Lowell fora arbitrária.

— Com que então o valente jovem é mesmo vosso parente? — McGregor recolheu a mão lentamente, sentou-se e indicou a cadeira diante de sua mesa. — Há tempos não o via, duque. Agora reconheço a semelhança dos traços entre um e outro.

— Se nossa semelhança elimina a dúvida, mande buscar meu irmão — ordenou Logan, sem se mover. — Este lugar não é próprio a um Bolbec, independente do erro cometido.

— E qual lugar considera adequado a um desordeiro embriagado e insubordinado, infrator das leis, que duela em via pública colocando em risco a vida de inocentes?

— Alguém foi ferido? Alguém morreu?

— Poderia ter acontecido.

— Um risco assumido pelos inocentes que citou. Putas, bêbados e drogados que estavam ao redor de dois homens manuseando seus floretes. — Logan deu de ombros.

— Não minimize o ato! Vosso irmão infringiu a lei!

— Agora se apega a essa desculpa, sir? — Logan escrutinava os olhos miúdos, castanhos. — Todos nós devemos honrar as leis e sermos obedientes à Sua Majestade, mas há situações em que a honra de um homem deve vir antes de todas as coisas. Esqueceu-se deste conceito? A destreza de meu pai levou também sua hombridade?

Como esperado o governador reagiu, apertando os lábios em uma linha rígida.

— Não me provoque — ciciou Arthur. — Bridgeford teve sorte.

— Pelo que me consta, o senhor tropeçou nas próprias pernas ao avançar. Meu pai o cortou com legitimidade, não por sorte. Lamento que o ferimento tenha encerrado sua carreira militar, mas muitos anos se passaram. Supere homem!

— Jamais! — Arthur socou a mesa e, rubro, levantou. — Bridgeford acabou com minha vida! Perdi o posto de capitão e a mulher que amava.

— Ambos estão mortos — lembrou-o Logan no mesmo tom. — Sempre que nossos caminhos se cruzam usa o mesmo argumento para justificar sua animosidade, e eu jamais pude entender a razão de nos odiar.

— São filhos dele! Têm muito de sua mãe, mas se assemelham mais ao pai em empáfia. Tão cheios de si que não se curvam perante um superior. Agora mesmo, vem até mim e não se digna a apertar minha mão. Acredita que seja melhor do que eu por ter um elevado título?

— Digo como homem comum que não sou melhor que qualquer outro — replicou Logan, altivo. — Tenho inúmeros defeitos, pecados inconfessáveis, mas não sou hipócrita ao ponto de apertar a mão de quem claramente me detesta. Alguém que usou sua influência para ter sob custódia um lorde britânico que, mesmo depois de julgado e condenado não seria trazido para cá. Diga-me, sir Arthur, até onde considerou que iria com essa detenção ilegal?

— Não é ilegal — insistiu Arthur. Ao deixar a mesa, foi até Logan rapidamente, mesmo que manquejasse de modo severo; sequela do

ferimento feito por George de Bolbec. Com o dedo em riste acrescentou:
— Não vai levá-lo! As acusações são graves e legítimas!
— Quais acusações? — Inabalável Logan sustentava o olhar do baronete que governava a prisão. — Quero lê-las.
— Devia me agradecer por livrá-lo de um estorvo! — bradou McGregor. — Vossas desavenças são de conhecimento geral. Por que não me agradece e volta para seu castelo?
— Sim, Lowell é um estorvo. E dos mais aborrecidos!— Logan sorriu. — E agradeço.
O governador recuou um passo, surpreso. Depois de escrutinar o rosto do duque, sorriu com maldosa cumplicidade e lhe deu breves tapas no ombro. Ignorando o toque odioso, Logan acrescentou:
— Expressarei minha profunda gratidão deixando entre nós sua tentativa de ajuda. Depois de dar bons sopapos no infeliz, em Haltman Chalet, não requisitarei um encontro com o visconde Palmerston, no qual reportaria suas questionáveis ações, sir. Vejamos... Abuso de poder, atentado contra os direitos de um cidadão britânico, ofensa à honra e o que mais eu estivesse inspirado a alegar.
Imediatamente Arthur McGregor voltou à seriedade.
— É uma ameaça?
— Uma promessa. Apresente-me todas as acusações, também o veredicto que condena meu irmão ao exílio e eu me calarei. Se nada tem que legitime a detenção, entregue-me Lowell. Em qualquer um dos casos não irei até o primeiro-ministro. Ou até a rainha. Bem sabe que Sua Majestade tem estado reclusa após a morte de príncipe Alberto, mas não está incomunicável.
Sustentando o olhar do duque, Arthur McGregor apertou os lábios e moveu a boca, como se mascasse as palavras. Enfim, engoliu em seco e gritou:
— Guardas! Entrem imediatamente!
Impassível, o duque esperou. Não subestimava a ira de um homem humilhado, mas confiava que ainda existisse um pouco de bom senso no baronete. Arthur não agravaria a situação, nem seria temerário ao ponto de matá-lo. Logan recordou que Marguerite o esperava e rogou para que estivesse certo. Não queria ser tirado dela. Não tão cedo. Não de modo dramático.
Os guardas atenderam ao chamado e se colocaram ao lado do duque. Logan ergueu o queixo e esperou a ordem do senhor bravio à sua frente. Sem que nenhum dos dois desviasse o olhar, Arthur demandou:
— Escoltem o duque até a saída, depois façam o mesmo com o prisioneiro da cela duzentos e nove.
— Quando estiver com Lorde Palmerston elogiarei sua competência — assegurou Logan, inclinando a cabeça em irônica reverência.
— Agora! — bradou McGregor, indicando a porta.
Com um duro olhar o duque desencorajou um dos guardas que tentou segurá-lo pelo braço antes de seguir rigidamente rumo à saída. Ao vê-lo

deixar a prisão, Marguerite imediatamente abriu a porta da carruagem. Logan tentou detê-la, sinalizando para que esperasse. Devia saber que o gesto seria vão. Murray sequer teve tempo de ajudar a duquesa a saltar para a calçada.

Marguerite eliminou a curta distância, correndo. Com seu costume ela conseguiu dissipar o ânimo acirrado de Logan por ter lidado com um canalha rancoroso e desonesto.

— Logan? — Marguerite parou diante dele e perscrutou o rosto com olhos maximizados. — O que houve? Onde está seu irmão? Acaso não...

Seguindo seu impulso, Logan segurou o rosto corado da esposa e a calou com um beijo. A brevidade de seu ataque, ou a surpresa dela, não deu à duquesa tempo de correspondê-lo. Logan não se ressentiu. Não importava o que dissesse Edrick, era Marguerite quem agita positivamente sobre ele, não o contrário.

— O que foi isso? — Marguerite olhou para o marido e, então, para os guardas à porta da prisão, confusa, depois de ser solta.

— Meu agradecimento por estar presente — disse Logan, sorrindo. — Trouxe-me sorte. Lowell será solto. Devo apenas esperar.

— Logan! Que maravilha! — Sorrindo, Marguerite o abraçou. — Com certeza o mérito é seu, não meu, mas estou feliz por estar aqui e dividir essa alegria com você.

— Sei que está.

Logan ainda sorria, guardando cada detalhe da genuína alegria. Marguerite podia dispensar palavras caso quisesse. Sua emoção saltava aos olhos. No entanto, por mais que apreciasse aquela proximidade, ainda não era adequado a uma dama estar ali.

— Agora, por favor, poderia esperar na carruagem? Foi o que combinamos.

— Por favor, deixe-me ficar! — Marguerite passou seu braço pelo dele. — Agradece minha presença, considera-me um amuleto e me manda embora? Como é incoerente, senhor!

Logan meneou a cabeça, mas seu sorriso anulou a negativa. Cobrindo a mão que segurava seu braço, assentiu. Marguerite suspirou, satisfeita. E assim, de braços dados, esperaram até que ouvissem as trancas da grande porta serem abertas. Como se a protegesse, o duque se colocou à frente da duquesa, obrigando-a a se inclinar para ver quem saia.

Imediatamente Marguerite se apiedou do cunhado. Era ele, não havia dúvida. Mesmo que não soubesse da iminente soltura, deduziria que olhava para Lowell de Bolbec pela semelhança com Logan. A diferença estava nos lábios mais bem delineados, rígidos. E nas íris, cinzentas como as manhãs de inverno. Seguindo a metáfora, Marguerite considerou-as igualmente frias.

Lowell estava abatido e exibia a barba mal feita. Seu cabelo escuro não passava de uma rala penugem. Provavelmente os fios foram raspados para que o médico tratasse o corte que ia da têmpora à testa e sumia no couro cabeludo.

Perdida em sua avaliação Marguerite demorou um instante a perceber que nenhum dos dois irmãos falou ou se moveu. Apenas se encaravam duramente. Sem saber como agir, colocou-se ao lado do marido. Quando os olhos de Lowell chisparam em sua direção, ela sorriu.

— Bom dia! Deve ser Lowell, não?

— Meu senhor ou lorde Lowell de Bolbec para você — ele retrucou antes de olhar para o irmão e escarnecer: — Agora carrega putas refinadas a tiracolo, irmão?

— Desgraçado! — sibilou Logan, prendendo Lowell pela lapela do casaco com uma das mãos e erguendo o punho livre para socá-lo.

— Logan, não! — Marguerite o tocou no peito e cobriu a mão cerrada, detendo-a. — Por favor, olhe para ele! Olhe para ele, Logan!

Ainda tentado a quebrar alguns dentes de seu irmão, Logan o olhou como pedido e foi como se o visse pela primeira vez naquela manhã. Lowell estava sujo, maltrapilho, ferido. Mostrar-se mais intratável do que de costume era justificável. Contudo, nem aquela condição ou o breve pavor de tê-lo perdido para a morte o comoveu ao ponto de se tornar tolerante.

— Reveja seu conceito de boa educação! — disse entre dentes ao trazer o resistente irmão para mais perto. — Não importa o quão miserável esteja. Desde a dama mais bem conceituada à puta mais ralé, toda mulher merece o mínimo de consideração. Agora, desculpe-se com minha esposa!

Lowell parou de lutar e, estupefato, mesmo na posição estranha mediu Marguerite de alto a baixo.

— Esposa?! Disse mesmo que é sua esposa?!

Marguerite compreendia o espanto, mas era impossível não se entristecer com o assombro alheio. Desconcertada, recuou um passo.

— Sei que ouviu muito bem! — Logan o chacoalhou e subitamente o soltou. — Esta é Marguerite, minha esposa. Para você é Lady Bridgeford ou duquesa. Desculpe-se!

— Perdoe-me, senhora! Digo... Lady Bridgeford! Duquesa! — atrapalhou-se Lowell, ainda surpreso. — Eu... Eu não sabia... Nunca imaginei que ele um dia... Que fosse...

— Não se desculpe. — Marguerite esboçou um sorriso e, como sempre, gracejou indicando a prisão: — Eu também nunca imaginei que teria um cunhado aventureiro.

— Não desperdice sua boa vontade, querida — recomendou Logan, tomando o irmão pelo braço para guiá-lo até a carruagem. — Este estafermo não a merece.

Ainda em choque Lowell se deixou levar, olhando para Marguerite por sobre o ombro. Com um suspiro de resignação, ela os seguiu.

— Leve-nos para casa! — Logan ordenou a Murray antes de ajudar a esposa a subir na boleia e empurrar o irmão para que fizesse o mesmo.

Ao se acomodar Lowell encarou Marguerite, obrigando-a a olhar para a janela. A análise incomodava tanto quanto a surpresa. A duquesa não moveu a cabeça nem mesmo quando Logan se sentou ao seu lado, ou quando a carruagem foi posta em movimento.

— Pare de olhá-la desse modo — Logan demandou. — Não percebe que a constrange?

— Ela se casou com você, grande irmão. O que poderia ser mais constrangedor?

— Lowell, eu estou avisando...

— Estou bem! — Marguerite esboçou um sorriso para Logan. — Entendo a curiosidade.

— Entende? — Lowell indagou. — Por acaso sabe o que estou pensando?

Lowell colocou um dos pés no assentou e pousou o cotovelo sobre o joelho flexionado, displicentemente. Tinha o cenho franzido. Logan se inclinou para frente e puxou a perna do irmão pelo calcanhar para que este mantivesse a postura, e nada disse. Lowell o encarou duramente, mas permaneceu como estava.

— Vamos lá, *irmãzinha*... — ele insistiu. — Diga o que estou pensando.

Marguerite olhou para Logan de soslaio. Lembrava-se bem da proibição para que não se diminuísse, contudo, respondeu:

— Pergunta-se o que alguém como vosso irmão pode ter visto em uma moça como eu.

Logan resmungou e olhou para a janela, aborrecido. Lowell riu, satisfeito.

— Enganou-se, *irmã*. A questão que se repete é: quão desesperada estava esta jovem para que se unisse a alguém como meu nobre irmão.

— Bem, estou com dezenove anos, senhor. Não dispunha de tempo para brincar com a sorte.

Logan a olhou de imediato. Marguerite ignorou a reação, preferindo sustentar o olhar de Lowell. Este se recostou, escrutinando-lhe o rosto. Por fim sorriu, assentindo.

— Gosto de você! Permite que eu a trate informalmente?

— Se eu puder fazer o mesmo...

— Fique sempre à vontade, afinal, é minha irmã— Lowell liberou. Num rápido movimento, inclinou-se para ela, capturou e beijou uma das mãos. — Perdoe minha grosseria. Não sou minha melhor versão quando estou perto dele. — Indicou o irmão com os olhos.

Demonstrando também ser sua pior versão quando estava perto de Lowell, Logan separou as mãos de ambos e empurrou o irmão pelo ombro para que voltasse a se sentar de modo correto.

— Desculpas aceitas! — O duque foi seco. — Agora, guarde seu fôlego para as explicações que me dará ao chegarmos à Haltman Chalet, *meu senhor* ou *Lorde Lowell de Bolbec*.

Lowell abriu a boca, mas se recostou sem nada dizer, mirando as mãos que permaneceram unidas depois de ele ser afastado. Em silêncio, Marguerite igualmente olhou para os dedos do marido entrelaçados aos dela.

Ao erguer os olhos viu que o soturno duque tinha o rosto voltado para a janela e considerou por bem guardar o próprio fôlego.

Por vezes Marguerite flagrava a observação de Lowell e, desconcertada, desviava o olhar sem se atrever a adivinhar o que ele estivesse pensando. Não sabia se com sua troça causou boa impressão ou se o cunhado se mostrou afável para provocar o irmão. Como Logan, Lowell era uma incógnita. E a rebeldia era algo aparente, pois seu silêncio não durou cinco minutos.

— Quando foi o casamento? — Lowell perguntou a Marguerite.

— Há pouquíssimos dias... No penúltimo domingo, sendo exata.

— Eu teria faltado às bodas por motivos óbvios, mas recebi um convite? — A pergunta foi feita ao irmão. Logan apenas o olhou de esguelha e voltou a mirar a rua. — Imaginei que não.

— Foi inesperado — Marguerite se apressou em dizer.

— Disso não duvido, pois há menos de um mês tive o prazer de receber meu adorado irmão e ele não agia como um noivo apaixonado, muito menos obediente. A propósito, sua amiga Daisy Duport tem perguntado por você, Logan.

— Mande lembranças minhas a ela quando a vir — retrucou Logan friamente.

— Farei isso — garantiu e se voltou para Marguerite. — Que era imprevisto está claro, mas... Como se conheceram?

— Bem, seu irmão...

— Encontrei Marguerite no parque das desesperadas solteiras à beira dos vinte anos — Logan a interrompeu, inflexível. — Espero que esteja com a mesma disposição para responder perguntas como as que faz.

Lowell, enfim, calou-se. Entretanto, estava longe de encerrar as provocações. Ao chegarem, foi ele o primeiro a saltar e a estender a mão para Marguerite.

— Permita-me ajudá-la, duquesa.

— Sou capaz de cuidar de minha esposa — disse Logan seriamente ao saltar. — Entre, banhe-se e me encontre no gabinete.

— Devo temer por meu traseiro?

— Se persistir com anedotas inadequadas, preocupe-se com os dentes. Agora vá!

Com dificuldade, Lowell se curvou numa exagerada reverência, girou nos calcanhares e seguiu rumo a casa, dignamente mesmo que manquejasse.

— Lamento pelo espetáculo! — Logan chamou a atenção de Marguerite para si. — Em minha defesa, tentei poupá-la.

— Tenho dois irmãos, Logan. Não tenho o que dizer de Edrick, mas nem sempre meu relacionamento com Catarina é belo como um campo florido.

— Nos últimos anos minha relação com Lowell é feia como um campo de batalha — Logan comparou, escrutinando-lhe o rosto.

Incomodado por Marguerite olhar para seu irmão, Logan a imitou em tempo de flagrar o sorriso sincero de Lowell ao receber o cumprimento de Finnegan.

— Sei sobre Lowell um pouco menos do que sei de você, Logan... — Marguerite estava tocada pela cena que assistira. — Sequer consigo imaginar o que deu início à guerra, mas está claro que ambos estão feridos. Nesse momento seu irmão está literalmente machucado. Não sabemos os horrores que passou naquele lugar... Poderia não ser tão duro?

Admirado com as considerações, analisando o pedido, Logan correu a mão pelo pescoço esguio de sua esposa. Marguerite fechou os olhos, apreciando o carinho imprevisto.

— Como pode ter apenas dezenove anos? As jovens que conheço em geral são fúteis e aborrecidas.

— Por isso ama uma mulher mais velha? — Preferível ter mordido a língua, Marguerite pensou, quando ele recolheu a mão e recusou um passo. — Logan, perdoe-me. Eu... Sei que não me concerne...

Surpreso com a questão, Logan não soube o que dizer. Sentiu-se atraído por Ketlyn pela beleza, sem reparar na maturidade ou conhecer a personalidade. Ele ainda formulava a resposta, quando a atenção de ambos foi atraída para a chegada da carruagem que trazia Alethia.

— Ora, quem diria que logo os veria — falou a senhora, olhando-os pela portinhola. Ao abri-la pediu: — Querido, não fique aí parado como se visse um fantasma, afinal, chamou-me, não?

Logan se adiantou para ajudá-la a saltar. Era uma carruagem de aluguel. Prestativo, Murray foi ajudar o desconhecido cocheiro a descarregar a bagagem.

— Alethia — disse o duque à guisa de cumprimento, beijando-lhe a mão. — Que bom que veio! Fez boa viagem?

— Meus olhos apreciaram a paisagem, meus ossos reclamaram por todo percurso, mas estou acostumada.

— Alethia, lamento por isso — disse Marguerite antes de abraçá-la brevemente. — Mas fico feliz que esteja aqui. Pensei que fosse demorar a vê-la depois daquela despedida.

Novamente, tardiamente, Marguerite se recriminou por um comentário impensado, mas a senhora não demonstrou ter se importado como Logan.

— Acostume-se, minha jovem! — Alethia sorria carinhosamente. — Minhas chegadas e partidas são sempre intempestivas. Não pense que me ressinto com facilidade.

— Uma de suas melhores qualidades.

— Dispense a bajulação, querido! Já estou aqui. — Alethia olhava-o com curiosidade. — E se sou intempestiva, o senhor é surpreendente. Esta é a segunda vez que me requisita às pressas.

— Com licença... — O cocheiro se aproximou timidamente, segurando o chapéu. Ao ter a atenção de todos, acrescentou para a senhora, indicando um baú, duas caixas redondas e uma valise: — Tudo que trouxe está ali. Ainda há algo em que eu possa servi-la?

— Não. Isto era tudo... — Alethia o liberou também com um aceno. — Agradecida!

O cocheiro cumprimentou a todos educadamente, reverenciou-os.

— Providenciais estas carruagens, todavia preferia ter vindo com a minha. Vamos sair da rua para que me diga por que fui obrigada a tomar o primeiro trem para cá ou este é o novo hábito? Conversas ao portão!

Providencial foi a aparição de um lacaio à porta que veio ajudar Murray com os pertences de da lamuriosa tia. Oferecendo seu braço às duas damas, Logan disse para a mais velha:

— Perdoe-me pelo transtorno. E fico feliz que tenha me atendido. Como tem passado?

— Muito bem, agora que é um homem responsável, mas posso mudar de opinião se continuar a protelar. Quer me matar de curiosidade?

— Jamais! — Logan riu mansamente.

Na porta, deixou que as duas entrassem à sua frente e entregou o chapéu, a bengala e as luvas a Finnegan depois que este cumprimentou a recém-chegada. Marguerite seguiu Alethia até a primeira sala. Sua própria curiosidade foi substituída pela atenção que deu ao cômodo.

Um grande arco substituía a porta, por este via a escadaria branca que levava ao andar superior. Pela larga janela envidraçada ela via boa parte do muro e do jardim frontal, incluindo o portão de entrada e o movimento na rua. A lareira era de mármore, branco como o lambri de madeira que revestia a parte inferior das paredes. A parte superior era forrada por tecido rosa chá, delicadamente florido. O rosa coloria também os estofados e as almofadas.

Apesar de os móveis serem em sua maioria de madeira escura, entalhada, Marguerite considerou aquela sala excessivamente feminina para a casa de um jovem solteiro, mas domou a língua. Ao acomodar-se ao lado de Alethia, enquanto ainda analisava outros detalhes da decoração, ouviu Logan dizer:

— Novamente quero me desculpar pelo transtorno e agradecer que tenha vindo o quanto antes, Alethia. Se a assustei, também me perdoe. Não era algo grave. Preciso apenas que leve a duquesa às compras. Quero que providencie vestidos, sapatos e tudo mais que for necessário.

— Logan... — Marguerite protestaria, mas Alethia a calou, batendo levemente em sua mão, muito interessada nas palavras do sobrinho.

— Querida, deixe que o homem fale! Generosidade masculina não se recusa.

Logan concordou e prosseguiu:

— Gostaria ainda que a ajudasse a escolher um belo vestido para meu aniversário. Será um baile de máscaras.

— Para o qual eu serei convidada, espero. — Alethia olhou-o severamente.

— É evidente. Apenas não demore, pois esta viagem não estava programada. Não sei quanto tempo ficaremos.

— Oh, por favor! — pediu a senhora. — Que a estada não seja tão breve que o impeça de levar a duquesa à Ópera.

A possibilidade de ir ao teatro roubou o ar de Marguerite. Expectante, ela olhou para Logan e assentiu, como um pedido mudo.

— Sim — ele anuiu. Sorrindo para a esposa, disse à tia: — Podemos ir ao teatro, Alethia.

— Que maravilha! — exultou a senhora. — Ouvi dizer que duas tragédias Shakespearianas estão em evidência, Macbeth e Hamlet.

— Hamlet — disse Marguerite.

— Macbeth — disse Logan ao mesmo tempo.

Alethia ergueu uma das sobrancelhas ao encarar o sobrinho. Marguerite nada disse, apenas supôs a razão da predileção do duque por Macbeth.

Logan manteve a expressão, mas se estapeou pela reação indevida. Não matou o pai como a personagem da peça matou o irmão, rei da Dinamarca. Porém, com a morte de George, tomou a madrasta para si. Assim como Cláudio desposou a cunhada, na referida peça, despertando a ira do sobrinho, o príncipe. Era evidente que despertaria curiosidade da tia ao refutar Hamlet.

— Hamlet será perfeito! — Logan determinou por fim, impassível. — Após o almoço tenho alguns assuntos a resolver. Em seguida, providenciarei nossos ingressos.

— Então, a duquesa e eu iniciaremos as compras ainda esta tarde — informou Alethia.

— Fiquem à vontade! Deixarei minha carruagem à disposição. Por ora, o que pretende fazer? Gostaria de se trocar?

— Não, estou bem... Prefiro saber as novidades.

— Assim sendo, pedirei que me deem licença. Tenho algo a tratar com meu irmão.

— Oh, Lowell está? Quero vê-lo! — Alethia se animou.

— Em breve — disse o duque, deixando a sala. — Pedirei a Finnegan que traga refrescos caso o almoço ainda não seja servido.

Sem mais explicações, Logan as deixou. Marguerite gostaria de rezar para que os irmãos não brigassem, porém, Alethia não lhe deu chance.

— Que venha o almoço! — rogou. — Esqueça-se do que eu disse sobre uma dama não sentir fome. Estou faminta!

Marguerite também estava, mas apenas sorriu.

— Vamos! Não fique aí, sorrindo para mim — disse Alethia. — Conte-me tudo!

— Tudo...?

— Sim, tudo! As novidades. Esqueceu-se? Conte-me tudo sobre sua vida no castelo. Tudo sobre essa viagem inesperada. Foi para suprir suas necessidades ou meu sobrinho mais novo está metido em outra confusão? Diga tudo, todos os detalhes!

— Bem... — Marguerite não queria ser indiscreta. Por outro lado, havia Lowell e seu estado deplorável. Nem mesmo um bom banho ou uma tarde de descanso eliminaria as evidências da enorme confusão em que se meteu. Acreditando que atenuaria o choque de Alethia ao vê-lo, ela anuiu: — Não sei os detalhes, mas, sim, viemos também por causa de meu cunhado.

— Não sabe os detalhes? — Alethia repetiu, analisando-a com desconfiança. Marguerite manteve a expressão inocente. — Talvez não saiba ou apenas não seja o tipo mexeriqueiro... Não sei se gosto disso, mas respeito. E sem dúvida admiro que seja leal ao seu marido. Ao menos poderia dizer como estava Lowell? Quando foram apresentados?

Marguerite pigarreou e se moveu, incomodada.

— Esqueça! — A senhora bateu nas mãos da jovem, levemente. — Não quero colocá-la em uma situação desconfortável. Seja o que for, até o almoço, descobrirei. Fale-me de si.

Marguerite sorriu aliviada e assentiu. Falar de sua vida em Castle não seria menos desconfortável, mas sempre poderia se valer de edições para agradar à senhora. Era hábil em criar histórias, aprenderia a contá-las.

Capítulo 23

Por Finnegan o duque soube que o almoço poderia ser servido em, no máximo, meia hora. Logan pediu que fosse feito quando tudo estivesse pronto e também que levasse refresco às damas, na Sala Harriette. O cômodo tinha recebido o nome de sua mãe por ser seu preferido em toda casa. Do sofá a duquesa mãe costumava mirar o portão, aguardando a chegada do marido, enquanto os filhos jogavam gamão, próximos à lareira.

A boa lembrança não acalentou o coração de Logan. Anos se passaram. A amizade com o irmão estava perdida, a mãe morta, também o pai. Em pouquíssimos minutos a relação com Lowell se deterioraria um pouco mais, ele lamentou ao se aproximar do quarto do irmão. Como não havia o que ser feito, Logan respirou fundo, bateu uma vez e, mesmo sem permissão, entrou.

Flagrou o irmão na tina em que se banhava, esfregando os braços vigorosamente. Ambos estacaram. Lowell foi o primeiro a se mover, atirando a bucha dentro da tina.

— Eu pediria que revisse seu conceito de boa educação antes de entrar no quarto alheio sem ser convidado — ele escarneceu —, mas devo um agradecimento. Qual o melhor modo de fazê-lo que permitindo a apreciação do resultado de uma boa coça?

De súbito, com dificuldade, Lowell levantou. Chocado, Logan conteve a respiração.

Sempre seria natural que um visse ao outro nu, pois desde pequenos era como nadavam no lago próximo às ruínas ao pé da colina. O que estarreceu o duque foi ver os muitos hematomas espalhados pelo dorso, braços e coxas de Lowell, todos em variados tons de roxo. Havia ainda a quantidade de cortes, alguns deles grosseiramente suturados.

— Olhe bem! Deleite-se! — Lowell girou lentamente em seu eixo, de braços abertos. — Tomaram o cuidado de não ferir meu rosto. O corte em minha testa foi um mero acidente... O que acha? Fizeram um bom trabalho? Teria feito melhor?

— Lowell...

— Mas que pergunta imbecil! — Lowell meneou a cabeça, repreensivo. — É claro que ninguém, jamais, faria nada melhor que o grande Logan de Bolbec! Nem quebraram uma costela! Não gostaria de aproveitar a ocasião para...

— Cale a boca, Lowell! — Logan demandou. — Cale a maldita boca antes que eu aproveite e ocasião para cortar sua língua!

— Seria uma variação do que proporia. — Lowell deu de ombros, recolheu a toalha próxima e saiu da tina.

— Não quis atrapalhar seu banho. — Logan tentava se acalmar.

— Devo estar limpo. — Lowell passou a se secar. — Não creio que esfregar minha pele até esfolar vá eliminar o ranço daquele lugar. Já que está aqui, grande irmão, diga o que quer.

Logan respirou profundamente, lembrando-se do que sentiu quando acreditou que o irmão estivesse morto. Bem, Lowell estava vivo, estava olhando para ele como Marguerite pedira e não gostava nada do que via.

— Vim saber o que aconteceu.

— Foi me resgatar, deve saber bem o que aconteceu — observou Lowell, indo até a cômoda de onde retirou a ceroula e passou a vestir mesmo que não estivesse completamente seco. Logan cruzou os braços, olhando-o duramente. — O quê? Quer detalhes?

— Pode apostar suas moedas — replicou o duque com calma que não possuía. — É sua especialidade, não?

— Sim, teve a ver com jogo — disse Lowell, escolhendo o que vestiria —, mas não como pensa.

— Passei a noite em claro, Lowell, exigindo que meu cocheiro levasse os cavalos à exaustão para vir aqui e descubro que você seria enviado para a Austrália. Portanto, aproveite que estou cansado demais para pensar o que for e conte o que aconteceu.

Lowell terminou de vestir uma camisa branca e o encarou. Logan sabia que o tom comedido causava estranheza. Ultimamente, quando não se provocavam com falsa educação ou maldoso sarcasmo, conversavam aos gritos.

— Antes, diga-me o que aconteceu a você — pediu Lowell, com as mãos no quadril, indicando-o com o queixo. — Está diferente.

— Não vim para falar sobre mim, Lowell.

— É Marguerite? Ela não permitiu que me socasse. Você nunca deixou de fazer o que queria a pedido de alguém...

— Deixe a duquesa fora de nossa conversa.

— Quem é ela? Onde a encontrou? Não me lembro de já tê-la visto e, com certeza, nunca a mencionou. Tem sua beleza, mas não tem o tipo físico de mulheres que aprecia... O que a diferencia? Contou a ela quão podre é sua vida? O que Ketlyn pensa de tudo isso?

— Lowell, por Deus, eu estou me esforçando. — Logan avançou um passo. — Não me tente!

— Está bem! — Lowell ergueu as mãos em sinal de rendição. — Por ora me conformo em saber que sua mudança é, sim, por causa da jovem e espirituosa duquesa. Falemos de mim...

Logan voltou a cruzar os braços e esperou.

— Eu estava na inauguração de um bordel em *Blue Gate Fields* e...

— Não acredito que agora frequenta uma das piores áreas de Londres — Logan não calou o assombro. O lugar citado não era mais que uma favela no extremo leste, próxima ao porto.

— Vou aonde haja bom vinho, jogadores medianos e mulheres receptivas — replicou Lowell, vestindo uma calça cinza. — Entende bem o que digo.

— Entendo perfeitamente, mas há lugares nos quais terá tudo isso sem que se misture com a ralé. É o segundo filho de um duque, considerado um lorde! E, por Deus! Por que seu valete ou um lacaio não está aqui, ajudando-o a se vestir?

— Dei a Howard alguns dias de descanso e não quero que ninguém me veja assim — respondeu rispidamente. — E não mude de assunto depois de recordar meu lugar na hierarquia, grande irmão. Ouvir de você que sou um lorde soa como consolação. Ser filho de duque não me torna melhor que ninguém nem me livrou da cela.

— Foi preso por infringir a lei — lembrou-o Logan. — E nunca precisei consolá-lo. Não é minha culpa ter sido o primeiro a nascer.

— Claro que não é — Lowell resmungou. Agora calçava as meias.

— Faça de sua vida o que quiser, mas, ao menos, frequente lugares melhores. E não me diga que são caros, pois mensalmente mando a parte dos rendimentos que lhe compete.

— Voltando ao que eu dizia... — Lowell o interrompeu, antes que ele repetisse o sermão recorrente. — Estávamos jogando pôquer, restávamos eu e o dono da casa. Para elevar a aposta sugeri que, caso ganhasse, tivesse o direito de frequentar o lugar, beber e me deitar com quantas prostitutas quisesse. Todos os dias, durante um mês, sem nada pagar.

— Ele aceitou essa aposta? — Logan desconfiou. — O que ganharia caso você perdesse?

— O que ofereci não vem ao caso — redarguiu, mirando o sapato que calçava. — O fato é que eu ganhei.

— Disse que o duelo estava relacionado a jogo, mas não como eu estava pensando. Parece-me que aconteceu como de costume. O homem se enfureceu e o desafiou. Acusou-o de trapaça.

— Disse tudo como se estivesse nos vendo, porém eu o desafiei. O covarde descontou sua fúria cortando o rosto de uma das prostitutas com uma garrafa quebrada. Não pude ver aquilo e ficar impassível. Se o que disse sobre respeitar até mesmo a puta mais ralé foi verdadeiro, também não relevaria, então, não me julgue.

— Não o julgo — assegurou o duque, cansado. — Em seu lugar faria o mesmo. O problema é que não é a primeira vez que se mete em confusões, obrigando-me a ajudá-lo. Olhe para si e veja só como quase terminou.

Logan indicou o irmão num amplo gesto.

— Não é obrigado a nada — retrucou Lowell com desagrado, pondo-se de pé para encará-lo da mesma altura. — Não sei como descobriu que eu estava em Millbank, mas da próxima vez, não se dê ao trabalho de me resgatar.

— Pode não ser um cretino ao menos por um minuto? — Logan o segurou pelo braço, ignorando a expressão de dor. — Aquele pulha daria um jeito de enviá-lo para os campos prisionais! Não vê que estaria perdido? Sir Arthur o eliminaria do mapa. Talvez eu jamais soubesse que estava na Austrália... E juro que, se abrir essa sua boca grande para comentar o quanto eu adoraria isso, eu o atiro pela janela!

— Posso pular se facilitar para você.

— Argh! — Logan soltou o irmão como se o queimasse. — Quando se tornou detestável? Por que chegamos a isso? Não pode simplesmente me agradecer e se manter longe de confusão? É assim, inconsequente? Odeia-me tanto? Odeia-se tanto? Entendo a jogatina, a bebedeira, a libertinagem, mas parece que nada o satisfaz. É como se tentasse se destruir!

— Obrigado por me salvar, duque! — Lowell se empertigou. — Tentarei me manter bem afastado de Millbank. Agora que já fiz tudo que queria, deseja mais alguma coisa?

Logan escrutinou o rosto do irmão e lamentou que estivessem tão distantes.

Ainda queria saber a razão de Lowell ter sido espancado. Gostaria de dizer o quanto lamentava aquele episódio. E, como não acontecia há anos, Logan queria abraçá-lo e protegê-lo, mas sabia que qualquer coisa que dissesse ou fizesse serviria apenas de munição para a debochada hostilidade de Lowell.

— Sim, devo avisá-lo que Alethia acaba de chegar — disse ao seguir para a porta. — E pedir, encarecidamente, que não seja você mesmo enquanto minha esposa e titia estiverem aqui.

— Mande Finnegan polir minha auréola, grande irmão, pois serei um anjo — prometeu Lowell, movendo o indicador em cruz no lado esquerdo do peito.

— Que os anjos não se ofendam! — resmungou o duque do limiar. Olhando para Lowell com pesar, concluiu: — O almoço logo será servido. Apresse-se.

Marguerite agradeceu a chegada do duque que a livrou de uma questão embaraçosa.

Tinha sido bem-sucedida em narrar como foram seus primeiros dias em Castle, atendo-se às partes leves de seus dias. Até mesmo foi parabenizada ao contar sobre as mudanças que promoveu e as que pretendia colocar em prática, mas as últimas questões entravam no âmbito pessoal. Mesmo que tivesse o que dizer não seria confortável contar como se sentiu na noite de núpcias.

— Logan! — Marguerite foi até ele. — Novidades sobre o almoço?

— Está tudo pronto. — Logan a olhava com ternura. — Tão logo Lowell se junte a nós, este será servido.

— Não é necessário esperar — disse Lowell ao chegar logo em seguida.

A barba não fora feita, mas, banhado e de roupas limpas, Lowell confirmou a impressão de Marguerite; era a versão mais nova de Logan. Até mesmo em altura se equiparava ao irmão. Por sua expressão não foi possível deduzir como fora a conversa deles dois, porém, a tensão anterior não era sentida.

Lowell sorriu para ela sem qualquer motivo aparente, mostrando o quanto era bonito. O sorriso, no entanto, desapareceu após o espanto de Alethia.

— Bom Deus! — Ela se levantou, lívida. — O que aconteceu a você, Lowell? Está horrível!

Lowell voltou a sorrir e caminhou lentamente até a tia e beijou sua mão.

— Acalme-se, Alethia! — pediu. — Acidentei-me enquanto domava um cavalo xucro, mas estou bem. Não queria assustá-la com minha horrível figura. Você, entretanto, está divina!

Ao se calar, Lowell piscou matreiramente para Alethia. Marguerite considerou que mesmo ela se envaideceria com o elogio. Para sua surpresa, a senhora fechou a expressão.

— Não tente me seduzir seu embusteiro! — demandou com o indicador em riste. — Eu agradeço a gentileza, mas o conheço desde que a parteira o colocou no colo de minha querida amiga Harriette. Então, não pense que um dia poderá me ludibriar com suas piscadelas. Tem certeza de que isto tem a ver com cavalos xucros?

— Ei! — Lowell recuou um passo antes que a tia apertasse o ferimento em sua testa e sorriu mansamente. — Nunca funciona, não é mesmo? Mas jamais desistirei, Alethia. E, sim, fui arremessado para fora da sela. Voei tão alto que poderia ter caído na Austrália.

Logan apertou os lábios, aborrecido, mas nada disse. Alheia a sua reação, Alethia sorriu para Lowell, meneando a cabeça.

— Não desista, querido! E não insistirei. Não vejo como uma queda de cavalo, que nem mesmo o quebrou, trouxe seu irmão até aqui. Se não quer me dizer o que houve, respeitarei. Para mim é o bastante que esteja inteiro e bem.

— Lorde Bridgeford, lorde Lowell — disse Finnegan ao parar sob o arco, interrompendo a conversa. — O almoço está servido na sala de jantar.

— Obrigado, Finnegan! — Logan agradeceu e ofereceu o braço à Marguerite. Antes que ela o aceitasse, Lowell se interpôs entre eles, oferecendo o próprio braço.

— Permita que eu acompanhe a duquesa até a mesa, irmão — pediu candidamente.

— Fique à vontade! — liberou Logan e ofereceu seu braço à tia.

— O banho lhe fez bem, senhor — observou Marguerite enquanto caminhavam de braços dados.

— Se realmente me perdoou, chame-me pelo nome, por favor!

— Está bem! Como se sente, Lowell? Perdoe-me por reparar, mas é praticamente impossível não ver que tem dificuldade para caminhar. Antes achei que fosse pelo modo como Logan o arrastou, mas depois... O que fizeram a você naquele lugar?

— Sua preocupação me comove, mas estou bem! Tente esquecer esse lamentável capítulo de minha vida. Meu irmão não devia tê-la levado. Lá não é lugar...

— Para uma dama — ela o interrompeu, sorrindo. — Logan bem que tentou ir sozinho, mas eu não o deixaria em um momento como aquele. Antes de tudo, somos amigos!

— Amigos... — Lowell testou a palavra, olhando de um ao outro. — Não sei como se conheceram, nem qual a razão de um casamento às pressas, mas vejo que diz a verdade. E exerce um poder sobre ele que nenhuma outra jamais foi capaz. Nem mesmo...

Marguerite sabia a quem Lowell se referiria ao se calar abruptamente e considerou que seu próprio silêncio poderia levantar alguma suspeita.

— Nem mesmo...? — indagou de modo inocente.

— Nem mesmo nossa mãe — Lowell concluiu. — Logan não era influenciado nem mesmo por nossa mãe, mas com você é diferente. Caso não estivesse aqui, os lustres teriam caído com nossa discussão.

— Então, fico feliz por estar aqui! — Marguerite exibiu um amplo sorriso. — Os lustres dessa casa são bonitos demais para serem perdidos.

— Não sei nada sobre você, *irmãzinha*, mas vejo porque Logan se apaixonou.

Foi a vez de Marguerite olhar para o marido. Chegavam à sala de jantar, o que a salvou de tecer qualquer comentário quanto aos enganos do cunhado. Logan era atencioso, defensor, carinhoso, mas em seu coração não havia espaço para ela. Não exercia qualquer influência sobre Logan nem ele estava apaixonado por ela.

Com um suspiro, Marguerite deixou o comentário passar e se acomodou na cadeira que Lowell afastou para ela. Com o guardanapo acomodado em seu colo, ela fingiu não ver que Logan a observava e esperou ser servida. Como uma compensação pela falta do café da manhã, o almoço foi farto. O silêncio ditou a dimensão da fome de cada um.

Antes que fosse servida a sobremesa, Lowell pediu licença e se retirou. Com um duro olhar Logan desencorajou Alethia de crivá-lo com suas questões, restando à senhora narrar o que pretendia fazer e aonde iria com a duquesa para as melhores compras. De volta à sala, o duque deu à tia carta branca, pediu licença e se despediu das duas.

— Querida... — Alethia sorriu. — Estamos novamente a sós. E temos crédito!

A caminho de outro reservado para a prova de vestidos, sendo seguida pela costureira designada a ajudá-la, Marguerite liberou um suspiro. Quanto fôlego podia ter uma senhora com mais de setenta anos? Especulou, entre cansada e admirada.

Sem que deixassem a King's Road, elas estavam na terceira boutique. Em quatro horas de compras ininterruptas, a jovem duquesa estava em seu limite, ao passo que sua acompanhante idosa demonstrava ter disposição para outras tantas idas às lojas vizinhas.

Para Marguerite bastavam os nove vestidos encomendados, dez pares de sapatos e quatro chapéus. Todos embalados e amontoados na traseira e no teto da carruagem. Por Alethia teriam formado uma verdadeira pirâmide com mais caixas equilibradas no espaço reduzido, ao lado de outros tantos embrulhos com espartilhos, pantalonas, meias e luvas.

Marguerite compreendia que ocupava um elevado posto na nobreza, mas era apenas uma e vivia em Dorset, em um castelo. Foi o que disse a Alethia na boutique anterior, enquanto experimentava o belo vestido de musselina azul lápis-lazúli que pretendia usar no baile de máscaras.

— Entretanto — argumentara a senhora —, nunca se sabe quando o duque será convidado para um evento importante. Como bem salientou, vive em um castelo e duvido que as lojas em Bridgeford tenham algo adequado à posição que ocupa.

Marguerite pensou em salientar que os vestidos de seu enxoval eram tão luxuosos quanto os escolhidos, feitos sob medida e bordados com primor, mas preferiu não retrucar, por isso estava ali, experimentando aquele que provavelmente fosse o quinto vestido de luxo acrescido à nova coleção. E, ali, diante do espelho, enquanto alisava o veludo carmim Marguerite agradecia sua tia pela insistência.

O corpete valorizava o colo que Logan enaltecia, afinava sua silhueta já reduzida em alguns centímetros, ela soube logo na primeira loja. Era um belo vestido, fazia com que se sentisse bonita e Marguerite quis que o duque o visse.

— Pode fazer os ajustes — disse seguramente à costureira.
— Maravilhosa escolha, milady! — A mulher se adiantou para iniciar as marcações. — Reduzirei um pouco a barra. No mais, vejo que se ajustou com perfeição.
— Sim... É perfeito!
Admirando-se, distraidamente Marguerite subiu em um banco baixo para que a costureira pudesse trabalhar. A atenção que dava a sua imagem foi desviada ao ouvir a questão de uma mulher, próximo de onde estava.
— O que me diz? Descobriu onde Logan está? Aquela é a carruagem dele, com certeza.
— Lorde Bridgeford não se encontra aqui, Srta. Duport — disse a outra mulher.
O tom era baixo, servil, mas as palavras foram compreendidas com clareza. Se a intimidade usada pela primeira mulher fez gelar o coração de Marguerite, descobrir o nome da mesma lhe torceu o estômago. Era a boa amiga citada por Lowell: Daisy Duport.
Era desconcertante aquela situação e em nada ajudava ver o pesar nos olhos da costureira que, como ela, parou o que fazia ao ouvir o cochicho conspiratório.
— Está vendo aquela senhora? — a informante indagou. — Descobri ser tia do duque.
— Sim. Nunca fomos apresentadas, mas conheço Lady Alethia! — Daisy Duport parecia aborrecida. — Não a tinha visto aqui. O que tem ela? É quem usa a carruagem?
— Sim, senhorita, mas...
— O que tem a dizer? — Daisy se impacientou. — Diga de uma vez ou ainda hoje estará à procura de outro emprego.
— É que não sei como dar a notícia, senhorita... — explicou quem Marguerite descobriu ser a criada. — Mas, em todo caso descobrirá, então... A tia do duque acompanha a duquesa.
— Lady Bridgeford?! — Daisy riu descrente. — As duas se detestam. Está errada, sua incompetente!
— Não com a duquesa viúva — corrigiu a criada. — Com outra. A esposa de Lorde Bridgeford.
O silêncio de Daisy Duport teve o mesmo poder devastador de suas palavras. Com este deu a Marguerite a devida e perturbadora dimensão da *amizade* que a ligava a Logan. E mais uma vez, pelo olhar da costureira, Marguerite sabia que esta igualmente entendera.
— Impossível! — Marguerite ouviu Daisy refutar roucamente. — Logan passou duas noites em meu apartamento há menos de um mês e não disse nada sobre uma noiva. Como pode estar casado? Você ouviu errado! Volte e obtenha a informação correta!
— Eu lamento tanto, senhorita, mas não há engano. Parece que Lady Alethia está ajudando a duquesa a montar um novo enxoval.

— E ainda essa! — revoltou-se Daisy. — Logan se casou com uma desvalida? Devemos rir desta anedota?

Marguerite respirou fundo. Tinha os lábios unidos rigidamente.

Como disse ao duque, tais assuntos não lhe concerniam. Afinal, há menos de um mês sequer sonhava que estariam casados, mas, sim, aborrecia-se. Sentia-se traída como não aconteceu ao descobrir a ligação com Ketlyn. E estava igualmente curiosa.

Ao descer do banquinho sua determinação saltava aos olhos. A costureira imediatamente se pôs de pé, meneando a cabeça veementemente. Ignorando-a, Marguerite abriu a cortina do reservado e saiu, olhando em frente.

— Alethia, pode vir aqui um instante! — Marguerite mantinha o queixo erguido.

Como esperado Daisy Duport, ladeada pela criada, imediatamente surgiu. Mantendo a postura, mesmo que por sua visão periférica visse o modo descarado como era analisada pela dama ao seu lado, Marguerite esperou até que Alethia se colocasse à sua frente, maravilhada.

— Meu olhar nunca se engana. Mereço os parabéns! — disse Alethia, convencida. — Logan ficará encantado. Está linda!

— Rá! — Daisy reagiu com deboche, chamando a atenção para si.

Marguerite se manteve impassível, mesmo que a beleza de Daisy a impressionasse. Alethia, por sua vez, mediu a mulher de alto a baixo, afetada apenas pela interrupção.

— Disse algo senhora?

— Senhorita, na verdade — corrigiu Daisy, aproximando-se, sorrindo. — Sou Daisy Duport. Surpreendi-me ao ouvir o nome que citou. Referia-se ao Lorde Bridgeford?

— Exatamente! — Alethia torceu o nariz, como se sentisse cheiro de peixe podre. — O que tem isso, *senhorita* Duport?

— Nada demais... Conheci Lorde Bridgeford alguns anos atrás, em uma recepção na casa de amigos em comum. Desde então o duque tem sido muito atencioso e agradável sempre que nos encontramos. Em eventos sociais, é evidente.

— É no que quero crer... — Alethia voltou a medi-la, sem ocultar seu desagrado. — Bem, sou Lady Alethia Welshyn e esta é Lady Bridgeford, esposa do duque atencioso que mencionou.

— Oh, duquesa Bridgeford? — Daisy fingiu surpresa e se curvou reverentemente. — É um prazer conhecê-la!

— Digo o mesmo.

Quando Daisy se aprumou, Marguerite voltou a analisá-la. Como Ketlyn, estava claro que Daisy era mais velha que Logan. O cabelo loiríssimo estava preso em um coque, na nuca. Os olhos eram castanhos. O vestido azul marinho, no mesmo tom do pequeno chapéu, favorecia o corpo esguio.

Agora que a conhecia, Marguerite não duvidava que ela fosse uma amante entre as várias que o duque mantinha, todas estonteantemente belas. Lowell conhecia aquela *senhorita*, então, como pôde se enganar ao ponto de dizer que Logan estivesse apaixonado por ela?

— Duquesa, se me permite comentar, eu nunca a vi em Londres — disse Daisy. — É daqui, mas não costuma sair ou é de longe e não frequenta as temporadas de bailes?

— Tantas perguntas! — resmungou Alethia. Marguerite lhe sorriu. Concordava com a tia, mas não perderia a chance de desfazer um mal-entendido.

— Não costumo vir à corte — respondeu com certo prazer —, mas decerto ouviu o nome de minha família. Sou filha do barão de Westling. Eu vivia em Apple White.

— É filha do barão que produz a sidra conhecidamente apreciada e elogiada pela rainha?! — Daisy não mascarou seu espanto.

— Sim, dele mesmo. Eu não aproveito a temporada, mas poderia, caso quisesse. Em todo caso, não foi preciso. Logan me encontrou em Somerset.

Daisy Duport assentiu, mantendo os lábios apertados. Quando seu despeito já se tornava evidente, ela sorriu e a indicou.

— Se novamente me permite, duquesa, está realmente muito bonita. O vermelho lhe caí bem, favorece vossas medidas.

— É a intenção — redarguiu. Estava impressionada com a beleza da outra, mas jamais daria a uma estranha o poder de humilhá-la. Deixando claro seu desinteresse, sem despedidas, a duquesa segurou as mãos de Alethia e a levou para o reservado. — Fique comigo enquanto a costureira marca a barra do vestido.

A surpresa deixou os olhos da senhora ao notar que a jovem tremia.

— Shhh... — Alethia tentou tranquilizá-la, certificando-se de que Daisy tivesse se afastado. — Não fique assim! Provavelmente não seja nada do que possa estar pensando.

— É exatamente o que estou pensando — disse, odiando-se por estar embargada —, mas não devo me aborrecer.

— Não deve! — Alethia esboçou um sorriso. — Parecerá horrível o que direi, mas precisa se acostumar, querida. Logan é homem e age como a maioria. É de sua natureza se divertir com mulheres fáceis e amorais. O que realmente importa, com o que deve se preocupar, é que ele volte para casa, que a respeite e lhe dê muitos filhos. Uma boa esposa deve ser cega, surda, muda e, acima de tudo, compreensiva. Harriette sabia disso e teve uma boa vida.

A menção à sua sogra distraiu Marguerite do choque provocado por tais palavras.

— Seu irmão era como a maioria dos homens? — indagou sem preâmbulos.

— Até mesmo meu marido o era, querida criança. — Ela deu duas palmadinhas amistosas na bochecha da sobrinha. — Mas, nossos maridos sempre voltavam. Logan também voltará.

Sim, ele voltava, mas para a cama de Ketlyn! Pensou Marguerite.

Apegando-se à verdade imutável, obrigou-se a sorrir e se virou para o espelho. A admiração estava perdida, não mais queria que o Logan a visse, mas aquele sempre seria um belo vestido.

— Realmente gostou? — indagou, alisando sua cintura.

— Gostei tanto que lhe digo... — Alethia sorriu, aceitando a mudança de assunto. — Vá com este à Ópera. Providenciaremos luvas e uma estola. E uma tiara... Ficará esplêndida!

Após o novo ataque à sua autoestima, Marguerite duvidava, mas reconhecia que ao menos bonita ela ficaria.

Novamente sorriu para a animada senhora, rogando que a caça aos acessórios proporcionasse distração suficiente. Por fim, não pensou em amantes espetaculares nem em maridos reconhecidamente infiéis por se perder na especulação sobre a vida de Harriette. A mãe de Logan teria sido feliz sabendo que o marido se divertia com outras mulheres?

Pouco provável, concluiu Marguerite ao deixar a loja com a promessa de que o vestido carmim seria entregue em Haltman Chalet ainda no final daquela tarde. Parecia claro à duquesa que mulher alguma seria feliz sendo abertamente traída. Ela não seria!

Capítulo 24

Pessoas transitavam pela calçada, passavam carruagens e charretes pelo calçamento, mas, pela segunda vez no dia, Logan as mirava sem nada ver. Estava no Red Fox, em Mayfair. Clube para cavalheiros aficionados pela caça à raposa vermelha, em tese. Na prática, era um local de lazer, onde senhores abastados conversavam ou liam periódicos, saboreando charutos e bebidas de sua preferência.

Há pouco mais de três semanas, ocupar aquela mesa à janela, tendo uma boa combinação de cartas à mão bastaria para divertir o duque ou distraí-lo de qualquer aborrecimento. Naquela tarde, contudo, ele educadamente recusou participar do pôquer com jogadores medianos. Em sua última visita ao clube, Logan não teria perdido a chance de conseguir algumas libras, um novo cavalo ou uma valiosa joia familiar.

Logan também teria apreciado cortejar uma das poucas damas que entravam no Red Fox sem se importarem com reputação ou maledicência. Três das *raposinhas* presentes ele conhecia intimamente. Como sua vitória no jogo, o prazer com elas era garantido, mas nem mesmo sexo fácil o apetecia.

Uma das caixas que tinha nos bolsos de seu casaco comprovava que nem mesmo estar com Daisy Duport parecia atraente.

Ouvir o nome da amante londrina na presença de Marguerite encheu-o de um embaraço sem precedentes. Portanto, estava decidido a encerrar a relação antes que um incidente de maiores proporções ocorresse. De posse dos ingressos para Hamlet, o duque visitou uma joalheria e de lá seguiu para o apartamento de Daisy. Infelizmente não a encontrou.

Sem rumo, considerando ser ainda cedo para voltar à Haltman Chalet, Logan seguiu para o clube. Enquanto bebia a primeira dose de uísque, foi em Lowell que ele pensou. Ultimamente o irmão não era sua pessoa preferida, mas possuíam o mesmo sangue. Apavorou-se ao crer que estivesse morto e, depois, verdadeiramente doeu ver tantos ferimentos e hematomas. Caso não fosse um homem de palavra, Logan denunciaria sir Arthur McGregor ao primeiro-ministro.

Engolindo sua bronca com a bebida, o duque tentou se apegar ao fato de que, com sua *promessa,* o pústula no comando de Millbank pensasse duas vezes antes de se meter com um Bolbec. Ainda para minimizar o choque, Logan tentava se convencer de que a coça tivesse servido para dar a Lowell a responsabilidade que nunca tivera. O terrível episódio teria valido alguma coisa.

No momento Logan tinha em sua mão a segunda dose de uísque, mas sequer a provou. Seu pensamento estava voltado para as palavras do irmão sobre Marguerite. Seria possível que todas as coisas que sentia por ela pudessem ser resumidas em uma palavra: paixão?

— Eu sabia que o encontraria aqui!

Distraído de suas considerações, Logan assentiu e sorriu para a recém-chegada, pondo-se de pé imediatamente. Daisy Duport estava ainda mais bonita do que se lembrava. Aquele tom de azul sempre lhe caía muito bem, ele observou.

— Srta. Duport! — Logan beijou a mão estendida. — Fico feliz que tenha me encontrado.

— Fica? — Daisy ergueu uma sobrancelha enquanto o via se aproximar e puxar sua cadeira.

— Evidente que sim! — reiterou, ignorando o rosto que ela ofereceu para um beijo ao se acomodar. — Estive em seu apartamento mais cedo.

— Procurou-me?! — Daisy parecia realmente surpresa.

— Qual o espanto? — Logan franziu o cenho e escrutinou o rosto bonito ao se sentar.

— Oh, nenhum! — Ela meneou a cabeça, como se espantasse uma ideia ruim e sorriu. — Lamento tanto que não tenha me encontrado. Teríamos nos divertido, como da última vez.

Antes que Logan dissesse algo, Daisy sorriu ainda mais e piscou de modo cúmplice.

— Ainda é cedo. Poderíamos ir agora e teríamos algumas horas de diversão sem levantarmos suspeitas.

O duque estranhou a observação, mas não se deteve ao detalhe. Fora procurá-la com uma missão e se o destino quis que a amante o encontrasse ali, não perderia a oportunidade de fazer o que determinou. Levando a mão ao bolso, tirou uma comprida caixa preta e depositou à mesa.

— Espero que goste!

Surpresa, Daisy puxou a caixinha para si e a abriu. Logo erguia uma fina pulseira formada por plaquinhas de ouro. Em cada uma delas estava incrustada uma delicada opala.

— Logan... — murmurou, girando a pulseira de um lado ao outro. — É perfeita! Sempre é tão generoso. Caso pudesse, eu o encheria de beijos. Vamos ao meu apartamento para que eu o agradeça como merece.

Logan sabia quanto ela podia ser agradecida e por um segundo lamentou pelas delícias que perderia. Entretanto, visava algo maior, desconhecido, promissoramente excitante. E por não haver laços estreitos a uni-los, não hesitou.

— Daisy, muito me alegra que tenha gostado, mas um agradecimento verbal bastará. Tem sido realmente boa amiga e, sim, sempre nos divertimos, mas algo mudou. Nossos encontros não tornarão a acontecer.

— Como disse?! — Daisy o encarou, estupefata, e indicou a pulseira. — Então, o que é isso?

— Meu modo de agradecer pelo tempo que nos divertimos.

— É um pagamento? — Os olhos castanhos ardiam. — Sou uma prostituta para você?

— Evidente que não — refutou o duque, discretamente se certificando de que nenhum dos senhores assistia a cena. — Contenha-se!

Daisy respirou profundamente e assentiu.

— Perdão... Apenas me diga o que mudou, por favor!

— Eu mudei. É o que precisa saber.

— Mudou? Novamente peço perdão, mas... A mesma mudança afetou o romance com sua madrasta?

— O que disse?! — Logan se empertigou, encarando-a duramente.

— Acalme-se — pediu Daisy, baixando o tom. — E não negue. Não se lembra, mas revelou seu segredo numa noite de bebedeira. Garantiu que iniciou o romance porque a amava, chorou de remorso por seu pai. Até mesmo implorou por meu perdão antes se meter entre minhas pernas. Pensei que fosse o fim, mas esteve comigo inúmeras outras vezes. Agora me dispensa por ter mudado?! Apenas isso? Gostaria realmente de saber se também se desligou de...

— Não repita! — sibilou.

Era um fato, bebidas em excesso tinham o poder de soltar a língua de um homem. Porém, sua indiscrição ou sua frequência na cama daquela mulher não dava a ela o direito de interpelá-lo. Extremamente aborrecido, Logan prosseguiu no mesmo tom:

— Não queira dar aos nossos encontros a importância que nunca tiveram. Também não me recordo do dia em que a senhorita tenha questionado o significado de meus presentes nem sua conduta ao afastar os joelhos para mim. Conscientemente cada um teve do outro aquilo que queria. Essa troca apenas findou.

— Tem razão! — Daisy anuiu, guardando o presente na bolsinha que carregava. — E era uma troca justa, boa demais para ser encerrada assim. Perdoe minha ousadia, mas eu o conheço há anos. Possuí espírito livre e aprecia os prazeres da vida. Tomarei a liberdade de esperar. Por ora, se me der vossa licença...

O duque se levantou reflexivamente ao ver Daisy fazer o mesmo.

— Não irei prendê-la — disse, empertigado. — E não se iluda. Não há o que esperar.

— Mudanças ocorrem todos os dias! Não me surpreenderia caso descobrisse que vossa mudança atende por um nome. Se eu estiver certa, um dia irá se cansar de uma jovem e virginal madona Rafaelita. Quando acontecer, sabe onde me encontrar.

Com um inclinar de cabeça, Daisy se retirou. Novamente Logan olhou em volta e se sentou. Os cavalheiros presentes naquela tarde de sábado estavam mais interessados em seus copos ou em quem lhes fazia companhia para dar atenção ao que se passava naquela mesa. Tanto melhor, pois ele não gostava de cenas.

Apesar da espantosa adivinhação quanto à existência de alguém, enfim, tudo correra bem. De repente, até mesmo o clube o impacientou. Logan tomou o uísque a um só gole, atirou algumas moedas sobre a mesa e partiu. Se acaso sua esposa não estivesse de volta, uma briga com Lowell seria mais animadora do que a fria e polida calmaria do Red Fox.

Para o bem da paz, enquanto entregava seus pertences a Finnegan, Logan descobriu que as senhoras se encontravam no segundo andar. Sem hesitar o duque marchou para seu quarto. Pela porta entreaberta ele viu Alethia e Nádia ajudando uma sorridente Marguerite a desembrulhar inúmeros pacotes. A distraída animação permitiu que fossem observadas um pouco mais.

Logan não fazia ideia de como Daisy foi capaz de descrever Marguerite, mas no momento ela se assemelhava a uma madona de Rafael, ou de Botticelli. A luz do cômodo incidia sobre o cabelo loiro e era como se toda a moça brilhasse. Logan considerou que antes do brilho externo estava aquele que a sinceridade de Marguerite irradiava.

Era por conhecer tal transparência que Logan se preocupou ao ver o belo sorriso da esposa desaparecer tão logo o descobriu parado à porta. A reação da criada, que imediatamente se curvou era esperada, não a da duquesa.

— Logan... — Ainda abraçada ao vestido amarelo canário, desconcertada, Marguerite desviou o olhar. — Arrumaríamos tudo em tempo. Finnegan assegurou que nunca chegaria antes das oito horas. Dispúnhamos ainda de uma hora e meia.

— Ora, mas o que é isso? — Alethia olhava de um ao outro. — Como Logan esperaria que desfizesse os embrulhos sem alguma desordem?

— Não esperava — ele garantiu sem sair do lugar. Conhecia aquela postura de Marguerite e não gostava. Querendo crer que ela estivesse preocupada apenas com a arrumação, reiterou: — Lembre-se de que este quarto agora é seu.

— Eu me lembro.

Não parecia ser o caso, pois Marguerite continuou desconcertada. Para reanimá-la, Logan anunciou:

— Amanhã pela manhã assistiremos à missa na Abadia de Westminster e à noite iremos à Ópera, no Covent Garden.

— Será maravilhoso, Logan! — Alethia aplaudiu e se voltou para Marguerite. — Não lhe parece?

— Sim... Maravilhoso! — Ela esboçou um sorriso para o duque e, enfim, foi deixar o vestido novo na cama. Para Alethia, disse: — Foi bom que o vestido vermelho tenha sido entregue.

— Por certo... — A senhora assentiu antes de suspirar e se dirigir ao sobrinho: — Deixe-nos um instante, até que tudo esteja arrumado. Então, todos nós nos prepararemos para o jantar.

Logan olhou com desconfiança para Alethia e Marguerite. Pensou em ficar, mas do mesmo modo que reconhecia os sinais de distanciamento de sua esposa, sabia que forçar a aproximação surtiria efeito contrário e aquiesceu.

Naquela noite estranha pareceu que tudo conspirou contra ele, ou a favor. Em se tratando de mulheres, quem saberia com exatidão?

Desde que deixou o quarto Logan não encontrou ocasião em que pudesse ficar a sós com Marguerite. Ao descer, ela se apresentou pronta, restando a ele subir na companhia de Ebert para se vestir adequadamente.

Lowell não compareceu ao jantar. Este, monopolizado por Alethia que narrou a ida às lojas na King's Road com entusiasmo próprio à presenteada não à mera acompanhante. Com a seriedade de Marguerite, Logan não precisou do valete para confirmar que algo ia mal. Com isso, a benevolente paciência com que a tratou toda a noite se esvaiu quando ocuparam a cama.

— Boa noite! — ela desejou educadamente e se virou para o lado oposto.

Engolindo um impropério, Logan olhou para as costas da esposa. Odiando o irracional temor que gradativamente crescia, demandou a si mesmo que esquecesse tudo que sabia sobre uma noiva de língua afiada e arredia. Ao seu lado estava a compreensiva esposa; uma amiga.

— Não quero atrapalhar seu sono, mas poderia se sentar e me dizer o que aconteceu para que tenha mudado tanto da manhã à noite?

Por um momento Logan acreditou que Marguerite o ignoraria, porém logo ela fez como pedido e se recostou nos travesseiros.

— Creio que devo um pedido de desculpas. Foi generoso e sequer agradeci. Obrigada por todas as coisas lindas que Alethia me ajudou a escolher! — Marguerite sorriu mansamente. — Também devo me desculpar por não ter conseguido contê-la. Ela me fez comprar mais do que necessário. Até mesmo vestidos para Nádia.

— Pouco provável! — Logan estava incomodado pela demasiada atenção que ela dava às próprias mãos. — Alethia entendeu que, antes de ser criada de quarto, Nádia pode vir a ser uma dama de companhia e deve se vestir de acordo. E, por minha experiência, sei que nunca é o bastante para as mulheres.

Marguerite riu sem humor e meneou a cabeça, levando-o a franzir o cenho.

— Olhe para mim quando conversarmos — ele pediu. — O que eu disse para diverti-la?

— Citou sua experiência com as mulheres no dia em que conheci Daisy Duport. Pensei no quanto foi redundante.

Logan demorou alguns segundos para reagir à declaração. Ao questioná-la ainda duvidava que tivesse escutado com clareza.

— Acho que não entendi. Acabou de dizer que...?

— Que conheci sua boa amiga. Conversamos! Ela demonstrou ser íntima e verdadeiramente gosta de você. É uma dama muito bonita. Além de experiência com mulheres, tem bom gosto.

A revelação jogou luz nos pontos obscuros de seu encontro vespertino. Em momento algum Logan se questionou como Daisy sabia que ele estava em Londres e jamais sonharia que a esposa e a ex-amante tivessem se encontrado. Londres fora reduzira a um botão de casaca ou o destino não o ajudou, sim, pregou-lhe peças?

Logan soltou todo o ar num bufo aborrecido e se moveu, sentando-se de frente para ela.

— Marguerite, eu não vou ferir sua inteligência negando o óbvio, mas acabou! Por você.

— Não devia, não por mim. Como disse ao me desculpar, o que faz de sua vida não me compete. Conheço seus segredos, Logan! Não deixe a libertinagem por uma farsa.

O duque fechou a expressão enquanto um calafrio subia por sua coluna.

— Pois esqueça tudo que acredita saber! — ordenou, tomando-lhe as mãos. — Não sou um libertino, Marguerite. Não mais. Depois de conhecer você, alguma coisa mudou. Eu mudei. Não quero estar com outra pessoa nem onde você não esteja.

— Nem mesmo com Ketlyn?

Nem mesmo com Ketlyn, Logan reconheceu, mas por alguma razão não conseguiu revelar. Talvez por consideração à mulher que esteve ao seu lado por três anos e que, inocente quanto à mudança que citou, esperava-o.

Para sua surpresa, Marguerite sorriu e novamente meneou a cabeça.

— Sou incorrigível! Aqui estou eu, novamente fazendo perguntas que não devo. É evidente que com ela tudo é diferente.

— Sim, é diferente. Por outro lado, é diferente também com você.

— Claro! Sou a novidade — disse sem rancor. — A virgem que você nunca teve.

— Por Deus, não! Eu... — Logan se calou e, temendo ser confuso, foi sincero. — Sim, Marguerite, você é novidade, mas não como imagina —

acrescentou ao vê-la revirar os olhos. — Além de bonita, é honesta e coerente, a despeito da idade. É naturalmente divertida como nenhuma outra. Todas essas coisas me confundem. Se você precisa saber tudo, estou dividido. Quero que nosso casamento seja de verdade, mas não estou preparado para abandonar Ketlyn. Pode compreender?

— Compreendo — Marguerite garantiu —, mas espero que também compreenda que não tem como nosso casamento ser verdadeiro com Ketlyn entre nós. E não quero pensar sobre isso agora, então, vamos refazer o acordo que quebramos ontem à noite. — Marguerite estendeu a mão. — Estamos confusos porque nossa aproximação tem nos dispersado. Eu o ajudo e você me ajuda. Combinado?

Mesmo enregelado por aquilo que, para ele, foi o equivalente a uma declaração, o duque apertou a mão entendida. Não havia a chance de ajudá-la como esperado e, com Ketlyn distante, tudo se tornaria mais fácil.

Inspirado pela volta da Marguerite leve e divertida, Logan ousou propor, agitando as mãos:

— Façamos um trato londrino. Enquanto estivermos aqui não pensaremos em ninguém além de nós, marido e esposa, sem farsa. Eu gostei de quebrar o acordo. Foi bem... interessante.

— Logan... Eu não sei. — Marguerite tentou recolher a mão, indecisa.

— Algumas cláusulas ainda valem. Não acontecerá nada que não queira. Imponha o limite. Irei respeitá-lo. Peço demais, eu sei, mas, enquanto defino toda essa situação ao menos permita que eu lhe dê um pouco do meu afeto. Sinto falta de nossa intimidade, Marguerite.

Marguerite pensou por um instante. Apesar do que disse, não exultava internamente por saber que a bela Daisy Duport tinha sido dispensada em consideração a ela? Sim. Apenas não se atreveu a demonstrar por saber que, entre todas, Ketlyn era a única que jamais seria preterida.

Em todo caso, gostou da sinceridade e, friamente pensando, não tinha com o que se ressentir quando já fazia parte daquela estranha relação. Sendo sincera, gostou muito do que aconteceu na noite anterior e gostava da ideia de ter o duque apenas para si, mesmo por tempo limitado.

Decidida, Marguerite o imitou, agitando as mãos.

— Muito bem, temos um trato londrino!

— Será divertido — Logan prometeu, olhando-a de um modo que a galvanizou.

— Não me fará correr pelo quarto, não é mesmo? Hoje seria covardia com a pobre donzela.

— Hoje sou um corsário abatido. — Logan riu e a acariciou no pescoço. — Ambos estamos fartos de grandes emoções.

Marguerite assentiu e fechou os olhos, amolecida pelo carinho, agora na nuca. Sua expressão de prazer, por tão pouco, enterneceu o duque fazendo com que ele se mostrasse um pouco mais.

— Marguerite... Por dividido espero que tenha entendido que não sei o que sinto por você... Não é apenas desejo.

— Foi exatamente o que eu entendi — murmurou. Acovardada, com o coração aos saltos pela explícita revelação, ela não abriu os olhos. — Por que retomamos este assunto?

— Porque deve saber que... caso eu me torne exclusivamente seu, não terá o que temer. Nunca irei traí-la.

— Logan?! — Marguerite arquejou e o encarou.

Deparar-se com os luminosos olhos, tão perto, roubou-lhe o ar. Logan se regozijou ao reconhecer alegria e surpresa nas íris azuis. Marguerite queria mais, vindo *dele*.

— Como prova de meu comprometimento, vou tocá-la... — Logan a atraiu para mais perto e lentamente vagou a mão até um seio farto, sobre a camisola. — E, às vezes, dar-lhe-ei prazer. Mas, iremos consumar nosso casamento quando você assim quiser.

— Sem Ketlyn entre nós — sussurrou Marguerite ao juntar coragem. Saber que o duque estaria disposto a ser exclusivamente dela tornou-a ambiciosa. — É esse meu limite.

— Sem Ketlyn entre nós — Logan anuiu sem hesitar.

Tornou-se ambiciosa e descarada, Marguerite soube ao puxar a fita do decote com dedos trêmulos. Logan se empertigou enquanto a via afrouxar e baixar a camisola pelos ombros. Sem deixar de olhá-lo, ela retirou os braços das largas mangas e desceu a peça até a cintura.

— Se vai me tocar, que seja do modo correto. Também sinto falta de nossa intimidade.

Surpreso, excitando-se ante a bela visão e inimaginável ousadia, Logan voltou a acariciar um seio. Inclinando-se, beijou-a. De leve a princípio, mas logo capturou a língua morna e a rolou na dele. Com um gemido, negou com a cabeça quando Marguerite tentou retirar seu camisão.

— Ontem permitiu que eu tivesse prazer — disse sobre os lábios dela. — Hoje é minha vez.

Marguerite queria tocar a pele rija, mas não o desdiria. Obediente, deixou que ficasse vestido e o acariciou sobre o tecido, retribuindo o beijo invasivo. Logan afastou as bocas e beijou o longo pescoço, o colo macio. Acariciava os peitos livres, eriçava os mamilos, preparando-os.

— Oh! — Marguerite mordeu o lábio inferior para calar um gemido. Logan chupava os cumes de seus seios como se fossem pequenas frutas. — Isso é... muito bom!

Com seus pelos eriçados, seu centro pulsando dolorosamente, Marguerite abriu os braços e arqueou o dorso. Logan desceu os beijos, mordiscando o ventre saliente, descendo as mãos pelo dorso macio até que os dedos prendessem a camisola e a puxasse.

— O que vai fazer?! — Marguerite imediatamente segurou a roupa no lugar.

— Confie em mim.

Logan a olhou rapidamente, lambendo o umbigo, descendo a camisola enrolada junto com a pantalona. Mesmo mortificada, Marguerite ergueu o quadril, ajudando-o. Nua, por instinto cobriu o sexo. Divertindo-se com o pudor da esposa, Logan admirou o corpo trêmulo e alvo, destacado pelo lençol escuro. Lamentável não ter dela o que queria, mas se conformaria com o que de bom grado conseguisse.

— Afaste os joelhos — pediu roucamente, por fim retirando o camisão; sentia-se quente. A ereção o incomodava. — Quero ver seus pelos dourados.

— Logan... — Marguerite engasgou, corando fortemente. Era adorável!

— Já passamos por isso — ele a lembrou.

— Vai repetir aquele beijo?!

Marguerite questionou sua conduta e seu juízo, pois bastou Logan assentir, olhando-a como se pudesse devorá-la, para que ela lentamente afastasse as mãos e, então, os joelhos.

Capítulo 25

A abadia de Westminster era uma das igrejas mais conhecidas de toda Londres, quiçá de toda Inglaterra. Octocentenária, construída em pedra, apresentava o estilo gótico após ter sido modificada durante o reinado de Henrique III. A abadia impressionou Marguerite tanto em esplendor quanto em magnitude, tornando relevante que ocorressem ali as coroações.

Enquanto seguia pela extensa nave central até que chegasse ao banco reservado à sua família, Marguerite rogava por perdão; por ser uma católica novamente em solo anglicano; por ser uma desfrutável em solo sagrado. Logan rira de seu receio e dissera que nada que fosse feito entre marido e esposa era considerado pecado. Marguerite tinha suas dúvidas.

Um homem beijar as partes íntimas de uma mulher, passeando a língua em todas as direções possíveis, excitando-a até ensandecê-la não podia ser natural. Quando ele agravava a ação iníqua bolinando-a com dedos longos e inquietos, devia ser falta imperdoável!

— Vossa expressão denuncia o pecado que cometeu, duquesa — Logan sussurrou em seu ouvido ao se acomodarem.

— Oh, Deus! Não! — Marguerite levou as mãos ao rosto, chamando a atenção para si.

— Shhh... — Alethia pediu silêncio, olhando-os duramente. Seu sobrinho a ignorou.

— De fato, não — Logan voltou a cochichar ao ouvido da esposa, galvanizando-a. — Porque não pecou. Dar prazer é um ato sagrado que pretendo repetir esta noite.

Com a promessa brincando em seus ouvidos, foi impossível participar ativamente da missa. Marguerite não reparou as semelhanças entre as doutrinas, não notou as diferenças. Pensava apenas quanto faltava para a noite. Seu embaraço não superava sua alegria. Após a conversa e o novo trato, sentia-se livre para alimentar o que há dias sentia pelo duque.

Durante o café da manhã, sob o olhar avaliativo de Lowell e o aprovador de Alethia, o casal conversou apenas entre si. Na abadia, sentaram-se juntos, saíram de braços dados. Marguerite foi apresentada a alguns membros da nobreza e realeza sem que seu marido hesitasse ante a surpresa geral à novidade de ele ter uma esposa.

Marguerite entendia que parte do assombro se dava por ela divergir das damas com as quais estavam habituados a ver na companhia do duque, mas, pela primeira vez não se incomodou. Logan considerava ser exclusivamente dela, Marguerite, robusta, vinda de uma fazenda em Somerset. O que poderia importar?

Nada, era a resposta. Chocados ou não, todos teriam de aceitá-la, pois era a nova duquesa de Bridgeford. Era para ela que o duque olhava com carinho, que cochichava ao ouvido, que sorria dos gracejos, dispensando-lhe toda sua atenção. Foi assim também durante o passeio da tarde, no Hyde Park. Tamanho contentamento sofreu um pequeno abalo à noite, quando ela finalizava sua toalete para que fossem à Ópera.

— Considera o mesmo? — Nádia perguntou num murmúrio quase inaudível, de cabeça baixa, sem deixar de fechar os botões do vestido vermelho.

Marguerite parou de calçar uma das longas luvas de cetim branco e mirou sua criada pelo espelho. Nádia ainda abotoava os muitos botões, sem olhá-la, levando-a a imaginar ter ouvido sua voz. Seria compreensível, pois secretamente contava as horas para o cumprimento de certa promessa indecente. Na dúvida, indagou:

— Disse algo? — Nádia estacou e lentamente encontrou seu olhar no reflexo. Tinha o rosto corado. — Disse algo?

— Sim, milady... — admitiu a criada, desconcertada. — Mas não devia. Perdoe-me!

— Se foi importante ao ponto de falar, diga tudo de uma vez.

— É que... — Nádia respirou profundamente e disse a um só fôlego: — Está tão bonita e eu considerei que, talvez, esta fosse a noite em que vosso casamento fosse consumado. Perguntei se considerava o mesmo.

Marguerite por pouco não engasgou. Sentindo que corava na medida em que seu rosto esquentava, demandou a si mesma que se acalmasse. Ao retomar o fôlego, tentando parecer segura, ela voltou a calçar as luvas e, ajustando-as com meticuloso cuidado, perguntou:

— Por que acha que meu casamento não foi consumado?

— Promete não se zangar? — Nádia finalizou sua tarefa e se colocou ao lado da duquesa.

— Conte-me e veremos o que acontece — propôs Marguerite, também livre de sua tarefa.

— Desde que chegamos ao castelo, as criadas esperam ver sangue em vosso lençol e todas as manhãs este está limpo. A Sra. Reed tenta conter a fofoca, mas quando ela não está por perto não há muito a ser feito. Sou constantemente crivada de perguntas, milady. Uma das criadas até disse que...

— O quê? — Marguerite estava curiosa demais para se aborrecer com mexericos. — O que disse a criada?

— A maioria considera que o casamento não foi consumado. — Nádia mirava o chão. — Mas uma delas assegura que milady casou desonrada. Talvez por outro que não fosse o duque.

— E o que mais? Prossiga. Não vou me zangar, pois sei que não é sua culpa.

— Eu sei como tudo se deu, mas não ouso revelar, então Phyllis dá voz à maldade e diz que o barão ofereceu uma fortuna como dote para que o duque se casasse com a filha desonrada. Que somente isso justificaria o duque ter se casado com uma moça sem atrativos. Sinto muito!

— Phyllis é a criada da duquesa viúva, não é assim? Lembro-me de que foi designada para ocupar seu lugar, caso não tivesse vindo comigo.

— Sim, é ela. Eu sei que Phyllis está errada e retruco sempre que a flagro sendo maledicente. A Sra. Reed já ameaçou demiti-la, mas parece que a duquesa viúva gosta dela, então...

Marguerite assentiu.

— Mas nada disso muda o fato de que o casamento não foi consumado e algumas criadas começam a acreditar na versão de Phyllis. E como está tão bonita — Nádia repetiu —, achei que essa noite, talvez... Bem... Gosto de Apple White, milady, mas também gosto do castelo e não queria ir embora. Ouvi dizerem que o casamento pode ser anulado.

— Não vamos à parte alguma — assegurou Marguerite, voltando a se olhar no espelho para arrumar um dos cachos que desprendiam do penteado. — E obrigada pelo elogio!

— Por nada! Preciso dizer que discordo também quanto à falta de atrativos.

— No entanto, encheu-se de esperanças para esta noite por considerar que estou bonita — observou Marguerite.

— Que está especialmente bonita — a criada salientou, sorrindo. — Normalmente bonita sempre foi, milady.

— Obrigada, Nádia! — Marguerite retribuiu o sorriso. — E, bem... Não sei a que horas chegaremos, portanto, não me espere acordada. Se precisar de você, mandarei chamá-la.

Ao ficar sozinha, Marguerite voltou a mirar seu reflexo de alto a baixo. Outra em seu lugar estaria aborrecida com Phyllis, mas a verdade é que a compreendia. A criada de quarto tomava para si as dores da bela patroa. Em seu lugar, com a mente imaginativa que possuía, talvez criasse a mesma versão maldosa para justificar o inexplicável.

Fosse como fosse, concordava com Logan quando dizia não ser da conta de ninguém o que faziam na privacidade do quarto, pensou Marguerite antes de pegar a estola de pele branca, o leque que ganhou de Alethia e deixar o quarto.

O prazer de ter vivido um dia perfeito, divertido como prometido, foi renovado ao ver o duque. Logan se trocara em um dos quartos de hóspedes. Agora estava impecável em seu traje de gala. A calça e a jaqueta de cauda longa eram pretas; a camisa, o colete e a gravata, brancos. O cabelo estava domado e lustroso. Ao lado de Ebert, Logan mantinha os braços para trás e a olhava atentamente enquanto ela descia.

A admiração que Marguerite notava nos olhos do duque era genuína e ajudava a restaurar a confiança que pouco a pouco adquiria. Se ela sairia vencedora da escolha, não sabia, mas ver e acreditar que o contentava dava à duquesa esperança necessária para sonhar. Foi por transbordar otimismo que Marguerite sorriu abertamente ao segurar a mão que o marido ofereceu.

— Marguerite, devo dizer que está... — Logan soltou o ar que sequer reparou ter contido e propôs ao ouvido dela: — Podemos esquecer Hamlet, limites e subir?

Marguerite riu, divertida. Atendê-lo seria uma forma de antecipar o cumprimento da promessa feita na abadia, de encerrar a fofoca, mas preferia ser fiel aos seus sentimentos.

— Não... Prefiro ouvir como estou — disse Marguerite.

Logan engoliu em seco e, sem soltar sua mão, recuou um passo para admirá-la. Ele não levaria em conta as bochechas coradas, nem os olhos expressivos. Muito menos se ateria ao cabelo preso no alto descendo em cachos, nem à tiara de pedras delicadas. Não, ele cairia no comum. Estava absolutamente, sexualmente, afetado.

Não fosse blasfêmia, rezaria pelo colo alvo pecaminosamente contrastado pelo tecido vermelho, louvaria os seios que apenas por um maldoso capricho não saltavam do decote baixo, decorado com bordado dourado. Com seu convite não quis diverti-la, sim, convencê-la, pois ela não estava menos que...

— Tentadora! — Logan deu voz à sua impressão. — Não me importaria de ser expulso do paraíso se me permitisse morder cada pedaço seu. Permita!

— Sou uma maçã! — Marguerite sorriu, considerando que o marido brincasse e se curvou em uma reverência. — Gosto de maçãs! Este foi o melhor elogio que ouvi em toda minha vida.

Caso Ebert não estivesse às suas costas ou Lowell não os observasse da sala ao lado ou ainda a iminente chegada de Alethia, Logan repetiria a proposta com maior empenho. Em vez disso, sorriu e disse:

— Serei paciente, pois gosto muito de maçãs.

— E de mirtilos, milorde — acrescentou Ebert, divertindo Marguerite. — De cerejas... Ah, sim! E de framboesas... Sempre as pede quando é a estação.

— Obrigado por enumerar minhas preferências, Ebert! — Logan não se aborreceu com a intromissão por apreciar o bom humor de Marguerite. Estendendo a mão sem olhar para o valete, pediu: — Continue sendo útil, dê-me o presente.

Curiosa, Marguerite viu Ebert retirar uma caixa de veludo preto do interior do próprio casaco e entregá-la ao patrão. Sem deixar de olhar para a esposa, Logan repassou a caixa para ela.

— Entregaria ontem, mas esteve estranha desde que voltei e depois... — Logan exibiu um meio sorriso. — Não tive a oportunidade.

Marguerite corou, mais uma vez recordando o beijo indecente e outros tantos que trocaram antes que ele a abraçasse para que dormissem.

— O que é?

— Abra e veja! — Logan a incentivou.

Marguerite moveu o fecho e descobriu o grande pingente preso a uma fita dourada.

— Logan? É... É lindo!

— Se soubesse a cor de seu vestido teria escolhido um rubi. — Logan pegou o pingente e se posicionou atrás dela. — Em todo caso, gosto mais de diamantes.

Marguerite riu mansamente em reação às cócegas provocadas pela fita em contato com sua garganta e suspirou, quando os dedos do duque tocaram sua nuca.

— Dei preferência à fita, pois combina perfeitamente — ele explicou, roçando os lábios na orelha da esposa. — São poucas com o privilégio de ter pescoço e colo tão bonitos. Saiba que terão toda minha atenção esta noite.

Logan eriçou seus pelos ao beijar sua nuca, próximo à fita. Sorrindo para o marido, quando ele se posicionou diante dela, Marguerite determinou que Phyllis e todas as criadas fofocassem o quanto quisessem. Alguma coisa crescia entre eles e não precisavam provar nada a ninguém.

— Não se olhem dessa maneira em público — ralhou Alethia, ao parar ao lado do casal. — É vulgar!

— Está divina, titia! — Logan a elogiou, sorrindo para Marguerite.

— Alethia! Alethia! Quantas vezes eu ainda terei de dizer? Aprenda! — A senhora bateu com seu leque no braço do sobrinho e procurou por Lowell na sala ao lado. — Adiante-se, meu jovem! Ou iremos nos atrasar.

— Nenhum de nós foi o último a descer — Lowell observou, vindo até eles.

— Mas o que é isto? Não está pronto?! — Alethia uniu a sobrancelhas, analisando a roupa do sobrinho mais novo.

— Não irei à ópera. — Lowell olhava do irmão a cunhada. — Esta noite minha cama terá toda minha atenção. Não posso andar por aí com isso... — Indicou o ferimento na testa.

— Faz bem em descansar — disse Logan. Lowell olhou para a mão que o irmão pousou em seu ombro, mas não se afastou. Fitando-o com seriedade, apenas assentiu. Logan o imitou, então, voltou-se para as damas: — Se estão prontas, podemos ir.

— Eu estou — disse Marguerite, seguramente.

※ ※ ※

Quando o duque as conduziu até o *foyer*, salão no qual esperariam o início do espetáculo, Marguerite reviu sua afirmativa antes que deixassem Haltman Chalet. Não estava pronta para o glamour que encontrou no luxuoso teatro. Os cavalheiros não a intimidaram, pois estavam vestidos basicamente do mesmo modo que Logan, mas as damas primorosamente arrumadas e penteadas conseguiram desestabilizá-la.

Marguerite ainda se considerava bonita em seu novo vestido, mas as londrinas exibiam uma elegância que ia além de suas roupas. Os gestos e olhares conferiam a todas elas confiança que a duquesa talvez jamais tivesse. Intimamente Marguerite agradeceu a Alethia por insistir que ela comprasse a estola de pele e a tiara. E também a Logan que a presenteou com o belo diamante que atraia todos os olhares, mesmo que ela ainda fosse alvo de avaliações — mais que na abadia ou no parque.

Era considerada tentadora pelo marido, bonita pelos senhores que a elogiavam. Entretanto, era um robusto ponto de interrogação para as damas que, veladamente ou não, olharam-na de alto a baixo e para Logan, comparando-os. Por quatro vezes Marguerite juraria ter sido rivalizada e foi impossível não deduzir que estivesse diante de ex-amantes do duque. Uma delas, casada!

Em nenhuma das vezes Marguerite se rendeu ao ressentimento, afinal, a vida passada de Logan não lhe dizia respeito. Antes disso, ela se apoiou no braço do marido sempre que a má impressão ameaçou abalá-la. Em troca recebia dele um sorriso encorajador.

Marguerite não negaria que o suporte do duque tinha sido fundamental para que ela atravessasse a multidão de nobres empoados e altivos dos quais agora fazia parte. Entretanto, agradeceu ao finalmente chegar à segurança do camarote, cuja beleza a distraiu da tumultuada entrada.

— Bonito, não é mesmo? — Logan sussurrou ao seu ouvido ao tomarem seus assentos.

— Logan, é... — Marguerite não tinha palavras.

Considerava a atitude dos espectadores correspondente à opulência neoclássica. O auditório semicircular não impressionava pelo espaço, sim, pela beleza do teto abobadado, do imenso lustre central, dos balcões decorados com arabescos dourados, das bordas de guarda-corpo e assentos vermelhos, da grande cortina de veludo que escondia o palco, ornada com franjas douradas e um belo brasão.

— É esplendido!

— Sinto-me culpado por não ser minha a ideia de trazê-la, mesmo que tenha prometido quando se mudou para o castelo. — Logan falava junto ao ouvido da esposa. — Queria ser o responsável por todas as deliciosas reações que vejo.

Marguerite suspirou e, contendo o sorriso, encarou-o. Seus rostos estavam muito próximos. Nunca antes ela se sentiu ligada ao duque como naquele instante e cochichou:

— Trouxe-me para Londres no meio da madrugada, tem sido atencioso, generoso e...muito carinhoso — disse, tocando seu joelho. — Parte do que vê é de sua total responsabilidade.

Logan sentiu seu coração enregelar. Contraditoriamente todo seu corpo se aqueceu com a ousadia. Descendo o olhar para a boca rosada, entreaberta, declarou:

— Eu posso beijá-la agora!

— Não, não pode! — Alethia bateu levemente no ombro de um e de outro com seu leque. — Afastem-se! Lembrem-se de que estão em público. Não atentem contra os bons costumes.

Marguerite riu e sentou corretamente. Logan fez o mesmo, sem compartilhar do bom humor da esposa. Caso não fosse extremamente rude ir contra a tia, nem chocasse todos que aos poucos tomavam seu lugar na audiência, a maioria de falsos moralistas, ele teria atendido sua vontade.

Mirando o pescoço esguio de Marguerite, lindamente enfeitado pela fita dourada, Logan tentou domar a contrariedade. Estava orgulhoso dela. Não que em algum momento tivesse se mostrado frágil, mas estava claro que ela se fortalecia. Nem mesmo se diminuía como antes.

Marguerite não tinha como saber, mas as aparências o obrigaram a apresentá-la a ex-amantes. Ele viu na expressão de mofa que estas se consideravam superiores, mas nem em seus sonhos jamais seriam. Era verdade que precisou de um segundo olhar e de tempo, mas, enfim, pelos motivos certos, ele podia dizer que escolhera a melhor mulher. Sempre que quisesse podia repetir quantas vezes quisesse a única palavra que a descrevia.

— Você é inigualável — disse o duque à esposa, ignorando o olhar repressivo da tia.

— Logan, por favor... — Marguerite pediu num fio de voz, estremecendo. — Quantas vezes nós seremos atingidos pelo leque de Alethia antes que se comporte?

— Ela não se atreveria. E eu apenas queria que soubesse como eu a considero.

Não o contrariou. Inigualável ou não, apreciava aquela atenção, a conversa ao pé do ouvido que arrepiava os pelos de sua nuca, excitava-a. Foi com intuito de prolongá-la que ela indagou:

— Por que escolheu este camarote? Era o que restava já que comprou os ingressos um dia antes?

— Ainda não reage bem a elogios — Logan observou, recuperando o bom humor. — Com o tempo se acostumará. Até lá, falemos do camarote... Não, minha humilde e adorável esposa, não era o que restava. Na verdade, este é um dos pontos mais procurados e estava reservado.

— Reservado?! Como conseguiu?

— Não precisa impressioná-la — disse Alethia. — Já a conquistou, Logan. Apenas diga que o camarote é seu.

— É seu?! — Marguerite o encarou. Tinha os olhos maximizados.

— Não sou o dono. Eu o mantenho reservado indefinidamente. Sei que dito assim parece extravagante, mas me custa muito pouco. Pago pela preferência mesmo que decida vir horas antes. E com certeza a substituição é equivalente. Nunca soube de reclamações.

Logan escrutinou os olhos da esposa, interessado em saber se a conquistara. Quis crer que sim e aproveitou o silêncio, e o modo como era avaliado, para prosseguir com a explicação:

— Considera-me excêntrico, percebo. Mas, veja! — Logan se aproximou mais, fazendo com que ela se inclinasse para frente. — Se estivéssemos no centro correríamos o risco de ter alguns penteados em nosso campo de visão ou ficaríamos tão perto que teríamos de erguer nossas cabeças. Imagine quão incômodo seria... Daqui temos uma boa vista da orquestra.

Logan apontou discretamente para o fosso em que os músicos afinavam seus instrumentos, conferiam suas partituras. Em seguida apontou o palco.

— Também vemos as expressões dos atores, os detalhes do cenário e figurino. E, o melhor de tudo... Estamos sós.

— Sim, é extravagante, duque. Mas, compreendo a preferência — Marguerite anuiu.

De repente, a plateia silenciou para em seguida se agitar. A intensidade da luz magicamente diminuiu. Logan e Marguerite olharam para baixo em tempo de ver o maestro, muito elegante em seu fraque, assumir o púlpito. Ela aplaudiu entre ansiosa e contente.

Após cumprimentar a todos, inclinando o dorso elegante e rigidamente, o regente se voltou para a orquestra, ergueu a batuta e o silêncio se fez. Ao movê-la substituiu os sons destoantes ouvidos durante a afinação por notas harmônicas de trompetes e violinos. Antes que a cortina fosse aberta, Marguerite se comoveu. Assistiria à primeira ópera de sua vida!

A primeira cena representava a celebração do casamento entre Gertrudes e Cláudio; assassino do rei, o próprio irmão, cujo lugar tomava. Em seguida entrou Hamlet, filho do rei morto, ressentido por sua mãe já estar casada.

Sem notar, encantada com as vozes perfeitas, com o poder da orquestra, Marguerite escorregou para a beirada do assento e se apoiou no guarda-corpo aveludado como se assim pudesse estar mais perto de tudo que via. Absorta, não reparava o duque recostado no assento, apoiando o queixo no punho cerrado, cumprindo a palavra de dar sua total atenção a ela.

O sobressalto, quando um dos percussionistas bateu os pratos no momento exato em que o fantasma do rei assassinado surgiu em meio à neblina, e os sorrisos que morriam vencidos pela comoção sempre que elenco ou músicos atingiam o clímax de suas ações eram como uma apresentação particular para o duque. A melhor de todas.

Envolvida pela trama, enquanto experimentava as emoções que o primoroso cenário e cantores talentosos eram capazes de despertar, Marguerite teve a revelação: Lowell era Hamlet!

Ódio era um sentimento extremado e Logan não assassinou o pai, mas a animosidade de Lowell seria justificada caso se ressentisse com o romance quase incestuoso que o irmão mantinha com a madrasta. Com a elucidação foi inevitável Marguerite se virar e olhar para o duque. Flagrar o olhar intenso posto em si a desconcertou.

Logan franziu o cenho, estranhando o modo como Marguerite o encarou e rapidamente desviou o olhar para o palco. O contato visual, mesmo breve, foi perturbador. Talvez fosse sua imaginação ou seus débitos, mas apostaria que ela estava pronta para se fechar em si mesma e agiu. Imitando-a, escorregou para a beirada do assento e, depois de verificar que Alethia nada via, acariciou suas costas.

Marguerite se sobressaltou, e não se afastou. Estava envolvida demais, mesclando a história real à fictícia para se resguardar de uma tia conservadora. Em todo caso, Alethia estava tão atenta à ópera quanto ela, o que deixava seu marido livre para tocá-la como quisesse. Verdade fosse dita, Logan não poderia ousar mais, ainda assim o movimento lento dos dedos dele em sua pele começou a esquentá-la.

Pouco interessado na vingança de Hamlet, Logan riu discretamente ao ver Marguerite fazer uso do leque, abanando o rosto e o pescoço com vigor. Alethia a olhou de soslaio e incontinenti voltou sua atenção ao palco.

Para deleite do duque, a jovem ofegou e protestou audivelmente ao final do segundo ato.

— Ainda não acabou não é mesmo? — Ela se afligiu. Tinha o rosto fortemente corado.

— Não, criança! — Alethia respondeu pelo sobrinho, levantando-se. — É apenas o intervalo. Temos vinte minutos para movimentarmos nossas pernas.

— Ou podemos ficar exatamente aqui. — Já de pé, Logan piscou para Marguerite.

— Contenta-me ver o amor que os une, mas este não é o lugar adequado para demonstrá-lo — disse a senhora. — E custo a crer que me deixaria sozinha, Logan.

Mesmo que fosse contra seu desejo e reconhecesse a chantagem emocional, Logan cedeu. Em tempo faria melhor que roubar beijos de Marguerite como um rapazote desesperado.

— Vamos todos — ele determinou.

Ver a alegria genuína no rosto de Alethia antes que seguisse para a saída contentou-o tanto quanto notar que Marguerite o olhou com pesar.

— Está gostando? — Logan perguntou, quando ela se apoiou em seu braço.

— De tudo! E... Eu gostaria de ter ficado — ela admitiu, olhando-o fortuitamente, corada.

— Eu também— ele murmurou discretamente, pois se misturaram à multidão que lotava o corredor. Ela sorriu, porém logo voltou à seriedade. — O que a preocupa?

Antes que obtivesse a resposta, ambos tiveram o caminho barrado por uma dama. Marguerite se sentiu enregelar e Logan imediatamente fechou a expressão.

— O destino sempre nos leva ao mesmo lugar, não é assim Lorde Bridgeford? — Daisy Duport sorria para o casal.

— Creio que a criatividade de Shakespeare, associada à ópera, seja um atrativo em comum às pessoas de todos os gostos Srta. Duport — retrucou Logan. — Não o destino.

— Se não se importar, prefiro minha versão — ela insistiu. Depois de olhar para a mão que Marguerite mantinha no braço dele, perguntou: — Não nos apresenta?

— A senhorita sabe quem sou — disse Marguerite aborrecida. Caso não bastasse terem se apresentado na tarde anterior, teria ainda o encontro com o duque.

— Exatamente! — Logan franziu o cenho. — Sei que conheceu minha esposa ontem à tarde. Não houve tempo para esquecê-la.

— Oh, não, não a esqueci! — Daisy agitou as mãos. — Mas, eu confesso ter considerado extraordinário que estivesse casado. E, como não mencionou uma esposa durante todo o tempo em que estivemos juntos, acreditei ter me enganado.

Logan se empertigou e prendeu a mão de Marguerite ao sentir que ela se afastaria. Fuzilando a ex-amante com o olhar, alheio a quem passava ao redor sibilou:

— Não estivemos juntos mais do que cinco minutos, em local público.

— Quando o tempo é pouco, dizemos o que importa. — Daisy não se deixou abater. Como golpe final, exibiu o punho direito. — E, veja, estou usando a linda pulseira que me deu em tão pouco tempo. Adeus, duquesa! Até mais ver, duque!

Após uma exagerada reverência, na qual até mesmo segurou a saia de seu luxuoso vestido verde oliva, Daisy Duport se foi, provando em ação que apenas o que importava era dito quando não se dispunha de tempo.

— Eu gostaria de me sentar, se não se importa — Marguerite disse ao duque, quando todos os argumentos para desculpar a omissão dele se esgotaram sem convencê-la.

Logan respirou profundamente e olhou em volta. Reconheceu alguns rostos em sua procura por Alethia, mas não retribuiu sorrisos nem acenos. A tia estava alguns metros à frente, com velhos conhecidos. Logan viu também que Daisy se afastava rapidamente. Sentiu ganas de segui-la para cobrar uma retratação, mas não o faria. Cabia a ele restaurar o estrago.

— Venha! — Logan conduziu Marguerite ao camarote, acomodou-a e sentou próximo a ela, segurando uma das mãos. — Por favor, não acredite nem por um minuto que nós...

— Tem bom gosto para presentes e realmente é generoso. Com todas.

Marguerite não queria se ressentir. Gostaria de ser capaz de relevar, mas estava enciumada, sentia-se enganada. Afinal, Logan novamente mentiu.

— Não foi generosidade, Marguerite. Sim, um presente de despedida em agradecimento por tudo que tivemos. Eu não menti! Acabou.

— E, quando acabou, disse ou não disse que está casado?

— Não disse, porque não importa.

— Realmente, não importa... — Marguerite murmurou. Era uma tola!

— Pare com isso, Marguerite! — Logan se exasperou. — Não importa a ela saber. Não devo satisfações de minha vida particular a ninguém!

— Deixa de ser particular quando há intimidade e a pessoa perde a insignificância que tenta atribuir quando há o dever de agradar, ou agradecer, com uma joia tão valiosa. Arrisco dizer que comprou nossos presentes na mesma joalheria.

— Pare imediatamente! — ele demandou. — Não vamos brigar!

— Não, não vamos — ela aquiesceu de pronto.

— Marguerite...

— Eu sabia! — Alethia o interrompeu, olhando de um ao outro duramente. Como antes, bateu com o leque fechado no ombro de cada um. — Descuido-me por um minuto e o que fazem? Se vocês prezam tanto os momentos que ficam a sós deveriam permanecer em casa.

— Tenho sido tolerante — disse Logan ao levantar —, mas volte a me bater com este maldito leque e nunca mais o verá.

— Perdoe-me, querido! Não sou uma velha puritana, mas compreende o que digo, não?

— Eu, sim, Alethia! Tanto que considero melhor que fique entre nós. — Rapidamente Marguerite trocou de lugar e bateu no assento que ocupou. — Sente-se aqui.

Alethia olhou para o sobrinho. Logan assentiu e esperou que a tia se acomodasse para que voltasse a se sentar. Odiando Daisy Duport, ele passou o restante da apresentação analisando Marguerite. Ela não voltou a sorrir, mas ainda reagia à dramaticidade da ópera. Até mesmo chorou com a morte de Ofélia.

Marguerite aceitou o lenço que o marido lhe estendeu e secou suas lágrimas. Chorava pelo suicídio da personagem, pela brevidade da vida e por si. Não, não se martirizaria, imaginando os motivos que levaram o duque a não mencioná-la para a amante. Contudo, estava decidida a se resguardar.

Aborreceu-se com Daisy Duport, porém a agradecia. Não fosse pela interrupção da bela londrina, ela teria cometido um erro irreparável. Diria ao duque que talvez Alethia estivesse certa, que talvez o que sentisse fosse amor e que, quando ele cumprisse a promessa feita pela manhã, ela quebraria o acordo, ignoraria os limites.

Capítulo 26

— Acreditei que estivesse inferido que nada mudaria entre nós quando disse que não brigaríamos — disse Logan tirando o colarinho.

Sem a ajuda do valete, que dispensou ao ver a esposa fazer o mesmo para que ela não tivesse a vantagem de se trocar rapidamente e logo fingir que dormia, ele tinha tirado a casaca, a gravata e o colete. Em momento algum deixou de observar uma duquesa amuada depois de ter estado bem falante durante o retorno para casa.

Verdade fosse dita, as animadas impressões sobre a ópera foram trocadas com Alethia. O mutismo para ele se estendia desde o início do segundo ato, incluindo o cerrar das cortinas e a ida à chapelaria para que pegassem seus pertences. Ignorando-o, Marguerite descalçou as luvas, tirou a estola e a tiara. Agora, fingindo não ouvi-lo, lutava com o laço da fita em seu pescoço.

Com um bufar aborrecido, desistindo de desabotoar a camisa já no final do processo, Logan se colocou às costas dela, assumindo a tarefa.

— Sabe? — soou conciliador. — Facilitaria se dissesse o que sente. Agora me odeia?

Marguerite mantinha a cabeça baixa, os olhos fechados, lutando contra os tremores que a acometiam sempre que ele a tocava.

— Não o odeio... — murmurou. — Apenas não tenho nada a dizer.

— Sempre há! — Logan a desdisse, entregando o diamante para ela.

Marguerite fechou o pingente e a fita em sua palma, suspirou e se voltou para encará-lo.

— O dia foi agitado. Estou cansada.

— Sem dúvida, mas, diga-me... Está enciumada por eu ter presenteado a Srta. Duport? Magoada por não ter mencionado que me casei? Por favor, não dê a ela importância que jamais teve. Apresentei minha esposa para todos que são relevantes. Por você, encerrei uma situação de anos em cinco minutos. E muito me aborrecerá se pensar que minto. Direi isso pela última vez, Marguerite... Acabou o que havia entre mim e Daisy Duport.

Marguerite escrutinou o rosto soturno, os olhos raivosos sob o cenho franzido. Tinha diante de si um homem ofendido. Nem mesmo o pior dos vilões seria tão dissimulado. Concluir que ele não mentiu, corroborou o que ela considerava desde o término da ópera. A vida de todos daquela história estavam interligadas antes que ela entrasse em cena. E, como não mudaria os fatos, devia agradecer por Logan, à sua maneira, tentar fazê-lo.

— Ajo como uma tola provinciana, não é mesmo? — Ela encolheu os ombros.

A mudança de postura, associada ao tímido sorriso, surpreendeu o duque, derretendo a ofensa como mágica. Retribuindo o sorriso, ele tocou o pescoço nu.

— Tola que faz de mim um tolo temeroso. — Ele correu dois dedos pela pele macia, arrepiando-a. — Não gosto quando brigamos e, muito menos, quando se fecha.

— Dois tolos... — suspirou Marguerite, mirando os olhos do marido. — Eu prometo sempre dizer o que estiver sentindo.

— Se cumprir, mudará a definição de inigualável. Eh... Voltamos a estar de acordo?

— Totalmente! — Marguerite saltou no lugar, como uma menina feliz. — Agora podemos falar sobre a ópera e...

— Não fui incluído — Logan a interrompeu contendo um sorriso —, mas ouvi bem tudo que disse sobre a ópera e concordo. Foi uma apresentação inesquecível. Agora que estamos totalmente de acordo temos algo primordial a fazer... Algo que esperei por todo dia.

Marguerite nada disse, mas o rubor que tingiu suas bochechas foi eloquente. Agradecendo aos céus pelo mal-estar estar resolvido, Logan procurou as presilhas e os grampos que prendiam o cabelo dela. Ele os retirou e os colocou na cômoda. Atento ao que fazia, ajeitou os cachos ao redor do rosto corado, do pescoço e do colo.

— Prefiro assim, seu cabelo solto — revelou, antes de beijá-la testando os lábios macios, provocando, até que sua língua encontrasse a dela e a provasse com paixão.

Logan gemeu ao ser correspondido, enlaçou Marguerite pela cintura. A mão livre deslizou pelo corpete do vestido tentador até encontrar o primeiro botão. Sem desfazer o beijo, passou a soltar um a um. Qual não foi sua surpresa ao sentir a falta do espartilho.

— Marguerite...? — Ao se afastar Logan sorvia o ar aos bocados, como a esposa.

— O corpete desse vestido o substituiu... — ela explicou acreditando ter entendido a reação.

Logan assentiu e, expectante, agradecendo não ter notado o detalhe que o distrairia ainda mais naquela noite, fez descer o decote frouxo até que os mamilos despontassem. A excitação ferroou seu sexo ao ver os belos peitos destacados pelo rubro tecido e ele se rendeu ao desejo.

— Oh! — Os joelhos de Marguerite, enfraquecidos pelo beijo, por pouco não cederam quando Logan se curvou e mordeu levemente a lateral de um seio. — Por favor...

Marguerite se calou, afetada por novas mordidas, no ombro, na clavícula. Mordiscando sua pele, Logan chegou ao mamilo. Este ele mordiscou até deixá-lo duro como uma pérola, então, chupou-o com audível prazer. Sentindo-se ligada ao duque, Marguerite correu as mãos pelo cabelo escuro, desordenando-o. Gemendo baixo, ela acariciou as costas largas, os ombros. Ousando mais, tocou o peitoral. Ao resvalar os dedos em pelos curtos parou, desconcertada.

— Não! — ele rogou, segurando-a. Sustentando seu olhar, pediu: — Toque-me... Assim.

Com a respiração entrecortada, Marguerite olhava para as mãos unidas que o duque movia no peito, indicando como queria ser tocado. Os músculos eram firmes. Apesar de crespos, os pelos eram agradáveis ao toque e a instigavam a acariciá-los.

Como nunca antes Logan sentiu o coração pulsar forte quando Marguerite assumiu o domínio dos movimentos e, com ambas as mãos, explorou seu peito. Excitado com os toques incertos, num rápido movimento ele tirou a camisa.

Engolindo em seco, Marguerite desceu os carinhos para o abdômen dividido por uma trilha de pelos. Notar a grossa saliência para a qual apontavam, tornou-a consciente da própria seminudez, agravou o desejo. O corpo queimava. Os sentidos em alerta ainda davam a ela plena ciência da respiração pesada de Logan ao tocar o cós de sua calça.

— Eu queria... — ela disse num fio de voz, sem ousar olhá-lo. — Queria... Como no dia de nosso casamento... Como fez... Na carruagem...

Logan conteve a respiração e, sem nada dizer, voltou a guiar a delicada mão. Gemeram em conjunto ao encontrarem a ereção. Sorvendo o ar aos bocados ele moveu as palmas para cima e para baixo. E novamente o coração dele pulsou quando Marguerite assumiu o controle.

— Dessa vez eu poderia...

Não precisou de mais para a compreensão do pedido. Ainda sem nada dizer, Logan abriu os botões frontais da calça e, com a ceroula, baixou-a. Com olhos maximizados Marguerite se obrigou a não desviar o olhar do falo ereto, exposto prontamente para sua apreciação. Com dedos trêmulos, acariciou-o da base à ponta.

— Minha nossa! — arfou. Coberto, o membro masculino não parecia tão impressionante. Agora entendia a dor que sentiria. — É com isso que... Que pretende...?

— Não hoje — Logan prometeu, ansiando ser tocado sem a barreira de panos, cobiçoso. — Beije-o.

— Perdão?! — Marguerite se sobressaltou.

— Um beijo pecaminoso... — Apenas imaginar fazia seu corpo vibrar.

Respirando com dificuldade, Marguerite olhou para o membro que amparava. Pensou em recuar. Pensou ainda em justificar o ato espúrio, considerando que Logan o merecia depois de ter sido ignorado sem razão. Entretanto, aceitou que faria simplesmente porque queria.

Houve hesitação, porém, ver olhos ansiosos e notar o peito que deu início à devassidão subir e descer com a respiração acelerada, restaurou a coragem. Encarando Logan com bravura, ela se ajoelhou, segurou o sexo hirto e com delicadeza o beijou. Algo viscoso ficou em seus lábios. Lambendo-os, Marguerite provou o sabor ambíguo, levemente doce, salgado.

Recuperado do choque por vê-la abaixo dele, pousando no belo ninho vermelho, Logan tocou o queixo dela e mergulhou seu polegar na boca entreaberta. Marguerite era boa aluna, ele sabia.

— Chupe! — ordenou guturalmente. Sorriu satisfeito ao ser atendido. — Deve ser assim o seu beijo pecaminoso. Use seus lábios, sua língua.

Corrompida pela depravação, Marguerite assentiu, ainda a chupar o polegar do marido. Ao ter a boca liberada, partiu para a ação desejada, lambendo a ponta da lança impressionante, provando um pouco mais da viscosidade agridoce. Enchendo-se de coragem, amparou-a e a tomou em sua boca. Engasgou a princípio, porém retomou o fôlego e chupou como fizera com o polegar.

— Ah, Marguerite... — Logan se apoiou na cômoda, enfraquecido pelo sugar ritmado, pelo leve mover da mão que o segurava, pela palma que resvalava em seus testículos.

A ingenuidade era altamente excitante, a boa vontade era promissora. Foi preciso boa dose de controle para que não a segurasse pelos cabelos e movesse o quadril de encontro aos lábios macios. Pelo tanto que a desejava, estava no limite.

— Basta! Ou derramarei meu líquido em sua garganta.

A semente do homem! Marguerite se lembrou das palavras de Madeleine, quando esta lhe explicou que bebês não brotavam em pés de repolho.

— Não devo? — ela indagou, sem nunca deixar de mansamente estimulá-lo.

Com seus olhos pidões, boca entreaberta e molhada, Marguerite tocou fundo em Logan. Faria dela a melhor das esposas, a mais experiente das amantes, a perfeita mulher!

— Deve! — recomendou roucamente. — Apenas não quis assustá-la da primeira vez, mas deve ter tudo sempre que assim quiser.

Marguerite sorriu e novamente o recebeu em sua boca. As reações que causava excitavam-na. Imaginar que proporcionava a Logan as mesmas sensações que experimentava ao ser beijava daquela maneira, tornava-a forte, poderosa. Não havia como parar até ter de Logan o mesmo prazer que ele teve dela, por duas vezes.

Para a paz em sua consciência enquanto corrompia uma jovem inocente e pura, Logan mais uma vez tentou pará-la, mas sem a mínima convicção. Não tinha forças. A que restava agia em suas pernas para que não cedessem. Marguerite encontrou o ritmo certo e avidamente o *beijava*. Quando entregou seu gozo, Logan se segurou à cômoda, suado, trêmulo.

Foi estranho sentir a semente invadir sua garganta, mas não tanto que a fizesse parar de bebê-la. Antes disso, ela sugou com maior afinco, embalada por gemidos, convencida pelos espasmos do marido. Com a tarefa concluída, ofegante, Marguerite sorriu deliciada com o êxtase que flagrou no semblante do duque. Não lamentaria por não sentir o mesmo, estava satisfeita. Para Logan, no entanto, não estava acabado. Recuperando-se do orgasmo que o prostrou, cobriu o pênis semiereto com a ceroula e ajudou Marguerite a levantar.

Com mãos trêmulas ele fez com que tirasse o vestido, as anáguas. Ato contínuo, atraiu-a para si e a beijou sofregamente. Marguerite demorou um segundo, mas reagiu com a mesma paixão. Logan tinha pressa. Com ela jamais seria um amante egoísta. Sem desfazer o beijo Logan desceu uma das mãos pelo dorso nu, invadiu a pantalona e tocou o úmido sexo.

O protesto de Marguerite não passou de um suspiro aflito logo convertido em gemidos ao ter seu ponto de prazer estimulado por dedos experientes. Sem esforço Logan retribuiu o favor, levando-a ao orgasmo, abraçada a ele. Logan retribuiu também o abraço, envaidecido por notar que ao esconder o rosto em seu peito, a duquesa calou um grito.

Logan ficou assim, com Marguerite junto a si até que os corpos se acalmassem. Quando se preparou para erguê-la nos braços, ela meneou a cabeça e se afastou.

— Aonde vai?! — Logan franziu o cenho, confuso.

— Lavar meu rosto... Entre outras coisas que não convém a uma dama revelar — disse Marguerite sem olhá-lo, tentando parecer mais estável do que realmente estava.

Cobrindo os seios com os braços cruzados ela se fechou no quarto de banho.

Estupefato, Logan permaneceu bons minutos mirando a porta fechada. Quando ficou claro que Marguerite demoraria, ele liberou um impropério. Depois de se descalçar, tirou a calça e foi até o aparador para se limpar como pudesse, usando um lenço embebido com a água.

Já coberto com o robe, à medida que o corpo se estabilizava o mau humor, mesclado a temor e incompreensão, elevava-se. A profusão de sentimentos chegou ao limite quando Marguerite voltou ao quarto e esboçou um sorriso. Estava de camisola, preparada para dormir, tinha o cabelo preso em duas tranças que desciam pelos ombros.

— Obrigada pela noite incrível! — disse ela, polida, enquanto ajeitava as cobertas como se nenhuma conexão poderosa os tivesse ligado. — Jamais esquecerei.

— O que está fazendo, Marguerite? — Logan indagou duramente.

Marguerite se empertigou, voltou a sorrir e foi até ele. Antes que chegasse perto o bastante para que ele a segurasse, abaixou-se e recolheu o vestido, as anáguas.

— Perdoe-me! Geralmente não sou desordeira e... Ai! Ai! — protestou ao ter seu punho contido num aperto férreo tão logo ele se curvou sobre ela. — Logan?!

Depois de erguer-se levanto junto sua esposa, o duque a lembrou:

— Não é camareira nem arrumadeira, então, não espero que se preocupe com desordem. Vou perguntar mais uma vez... O que está fazendo? Sinceramente não faço ideia do que possa ter acontecido, mas acabou de prometer que não agiria assim.

A jovem engoliu em seco. Devia ter previsto que não se safaria sem uma boa explicação. Deixando a saia e as anáguas onde as encontrou, aquiesceu:

— Tem razão! Se não entendeu meu comportamento, eu... Eu estou fugindo de você.

— O que foi isso que aconteceu aqui? Ainda está aborrecida? — ciciou, reduzindo os olhos a finas fendas. — Tenho certa habilidade em vários jogos, mas este eu desconheço!

— Não! Eu só... — Marguerite procurou outro modo de dizer o que pensava. Não encontrou nada além da verdade. — O que fizemos foi verdadeiro e incrível! Não sei o que pensará de mim, mas admito que gostei muito de... Você sabe!

— Sim, foi incrível e, acredite, eu gostei muito mais. Agora, diga de uma vez o que houve! Eu simplesmente não consigo acompanhá-la. Está envergonhada? Arrependida?

Deus, que não fosse arrependimento! Logan rogou, ainda irritado.

— Envergonhada, sem dúvida. Arrependida, não. Mas, quando acabamos eu me dei conta de que fiquei tão embriagada pela luxúria e convencida por contentá-lo que me esqueci do quanto foi errado. Você quer mais de mim e graças a tudo que fizemos sei também que toda essa bolinação não nos leva a lugar algum. Para você não é como deve ser e, para mim... Para mim...

— O que tem você, Marguerite?

— Quando me toca assim, só faz com que eu me aproxime. Só... Só faz com que eu o queira para mim. Com que... Com que me apaixone mais.

— Mais?! Apaixonou-se por mim?! — Logan recuou um passo. A revelação o atingiu no estômago. — Marguerite, eu...

— Por favor, não minta dizendo que sente o mesmo! Apenas tente me entender. Acho que nem sempre é fácil colocar o que penso em palavras e admitir o que estou sentindo não seria tarefa simples.

— Marguerite... — Logan tentou tocá-la, mas ela recuou um passo.

— Não, não me conforte! — Meneou a cabeça. — Odiaria pensar que tenho sua piedade. Somente entenda quando eu evitar ir tão longe. Como sua esposa é meu dever aceitar tudo que fizer, mas se essa paixão evoluir para algo mais forte e eu ser obrigada a fechar meus olhos para Ketlyn ou para outras senhoritas que ainda devam existir, serei infeliz. É o que quer para mim?

— Não é — ele aquiesceu, escrutinando seu rosto. — Meu compromisso é fazê-la feliz.

— Então, não machuque meu coração — pediu com um sorriso livre de humor.

De repente, para Logan a esposa pareceu tão mais jovem, com os grandes olhos brilhando pelas lágrimas que bravamente segurava. E se perguntou o mesmo: o que ele estava fazendo?

Assentindo para ela, Logan a segurou pela nuca e beijou-a na testa, demoradamente.

— Obrigado pela noite incrível! Agora, deite-se e descanse — recomendou ao se afastar. — E não tenha cuidados. Não vou ferir seu coração.

Mirando a porta que Logan fechou ao sair, Marguerite se amparou no dossel e lentamente se sentou na espaçosa cama. Por fim, chorou.

Desobrigou-o de uma declaração, mas secretamente desejou que ele a fizesse. E nem em sua história mais dramática imaginaria que seria deixada sozinha depois de tudo que disseram ou fizeram.

— Uma vez tola sempre tola — Marguerite murmurou ao escorregar para abaixo da coberta.

Logan não pertencia à mulher alguma e, não importava o que dissesse, não seria somente seu.

— Problemas no paraíso?

Logan tentou se endireitar na poltrona ao ouvir a voz do irmão à porta do gabinete.

— Problemas com o sono? — devolveu a questão, mal-humorado por não ter conseguido sair do lugar, mirando o uísque que fazia girar no copo.

— Eu perguntei primeiro — replicou Lowell, sentando-se diante do irmão.

Logan o olhou de esguelha, de alto a baixo.

— Antes que eu saísse pensei ter ouvido dizer que iria dormir.

— Iria, mas não concilei o sono e também saí. — Lowell o encarou desafiadoramente. — Vê como é simples? Um pergunta, outro responde. Sei que consegue. Tente... Já conseguiu arruinar seu casamento?

— Também não concilei o sono e não quis incomodar Marguerite — Logan mentiu e tomou outro gole de uísque.

— Casou-se há duas semanas. Sua esposa é jovem, bonita, divertida e você não concilia o sono? Prefiro acreditar que ela o colocou para fora do quarto depois de ver a esparrela na qual caiu.

Logan fechou os olhos e apertou a ponte no nariz, domando o mau humor. Não tinha ânimo para revidar as provocações do irmão.

— Não há muito que Marguerite possa fazer caso se arrependa — falou para si mesmo. Ainda para que ouvisse e compreendesse, acrescentou: — Todavia, ela está apaixonada.

— Vivas! Minha irmãzinha é também inteligente. Quem é o felizardo?

— Eu, seu paspalho! — Logan resmungou e tentou chutar as botas do irmão, sem sucesso.

— Então, é um mistério a ser estudado! Ela o conhece?

— Lowell, se não tem nada mais a dizer, boa noite! — Logan respirou fundo, cansado.

— O caso é grave. — Lowell assentia sem deixar de olhar para o irmão. — Está de robe, despenteado, apático até mesmo para responder a mim ou me acertar com um pé que mal afasta do chão. Arrisco dizer que esta seja a quarta dose de uísque da noite.

— A sétima... A nona... Quem contou? — Logan divagou e entornou todo uísque na boca.

— Muito bem! — Lowell levantou, confiscou o copo vazio e o colocou na mesa. — Melhor ir com calma, grande irmão. Sei que conversas profundas não estão em nosso histórico, mas caso queira me dizer o que o incomoda, saberei ouvir sem provocá-lo.

Lowell voltou a sentar, cruzou os braços e esticou as pernas.

— Não estou ébrio o bastante para cair na *sua* esparrela. — Logan apontou para o irmão, acusador. — É incapaz de ouvir sem usar o que digo contra mim.

— É no que realmente acredita?

— Tem sido assim, há anos.

— Porque é irritantemente arrogante. Mas, hoje... — reticente Lowell o indicou com um gesto grandiloquente.

— Hoje sou um farrapo humano.

— Eu não seria mais descritivo — gracejou seu irmão —, mas já teve melhores dias.

— Tive, não é mesmo? — Logan riu sem humor. — Hoje estava sendo um desses dias.

— Até que...?

— Até que... — Logan se calou, compreendendo que a vida como conhecia, de futuro certo e cuidadosamente decidido, saiu dos eixos dias antes não naquela noite. — Quando um homem irritantemente arrogante se torna obtuso?

— Ainda estamos falando de você?

— Sim! — Logan ergueu os braços que em seguida tombaram pesadamente nos braços da poltrona. — Alegre-se! E me ajude com todos os adjetivos negativos que me descrevam bem. Obtuso. Néscio. Estúpido. Imbecil...

— Por mais que me alegre ouvir de você o que constantemente penso, já que pediu minha ajuda devo alertá-lo de que está sendo redundante. Em linguagem simples para bêbados eu quis dizer que todas essas palavras têm o mesmo significado.

— Escolha a que mais lhe agrada e me responda... Quando perdi a capacidade de agir por mim mesmo? De discernir o errado do certo? Como pude pular num poço sem fundo?

— Tenho um bom palpite e certamente esteja certo. O problema é que se eu disser, não irei agradá-lo — disse Lowell, analisando-o —, mas está claro que tem a ver com minha nova irmã. O que aconteceu? Arrependeu-se de ter se casado?

Logan assentiu com exagerada veemência sustentando o olhar de seu irmão.

— Sim! Estou totalmente, irremediavelmente, desgraçadamente arrependido.

— Lamento pela jovem, mas se é como se sente, não há um modo de anular o casamento?

— Enlouqueceu?! — Logan ciciou. Tentou levantar, contudo, com o uísque agindo mais em suas pernas ele tombou no mesmo lugar. Bufando, aborrecido, apontou o dedo em riste. — Nada será anulado, ouviu bem? Marguerite é minha esposa e ninguém vai afastá-la de mim!

— Não acabou de dizer que se arrependeu, homem? — Lowell riu de modo descrente. — Por que reage como se a amasse?

— Porque eu amo — reconheceu e seu coração afundou com a verdade que se recusava a ver. — Não sei como nem quando aconteceu, mas eu amo Marguerite. Não era o combinado... Eu não podia... Não devia... Todavia, não há nada que eu possa fazer. Esta noite ela confessou estar apaixonada, disse que pode vir a sentir algo mais forte... — Logan meneou a cabeça, rindo escarninho. — E eu a amo...

— A carraspana o torna desconexo ou agrava sua arrogância. — Lowell parecia furioso ao se levantar. — Está assim, miserável, por uma disparidade de sentimentos? Que era egocêntrico eu já sabia, mas essa futilidade é novidade para mim. Se a mulher que amo me confessasse estar apenas apaixonada eu estaria exultante, no céu, não...

— Você não entende! — Logan esbravejou. A voz não sairia de outra maneira, pois tinha a garganta obstruída. — Ela também não entenderá... Irá me odiar... Irá...

— Quem? Marguerite? Ou...

Ketlyn não entenderia. Marguerite o odiaria e quereria ir embora.

— Prometi fazê-la feliz... — murmurou o duque. — Pensei que comigo ela estaria melhor... A verdade é que eu sou o pior de todos... Não posso me alegrar e certamente não mereço o céu.

— Enfim, voltamos a uma zona conhecida — Lowell zombou, indo até o irmão. — Porém está tarde e você cada vez mais incoerente. Vamos! O mínimo que posso fazer por você depois do que fez por mim é ajudá-lo a subir.

Lowell segurou um dos braços do irmão e tentou erguê-lo. Logan não resistiu, mas ao se levantar, suas pernas cederam, obrigando-o a se apoiar nos ombros do irmão.

— Por Deus! Como pesa! — resmungou Lowell, com uma careta que exprimia sua dor. — Ajude-me seu estoque de uísque ambulante. Ande! Uma perna diante da outra...

— Eu sei como andar — replicou Logan, mirando os pés para se certificar de que fazia como dito. Enquanto seguiam para fora do gabinete, indagou: — Sabe o que também deve ser fácil? Perder a esposa... A melhor de todas... Um dia ela está apaixonada e no outro, depois de saber a razão de ter sido escolhida... Puff! Será somente uma lembrança.

— Marguerite não desaparecerá num *puff*, seja lá que idiotice você tenha feito — Lowell assegurou, arrastando-o pelo corredor com dificuldade. — Você é um Bolbec. Não viemos ao mundo para perder.

— Sou um Bolbec! — Logan assentiu, saboreando a frase. — Sou um Bolbec!

— Isso! Amanhã me arrependerei por alimentar seu ego, mas agora preciso que se anime e suba a maldita escada — o irmão murmurou de modo intimista. Em bom tom o encorajou: — Vamos lá! Segure-se no corrimão!

— Sou um Bolbec! — Repetir não ajudou como devido e, ao alcançarem o topo da escada, Logan segredou: — Sou um Bolbec arrogante, cego e estúpido, Lowell.

— Nisso concordamos. — Lowell virou o rosto, torcendo o nariz. — Espero que também concorde comigo... Vou levá-lo a um dos quartos de hóspedes. Marguerite não merece dormir com um beberrão, exalando esse bafo horrível em seu delicado nariz.

— Não! Leve-me para meu quarto! — ordenou Logan sem firmeza alguma, apontando como podia para sua porta. — Tenho uma confissão a fazer para Marguerite.

— Que poderá esperar — determinou Lowell, seguindo em frente.

— Ei! Volte! — Logan tentou se soltar, mas não teve forças para deter o irmão que sem muito esforço o obrigou a acompanhá-lo. Com o remorso a corroê-lo, gritou para a porta fechada que ficava para trás: — Marguerite! Marguerite! Perdoe-me! Não me deixe! Não...

— Shhh! Quer acordar a casa inteira? — Lowell ralhou, quando já abria a porta do quarto no qual acomodaria o irmão. Ao sentá-lo pesadamente na cama, prosseguiu: — Se vai assumir seu envolvimento com Ketlyn, isso pode esperar.

Logan riu e logo gargalhou até que chegasse às lágrimas.

— Envolvimento com Ketlyn? — desdenhou debilmente. — Acredita que isso estragaria tudo com Marguerite?! O que houve? Perdeu a fé em seu grande irmão?

— Não me parece tão grande no momento — observou Lowell, andando de um lado a outro, mexendo aqui e ali.

— Pois saiba que sempre serei grande, capaz de cometer erros homéricos! — garantiu o duque, sem orgulho algum, pondo-se de pé. — Quando ela descobrir a verdadeira esparrela na qual caiu, a queda para nós dois será fatal.

— Certo! — Lowell foi até ele e o obrigou a sentar. — Por ora vai cair nessa cama. Deite-se!

— Preciso falar com Marguerite, Lowell. Agora, enquanto tenho coragem.

— O que tem é uísque demais em suas veias, não coragem. O máximo que conseguiria é embebedá-la com seu bafo. Pela manhã irá me agradecer.

Logan duvidava. A verdade estava entalada em sua garganta e acreditava piamente que ao dizê-la para Marguerite, ela talvez o compreendesse e não o odiasse. Agora que sabia como se sentia, queria que ela o amasse. Juntos eles colocariam tudo em seu lugar.

Ketlyn seria obrigada a aceitar e partiria. Ele cuidaria para que nada faltasse à madrasta e todos ficariam bem, mas para isso tinha de ser honesto o quanto antes. Olhando de esguelha para o irmão que novamente ia de um lado ao outro, Logan decidiu esperar que ele saísse, então, agiria.

Dissimulado, Logan despiu o robe, descalçou os chinelos e se deitou corretamente.

Capítulo 27

O silêncio incomodava, mas para a duquesa era preferível a conhecer as questões que lia nos olhos da criada. Caso estivesse certa, para a maioria delas nem mesmo ela teria as respostas. Por mais que pensasse não conseguia chegar a qualquer conclusão que justificasse ter sido deixada durante toda a noite depois de assumir estar apaixonada.

Era verdade que o cansaço, o relaxamento vindo com o êxtase e o choro fizeram com que dormisse quase que imediatamente, mas Marguerite sabia que dormiu sozinha. Na espaçosa cama não havia evidências da passagem de Logan. Onde ele passara a noite foi uma incógnita até que Nádia viesse atendê-la.

O duque ainda dormia em um dos quartos de hóspedes. Ebert tentou acordá-lo, sem sucesso o que levou Finnegan à investigação. Os fiéis criados não denunciaram o patrão, porém uma das criadas da cozinha elucidou o mistério quando uma garrafa de uísque praticamente vazia foi levada do gabinete e prontamente descartada.

Ouvindo a fofoca corrente, na íntegra, enquanto escolhia os brincos que usaria, a duquesa suspirou sem notar. Além de não ser correspondida, foi trocada por uma garrafa de uísque. Seria cômico se não a entristecesse.

— Milady, tem certeza de que não quer me contar o que houve?

Pelo espelho Marguerite flagrou o olhar da criada que a penteava.

— Não houve nada — mentiu. — Estava cansada e o duque queria aproveitar a noite um pouco mais. Está claro que se excedeu.

— Dizem que o ouviram gritar na madrugada — cochichou Nádia. — Um escândalo!

— Um exagero, isto sim! — retrucou a duquesa, aborrecida. — Entendo que os criados falem de seus patrões, mas inventar histórias é demais! Não quero ouvir mais nada sobre este assunto. Foi exatamente como eu disse.

— Como queira... Perdoe-me, milady!

Marguerite se arrependeu de seu rompante protetor. Pedira que Nádia fosse sua amiga e a destratava. Era incoerente.

— Não precisa se desculpar — disse, mirando Nádia pelo espelho, segurando a mão que manuseava a escova. — Tivemos um pequeno desentendimento, mas nada com que deva se preocupar. Quero contar com sua discrição.

— Tem toda! — Nádia sorriu. — E tenho certeza de que tudo ficará bem.

— Sim, ficará! Agora, ajude-me a escolher esses brincos — pediu, simulando animação que não sentia ao encostar uma peça de cada par nas orelhas. — Pérolas ou gotas de cristal?

— Sempre a vi usando as gotas — comentou a criada, voltando a penteá-la. — São leves, combinam mais com vossa juventude.

— Presente de Edrick. — Marguerite sorriu, mirando o pequeno brinco.

— Explicada vossa preferência. Deve usá-las. Também combinarão com seu novo vestido.

Ao colocar os brincos, Marguerite analisou o resultado no espelho. Via apenas o corpete do vestido de seda, dourado como champanhe, e concordou com a observação. De repente ela se considerou diferente. Não saberia dizer em qual aspecto, mas estava mudada. E, apesar de tudo, sentia-se melhor do que o esperado de alguém que amava platonicamente.

Para seu estado de espírito Marguerite tinha a resposta. Diante das adversidades, ela sempre escolheria ser feliz.

— Obrigada, Nádia! — agradeceu ao levantar. — Foi uma ótima escolha.

— Está radiante, milady! Todos deveriam vê-la.

O comentário despertou algo em Marguerite. Após breve deliberação, determinou:

— Nádia, apronte-se! Depois do desjejum, faremos um passeio.

— Sozinhas? — Nádia maximizou os olhos. — Por Londres?

— É onde estamos. — Marguerite riu, divertida. — Não iremos longe. Quero apenas ver um pouco mais e você não deixou esta casa, não é mesmo?

Nádia pensou por um instante e sorriu contente.

— Estarei pronta quando precisar de mim — assegurou antes de seguir para a porta. — Obrigada, milady!

O divertimento de Marguerite minguou quando ela saiu para o longo corredor. Escrutinando as muitas portas, especulou em qual aposento estaria o marido. Talvez estivesse no andar superior, pensou, olhando para cima. Com a curiosidade a instigá-la, marchou para a escada e subiu.

O corredor do terceiro piso era menor. Pela arquitetura de Haltman Chalet, Marguerite sabia que estava na base triangular do alto e íngreme telhado. O lance de escada seguinte sem dúvida a levaria ao sótão. Esquecida de Logan, correndo uma das mãos pelo corrimão, ela seguiu até a escada e subiu dois degraus. Hesitou ao notar a escuridão que a receberia no topo, mas não tinha medo de escuro e sótãos costumam guardar objetos interessantes.

Decidida, Marguerite avançou mais um degrau.

— Não encontrará mais do que aranhas e muita poeira.

— Oh! — Marguerite se sobressaltou com a aparição, desequilibrou-se e caiu para trás.

— Peguei você! — Lowell se congratulou ao segurá-la, mas se desequilibrou e caiu. — Ai!

— Oh! Você está bem? — Marguerite escrutinou o rosto do cunhado abaixo dela, condoída com a expressão de dor.

— Embaraçado por cair, mas ainda fui eu a salvá-la — ele gracejou, olhando-a com atenção. — E você? Está bem?

— Estou, obrigada! — assegurou a duquesa, distraída pelo olhar cinzento, pelo rosto limpo.

Livre da barba se notava que Lowell era mais bonito que o irmão. Inevitável pensar que, caso fizesse todas as coisas que Logan fazia com ela, seria capaz de seduzir qualquer mulher.

— Eh... Apesar de nossa interessante posição, creio que devemos nos levantar.

A observação de Lowell não surtiu melhor efeito do que as mãos que ele correu pela cintura dela. Com o rosto em chamas Marguerite rolou para o lado e se sentou entre a bagunça de panos formada por suas anáguas e saia.

— Fiquei tão preocupada que o machuquei mais. Perdoe-me por esmagá-lo!

— Nem que quisesse conseguiria. — Lowell se por de pé com certa dificuldade, agravando a culpa de Marguerite, porém sorriu e estender a mão. — Permita-me ajudá-la.

— Posso levantar sozinha, obrigada!

Ela não o sobrecarregaria. Ao se pôr de pé, alisou o vestido, conferiu a arrumação do cabelo.

— Não se preocupe. Está linda, irmãzinha.

— Por que me chama assim? — indagou Marguerite, livre do embaraço. — Sei que pela lei sou sua irmã, mas às vezes soa tão... pejorativo.

— Não escolheria essa palavra — Lowell inclinou a cabeça, deferente —, mas tem razão. Por reflexo, às vezes estendo a você a má vontade reservada a Logan. Não vai se repetir.

— Obrigada! — Marguerite imitou-o, inclinando a cabeça.

— Então, irmãzinha, o que deseja fazer agora? — Ele indagou jovialmente, mudando o tom do tratamento. — Irá enfrentar as aranhas ou descerá para o café da manhã?

— Decididamente, café da manhã! — Marguerite sorriu. Lowell retribuiu o sorriso e ofereceu o braço. Já desciam para o segundo piso, lado a lado, quando ela indagou: — Como me encontrou aqui em cima?

— É onde ficam meus aposentos. Quarto, sala de leitura... Passou tão distraidamente que não me notou.

— Oh! — A curiosidade geralmente a distraia, inspirava-a novas questões. — E por que tanta má vontade destinada ao seu irmão? Logan gosta muito de você.

Lowell riu com mofa, porém voltou à seriedade ao receber um olhar enviesado.

— Ah! Está falando sério?!

— Por certo. Vi a aflição de Logan por saber que você estava em Millbank.

— Devo desiludi-la. Qualquer sentimento que tenha visto era somente senso de dever. Logan foi moldado para ser o herdeiro exemplar. Zelar pelo irmão mais novo é sua obrigação.

— Talvez, deva ser eu a desiludi-lo. O que vi foi sentimento fraterno.

— Para o duque sou um peso, desordeiro e irresponsável.

— Não sei quanto ao peso, no mais... Onde o conheci comprova todo resto.

— Nossa! — Lowell levou a mão ao peito. — A verdade sem retoques magoa, sabia?

— Sou sua irmãzinha agora. O meu dever é ser sincera, mas não desconverse. Pelo pouco que vi, Logan apenas reage. Talvez, se você baixasse as armas, pudessem se entender.

— Percebo o que deseja — disse Lowell seriamente, parando-a antes que descessem o último lance de escada —, mas desperdiça seu tempo. E, antes que me pergunte o motivo de não baixar armas, adianto que são muitos e não os enumerarei. Logan e eu somos como somos... Ligados pelo sangue e só.

— Lamento! Ser como são deve ser mais solitário do que não ter irmão algum.

— Isso, não! — Lowell meneou a cabeça, retomando o bom humor. — Se não tivesse irmão algum, quem seria responsável por mim?

Marguerite não o acompanhou na brincadeira.

— Se não tivesse um irmão a afrontar, que na madrugada percorre a distância de Bridgeford a Londres apenas para atender ao próprio senso de dever, você não entraria em tantas confusões.

Marguerite sustentou o olhar avaliativo de Lowell, sem desejar ter mordido a língua. Apesar do começo conturbado, gostou dele e o compreenderia caso se ressentisse pelos motivos que ela considerou durante a ópera. Porém, não dividia com ele o mesmo pensamento. Marguerite sabia o que havia visto em Logan e nada do que o cunhado dissesse mudaria sua opinião. Era amor.

— O grande arrogante é, sim, obtuso — ele murmurou. — Como pode não saber como aconteceu?

— O que disse? — Marguerite uniu as sobrancelhas, confusa.

— Eu dispersei. Não me dê ouvidos. — Lowell indicou a escada. — Vamos ao desjejum?

— Vamos. E já que falamos de Logan... Deve saber que esta noite...

— Ele dormiu no quarto de hóspedes. Não me agradeça! — Marguerite apenas olhou para ele. Lowell deu de ombros e explicou: — Bebemos e conversamos civilizadamente para nossos padrões. Logan passou da conta. Ele quis voltar para o quarto, mas eu o dissuadi. O sono dele seria agitado, apenas a incomodaria. Por isso não precisa me agradecer.

Marguerite agradecia a edição da verdade. Lowell não se parecia como alguém que tivesse abusado da bebida. Defendia o irmão. Ponto positivo naquela estranha relação. Por seu lado, ela quis acreditar que Logan tivesse desejado retornar ao quarto e aquietou mais seu coração.

— Sendo assim, é melhor que ele durma um pouco mais — ela determinou, deixando que ele a guiasse até a sala de jantar, onde o desjejum era servido.

Alethia se encontrava à mesa e os olhou com curiosidade.

— Bom dia! — cumprimentou com um sorriso. — Que feliz coincidência chegarem juntos!

— Não é mesmo? Deixava meu quarto quando vi esta senhora tentando se perder no sótão. Tive de resgatá-la.

— Fez bem! Sótãos são sujos, repletos de recordações empoeiradas. — Alethia torceu o nariz.

Lowell sorriu e puxou a cadeira para a cunhada. Com ela acomodada, disse-lhe ao ouvido:

— Pensarei a respeito. Sobre meu comportamento e um possível cessar fogo.

Contente com a possibilidade de uma trégua entre os irmãos, Marguerite sorriu. Talvez o amor se tratasse de zelar pelo bem-estar de alguém, mesmo que jamais fosse correspondida. Quando Lowell lhe desse razão, Logan seria feliz. E ela também.

Pancadas distantes ecoavam em sua têmpora como se esta fosse o objeto atingido. O incômodo em elevação gradativa o despertou. Logan se sentou de olhos fechados, atordoado. Sua língua e o céu da boca estavam unidos pela amarga secura. Torcendo o nariz, ele abriu os olhos. Fechou-os em seguida, sem nada ver, pois mesmo a penumbra feriu suas pupilas. E o martelar infernal prosseguia. Com um esgar, Logan voltou a deitar, pegou o travesseiro e cobriu a cabeça. Conseguiu revirar seu estômago com o movimento brusco, não abafar o irritante som.

Péssimo em todos os sentidos, Logan tentou se lembrar do que causou o mal-estar. Recordou que esteve bebendo no gabinete. Um, dois, três copos de uísque antes que deixasse de contar. E se recordou de Marguerite. Reflexivamente correu a mão direita no colchão, procurando-a. Não a encontrou e estranhou que estivesse do lado errado da cama. Ignorando a dor, ele afastou o travesseiro e escrutinou os móveis estranhos, o papel de parede errado.

Logan sentou abruptamente. Estava em uma cama pequena, sozinho, no quarto de hóspedes.

— Mas o quê...? — A própria voz irritou seus ouvidos. Confuso e aborrecido, ele tentou se levantar e caiu sentado. — Inferno!

Logan encontrou a corrente da sineta e a puxou três vezes, furiosamente. Novamente olhou em volta. As cortinas estavam cerradas, a brasa ainda ardia no fogareiro que mantinha o quarto aquecido, o robe estava dobrado no espaldar da poltrona. No aparador tinha uma jarra d'água.

Quando novamente levantou, e conseguiu ficar de pé, Logan calçou os chinelos e caminhou lentamente até a jarra. Enquanto bebia água, agradeceu silenciosamente a Ebert pela eficiência. Por certo o valete o encontrou no gabinete após a carraspana e decidiu não incomodar Marguerite.

Pensar na esposa agravou a dor de cabeça, as marteladas imaginárias. Ele devia saber que não encontraria a solução para seu problema no fundo de um copo.

— Minha nossa! — Logan reagiu às batidas à porta que atingiam suas têmporas como canivetes. — Seja quem for, entre de uma vez!

— Com vossa licença, milorde — pediu Ebert. — Bom dia!

— Ainda não vejo como possa ser bom — resmungou, olhando para o copo que Ebert trazia em uma bandeja. Ao pegá-lo, torceu o nariz. — Precisa descobrir outra coisa que coloque fim em minhas ressacas.

— Suco de tomate com limão sempre será imbatível, milorde, mas sei de algo mais eficaz — disse Ebert monotonamente. — Posso descartar todo o uísque da casa?

— Eu riria se não estivesse ocupado — retrucou Logan, antes de tomar o odioso suco.

Mal suportava o cheiro do tomate esmagado, talvez por ser o que o valete invariavelmente servisse em situações como aquela. No entanto, reconhecia ser um excelente remédio.

— Obrigado! — Logan depositou o copo na bandeja que Ebert ainda segurava. — Por tudo.

Ebert ergueu uma das sobrancelhas, analisando o rosto do patrão.

— Tudo? Apenas lhe servi suco, milorde.

— Estou agradecendo pelo que fez por mim na noite passada — explicou Logan, indo pegar o robe. — Eu o dispensei e ainda assim zelou por meu bem-estar, trouxe-me para cá.

— Perdão, mas esta noite dormi o sono dos justos. Quem o trouxe para cá foi vosso irmão.

— Lowell?!

— Sim, milorde, vosso único irmão. Lembra-se dele?

— Se não me socorreu não preciso ser condescendente, Ebert — Logan redarguiu. — É evidente que me lembro. Apenas não... Não consigo acreditar.

Logan olhou em volta, para todas as coisas que julgou terem sido providenciadas por um criado competente. Havia ainda o detalhe que não reparou antes. Além do fogareiro, uma grossa coberta o protegeu do frio noturno. Mesmo ferido, Lowell o levou até ali e o deixou confortável. Conhecedor dos males do excesso de uísque, também fechou as cortinas.

Depois do medo indescritível de ter perdido Lowell definitivamente, a ternura que inundou seu peito aproximou-o do irmão. Talvez ainda houvesse esperança.

— E onde ele está? Lowell, meu único irmão.

— Saiu em passeio com Lady Bridgeford, Lady Alethia Welshyn e a Srta. Riche.

— Lowell e Marguerite estão passeando, juntos?

— Também com vossa tia e a criada da duquesa — Ebert salientou. Apontando a própria cabeça, indagou: — Tem certeza de que está bem, milorde?

Logan engoliu um impropério. Talvez não estivesse bem, pois um passeio sem sua presença era o menor de todos seus infortúnios para que se surpreendesse ou se importasse.

— Vamos para meu quarto — disse apenas.

O perfume de Marguerite foi o que primeiro o atingiu. Depois foi a visão da cama desfeita, esperando a atenção da criada que afofava os travesseiros. Ao vê-lo, rubra até a raiz dos cabelos, esta parou o que fazia e o reverenciou.

— Perdão, milorde! Não sabia que viria agora. Eu estava...

— Nos dê licença — Logan indicou a porta, cortando-a. — Ebert dirá quando poderá voltar.

— Agora mesmo, milorde. — Após nova reverência a criada se foi quase a correr.

Logan despiu o robe, asseou a boca, lavou e secou o rosto. Enquanto o valete escolhia suas roupas para aquele dia, ele lavou o dorso, sem nunca deixar de mirar a cama.

— Quando nos separarmos, chame a criada de volta. Depois, providencie nossa partida.

— Sim, milorde.

Preferia ficar em Londres um pouco mais, onde dormia com Marguerite como se fosse livre. Não era. Metera-se numa situação de complicada resolução e não podia fechar os olhos para o que tinha com

Ketlyn. Especialmente quando reconhecia que infringira a única regra imposta: apaixonou-se por outra.

Tinha de voltar e romper do melhor modo possível para que Ketlyn não colocasse tudo a perder. Teria alguma vantagem caso fosse sincero com Marguerite, mas, como contar o real motivo que o levou a Apple White sem feri-la profundamente?

Não, aquela alternativa não seria testada! Logan determinou, colocando-se à disposição do valete.

Pouco mais de uma hora depois, bem disposto após o leve desjejum, Logan se encontrava acomodado na sala Harriette. Em tese lia o periódico, mas na maior parte do tempo mirava a entrada. Terminava de baixar os olhos, disposto a ler, quando ouviu o portão ranger. Ele olhou para fora em tempo de ver Lowell dar passagem às damas, sorrindo para elas. Marguerite talvez fosse a mais contente de todas, sendo a única a trazer uma tulipa branca. E estava linda!

Finnegan passou apressadamente rumo à porta. Logan a ouviu ser aberta, ouviu a entrada ruidosa das três mulheres, os risos. A divertida risada de Lowell inclusive.

— Fizeram bom passeio? — perguntou o mordomo.
— Nunca tive melhores companhias!

Logan se empertigou ao ouvir a animada declaração de Lowell.

— Sim, manhã perfeita! — Marguerite endossou. — Tem notícias do duque?

Com a questão ela eliminou o ressentimento que rondava Logan. Antes que tivesse uma resposta Marguerite surgiu sob o arco, ficando face a face com o marido. Logan confirmou o quanto ela estava bonita, reparou o modo abrupto com que parou o movimento de retirar o chapéu, o carinho com que segurava a flor. E como o riso morreu ao vê-lo.

— Eis nosso dorminhoco! — anunciou Alethia, alto demais, ao passar por Marguerite e entrar na sala. — Como se sente?

— Como se mil cavalos tivessem passado por sua cabeça — troçou Lowell, parando ao lado da cunhada para ajudá-la com o chapéu. — Não é assim, irmão?

A intimidade do gesto e a naturalidade com que Marguerite aceitou o auxílio, sim, fez doer a cabeça do duque como se uma cavalaria a pisoteasse.

— É exatamente assim — Logan respondeu seriamente, sem deixar de mirar a esposa.

Durante o desjejum e a frustrada tentativa de leitura ele especulou como Marguerite estaria por ter sido deixada sem uma resposta decente à sua declaração. Vã preocupação!

— Bom dia a todos! — Logan cumprimentou, em seguida anunciou: — Partiremos ainda hoje. Srta. Riche, vá juntar os pertences da duquesa.

Sem hesitar Nádia o obedeceu.

— Oh! Tão cedo? — Alethia olhou para Marguerite com pesar. — Lamento tanto, querida!

— O que perdi? — O duque olhou de uma a outra.

— Nada! — Marguerite respondeu rapidamente, enfim, afastando-se de Lowell. — Apenas gostei daqui. Queria ver um pouco mais.

— Voltaremos outras vezes. Sabe que esta viagem não estava programada.

Marguerite trocou olhares de pesar com Lowell e Alethia. Acariciando a tulipa, assentiu para o marido e deixou a sala.

— Vou ajudá-la — anunciou Alethia.

— O que tem de urgente em Castle que não possa esperar um dia? — Lowell avançou um passo. — Marguerite...

— Marguerite é minha esposa e irá aonde eu determinar — interrompeu-o. A esperança de paz, nascida com o cuidado do irmão, era suplantada pela raiva.

Lowell o escrutinou por um instante e meneou a cabeça.

— Pensei que tivesse mudado... Que realmente a...

— O quê?

— Esqueça! — Lowell seguiu para o corredor. Sob o limiar, parou e encarou o irmão. — Almoçarão aqui ou devo pedir que Finnegan providencie um farnel para as damas?

— Partiremos após o almoço. — Mudando o tom, Logan agradeceu: — E... Obrigado! Por tudo que fez na noite passada.

— Fiz por Marguerite. — Lowell sustentava o olhar bravio do duque. — Ela não merecia um bêbado falastrão e arrependido perturbando seu sono com confissões que a magoariam.

— O quê?! — Logan avançou um passo, especulando o que sua língua indômita delatou após boas doses de álcool. — Quais confissões? O que eu falei?

— O bastante. Sei que por trás desse casamento às pressas há uma razão obscura que irá ferir Marguerite quando ela souber.

— Fale baixo! — Logan demandou, avançando mais. — Você não entendeu o que ouviu.

— Entendi perfeitamente — insistiu Lowell num sussurro bravio. — Nunca achei que fosse possível, mas parece que você conseguiu se superar, grande irmão. Ser ardiloso com alguém boa e doce como Marguerite! Como pôde?

Não era ressentimento, muito menos raiva. O que brotava em Logan e envolvia seu coração como uma erva daninha era nada menos que ciúme. Não era pequeno nem raso. Ele devia ter previsto que o pavãozinho, convencido e irritante, exibiria as penas para Marguerite. Como sempre fazia.

— Por ser boa e doce que a mimou, dando-lhe flores? — ciciou, amiudando os olhos.

— Sabia que tulipas brancas são as preferidas dela?

— Lowell, o que pretende cercando-a dessa maneira? Planeja envenená-la contra mim, usando o que acredita saber? Acredita que Marguerite me trocaria por você?

— Pode acontecer. — Lowell deu de ombros. — Marguerite e eu somos jovens, inteligentes, divertidos e...

Logan cerrou o punho e avançou. Parou ao ver o corte na testa de Lowell. Domando-se como podia, respirando pelo nariz como um animal irritadiço, sibilou:

— Recolha suas penas e vá exibir-se em outro lugar! E nunca mais dê flores a ela.

— Ordenou o marido exemplar! Quem o ouvisse pensaria que está apaixonado.

— Isso não é problema seu!

— O problema está na flor? — Lowell insistiu. — Faz melhor, adulando-a com joias caras e frias? Pois saiba que Marguerite é diferente das interesseiras com as quais se relaciona. Alguma vez lhe deu flores? Viu como ela as cheira e sorri ao recebê-las? Provavelmente não, pois como irmão amoroso não tentaria me privar de tal prazer.

— Esqueça-se do almoço! — Logan empurrou o irmão que caiu sem jeito no sofá. — Partiremos tão logo tudo esteja pronto!

O riso divertido de Lowell alimentou ganas assassinas. Para que não cometesse fratricídio, Logan o deixou e partiu escada acima. Se antes desprezava as provocações, agora odiava se sentir refém da boa vontade do irmão. Gostaria de lembrar o que dissera, mas sequer recordava que o encontrou na noite anterior. Portanto, não deixaria que a esposa ficasse sob o mesmo teto de um petulante que julgava conhecê-la melhor que o marido.

A intenção ao subir era apressar a todos, mas, entrar no quarto e encontrar a esposa com os olhos rasos d'água, acariciando a maldita tulipa enquanto Nádia dobrava suas roupas e Alethia a consolava, fez com que Logan visse tudo vermelho.

— Saiam! — ordenou, sobressaltando as três mulheres.

Sua expressão inibiu qualquer oposição. A tia silenciosamente o atendeu, sendo seguida pela criada. Marguerite encarava Logan com os olhos úmidos maximizados e se assustou quando ele fechou a porta atrás de si com desnecessária força. Surpresa, ela permaneceu imóvel até que ele tentasse pegar a flor.

— Não! — Marguerite protegeu a tulipa atrás das costas. — É minha!

— O que há de errado com você?! — Logan sentia o ciúme esquentar seu rosto. — Primeiro se derrete por Dempsey. Agora chora por se afastar de Lowell somente porque recebeu esta flor estúpida?! Ou ele lhe disse alguma coisa contra mim?

— O que há de errado com *você*? — Marguerite replicou, olhando-o duramente. — Lowell não fez mais do que defendê-lo desde que nos vimos essa manhã, minimizando sua bebedeira, justificando a noite que passamos separados.

— Lowell... O quê? — Logan meneou a cabeça. — Defendeu-me?

— Sim, senhor! E como concluiu que foi ele quem me deu a tulipa?

— Se não foi meu irmão... Quem foi?

— Lisa. — Considerando seguro, Marguerite mostrou a flor. — Ela é filha da florista que encontramos no final da rua. Uma menina linda, que ficou encanta ao conhecer uma duquesa. Prometi que amanhã a levaríamos para um passeio, caso a mãe não se opusesse.

O embaraço que o invadia rapidamente se esvaiu.

— Planejava um novo passeio com meu irresponsável irmão?!

— Não, Logan! Planejava um passeio com meu grosseiro marido, único homem que importa para uma esposa volúvel como eu. Mas ele acusa, manda, desmanda e agora... Agora a pobre criança ficará esperando pelo passeio que nunca terá.

A voz irritada da duquesa tremeu, os olhos voltaram a marejar ao cheirar a flor preferida. Logan jamais esqueceria. A vergonha retornou, prostrando-o. Não havia palavras para descrever alguém que agia e reagia a todos como se o mundo se resumisse a ele mesmo.

— O que ficou combinado? — ele indagou roucamente, ainda abalado pelas discrepantes emoções sentidas em tão curto período. Ao ser olhado de esguelha, com mágoa, insistiu: — O que combinou com a florista? Se a menina irá esperar é certo que a mãe permitiu o passeio.

— Permitiu — Marguerite confirmou, tentando disfarçar o embargo. — Combinamos que amanhã pela manhã nós iríamos buscá-la para um passeio pelos jardins de Kensington.

— Mas você já conhece os jardins do palácio — lembrou-a.

— Não se trata de mim, Logan, sim de minha convidada — replicou a duquesa, indo colocar a tulipa num copo com água. — O pai e o irmão limpam chaminés, a mãe vende flores. Não saem com frequência. Eu apenas... — Ela deu de ombros. — Não importa, afinal.

— É uma pena que não importe, pois estive pensando em transformar o passeio em algo bom para ambas — disse Logan despretensiosamente.

Como esperado, Marguerite chispou o olhar para ele, mas nada disse.

— O que posso dizer? — Logan igualmente deu de ombros, imitando-a. — Agora você é da família e nós sempre cumprimos nossas promessas. Amanhã, na hora combinada, iremos até sua amiga Lisa.

Marguerite precisou de alguns segundos para compreender. Logan soube o momento exato em que aconteceu, quando a expressão de desconfiança foi desfeita por um largo sorriso.

— De verdade?! Vamos ficar um pouco mais?

— Sim, nós... Opa! — Marguerite correu e o surpreendeu ao pular e abraçá-lo pelo pescoço, sorrindo, chorando. Prendendo-a pela cintura, Logan avisou: — Mas, ficaremos no máximo por dois dias.

— Está perfeito! — Marguerite beijou o pescoço dele repetidamente, o queixo escanhoado, o rosto, divertindo o marido, enternecendo-o. — Obrigada! Obrigada! Obrigada, meu amor!

Marguerite coroou o esfuziante agradecimento com um beijo na boca, apaixonado.

Logan, surpreso com o tratamento carinhoso, excitou-se com a iniciativa. Demorou alguns segundos até que correspondesse. Zonzo, ergueu-a nos braços sem quebrar o beijo e a levou para a cama. Ao tombarem no colchão, ele estreitou o abraço, aprofundou o beijo. Soltou-a apenas quando precisaram de ar.

— Nossa! — Marguerite␣sorria, ofegava. — Acho que nunca nos beijamos assim.

Logan escrutinava a boca úmida, as bochechas coradas, os olhos brilhantes. Queria prender a esposa numa redoma para tê-la só para si, adorável e desejável como estava, olhando-o como se ele fosse o melhor homem do mundo.

— Senti sua falta — Logan admitiu.

— Eu também — ela declarou, mas o sorriso minguou. — Senti sua falta à noite. E durante o café da manhã e o passeio.

— Por que foi sem mim?

— Por que me deixou? Por que bebeu tanto?

— Porque é complicado. Você sabe... — Não queria tocar no assunto que arruinaria o momento, mas Marguerite merecia sinceridade. — Ketlyn!

— Claro! — Marguerite sentou, dando as costas para ele. — Não devia ter dito o que sinto.

— Não! — Logan a puxou de volta e a segurou pelo queixo para que o olhasse. — Não imagina o quando me faz feliz saber o que sente.

— Tanto que comemorou com uma garrafa de uísque — ela desdenhou, revirando os olhos.

— Tanto que me senti culpado por saber que magoarei alguém quando disser que nosso casamento e o que sentimos um pelo outro não é somente aparente, sim, verdadeiro.

Marguerite mais uma vez se sentou, contudo, olhando para Logan.

— O que está dizendo?

Encarando-a, o duque se apoiou em um dos cotovelos e respirou profundamente.

— Estou dizendo que nos últimos dias não me vejo com outra que não seja você. Isso deve significar que também esteja... Que esteja me apaixonando.

Marguerite conteve o ar. Tardia, também covarde, mas era uma declaração!

— Logan, eu...

— Milorde! — Ebert chamou do corredor, batendo à porta. — Temo que não haja espaço em vossa carruagem para tantas compras. Deve encontrar um modo de...
— A viagem de volta está cancelada, Ebert — anunciou Logan, sorrindo para Marguerite. — Teremos tempo para decidir o que fazer com a extravagância da duquesa.
— Sim, milorde.
— Logan... — Marguerite repetiu, enlevada. — Eu...
— O que eu disse nem é grande coisa. — Logan a puxou de encontro ao peito. — Vamos descobrir apenas se esse beijo será tão bom quanto o outro.

Capítulo 28

Era grande. Enorme. Como considerar o contrário se Logan estava *se apaixonando* por ela? Quando disse "sim" ao padre Angus, Marguerite não podia prever que em pouco mais de vinte dias Logan e ela estariam ligados pelo mesmo sentimento. No entanto, lá estavam eles, perdidos em sorrisos cúmplices, em olhares expressivos, distraídos do mundo ao redor.

Não, o beijo que selou a declaração não os prendeu à cama. Não que Logan rejeitasse a ideia, mas se ficaria em Londres não desperdiçaria horas preciosas com o que facilmente fariam à noite, então sugeriu à Marguerite que aproveitassem o sol vespertino no Hyde Park.

Murray os deixou na *Rotten Row*, caminho do rei em francês. Logan explicara o significado no passeio anterior. Marguerite sabia, por exemplo, que os postes de lâmpadas a óleo à margem do caminho tinham sido instalados a mando do rei Guilherme III, que o lago Serpentine era artificial, que os jardins do Palácio Kensington, ali ao lado, tinha a entrada liberada aos plebeus desde 1637.

Toda informação decorada era cultura inútil para a duquesa. Ela estava mais interessada no presente. Preferia notar o modo como os sicômoros lançavam sombra sobre os poucos harebells que resistiram à chegada do outono. Preferia imaginar como narcisos e tulipas deixariam a paisagem mais colorida e romântica na primavera. Preferia admirar o gramado verdejante.

Caso não a considerassem louca, ela rolaria por aquele vasto tapete, espantando os pássaros que ciscavam.

— Do que está rindo? — Logan quis saber.

Estavam acomodados em uma toalha branca que trouxeram junto com a cesta de lanche. Logan servia a ela suco de laranja, quando flagrou o riso manso. Sem notar, sorriu com ela.

— De um pensamento bobo — Marguerite admitiu, ajeitando atrás da orelha uma mecha de cabelo que escapara do chapéu. — Vi a mim mesma rolando pelo gramado.

Logan olhou para a imensidão verde, para outros casais, para crianças que brincavam, então a encarou condoído.

— Eu a apoiaria se não tivesse plateia.

— Vou me contentar com vossa boa intenção, senhor — Marguerite gracejou, bebeu um gole de suco e, ao baixar o copo, suspirou.

— No que está pensando?

— Que curioso está me saindo! — ela observou, divertida, deixando o copo de lado. — Do que ri Marguerite? O que pensa Marguerite?

— Estou me apaixonando por você. Vou querer saber tudo, sempre.

— Significa que também me dirá tudo, sempre?

— Não é o que faço? — Logan manteve o sorriso e se estendeu, apoiou-se num cotovelo e cruzou as longas pernas pelos tornozelos, disfarçando o desconforto. — Sabe tudo sobre mim, Marguerite. Você conhece meus defeitos, meus pecados. Não há segredos entre nós.

— E ainda sinto que não o conheço completamente — Marguerite deu voz ao pensamento, sem notar. Percebeu o ato falho quando Logan franziu o cenho. — Perdoe-me! É como sinto.

— Não deve. Como já disse, você sabe tudo sobre mim.

— Então, por que deu a entender que Lowell sabe de algo que usaria contra você?

— Estava aborrecido e Lowell insinuou que lhe deu a flor, então...

— Sentiu ciúmes?

Marguerite exibiu um amplo sorriso, sem orgulho ou convencimento. Derrubada a teoria do sentimento menor, Logan não negaria seu ciúme. No momento, poderoso meio de distração.

— Sim, Marguerite, eu senti.

A duquesa apertou os lábios para conter o sorriso, mas falhou lindamente.

— Eu o beijaria agora se não tivesse plateia.

— Guarde para a noite — Logan recomendou. — Dê-me seu beijo onde a plateia não esteja.

Marguerite sentiu as bochechas arderem ao imaginar tudo mais que fariam longe de olhos curiosos. Pigarreando para eliminar o embaraço, drasticamente mudou o tema:

— Por que não mantém seu cabelo assim?

Reflexivamente Logan olhou para os fios que caíam sobre a testa, divertindo Marguerite com a engraçada careta que formou. Ela o distraía! Não fosse seu total envolvimento com a *fuga* de Altman Chalet, ele não teria saído sem que seu rebelde cabelo estivesse domado por camadas e camadas de pomada perfumada.

— E ainda pergunta! — Logan meneou a cabeça. — Meu cabelo é uma bagunça.

— Gosto assim... — Marguerite prendeu um cacho em seus dedos e experimentou a textura dos fios espessos, porém macios. — Dá-lhe um ar natural, rústico.

— Rústico? — Logan torceu o nariz, mesmo apreciando o fortuito carinho. — Posso não ser atuante na política como devia, mas sou membro do Partido Liberal, por vezes participo de encontros com os nobres da Câmara dos Lordes. Como me apresentaria a todos parecendo um simplório e grosseiro inculto?

— Esqueça o teor negativo dos termos que escolhi. Quando não está sob a capa de Lorde dos Lordes parece ser alguém simples, que vive no alto de uma colina e cria um falcão, que não se envergonha de brincar nem de rir, contrariando rígidas regras de polidez. Alguém livre, feliz.

— Ter o cabelo alinhado não diz o contrário — ele replicou, mesmo dando a ela certa razão.

— Ah, não? — Marguerite o desafiou. — Estaria praticamente deitado na grama, diante de tantas pessoas, caso estivesse todo engomadinho, com faixas, insígnias e brasões do peito?

— Não, pois devo ostentá-los e honrá-los de pé, independente do estado de meu cabelo.

Logan não foi rude, mas seu tom imperativo lembrou à Marguerite as palavras de Lowell: *Logan foi moldado para ser o herdeiro exemplar*. Com isso ela teve a certeza de que estava certa e se compadeceu, pois devia ser angustiante ter de se parecer, pensar e agir como alguém que deva ser, mas que no fundo não é.

— Tem razão! — Com um amistoso sorriso ela correu os dedos por entre os cachos escuros e agitou a mão. — Mas, ainda prefiro essa bagunça.

Por pouco Logan não ralhou por ela descabelá-lo mais. Não ostentava os símbolos do ducado, então, podia relaxar e aproveitar o momento. A variação seria puxá-la de encontro ao peito para eliminar a rebeldia com um beijo, mas sempre seria um duque. E havia a plateia.

— Esqueça meu cabelo e leia para mim — ele pediu ao lhe segurar a mão enluvada e beijar longamente. — Foi o que me prometeu.

— Oh, sim... — Ela sorriu e vasculhou a cesta à procura do pequeno exemplar escolhido.

Enquanto ela abria a capa e as páginas de rosto, Logan deitou com os braços cruzados sob a cabeça, fechou os olhos. Marguerite perscrutou o corpo estendido, desde as botas de montaria até o emaranhado de cachos escuros e sorriu. Aquele homem bonito, talvez vulnerável sob a austera capa da nobreza, era mais do que mostrava. E estava se apaixonando por ela!

❦

Logan meneou a cabeça, observando Marguerite de esguelha ao levar o naco de vitela à boca. Por vezes a esposa ainda se fazia de ofendida, como no momento. Tudo começou com um deslize. Em sua defesa, Logan alegava que os sonetos de Shakespeare não eram seus preferidos e, com a voz doce e fluída, foram um poderoso entorpecente para um corpo ainda debilitado pela ressaca.

Sim, ter dormido enquanto ela lia foi descortês, roncar foi ofensivo, mas quando um homem inconsciente é capaz de controlar suas ações? Não podia. Por sorte sua esposa era única e mais se divertiu que se aborreceu com o episódio. No entanto, tinha pendor pelas artes cênicas e não se furtava de olhá-lo enviesado mesmo que por baixo da mesa mantivesse um pé sobre o dele.

Havia as meias de ambos e o sapato dele entre eles dois, mas a inocente ousadia na presença de Lowell e Alethia tornava todo aquele jogo em algo muito excitante.

Enquanto saboreava o lauto jantar, Logan antecipava o êxtase que teriam ao se recolher e agradecia por terem ficado em Londres. Quando tivesse a chance, ele desnudaria aquele pé aliciador e o beijaria, subindo pelo calcanhar e a panturrilha até as dobras úmidas entre as pernas dela para converter a enganosa birra em genuíno prazer.

O freio para a luxúria do duque era o olhar repreensivo com que Lowell o fuzilava. Logan sabia que, alheio à provocação particular, o irmão o condenava por alguma possível ignomínia que tenha cometido contra Marguerite. Foi por desejar também desfazer alguns mal-entendidos que ele se dirigiu às damas ao final da refeição.

— Se nos derem licença, Lowell e eu iremos ao gabinete.

— Iremos? — Lowell ergueu as sobrancelhas, fingindo surpresa.

— Iremos — reiterou Logan, irredutível.

— Chame a guarda caso eu não retorne em dez minutos — o jovem gracejou, inclinado para Marguerite, porém de modo que todos o ouvissem. — Com licença.

— Caso ele retorne sozinho também — acrescentou Logan, imitando o irmão que levantara. — Com licença... Terminem a sobremesa.

Ao ser encarado por Marguerite, Logan tentou acalmá-la. Piscou de modo cúmplice e apontou o cabelo revolto. Ela entendeu o recado, pois riu e piscou de volta.

— Prefiro vê-los assim — disse Alethia, chamando a atenção de Marguerite que assistia ao marido e ao cunhado deixarem a sala de jantar. — Essa manhã, eu temi que brigassem.

— Creio que seja natural, maridos e esposas se desentenderem, mas não foi nosso caso — comentou a duquesa, voltando sua atenção à taça de ambrosia. — Não havia razão para brigas.

— Digo que não devem brigar em hipótese alguma, minha querida. Maridos sempre estão certos.

— Será? — Marguerite pousou a colher ao lado da taça e olhou para a tia. — Nessa manhã em momento algum eu questionei meu marido porque, nesse caso, ele tinha razão. Mas, quando eu acreditar que esteja errado, encontrarei um modo de fazê-lo ouvir.

— Querida, não é isso que um homem espera de sua esposa. — Alethia bateu levemente no dorso da mão que Marguerite. — Como lhe disse, quando conhecemos aquela mulherzinha baixa, homens são como são. Não cabe a nós tentar mudá-los.

— Não tentarei, prometo!

— Não basta — insistiu Alethia, parecendo mais frágil do que era. — Não retruque. Este casamento me alegra tanto, então, não me assuste. Não quero morrer sabendo que não há harmonia entre vocês dois.

— Morrer?! — Marguerite uniu as sobrancelhas, divertida. — Não está próximo este dia.

— Não sabe disso, minha querida! Assim como não sabe que estive adoentada há bem pouco tempo. Eu poderia nem estar aqui.

— Mas está e não me parece que esteja doente. — Marguerite sorriu brandamente e segurou a mão da senhora. — Em todo caso, se a tranquilizar, eu prometo seguir seu exemplo.

Marguerite sorriu para selar o comprometimento. Não que fosse cumpri-lo, mas não iria contra uma senhora nascida no século passado. A cada dia que passava em Londres ela conhecia Logan um pouco mais. Ele não queria uma esposa cordata. A prova estava no fato de ele estar se apaixonando por ela.

Por que mudaria, quando estava ganhando?

Alethia devia se preocupar com o que acontecia entre os irmãos, não com um relacionamento que se fortalecia a olhos vistos. Com o pensamento, novamente Marguerite fechou os ouvidos para o que dizia a senhora e passou a rogar pelo entendimento dos irmãos.

No gabinete, Logan indicou a cadeira diante da grande mesa de carvalho. Lowell se sentou de modo indolente, cruzou as mãos sobre o abdômen e indagou com ar monótono:

— O que eu fiz dessa vez?

— Desarme-se — pediu Logan ao sentar na cadeira de couro, no lado oposto. — Vamos tentar manter nossa conversa civilizada, está bem?

— O pedido é justo — disse o irmão, sentando-se corretamente. — Diga!

— Quem tem algo a me dizer é você... Quero saber o que foi aquilo essa manhã, quando fez parecer que estivesse adulando minha esposa. Por que me defendeu? E... O que eu disse na noite passada, afinal?

— Vejamos! — Lowell coçou o queixo, pensativo. — Em primeiro lugar, provocá-lo sempre será divertido. Segundo, somos homens e defendemos uns aos outros de esposas megeras.

Logan riu. Nem com algum esforço Marguerite seria megera.

— Terceiro — Lowell o resgatou da breve dispersão —, já que educadamente me perguntou, asseguro que nada disse de concreto. Apenas deixou claro que esconde algo muito grave, algo que pode afastar Marguerite, caso ela descubra.

A verdade estava nos olhos cinzentos do irmão, mas o duque não relaxou. Saber que havia um segredo era ter conhecimento demais.

— E o que pretende fazer com isso? Continuará a usar contra mim, como fez essa manhã?

— Se magoar minha irmãzinha, como continua fazendo, sim. Tudo parecia bem, mas agora... Qual a razão dos olhares aborrecidos?

— Já que educadamente perguntou, digo que estávamos brincando.

— Você?! Brincando? — Lowell o encarou como se o visse pela primeira vez.

— Efeito Marguerite! — Logan sorriu sem notar. — A leveza dela alegra meus dias, a espontaneidade me contagia. O que mais posso dizer?

— Nada! Vejo que ontem foi sincero... Você a ama.

— O quê?! — Logan se empertigou, alerta. — Está inventando isso!

— *In vino veritas*! — Lowell recitou. — Não, não estou inventando. E você disse mais de uma vez. *Eu a amo! Eu a amo! Preciso confessar o que fiz! Não posso perdê-la!*

Lentamente Logan recostou no espaldar, mirando o irmão que para imitá-lo engrossou a voz. Em sã consciência ainda não admitira o sentimento, mas se o "vinho" não inspirasse a verdade, como na citação em latim, nada mais o faria. E era isso! Sem rodeios, sem covardia, reconhecia que amava Marguerite. Mais do que nunca ele precisava reverter seu malfeito.

— E por que não confessei? — Logan indagou, intimista.

— Porque eu o impedi. Acreditei no que disse e considerei que devesse tomar suas decisões quando estivesse sóbrio. Confesso que lavei as mãos para a possibilidade de você acordar sua esposa depois que eu o deixasse, mas dormiu como uma pedra antes mesmo que eu o deixasse. Bastou se deitar.

— Obrigado!

— Está vendo? Lutou, esbravejou e agora me agradece. Como eu disse que faria.

— Não me lembro, mas agradeço.

— O que fez foi tão terrível?

— Pode custar meu casamento.

— Até onde sei — Lowell apoio os braços na mesa, inclinado na direção do irmão, falando em tom conspiratório. — Não há muito que uma jovem possa fazer depois de casada. Se um dia ela descobrir, talvez atire um urinol ou um atiçador na sua cabeça, mas não vai embora.

— Pensei que já a conhecesse bem. Ela é diferente, decidida como o irmão e, quando Edrick cisma com uma coisa, nada o demove. Assim é Marguerite. O único jeito de segurá-la seria prendê-la.

Lowell torceu os lábios e ergueu um dos ombros, num gesto típico.

— O quê?! — Logan franziu o cenho. — Está sugerindo que eu faça literalmente isso?!

— Ela não iria embora e, quando você menos esperasse, cederia.
— Jamais faria! — O duque levantou de um salto. — Marguerite me odiaria! Agradeço a ajuda, mas dispenso o conselho, Lowell. Agora, acho melhor nos juntarmos às damas antes que a guarda venha socorrer um de nós dois.

Sem mais palavras Logan liderou o caminho até a porta. Ao abri-la, Lowell o deteve, segurando-o pelo ombro.

— Aceite ao menos um conselho, conte a verdade. Se for impossível, antes de desconsiderar a ideia de prendê-la, lembre-se de que já estará sendo odiado.

As palavras de Lowell martelavam na cabeça de Logan enquanto iam se juntar a Marguerite e Alethia. Ele as esqueceu depois, quando atendia sua vontade, beijando os pés descalços da esposa, provando o gosto do sexo, afogando-se nos beijos dela. Logan se esqueceu até mesmo do próprio nome, quando, novamente embriagada pela luxúria, com os olhos ainda brilhando de prazer, Marguerite retribuiu seu beijo de pecado, dando a ele a mesma satisfação.

Todavia, com o fim dos jogos sexuais as lembranças voltaram com força, roubando o sono do duque, levando-o insanamente a analisar o conselho estapafúrdio do irmão. A manhã chegou sem que Logan encontrasse uma alternativa aceitável que o ajudasse a prevenir o possível desastre.

Durante o café da manhã, com Marguerite sorrindo, feliz, linda no vestido verde água, Logan não considerava a reclusão uma ideia esdrúxula. Minutos depois, quando ela soltou a mão dele ao descer da carruagem e correu para se encontrar com sua convidada, deixando no ar um rastro de alegria como o mais caro e raro perfume, ele aceitou com convicção. Não a prenderia numa torre, mas, a menos que escapasse sob suas barbas, ela nunca deixaria Bridgeford Castle.

— Venha! — Marguerite o chamou, movendo a mão livre. A outra estava firmemente presa pela menininha tão comentada.

Resignado, Logan caminhou até a banca de flores, ignorando o nervosismo da florista. Como dito, era uma mulher humilde, provavelmente mais nova do que o rosto sofrido mostrava. Com a aproximação do duque a mulher o reverenciou e, de olhos baixos, disse:

— Lamento pelo incômodo, milorde, mas vossa esposa se deixou seduzir por uma ordinária tulipa e se compadeceu, quando minha filha disse que não conhecia muito de sua própria cidade.

Ao analisar a criança que o admirava Logan elucidou a razão da *sedução*. A touca branca, puída como o vestido de algodão, escuro demais, escondia cabelos negros como os olhos. Logan não tinha dúvida de que Lisa era uma réplica da querida amigada infância de Marguerite.

— Fazer o que traz alegria à duquesa não é incômodo — assegurou, movendo a mão para que a mulher se endireitasse. — Prometo que sua filha será bem cuidada.

— Nunca poderei retribuir vossa generosidade.
— Não será preciso — Logan a desobrigou e olhou para a menina. — Então, é a senhorita Lisa...
— Lisa Jansen! E o senhor é o duque da duquesa.
— A cada dia sou um pouco mais — Logan gracejou com a verdade. Para Marguerite, corada até as orelhas, indagou: — Podemos ir?
— Sim! — Sorrindo para a menina, Marguerite a puxou pela mão. — Vamos!

Restou a Logan segui-las até a carruagem. Com todos acomodados, Murray partiu. Como prometido, iniciaram o passeio pelos jardins de Kensington. Para Logan que os conhecia por uma vida, nada era extraordinário. Para a jovem e a menina, no entanto, era como se estivessem em um recém-descoberto pedaço de paraíso.

Com as mãos nos bolsos do casaco, Logan pacientemente seguia as duas. Marguerite dividia a surpresa e admiração de Lisa como se visse pela primeira vez o palácio, as árvores frondosas, as fontes, as muitas flores, os pássaros. Isso quando não tinha olhos apenas para a menina cuja touca ela tirou, deixando os cabelos negros livres ao vento. Logan não lamentava a pouca atenção, o contentamento de Marguerite era o contentamento dele, mas agradecia sempre que era lembrado e recebia um aceno, um sorriso.

Era fato, ridiculamente amava! Ficou claro, quando Marguerite correu para ele, sorrindo, e parou com as mãos em seu peito.

— Vamos ao Hyde Park?
— Como desejar — ele anuiu com o coração inflado.

Marguerite flutuou de volta para Lisa e a levou pela mão à ponte que ligava os jardins ao parque. Pararam junto à mureta para observar patos e cisnes. Logan as observava como se não houvesse outras pessoas à sua volta. Era verdade que cumprimentou uma ou duas delas, mas não lhes deu maior atenção.

Ao cabo de duas horas os três se acomodaram na borda de uma grande toalha estendida na grama, em volta da cesta entregue por Murray, para lancharem. Havia refresco, biscoitos e sanduíches.

— Está sendo um dia aborrecido? — Marguerite sussurrou para Logan.
— Está sendo um dia diferente.
— Diferente ruim ou diferente bom — ela insistiu. Não seria ela se não o fizesse.
— Diferente *diferente* — ele a provocou. Logan riu com gosto ao ver uma careta enfezada. — Está bem! Diferente muito bom. Creio que não será estranho passear com nossos filhos.

Marguerite engasgou, levando Lisa a olhá-la, preocupada.

— Estou bem, querida! — tranquilizou-a antes de se voltar para Logan e sussurrar: — Não é a primeira vez que menciona nossos filhos. Realmente pensa neles?

— Evidente que sim — ele garantiu no mesmo tom. — É o que maridos e esposas saudáveis fazem. Filhos. Se eles estão se apaixonando, deve ser ainda melhor providenciá-los.

Marguerite corou e olhou para Lisa. Não pensou em filhos, mas agora adoraria ter três ou quatro crianças como a menina. Não exatamente. Seus filhos tinham a chance de vir com os cabelos escuros do pai, mas os fios nunca seriam negros como os de Lisa, ou os de Cora.

Quando viu a menina na manhã do dia anterior, sobressaltou-se. Lisa não se parecia com Cora fisicamente, mas o cabelo e os olhos foram o bastante para despertar sua nostalgia. Ao receber a tulipa cultivada em uma pequena estufa — palavras da florista —, Marguerite já se encantara pela menina.

Talvez devesse ter seus próprios filhos o quanto antes, para amar, cuidar e divertir com brincadeiras. O que a separava deles era o acordo, o limite imposto para que se entregasse ao marido. Sorrindo para Logan, Marguerite rogou para que ele se desligasse de Ketlyn o quanto antes.

Queria um casamento de verdade, com todas as implicações.

Capítulo 29

O sol outonal estava baixo quando Lisa foi entregue aos cuidados da mãe. A florista acomodava as flores restantes em caixotes. Estes eram levados para uma charrete por um rapazote, o irmão limpador de chaminés. A tarefa parecia árdua. A mulher apresentava o cansaço na expressão, porém esta se iluminou ao ver a filha que correu para encontrá-la já a narrar como fora seu dia. O irmão parou o que fazia e reverenciou o nobre casal.

Sem se importar com a brancura da luva, Marguerite estendeu a mão para o rapaz que, desconcertado, simulou beijar e rapidamente soltou, olhando com temor para o duque. Afastado alguns passos Logan assistia à cena, reparando no afeto que ligava todos, inclusive a duquesa. Ketlyn, no lugar dela, sequer olharia para a florista. Segurar mãos sujas e dar um dia especial a uma pobre criança seriam atos inimagináveis para sua madrasta.

E Logan não a julgaria, pois não seria diferente. Ele não recordava a vez em que comprou flores naquela ou em qualquer outra banca. A tarefa cabia a Ebert ou a Murray que lhe trazia o que a eles parecesse mais bonito. Seu cocheiro até mesmo se orgulhava por pedir o melhor preço. E para quê? Para economizar tostões que não fariam a mínima falta ao patrão, mas que para a outra parte envolvida seria a diferença que colocaria mais pão à mesa?

A nova consciência tinha um nome: Marguerite. A bela jovem que sorria e conversava com plebeus como se pertencessem à mesma classe social. Inspirado pela abnegação da esposa, Logan se aproximou.

— Digam-me — ele interrompeu a animada conversa. Marguerite e Lisa o olharam com curiosidade, a florista e seu filho com receio. — Sobraram muitas flores, não?

— Nem sempre faço boas vendas, milorde — explicou a mulher.

— Que destino dá a estas?

— As viçosas são colocadas à venda, as que murcham são descartadas.

— Quanto, por todas as flores? — indagou, indicando até mesmo as que estavam na carroça.

Marguerite o encarou como se o visse pela primeira vez, a florista engasgou.

— M... Milorde?! Seria... Demais...

— Diga quanto — ele insistiu pacientemente. O conceito de demais para ambos era abismal.

A mulher trocou olhares com o filho, pensou por um instante e, gaguejante, atendeu-o. Como esperado o valor dito, para Logan, era irrisório.

— Muito bem! Quero todas — informou. — Entregue nesta mesma rua, no número 8. Meu mordomo fará o pagamento.

— Logan... — sussurrou Marguerite, admirada.

— Oh, milorde! — A florista se aproximou e tomou as mãos de Logan. — É tão generoso! Que Deus o abençoe! Que abençoe aos dois! Oh, milady!

— Não me agradeça — disse Logan. — Apenas não demore.

— Como quiser, milorde!

Aproximando-se de Marguerite, que ainda olhava para ele como se fosse uma aberração, Logan tocou-lhe o ombro.

— Vamos?

Marguerite assentiu e, embasbacada, despediu-se de todos. Recebeu um abraço de Lisa e se deixou levar para a carruagem.

— Obrigada, milorde! — A florista falou enquanto se afastavam. — Que Deus lhes dê uma vida plena e feliz! Com amor e filhos sadios.

— Assim será — Logan murmurou quando chegavam à carruagem cuja portinhola Murray mantinha aberta. — Para casa — disse ao cocheiro, e sorriu ao ouvir o suspiro de profundo alívio. — Pobre Murray! Creio que ele tenha exercido hoje a função de um mês.

Marguerite não o acompanhou no riso manso. Na verdade, não o ouviu.

— Logan... — chamou-o num sussurro quase inaudível. — O que fez foi...

— Uma compra — completou por ela. — Nada extraordinário.

— Comprou todas as flores. Todas!

— Eu estava lá, Marguerite — Logan preferiu gracejar. Não tentou impressioná-la, adulá-la, nada daquelas coisas, então, dispensava a admiração.

— Foi generoso. Foi...

— Marguerite, não me enalteça. Não sou afeito a caridade, muito menos distribuo esmolas. Acredito que pessoas honestas preferiram receber por seu trabalho e foi o que fiz... Altman Chalet precisa de um pouco de cor.

— Um pouco de... — Ela se calou. Estava encantada. — Logan...

Inesperadamente Marguerite se atirou sobre o marido, passou os braços ao redor do pescoço dele e o beijou. As bocas se separaram quando a carruagem parou.

— Chegamos!

— Infelizmente — lamuriou-se Marguerite, arfante como o duque.

Apenas uma palavra foi dita, mas para Logan foi como ouvir quatro estrofes de um soneto. Foi eloquente. Determinante.

— Venha! — chamou-a, preparando-se para saltar. — Em breve será hora do jantar.

— Sim, vamos! — Marguerite estava exausta. — Lowell e Alethia reparariam se eu pedisse que servissem meu jantar no quarto? Bem... Se você não se opuser.

— Não me oponho. — Logan apreciou a ideia. — E não repararão. Sabem que está cansada.

Marguerite sorriu e o acompanhou até a grande porta branca. Finnegan a abriu, recolheu a cartola e a bengala do duque, o chapéu da duquesa.

— Por favor, Finnegan, peça a Nádia que prepare um banho para mim — pediu Marguerite ao passar.

— Peço o mesmo a Ebert, milorde?

— Ainda não. Atenda a duquesa... Tem outra coisa que quero que faça.

Logan informou sobre a encomenda e seguiu para a sala Harriette. Entrou em tempo de ver Marguerite dar início ao resumo de seu dia para Alethia. Lowell o cumprimentou com um aceno de cabeça. Parecia entediado, mas fechou o livro que folheava para escutar a cunhada.

E, mais uma vez, Logan se perdeu ao ver a esposa falante, feliz.

Da exaustão anunciada não havia traço. Ele vivenciou a história, mas não se furtou de ouvir. Além de Kensington e Hyde Park, passaram ao lado do Parlamento para que ela visse de perto a torre do relógio, foram aos Palácios de Buckingham e St. James, e ainda a Southwark. Era sobre a catedral gótica, com mais de seiscentos anos, que Marguerite agora falava animadamente.

— Nunca vi nada igual. É perfeita! Também me encantou o passeio pelo Tamisa, apesar do cheiro. E não irão acreditar... Ao final desse dia esplêndido, Logan conseguiu torná-lo ainda melhor.

— Se alguém consegue ir além do absoluto este é Logan. — Lowell encarou o irmão e ergueu uma sobrancelha, zombeteiro. — O que ele fez?

— Ele comprou todas as flores daquela pobre mulher.

A admiração e o orgulho de Marguerite saltavam aos seus olhos. Daquela vez Logan não se sentiu incomodado. Começava a gostar do homem que ela via nele. Lowell ficou sem palavras, olhando-o de alto a baixo como se também visse alguém diferente.

— Que maravilha! Amo flores! — exultou Alethia. — Precisa me visitar qualquer dia desses para conhecer meu orquidário.

— Irei com prazer — Marguerite anuiu. Continuaria a narrativa, quando Finnegan chegou.

— Com licença — pediu a todos antes de discretamente passar uma informação ao duque.

— Marguerite, o que pediu foi arranjado — Logan repassou a mensagem. — Pode continuar amanhã?

— Amanhã?! — estranhou Alethia.

— Sim — Logan confirmou, resoluto. — Perdoem nossa falta no jantar desta noite.

— Oh, claro! Claro! — Alethia agitou as mãos. — Fiquem à vontade. Descansem!

— Cuidarei para que o jantar de Alethia seja animado — prometeu Lowell.

— Obrigada! — agradeceu Marguerite. — Farei como Logan diz... Realmente estou cansada. Até amanhã!

Feitas as despedidas, Logan indicou a escada para Marguerite. No quarto, encontraram Ebert a separar roupas limpas para o patrão e Nádia a finalizar o preparo do banho. Marguerite deixou Logan aos cuidados de Ebert e seguiu para o reservado.

— Nádia... — Ela sorriu para a criada. — Nunca em minha vida ansiei tanto um banho.

— Foi um dia agitado — comentou Nádia. — E como foi seu passeio, milady?

— Interessante.

Aquela era a palavra ideal, pelo passeio em si e por este revelar uma faceta de Logan que ela desconhecia. Aquele detalhe Marguerite não comentaria. Enquanto Nádia a ajudava a se despir, ela contava sobre o que tivesse chamado sua atenção. Era o que fazia ao sair do círculo formado pelas anáguas, de mãos dadas à criada.

— Os guardas da rainha são sérios. Não que devam se desmanchar em sorrisos, mas parecem sisudos ao extremo. A postura rígida, as armas em punho e as belas casacas vermelhas ajudam a impor respeito. E há ainda o *bearskin*. Certa vez Edrick me disse que este capacete é coberto por pele de urso negro do Canadá. Achei que ele estivesse inventando isso.

— Pobres ursos! — Nádia meneou a cabeça, descalçando as botinhas da patroa.

— Também lamentei pelos ursos, mas confesso que quis tocar no pelo reluzente.

— Por que não tocou? Creio que permitiriam, afinal, é duquesa.

— Oh, não! Não é permitido. A guarda é formada por soldados treinados — ela explicou, deixando que Nádia retirasse suas meias. Torcendo os lábios num muxoxo revelou: — E Logan me segurou antes que eu tentasse.

— Sinto muito, milady! — Nádia se pôs de pé, olhando para Marguerite entre condoída e divertida. — Tenho certeza de que foi...

— Srta. Riche!

As duas jovens saltaram no lugar ao ver Logan à porta. Reflexivamente Marguerite cobriu o colo, ocultando-se como se já não tivesse sido vista como nasceu. Nádia baixou o olhar para não ver o duque em mangas de camisa, descalço.

— Em que posso ajudá-lo, milorde?
— Pode nos deixar a sós.

Nádia olhou para Marguerite, mas não esperou por liberação. Ocultando um sorriso, a criada inclinou a cabeça reverentemente para o casal e saiu. Marguerite esperou uma explicação, mas, mesmo após a porta ser fechada nada foi dito. Logan apenas a olhava de modo desconcertante.

— O que houve? — indagou Marguerite, incapaz de esperar mais. — Ebert também saiu?

Logan piscou, como se despertasse, causando maior estranheza. Marguerite abandonou o infundado recato e se aproximou.

— Logan, está me preocupando. Sente alguma coisa?

Ele sentia muitas coisas, a maioria delas, por ela. E estava cansado. Muito, muito cansado.

— Invejei-a — respondeu, sorrindo para tranquilizá-la. — Vim desfrutar do banho.

— Quis dizer que o desfrutará depois de mim — ela o corrigiu.

— Com você — Logan eliminou a dúvida e passou a desabotoar a camisa, encarando-a. Deliciando-se com o forte rubor.

— Comigo?! Logan, isto é... Isto é tão... tão... tão inapropriado!

— Não do modo que vejo.

— E está vendo com clareza?! O que nossos criados irão pensar?

— Que estaremos fazendo exatamente o que faremos... Tomando banho.

— Juntos?! — Era inimaginável para ela e repetir não estava ajudando na compreensão.

— Desse detalhe eles não terão como saber.

O tom empregado desmentia a inocente ação. A duquesa sentiu o rosto queimar um pouco mais, num misto de vergonha e excitação.

— Não sei como responder a isso... — murmurou mirando o dorso nu, fingindo não ver que agora o marido desabotoava a calça. — Não sei o que fazer.

— Comece por se livrar do chemise e da pantalona — sugeriu o duque, inspirado por uma deliciosa lembrança. — Sei que abandonou o hábito dos banhos em roupas de baixo.

Logan queria que ela se despisse? Ali, diante dele, de pé, sem vestes que atenuassem a exposição dos seios ou expusessem sua pele somente aqui e acolá? Mais uma vez, Marguerite cruzou as mãos sobre o colo. Acovardada, disse em meio a um cênico bocejo:

— Pensando bem... Será melhor me assear com um pano úmido. Espero-o na cama. Tantos banhos hão de fazer mal à saúde e...

— Não farão — Logan garantiu ao capturá-la. — A crença de que banhos são prejudiciais ou que a imersão em água quente dissemina doenças perde força entre os estudiosos. O que eu agradeço, pois aprecio estar em uma banheira ou em uma tina como esta.

— Logan... — Ela tentava manter distância, apoiando-se no peito nu. — Eu não poderia...

— Já fizemos pior — lembrou-a, acariciando seu pescoço. — Conhecemo-nos biblicamente, obscenamente, então por que não fazermos isso antes que a água esfrie e, aí sim, consigamos um resfriado?

Argumentos válidos que não a convenceram. Marguerite foi vencida pelo carinho leve, pelo olhar aliciante. E ela não queria se resfriar.

— Não conseguirei fazer sozinha — murmurou.

Logan compreendeu o recado e a auxiliou. Encarando-a, ele a ajudou a retirar o chemise, a pantalona e a levou até a tina. Ao se despir, juntou-se a esposa que, corada, mirava os próprios joelhos.

— E agora? — Marguerite estava perdida, com o coração batendo fortemente.

— Pode esfregar minhas costas.

Dito isto, Logan girou no espaço reduzido derramando água no assoalho. Marguerite escrutinou os ombros largos, o cabelo que desde o dia anterior o duque não emplastava de pomada e demandou a si mesma que deixasse de tantos pudores. Realmente fizeram pior.

— Gostou do passeio como faz parecer? — Logan indagou quando ela passou a esfregar a esponja em suas costas.

— Sim, muito! — Marguerite sorriu, agradecendo o tema neutro. — Espero conhecer o interior dos palácios que vi. Especialmente Buckingham.

— Conhecerá — assegurou o duque de olhos fechados. — Vamos torcer para que a rainha vença a tristeza e volte a promover belos bailes de máscaras. Em todo caso, em outra ocasião pedirei uma audiência para apresentá-la.

Marguerite alargou o sorriso. Conheceria a rainha Vitória, admiradora da sidra produzida por seu pai, como duquesa de Bridgeford. O suspiro de contentamento escapou sem que notasse.

— Não se preocupe — disse Logan. — Irá gostar de Sua Majestade.

— Preocupo-me mais com o fato de ela gostar de mim, não... Logan?! — Marguerite se surpreendeu com a virada brusca do marido que lançou outro tanto de água para o assoalho.

— Não há no mundo alguém que não se encante por você — ele comentou sem se importar com o tom repreensor, encarando-a. — Não será diferente com a rainha.

— Não tem como saber. E não retirei a espuma de suas costas. Vire-se!

— Limpe meu peito — Logan pediu, recostando-se e pousando os braços nas bordas da tina.

Marguerite voltou a corar. Era mais fácil sem ser vista. Com um longo espirar, ela voltou a ensaboar a esponja e a esfregou o amplo peito, produzindo espuma por toda extensão de pele rija e pelos mínimos.

— E você? — devolveu a pergunta para quebrar o silêncio. — Gostou do passeio?

— Muito, mas não disperse... Minha barriga merece ser ensaboada, não lhe parece?

Marguerite conteve a respiração. Era evidente que Logan não manteria a decência e como não tinha volta, ela deslizou a esponja para baixo. Ao resvalar o punho na ponta de uma ereção, ela descobriu que nunca houve decoro algum.

Logan ergueu uma sobrancelha, desafiador. Agora o coração de Marguerite parecia pulsar em sua garganta, mas ela não recuaria. Mesmo mortificada, com o rosto em chamas, sem deixar de encará-lo, acariciou o membro hirto com a esponja.

— Oh! — Logan deitou a cabeça para trás. — Prevejo que este será meu melhor banho.

Para Marguerite, o despertar do desejo diminuía o embaraço. Seus mamilos despontavam e seu centro pulsava apenas por saber que agradava o marido. Conhecia-o bem para saber como satisfazê-lo, então, abandonou a esponja e envolveu o falo em sua palma. Logan a deteve.

— Ainda não — disse roucamente, encarando-a. — Agora é a minha vez. Vire-se!

Marguerite engoliu a seco e obedeceu. Suas costas foram esfregadas gentilmente enquanto ouvia-se apenas a pesada respiração de ambos. Para que desse o mesmo tratamento ao seu peito, Logan fez com que ela se recostasse nele. Marguerite sentia o coração masculino vibrando em suas costas, o membro pulsando em suas nádegas. Para agravar sua excitação, Logan acariciava um seio enquanto ensaboava o outro, circundando os mamilos, enrijecendo-os mais.

— Melhor banho... Sem dúvida... — ela suspirou.

— Será — Logan garantiu, descendo a esponja pelo ventre arredondado. Ela mordeu o lábio inferior e afastou as coxas como pôde no espaço limitado. — Isso, Marguerite!

A sensação produzida com o esfregar da esponja num ponto específico entre as pernas dela impediu que ouvisse o encorajamento. Acomodando-se melhor no peito do marido, Marguerite segurou as bordas da tina e moveu o quadril de encontro à esponja.

— Gosta disso, não gosta?

— Hum-hum...

Não tinha palavras quando toda atenção era dada ao doloroso desejo que crescia em seu âmago. Logan corria a esponja lá embaixo, levemente antes de maldosamente fazer pequenos círculos onde dava a ela maior prazer, mas de súbito parou.

— Não!

Logan riu mansamente com o aflito protesto.

— Em tempo terá o que quer — ele prometeu, fazendo com que se virasse. Sorriu ao ver o olhar acusador e disse de modo inocente: — Percebi que ainda não a beijei.

Se aquele era o preço para que tivesse tudo, pagaria de bom grado. Marguerite encaixou os joelhos ao lado do quadril do marido, ergueu-se para que pudesse abraçá-lo e, sem preâmbulos, beijou-o. Logan a abraçou pela cintura e acariciou as costas molhadas, a cintura, a larga anca. Sem desfazer o beijo ele apertou a bunda arredondada sem cuidado.

Encorajado pela falta de protesto, Logan passeou uma das mãos pela fenda entre as nádegas até encontrar o ninho de pelos e, com carinho, tocou as dobras que ocultavam. Quando Marguerite gemeu e arrebitou o quadril, Logan ousou escorregar dois dedos para dentro.

— Logan... — Ela enfim tentou se afastar, porém ele a manteve no lugar.

— Espere... — pediu roucamente. — Sinta isso!

Ela sentia. Era bom, muito bom ter dedos longos e carinhosos em seu interior, mas naquela posição era também estranho. Apegando-se apenas à melhor parte, Marguerite voltou a beijá-lo, deixando que a bolinasse como quisesse. Novamente o desejo crescia forte com os dedos a se moverem para dentro e para fora de seu sexo.

Marguerite antecipava o êxtase, quando Logan novamente parou.

— Por favor! — ela implorou num gemido. — Por favor, não pare! Eu preciso...

— Eu também preciso, Marguerite! — Logan foi enérgico apesar da rouquidão. — Você confia em mim?

Mesmo com a mente enevoada pelo desejo, Marguerite entendeu que havia mais naquela questão. Sua resposta seria ambígua, com ressalvas, mas não pôde dizê-la.

— Confie... — ele pediu e a abraçou pela cintura. Com a mão livre encaixada entre seus corpos, fez a ponta de sua ereção correr a mínima extensão das dobras femininas.

— Logan... — Incapaz de dizer qualquer coisa, Marguerite se apoiou nos ombros largos e tentou se afastar.

— Não lute contra mim, por favor! — Logan a segurou com maior firmeza. Sentia que morreria se a deixasse escapar. — Preciso ter você, Marguerite! Preciso desesperadamente.

— Está requisitando seu direito? — Marguerite indagou num fio de voz, reconhecendo que não queria lutar.

— Não... Estou pedindo que me aceite, que confie em mim para fazer o que é certo... Que reconheça a inutilidade de nossos acordos quando nós dois não suportamos tantos limites.

Naquele momento, estimulada como estava, amando-o como reconhecia amar, não havia como negar. Trêmula de desejo, medo e ansiedade, Marguerite indagou:

— Não devíamos ir para a cama?

— Não... — Logan negou num gemido de genuíno alívio. — Penso que aqui seja mais confortável para você... Descobriremos juntos.

Marguerite novamente assentiu e fechou os olhos quando Logan pressionou sua entrada.

— Olhe para mim, Marguerite! — Sentia-se ganancioso. Queria as emoções dela sem cortes. Ao ter os temerosos olhos azuis nos seus, Logan sorriu, encorajando-a. — Faça você... Desça lentamente ou bruscamente... Estarei pronto.

A última sugestão era perigosa, mas naquele instante decisivo nada referente a ele importava. Por sua vez, Marguerite agradeceu a concessão. Enchendo-se de coragem, desceu o quadril lentamente, porém a dor começou a assustá-la e a parou. Expectante, Logan a segurou pelo rosto e distribuiu beijos leves nos lábios trêmulos.

— Confio em você — disse para ela entre um beijo e outro.

— Eu não consigo — Marguerite admitiu, deixando que lágrimas de dor e frustração rolassem por seu rosto. — Essa dor...

— Nada irá mudar se recuar agora.

— Mas eu não... — Logan calou Marguerite com um beijo.

Sem deixar que ela se afastasse, acariciando suas costas e o quadril, capturou sua língua e a rolou numa dança quase obscena. Ao senti-la relaxada, entregue, segurou as ancas arredondadas e subiu o quadril, encaixando-os numa lenta, porém única investida.

Logan calou também o grito de dor. Não deixou de beijá-la, nem mesmo quando recebeu fracos socos nos ombros. As lágrimas dela temperavam o leve remorso, davam a medida da sua própria dor, mas não foram capazes de despertar o arrependimento. Ele estava onde quis estar desde que uma jovem arredia permitiu que visse peitos de auréolas quase incolores. Sempre que a beijou, naturalmente ou pecaminosamente, ele quis que seu sexo fosse embainhado pelo dela.

E lá estava, aninhado no úmido núcleo, latejante, vivo.

— Perdoe-me! Não queria machucá-la, mas não tinha como paramos... — Comovido com os soluços sentidos, admitiu: — Precisava ser assim porque eu te amo, Marguerite!

Mesmo que a dor lancinante começasse a ceder e o corpo se acostumasse com o duro falo que parecia crescer mais a cada pulsar, Marguerite ainda odiava o marido pelo modo como praticamente a empalou. Entretanto, a declaração sussurrada varreu o ressentimento.

— O que... O que disse? — A voz dela saiu vacilante, embargada.

— Eu amo você — ele repetiu, movendo o quadril levemente, e a afastou para escrutinar os olhos molhados. — Nunca mais doerá. Dou-lhe minha palavra... Apenas...

Reticente, sem esperar por respostas, Logan a abraçou pela cintura e, gentilmente, retirou-se dela e retornou. Sustentando seu olhar, repetiu a ação. Sorriu ao ganhar um leve gemido. Abrira mão do sangue em seu lençol em grande parte pelo conforto dela, então, tudo que queria era que aquele momento fosse prazeroso para ambos.

— Melhor agora?

— Melhor...

Era vergonhoso admitir depois de tê-lo agredido, de ter cogitado mordê-lo para ser solta, mas não tinha como negar. O desejo eliminado pela dor gradativamente era restabelecido também pelo roçar de seus mamilos nos pelos crespos do peito largo. Havia ainda as mãos que naquele instante seguravam suas nádegas e moviam seu quadril para cima e para baixo.

A tina era apertada, os joelhos dela doíam e a água era regularmente derramada, mas nem assim Marguerite negaria o quanto estava melhor. Logan não mentiu ao falar sobre tudo que ainda experimentaria. E, mesmo que tenha acreditado ser impossível, o desejo que conhecia se tornou mais forte, desesperador e ela fechou os olhos.

— Olhe para mim! — Logan ordenou guturalmente.

Marguerite obedeceu e, ao encontrar olhos famintos, estremeceu com o poderoso êxtase.

— Oh, Senhor! Oh, Senhor! — ela exclamava entre gemidos e arquejos.

O gozo vinha em ondas e surpreendentemente crescia. Não havia trégua, pois Logan ainda a estocou até que gemesse alto e, tão afetado quanto ela, estreitasse-a num abraço, atando-os de modo definitivo.

Não teria volta, pensou o duque, prendendo a esposa junto a si, cheirando o cabelo molhado. Enfim teve de Marguerite o que almejou. A emoção da dor, a entrega sem polidez, o gozo real, o abraço apertado. Estavam juntos. E a encenação, encerrada.

Capítulo 30

Os colegas de faculdade, ou de esbórnia, caso o vissem o classificariam como grandíssimo palerma. Talvez no fundo o fosse, no entanto, Logan não mudaria de posição nem desviaria o olhar do rosto corado da jovem e linda duquesa. Estava com Marguerite na cama, usava ceroula, ela o robe com que a envolveu ao tirá-la da tina. Olhavam-se há bons minutos, tinham os dedos entrelaçados. O silêncio era suficiente quando suas feições dispensavam palavras.

Logan não se lembrava da vez em que sexo o tivesse ligado a uma mulher além da junção física. Com Marguerite, compartilhando a dor, analisando cada reação, ele teve tudo, entregou tudo. Foi intenso e revelador. Amava-a de um modo desconhecido que o levava a questionar o que esteve sentindo por Ketlyn todos aqueles anos.

Nunca antes Marguerite desejou saber o que pensava uma pessoa. Desde que se deitaram o marido a olhava de modo estranho. Ela era capaz de notar carinho, satisfação, envaidecedora admiração, mas havia algo mais. Algo nada positivo, perturbador. Pensava em dar voz às questões, mas não queria que fosse ela a quebrar o novo elo que os unia.

— Está com fome — Logan afirmou, desistindo das considerações. A esposa era prioridade no momento. — Tem de estar.

— Não estava, mas agora que mencionou... — ela gracejou. — Eu comeria alguma coisa.

— Pedirei que Ebert providencie nosso jantar.

Marguerite cogitou detê-lo, mas seu estômago protestou. Apoiada nos cotovelos ela o olhou de alto a baixo e sorriu para o marido que puxava o cordão da sineta. Logan retribuiu o sorriso e, incontinenti, rolou para cima dela, obrigando-a a deitar, rindo.

— O que está fazendo?!

— Eu que pergunto... O que pensa que está fazendo, olhando-me desse modo descarado?

— Não foi minha intenção.

— Digo que foi — ele a desdisse, acariciando um ombro, afastando o robe para revelar a pele e beijar a clavícula exposta, o colo. — Percebe que agora nada mais me deterá?

— Percebo... — Marguerite sussurrou ao ter o cume de um seio beijado e chupado de modo breve. — E agora que sou uma mulher, sua mulher, percebo também como fui tola ao sugerir acordos. Perdemos tantos dias!

Logan preferia sugar o perfumado peito, mas era inútil adiar o tema inevitável.

— Teve boas razões — redarguiu, acariciando o mamilo nu. — E deve ter uma razão para que tenhamos quebrado nossa palavra aqui, sem que houvesse dúvidas do que sentimos.

— Fui induzida a quebrar minha palavra — ela murmurou, apreciando o tantálico carinho.

— Condene-me! — Logan rebateu no mesmo tom. — Mas faria tudo exatamente igual.

— Está fazendo agora com apenas um dedo... E é maldade, pois logo Ebert...

— Milorde! — Ebert chamou, batendo à porta, levando o casal ao riso.

— O que eu dizia? — A duquesa ria, divertida.

— Ebert, providencie jantar leve para dois e traga até aqui — ordenou o duque, sem deixar de acariciá-la, encarando-a.

— Imediatamente, milorde!

— Ebert? — Logan o chamou antes que o valete partisse, afastando mais o robe, deixando expostos os dois seios de uma duquesa deliciosamente ruborizada.

— Sim, milorde! — Ebert atendeu ao patrão quando esteve depositava um beijo em cada mamilo. A inadequação do que fazia era altamente excitante. Marguerite teve de reconhecer. — Saberia dizer em quanto tempo serei atendido?

— Arrisco dizer que entre quinze e vinte minutos, milorde — foi a resposta, após breve silêncio. — Posso estender para meia hora, caso prefira.

Marguerite desejou que a cama a engolisse. Ebert sabia o que faziam.

— Vinte minutos é um bom tempo. Agora vá! — Para Marguerite, ele repetiu como se ela não tivesse ouvido: — Vinte minutos é um bom tempo.

A vergonha deixou de ser importante quando Logan chupou um seio. A resposta do corpo agora experiente foi imediata. Marguerite temia sentir a mesma dor, porém não o deteria. Para a ruína do juízo feminino, Logan não fez mais do que brincar com os seios ou beijar a esposa até deixasse a cama e vestisse o próprio robe antes que Ebert voltasse a bater à porta.

Sentindo a face em brasa e o corpo desperto, Marguerite sentou, recostada nos travesseiros e esperou que Ebert entrasse na companhia de um lacaio que o ajudava, trazendo a segunda bandeja com o que fora pedido. Verdade fosse dita, nenhum dos criados ousou olhar para ela, ainda assim a duquesa padeceu de paralisante embaraço até que saíssem.

— Respire agora — Logan troçou ao sentar ao lado dela. — E olhe em volta.

Marguerite torceu o nariz para o marido, reprovando sua insensibilidade, mas fez como pedido. Ela se deparou com um arranjo de rosas vermelhas sobre a cômoda.

— As flores chegaram! — Ela aplaudiu ainda impressionada. — O que fez por aquela mulher...

— Por favor, não vamos voltar a isso! Percebi que também não sou muito bom com elogios.

— E temos fome — Marguerite desviou o tema. Compreendia-o.

— E temos fome — Logan fez coro, erguendo a taça de vinho tinto que casaria à perfeição com o *consommé* de legumes e o bolo de carne. — A nós! A um futuro próspero e filhos sadios!

— A nós! — Marguerite aceitou o brinde e, feliz, acrescentou: — A um futuro de respeito e amor, de confiança!

— Eu brindo a isso — disse o duque, fazendo as taças se tocarem.

Marguerite exibiu um amplo sorriso, bebeu e dedicou sua atenção à comida. Imitando-a, Logan considerou o vinho amargo, não sentiu o sabor da carne nem do caldo de legumes. Vez ou outra olhava para a esposa que sorria discretamente enquanto mastigava ou bebia. Parecia oportuno revelar a verdade. Como sempre, a reação da jovem podia surpreendê-lo.

Talvez, sim. Na dúvida, prevaleceu o *não*. A espada pendia acima de suas cabeças e, quando caísse, não feriria a ele somente. A sinceridade eliminaria tudo de bom que amava em Marguerite. Decididamente, não! Logan pensou.

Retribuindo o sorriso dela, ele foi pegar uma das rosas que estendeu à esposa. Ela deixou os talheres, limpou a boca e recebeu o presente. Seus olhos brilharam como descritos por Lowell.

— Como é gentil, senhor! — gracejou, cheirando a rosa. — É perfeita! Como esta noite. Depois vou guardá-la em um de meus livros, mas por ora...

Sem encerrar a frase, Marguerite foi colocar a rosa junto à tulipa branca. Antes que se sentasse o duque estendeu a mão que ela segurou sem hesitar.

— Logan?! — ela ofegou ao ser puxada para o colo dele e abraçada pela cintura, fazendo as taças oscilarem perigosamente nas bandejas sobre o colchão.

— Está longe demais — Logan resmungou, cheirando seu pescoço.

— Dividimos a mesma cama — ela observou, divertida. — Não é longe demais.

— Sim, é.

Marguerite estremeceu, como se na verdade houvesse um abismo. De repente ela entendeu que não era uma grande e insondável cavidade natural que havia entre eles, era alguém.

— Logan... O que acontece agora? Quanto a Ketlyn? Não quero pressioná-lo, mas eu ainda não gostaria que...

— Shhh... — Logan juntou um bocado de bolo de carne com os dedos e levou à boca da esposa. — Agora comemos. Sobre o futuro nós discutiremos depois.

— Mas... — ela tentou argumentar ao engolir a comida.

— Sem, mas... — interrompeu-a fazendo com que tomasse um gole de vinho. — Se precisa saber, Ketlyn é assunto meu. Vou tirá-la de nossa vida.

Marguerite gostou do que ouviu. Um tanto convencida, capturou a taça e tomou outro gole de vinho. O doce sabor brincava em sua língua como as promissoras palavras em seus ouvidos. Sentia-se leve, amada. Sentia-se bonita como nunca antes. Sentia-se desejável e atrevida.

— Estou satisfeita! — Ela deixou a taça na bandeja. Mesmo que as bochechas queimassem e o coração subitamente batesse duas vezes mais, Marguerite brincou com a gola do robe, como se fosse revelar um seio. — Se já terminou, o que acha de retomarmos de onde paramos?

— Se você estiver bem, eu considero perfeito.

— Podemos descobrir como estou...

※

Na manhã de quarta-feira Marguerite encontrou cômodos exageradamente floridos em Altman Chalet. A profusão de cores combinava com seu estado de espírito, comentado por Alethia e Lowell durante o café da manhã. Não seria indiscreta, mas antes que respondesse Logan atribuiu seu bom humor ao passeio da tarde anterior. Ele não mentiu e seria preferível dizer parte da verdade a quem os questionasse pelos sorrisos fáceis e a nova cumplicidade.

— Se os passeios fazem bem à duquesa, talvez devessem ficar aqui — sugeriu Lowell.

— Foi no que pensei esta noite — disse Logan despretensiosamente, sem deixar de correr os olhos pelo jornal que tinha aberto diante de si. — Podemos ficar até sábado.

— De verdade?! — Marguerite não ocultou a alegria.

— Gostou tanto de ir ao teatro que não vejo razão para perder Macbeth.

— Ah! — Marguerite levantou e correu para abraçá-lo pelos ombros e não reparou que sua ação levou o duque a amassar o jornal. — É meu melhor marido!

— Sei que sou. — Logan sorriu. Por muito pouco não a beijou. Ao ver o olhar de assombro de Finnegan e do lacaio que os servia, pigarreou e pediu: — Sente-se e termine o desjejum.

— Deseja que passe o jornal a ferro, milorde? — ofereceu Finnegan quando Marguerite se afastou.
— Não é preciso — Logan dispensou o cuidado com uma piscadela para Marguerite.
— Precisa observar seus modos, querida — cochichou Alethia, inclinando-se na direção de Marguerite. — Sua originalidade é peculiar, mas nem sempre adequada.
— Tem razão, eu...
— Não, Alethia não tem razão — Logan refutou, dobrou o jornal e o entregou ao mordomo antes de dizer à tia: — Não é usual vermos uma dama expor o que sente, mas não desejo que ela seja podada por protocolos.
— Ela é duquesa, Logan — rebateu a tia. — Sugiro apenas que Marguerite saiba quando e onde agir com naturalidade.
— Marguerite foi bem educada, não me envergonhará. No mais, deixe-a.
Logan não queria ser grosseiro, mas bastava saber que Marguerite corria o risco de perder a alegria graças a ele. Por essa razão decidira ficar um pouco mais.
— Quis apenas ajudar — disse Alethia —, mas se considera desnecessário, farei como quer.
— Agradeço.
— Não por isso, Logan. E aproveito para anunciar que nesta tarde, parto para meu solar.
— Não, fique um pouco mais — pediu Marguerite.
— É bem-vinda! — Lowell condenou o irmão com o olhar. — Fique quanto quiser, Alethia.
— Não precisamos repetir o que ela já sabe — salientou o duque. — Não é mesmo?
— Sim, claro! Partirei por ser necessário. Não confio no jardineiro para cuidar de minhas preciosas orquídeas. Sabia que reagiriam assim, por isso evitei o assunto. Anunciaria durante o jantar, mas não estavam presentes. — Alethia encerrou a explicação, indicando o casal.
— Bem, sabemos agora. — Ao contrário de Marguerite, que baixou o olhar, Logan não se deixou intimidar pelo tom sugestivo. — A que horas pretende partir?
— Em duas horas.
Marguerite gostaria que Alethia ficasse, pois não se ressentiu com o comentário. Era muito bem educada e não precisaria ser podada, mas não faria mal a ninguém se agisse como todas as moças que conhecia e externasse o que sentisse sem tanto entusiasmo.
Em duas horas Alethia estava pronta para partir. Ao se despedir da tia, Lowell pediu licença ao casal e subiu para seus aposentos. À porta da casa, Logan agradeceu por toda ajuda da senhora. Marguerite a abraçou e igualmente a agradeceu.

— Não se esqueça de me visitar um dia — recomendou Alethia enquanto o lacaio arrumava sua bagagem na carruagem do duque.
— Irei, com certeza. Quero conhecer as famosas orquídeas — garantiu Marguerite.
— Eu a levarei nas próximas semanas — disse o duque. — Para o chá.
— Estarei esperando. — Olhando-o duramente, Alethia recomendou: — Cuide bem dela.
— Todos os dias... Faça boa viagem, Alethia!
A senhora assentiu e embarcou na carruagem. Antes que Murray virasse à esquina, a chuva fina tornou o dia mais cinzento e frio.
— Nada de passeios por hoje — observou o duque, fazendo com que a esposa entrasse.
— Ficar com você estará bem para mim.
O sorriso sincero de Marguerite confirmava cada palavra. Logan via que sempre foi uma questão de tempo se render a ela e gostava muito que de certo modo não tivesse demorado a acontecer. Mesmo com os obstáculos que ainda enfrentaria.
— Era nisso que eu pensava, querida.
Beijando-a ternamente no rosto, ele a levou para dentro. Impedido de sair pela chuva que aos poucos se tornou torrencial, o casal passou boas horas na biblioteca, cada um absorto no livro escolhido. Por vezes um olhava para o outro sem que seus olhares se encontrassem.
Almoçaram e jantaram a sós, pois Lowell se recusou a sobrar à mesa. Logan não insistiu, afinal preferia o silêncio tranquilo à tagarelice entre o irmão e a esposa. Antes que subisse, sozinho, o duque degustou um charuto e provou uma dose de xerez. No andar superior a duquesa se preparou para dormir com a ajuda de Nádia. Novamente juntos, amaram-se sem restrições.
Os três dias seguintes correram no mesmo ritmo aprazível, divergindo apenas por dois curtos passeios pelas calçadas de Westminster à tarde e a ida à ópera no sábado à noite, quando a chuva, enfim, cessou. Não houve encontros desagradáveis nem retornaram tarde daquela vez. Lowell lia na sala Harriette ao entrarem.
— Como foi Macbeth? — ele se dirigiu à cunhada.
— Esplêndido! — Ela exibia um amplo sorriso. — Uma pena que não tenha ido conosco.
— Pelo mesmo motivo de não acompanhá-los à mesa, não quis ser um solitário apêndice.
— Podia ter convidado uma dama — Marguerite observou. — É jovem, muitíssimo bem-apessoado.
Logan se moveu, incomodado com aquela amizade, mas nada disse.
— Seria arriscado. As descompromissadas estão fora de questão e não creio que alegrasse noivos ou maridos das comprometidas se as convidasse. E encontrar uma bela viúva é privilégio de poucos.

— Sim, que sugestão estúpida a minha! — Marguerite riu nervosamente.

— Marguerite... — Lowell avançou um passo ao perceber sua gafe. — Não foi minha intenção. Eu...

— Não tem por que se desculpar, Lowell — Logan o interrompeu. — A duquesa sabe que jamais consideraria estúpido nada que venha dela.

Marguerite entendeu o recado, pois respirou profundamente e logo sorriu.

— Foi uma tolice... Se me derem licença, vou me retirar.

— Tenha uma boa noite, irmãzinha.

— Você também, Lowell.

— Vemo-nos em instantes — disse Logan, deixando que a esposa subisse sozinha. Logo ele chispava o olhar para Lowell. — Como pude acreditar que alguma coisa tivesse mudado?

— Para provar que não foi intencional, peço desculpas humildemente. Em todo caso, não é minha culpa que você esteja entre a minoria que encontrou uma bela viúva.

— Quantas vezes eu devo repetir que entre mim e Ketlyn não há nada?

— Quantas vezes você for capaz de mentir sem piscar, mas não é da minha conta. O que gostaria de saber é como será quando retornar para Castle. Cita uma mudança entre nós, mas o que está diferente é a relação entre você e sua esposa.

— Mera impressão — Logan refutou, meneando a cabeça.

— Que seja! — Lowell deu de ombros. — Contudo, caso... Veja bem, eu disse *caso* você esteja mentindo, como acha que Ketlyn reagirá ao notar o que sente por Marguerite?

— Não devo explicações de minha vida a ninguém, muito menos a uma madrasta.

— Não deve se ela não souber de seu segredo — Lowell insistiu como se não ouvisse o irmão. — Mulheres de modo geral podem ser maquiavélicas quando estão enfurecidas.

— Que tal ocupar essa sua boca grande com alguns goles de uísque — Logan propôs, indicando o corredor para que passassem ao gabinete. Não hostilizaria o irmão por dizer a verdade. — Seria uma pacífica despedida.

— No mínimo uma tentativa interessante — replicou Lowell como resposta.

Deixando que o irmão liderasse, Logan foi com ele até o gabinete. Lowell se ocupou de servir duas doses de uísque. Um dos copos ele estendeu ao duque antes que ambos se sentassem.

— Diga-me, como foi Macbeth? — indagou o jovem, propondo um tema neutro.

— Shakespeariana demais até a trágica apoteose. — Logan mirava a bebida. — Suicídios, traições e arrependimentos em demasia para duas idas à ópera em tão curto espaço de tempo.

— Se é assim, por que foi?
— Porque agrada a duquesa.
— É espantoso o modo como muda ao mencioná-la! — Lowell meneava a cabeça.
— Seu cabelo cresceu — Logan observou.
— Sim, senhor! — Lowell passou a mão livre pela pelagem crescida. O ferimento também tinha melhor aspecto. — Em breve estará como antes, mas não vire o foco para mim.
— Não tenho o que acrescentar à sua observação.
— A duquesa o mudou. Não é possível que não tenha nada a dizer.
— Sugira algo — troçou o duque. — O que quer ouvir?
— Vejamos... — Lowell pensou por um instante. — Admita! Diga, minha esposa operou o milagre e fez de mim um homem melhor. Estou como novo... Sou feliz!
— A duquesa é uma boa esposa. — Logan conteve o riso e bebeu um gole de uísque. — Não tenho queixas.
— Argh! Como é irritante! Eu começava a gostar do marido da duquesa.
— Siga por este caminho — recomendou o duque ao levantar, terminar seu uísque e deixar o copo na mesa. — Não sei nada sobre milagres, mas o marido da duquesa é um homem melhor. Durma bem, Lowell!
— Durma bem, Logan! E... — O duque parou sob o batente e se voltou para o irmão. Lowell também parecia mudado. — Parabéns pelo casamento! Marguerite foi uma excelente escolha.
— Sim, ela foi! Obrigado!
Ele igualmente preferia o irmão como estava agora; observador, ponderado. Lowell sofrera o efeito Marguerite, Logan pensou enquanto subia as escadas. Por que não a conheceu antes?
Porque antes não faria diferença, era a resposta.
Quando deu início ao romance com Ketlyn, Marguerite era muito nova e ele leviano demais para notá-la. Era perturbador reconhecer que tudo teve de ser exatamente como foi para que estivessem onde estavam. Ironicamente, devia ser grato por tê-la pelo mesmo motivo que talvez o fizesse perdê-la. Bem medido e bem pesado, sua vida era Shakespeariana demais.
Que grande ópera daria!
O sarcasmo findou e as considerações foram esquecidas quando Logan entrou no quarto e se deparou com Marguerite recostada no travesseiro, parcialmente coberta. O rosto estava corado, o longo cabelo caía sobre os ombros, como cascatas. Em uma mistura perfeita de inocência e malícia, Marguerite mantinha os braços estendidos, as pernas ligeiramente flexionadas.
Logan apostou a vida como ela estaria nua sob o lençol.

— Custo a crer que Nádia a deixou assim — ele gracejou aos pés da cama, decorando cada detalhe da bela visão.
— Decerto que não. Nádia ficaria chocada — retrucou Marguerite, alisando a colcha com os pés descalços. — Gosta da surpresa?
A tentativa de parecer experiente era frustrada pela voz incerta, baixa, pelo lençol que guardava a nudez, mas Logan daria a Marguerite o crédito pela iniciativa.
— Gosto muito — admitiu, tirando a gravata; também os sapatos com os próprios pés. — E acabo de fazer uma aposta particular. Afaste o lençol para que eu saiba qual será meu destino.
Marguerite respirou profundamente e, muito corada, fez como pedido deixando o lençol ao lado de seu corpo nu. Por sua vez, Logan conteve a respiração por um instante e parou o processo de desabotoar o colete. Talvez custasse a se acostumar com a imagem de sua esposa jovem, fresca e voluptuosa destacada por tecidos escuros.
— Ganhou a aposta? — indagou ainda tentando parecer experiente.
— Ganhei você — respondeu, voltando a se despir; agora com maior rapidez.
Considerando a possibilidade de se converter em chamas, Marguerite acompanhava o olhar do marido que subia por sua pele como um toque enquanto terminava de se despir; por seus pés, suas coxas, seu sexo, seus seios. Era algo tão físico que seus mamilos se eriçaram. E Logan devia sentir o mesmo, pois o sexo que desnudou ao tirar a ceroula parecia ter vida própria, avolumando-se, erguendo-se. E o descarado sequer piscava!
Sem que pudesse evitar, Marguerite suspirou de ansiedade e certo temor. Agora sabia que não doeria como nas primeiras vezes, mas ainda lhe causava uma estranheza interessante ser invadida por lança tão impressionante. Ao vê-lo se ajoelhar na cama e passar a engatinhar em sua direção, por instinto subiu o corpo, aninhou-se junto ao travesseiro.
Sem deixar de encará-la, Logan parou acima dela deixando os rostos muito próximos.
— Ganhei você, e nem acredito nessa minha sorte — disse Logan antes de beijá-la sem que se deitasse sobre ela.
Marguerite retribuiu o beijo apaixonado e, timidamente, tocou-o no peito para sentir a pele rija e os pelos mínimos que o escureciam. Ouvir o gemido de seu marido a instigou a descer seu carinho. Enchendo-se de coragem, amparou o hirto sexo, acariciou-o.
Com um gemido Logan quebrou o beijo para cheirar seu pescoço e logo abocanhar um seio enquanto retribuía seu carinho, vagando uma das mãos por sua barriga e além, até que tocasse um ponto entre suas pernas.
— Oh, Logan... — arquejou, aflita. Agora seu corpo clamava por uma posse que por dias evitou. Havia dor, sim, porém boa, latejante, e que seria eliminada quando a bolinação fosse encerrada para que se amassem do modo correto. — Logan, por favor... Por favor!

Não precisou implorar mais. Parecendo estar igualmente ansioso o duque se posicionou entre suas pernas e gentilmente a penetrou. Sem deixar o peso sobre seu corpo, ele moveu o quadril, serpenteando-o de modo instigante, agravando o desejo até que este se tornasse desesperador.

— Olhe para mim! — pediu guturalmente quando ela cerrou as pálpebras e jogou a cabeça para trás, vencida pelo orgasmo. Logan a acompanhou ao ser obedecido, encarando-a, trêmulo. — Assim, olhe para mim... Olhe para mim...

Marguerite estava olhando para ele e gostava muito do que via, e muito mais do que sentia.

⁂

— Argh! — Marguerite resmungou sem notar, olhando para as pessoas que passeavam sem se importarem com a chuva fina.

— Estar aqui a entedia?

— Não. — Ela olhou para o marido, de esguelha. Caminharam até um Café em uma rua não muito distante da Abadia de Westminster após a missa. Sentaram-se ao lado da grande janela envidraçada e esperavam que servissem chá e fatias de bolo. Estar ali não era o problema. — Gostei desse lugar. É requintado e tudo parece delicioso.

— Então...? — Logan a encorajou.

Para Marguerite, naquela manhã ele estava mais bonito com o cabelo penteado, porém sem a pomada que alisava os cachos. A gravata azul, enfeitada por uma pérola destacava o olhar e o casaco preto dava a ele austeridade.

Como não se aborrecer ao recordar a situação em que viviam?

— Não é algo que eu possa dizer aqui — Marguerite respondeu, mesmo que não devesse, enfatizando cada palavra enquanto olhava para as pessoas que ocupavam as mesas ao redor.

— Entendo... — Logan meneou a cabeça. — É algo que sequer devia estar pensando.

— Como não?! — Marguerite o encarou duramente, mas suavizou a expressão antes de novamente olhar em volta. — Chega a ser injusto não podermos conversar.

— Evidente que podemos — ele replicou, mantendo a feição inabalável. — Basta mantermos o tom. Não poderão nos ouvir, então diga o que a atormenta.

— Sabe bem o que me atormenta, Logan.

Marguerite queria confiar como tantas vezes fora pedido, mas a cada entrega o temor crescia nela independente de sua vontade. Acreditando que não seria ouvida, baixou o tom e disse:

— Não devo cobrar uma posição, mas simplesmente não me vejo como uma daquelas esposas que fecham os olhos para as escapadas do marido. Foi por isso que fizemos um acordo. Nós não deveríamos ter...

— Shhh... — Logan segurou a mão que nervosamente alisava a trama da toalha rendada. — Confie que colocarei tudo em seu devido lugar. Não preciso de outra, Marguerite.

— Não se trata de necessidade — ela retrucou, mirando as mãos unidas —, mas de amor. Há uma semana dizia amá-la. E estão juntos há tantos anos...

— Não quero discutir minha antiga relação com você, mas entendo que queira se sentir segura. Então, direi o que pretendo fazer.

— Por favor! — pediu Marguerite, esperançosa. — Já seria alguma coisa.

— Ficou acertado que Ketlyn deixará o castelo após meu aniversário. Nesse ínterim, devo comprar uma casa. Ela levará as joias que ganhou de meu pai, menos as que pertencem à família. As que pertencem ao ducado já me foram dadas após a morte de meu pai.

Marguerite se moveu na cadeira, porém nada disse.

— Por ser a duquesa viúva, também por tudo que bem sabe, darei a ela uma generosa quantia que, bem administrada, será suficiente para que se mantenha com algumas regalias. Talvez ela até mesmo volte a se casar.

— Acredita que haja a possibilidade? — Logan assentiu, levando Marguerite a acrescentar: — E esta não o aborrece?

Logan olhou para a janela, ensimesmado. Marguerite desejou retirar cada palavra, mas se manteve firme até ser encarada com seriedade.

— Creio que aborrecer não seja o termo correto, mas não vou mentir... Talvez cause certa estranheza se um dia acontecer. Entretanto, deixou de ser da minha conta quando escolhi você. Incomoda-me muito mais imaginá-la casada com outro.

— É como se sente?!

— Com vossa licença, milorde... — pediu o garçom, que trazia o *Twinings* e bolo de nozes antes, que Logan respondesse, fazendo com que afastassem as mãos.

Após servi-los, o rapaz se colocou à disposição, reverenciou-os e se foi.

Enquanto Marguerite adoçava o chá com dois torrões de açúcar, Logan admitiu:

— Sim, é como me sinto. Não faz ideia do quanto eu quis chutar o traseiro de Dempsey sempre que vi o estafermo flutuando à sua volta sem se dar ao trabalho de disfarçar o interesse.

Marguerite sorriu, envaidecida. Logan sentia ciúmes!

— Não sorria como se fosse boa coisa — ele resmungou. — Sei que a senhora esteve inclinada a aceitar o que o descarado oferecesse.

— De amiga para um amigo, não nego que fiquei impressionada.

— Argh! — Logan afastou a xícara com o chá intocado, recostou-se e cruzou os braços, olhando para a calçada. — Talvez eu devesse chutar o seu traseiro também.

— Jamais faria. — Ampliando o sorriso, ela empurrou a xícara dele de volta ao lugar. — Impressionei-me, sim, mas por um ou dois dias. O senhor sempre teve minha preferência e cá estamos nós! Não perca este delicioso lanche por uma bobagem que ficou no passado.

— Defina sempre — demandou o duque, olhando-a de esguelha.

Percebia-se que ele ocultava um sorriso convencido.

— Já que estamos sendo sinceros, conseguiu minha atenção na biblioteca, em Apple White.

— Exatamente como eu! — Logan tomou uma das mãos enluvadas e beijou demoradamente, mirando o busto realçado pelo decote do vestido verde. — Quando me apresentou seu tesouro.

— Logan?! — Marguerite olhou em volta, mortificada com as reações de seu corpo.

— Está excitada? — Ele a olhava intensamente. — Tem de estar, pois eu estou apenas por recordar o que fiz. O modo como...

— Logan, por favor! — implorou num sussurro aflito, quando o rubor de sua face começava a atrair sugestivos olhares. — Não há a necessidade de ser despudorado ou explicativo.

— A ousadia é minha vingança por seu descaramento. — Logan riu mansamente antes de soltar a mão dela e provar o chá de modo inocente. — Tinha razão. Está delicioso!

Marguerite demorou um pouco mais a beber o chá e a provar um pedaço do bolo. Suas mãos tremiam de vergonha e excitamento. Logan era cruel! E ela o amava assim. No entanto, não ao ponto de se deixar distrair.

— Romperá com Ketlyn quando chegarmos?

— Romperei, mas ainda não sei como farei. O que posso garantir, e espero que acredite, é que não voltarei a estar com ela, nem enquanto a faço entender que nossa relação terminou. Não quero ser insensível.

— Para ela não basta uma pulseira de agradecimento — disse Marguerite sem pensar, mas não se arrependeu.

— Infelizmente, não. Com Ketlyn a situação é um pouco... complexa.

— E, nós? Continuaremos em quartos separados?

— Sim, teremos quartos separados. É melhor para nossa comodidade e privacidade, porém... — Logan acrescentou rapidamente, quando Marguerite torceu os lábios num muxoxo. — Nada nos impede de dormirmos juntos e nos separamos pela manhã.

— Então, amanhã à noite, quando Ebert e Nádia tiverem nos deixado, você irá me encontrar?

— Se não voltar a trancar a porta — Logan gracejou.

— Experimente abri-la — sugeriu Marguerite, entre um gole e outro do delicioso chá.

Logan assentiu e sorriu, no entanto, a leveza não chegou aos seus olhos. Marguerite notava que há dias algo o preocupava, mas não especularia. Confiaria e seria paciente. Em relação ao duque apenas, pois se ela estivesse no lugar de Ketlyn, não se retiraria sem alguma luta. Ela devia estar preparada.

Com o coração pacificado, Marguerite dispensou sua atenção ao divino bolo, como Logan. O retorno para casa foi feito em silêncio e o restante do domingo transcorreu na mesma paz. Lowell saiu para um passeio, mas voltou antes do jantar e lhes fez companhia.

— Fico feliz que esteja conosco, Lowell — disse Marguerite quando o cunhado se sentou.

— Partirão amanhã, então considero este um jantar de despedida. Não será tão estranho estar sobrando — ele gracejou.

— Estamos em família, nunca estaria sobrando — observou Logan, cortando um pedaço do cordeiro servido.

— Devo confessar que invejo o que têm — disse Lowell, movendo a mão para indicar ao lacaio que uma concha de molho sobre a carne era suficiente.

— E considera que não mereço — acrescentou o irmão antes de tomar um gole de água.

— Logan?! — Marguerite o chamou, entre surpresa e repreensiva.

— Não se espante irmãzinha! — Lowell olhava para Logan. — É justamente o que penso. O que meu irmão sabe-tudo desconhece é que, mesmo não o considerando merecedor do que tem com você, sinceramente torço para que dure e que sejam felizes.

— Obrigada, Lowell! — Marguerite agradeceu, olhando de um ao outro, silenciosamente rogando para que fizessem as pazes. Talvez acontecesse, quando Ketlyn se afastasse.

— Seremos — Logan garantiu, mirando o irmão de modo intenso, quase desafiador.

— Seja alguém que mereça esta encantadora senhora e tudo correrá bem — Lowell replicou, sorrindo para a cunhada. — E venham me visitar mais vezes.

— Sempre que eu puder — disse Marguerite. — Nunca imaginei que fosse gostar tanto de Londres!

— E precisa ir aos bailes — comentou Lowell, resvalando os dedos nos dela sobre a mesa. — São sempre muito animados. Venha na temporada!

— Se Logan me trouxer... — Ela olhou para o marido de modo esperançoso.

Logan tinha olhos apenas para as mãos próximas. A relação com o irmão estava melhor, mas a sinceridade quanto ele ser ou não merecedor de Marguerite indicava que a trégua ainda estava distante. Portanto, ainda não apreciava a proximidade entre duas pessoas igualmente jovens.

— Com o tempo veremos — ele disse apenas. — Agora, sugiro que comam antes que o molho esfrie e o vinho perca a temperatura ideal. Não coloquem a perder todo o trabalho de Finnegan.

Ao ser mencionado o mordomo se empertigou, orgulhoso. Se ele fosse tão detalhista quanto Griffins, Marguerite sabia que tais cuidados eram de suma importância e tratou de atender ao marido. Comeram em silêncio até que a sobremesa fosse servida.

— Está inteirado na situação dos Estados Unidos? — Lowell indagou ao irmão.

— Refere-se à Guerra da Secessão? — Lowell assentiu. Logan o imitou e disse: — Sim, tenho acompanhado pelos jornais. Por que pergunta?

— Ouvi rumores de que a Inglaterra planeja enviar tropas para reconquistar as colônias perdidas.

— Pouco provável! — Logan meneava a cabeça, descrente. — Se houvesse a possibilidade eu seria informado. Esse tipo de decisão não se toma assim, nas mesas dos bares que frequenta.

— Apenas ouvi dizer. Também não acredito que os boatos tenham algum fundo de verdade. A História não deve retroceder.

— Não gosto de guerras — Marguerite se incluiu na conversa, entristecida. — Tantas vidas são perdidas. E para quê? Por quê?

— Para que se faça a ordem — disse o duque. — Quando todas as formas de entendimento são esgotadas, restam disputas.

— Disputas pelo poder — redarguiu Lowell. — Com o forte impondo sua vontade sobre o mais fraco. Acredito que em todas as questões devesse prevalecer o desejo da maioria.

— E eu acredito que tirar vidas de jovens inocentes em campos de batalha não confirma uma opinião equivocada.

— Liberal e sábia. Esta é minha esposa! — Logan a encarava com redobrada admiração. — Mas não deve se preocupar. Especialmente com o que acontece do outro lado do oceano.

— Não é algo que eu fique pensando, mas agora que Lowell mencionou esses rumores... — Marguerite torceu os lábios, consternada. — Não há a possibilidade de serem enviados para lá, não é?

— Não, não há — Logan garantiu, olhando para o irmão duramente. — Não é mesmo, Lowell?

— Não, não há a mínima possibilidade — Lowell reiterou, sorrindo para ela. — Estava apenas quebrando o silêncio.

— Podia ter comentado o clima — retorquiu Logan, secamente. — Assustou Marguerite.

— Não estou assustada, apenas não quero que nada de mal aconteça a vocês, ou a Edrick, Philip, Stuart e Mitchell...

— Nós já entendemos — o duque a interrompeu antes que a lista que começava a aborrecê-lo crescesse. — Não quer os senhores que conhece sendo expostos ao perigo. Como já disse, não pense nisso. Todos nós estamos seguros.

— Falemos da partida — Lowell sugeriu. — Tudo está pronto?

— Sim — Logan respondeu em tom de gracejo antes que Marguerite insistisse. — Iremos de trem, pois na carruagem não haveria espaço para nós e as compras da duquesa.

— Eu disse a Alethia que não precisava de tanto — ela se defendeu, aceitando a mudança do tema que a arreliava.

— Acalme-se, querida! — Logan sorriu. — Não estou reclamando e será um prazer passear de trem com você.

— E partimos logo cedo — ela observou. — Sendo assim, vou pedir licença e me retirar.

— Vá e descanse — Logan a liberou e se levantou educadamente, como Lowell, quando ela fez o mesmo.

— Eu o verei pela manhã? — indagou ao cunhado.

— Não deixaria de me despedir de você por nada — ele garantiu. — Tenha um bom descanso.

— Obrigada, vemo-nos amanhã. Boa noite!

Com um breve olhar para o duque, ela deixou a sala de jantar. Logan não demorou a subir e ir até ela. Entrou no quarto quando Nádia saía, deixando a patroa diante da penteadeira ainda a analisar o cabelo recém-escovado. O olhar do casal se encontrou no espelho.

— Temi que brigasse com Lowell após minha partida — ela comentou. — E demorasse.

— Brigar com Lowell é perda de tempo — disse Logan, indo até as costas dela. Sempre a olhando pelo espelho, afastou o cabelo macio de um dos ombros e correu os dedos pela curva do longo pescoço. — Tenho coisas mais interessantes a fazer.

— Logan... — ela suspirou quando ele desceu a mão pela abertura da camisola e acariciou um seio sem nunca deixar de observar as reações dela. O olhar dele era hipnotizante.

— Essa é nossa última noite em Londres... — ele murmurou, brincando com um mamilo. — Vamos torná-la memorável. Levante-se e dispa-se para mim.

Sem esperar anuência, Logan se afastou e começou ele mesmo se despir.

Já estava sem o casaco e a gravata quando ela saiu do lugar e, muito corada, tirou o penhoar. Logan abria o colete enquanto ela desfazia o laço da camisola. Tirava as abotoaduras e os sapatos com os próprios pés e ela a pantalona. Ele começava a desabotoar a camisa, quando ela suspendeu a camisola e a tirou pela cabeça, paralisando-o.

— Como pode ser tão bonita, Marguerite? — ele indagou num rouco murmúrio, descendo o olhar pelo cabelo loiro que cobria os ombros e parte do colo, pelos seios que adorava, pela cintura acentuada e o triângulo de pelos loiros, pelas pernas longas e roliças. — O que será de mim sem você?

— Nunca saberá, pois não vou a lugar algum sem você — assegurou Marguerite, mesmo mortificada com sua ação.

Logan saiu da catatonia, não para tirar a camisa, sim, para ir até a esposa e beijá-la.

Não quis dar voz ao pensamento, mas, se foi ouvido e respondido, queria acreditar que ela dizia a verdade, ignorando o fato de que ainda não conhecia *a verdade*. Foi aquele temor que o impediu de brigar com o irmão por abordar um tema que a preocupou. Não sabia o que esperar quando estivessem em Bridgeford Castle, então não abriria mão do precioso tempo que dispunha.

Alheia à aflição do marido, Marguerite retribuiu o beijo com a mesma paixão e se deixou levar para a cama. Estranhou a intensidade dos toques, a agonia palpável com que foi possuída, mas em momento algum comentou ou reclamou. Sentia a mesma fome e igualmente especulou: o que seria dela se um dia o perdesse?

Que esse dia nunca chegasse, Marguerite rogou enquanto estremecia com os espasmos orgásticos, agarrada a Logan. Que a guerra, Ketlyn, nem ninguém pudessem afastá-los. Amém!

VISITE AS PÁGINAS OFICIAIS

www.lereditorial.com

twitter@Ler_Editorial

www.facebook.com/lereditorial

www.instagram.com/lereditorial

pinterest.com/lereditorial/